D1286917

Lev Tolstoi

Ana Karenina
Volumen II

Colección Millenium
las 100 joyas del milenio

Una colección publicada por **EL MUNDO**,
UNIDAD EDITORIAL, S. A.
c/ Pradillo, 42
28002 Madrid

Ana Karenina
Título original: *Anna Karénina*
Traducción de L. Sureda y A. Santiago

Licencia editorial para BIBLIOTEX, S. L.
Traducción cedida por Ediciones B, S. A.
© 1999 UNIDAD EDITORIAL, por
acuerdo con Bibliotex, S. L. para esta
edición

Diseño cubierta e interiores:
ZAC diseño gráfico
Ilustración:
Cristina García Ganga

Impresión y encuadernación:
Printer, Industria Gráfica, S. A.
ISBN: 84-8130-146-9 (obra completa)
ISBN: 84-8130-145-0 (tomo II)
Dep. Legal: B. 25.994-1999

De venta conjunta e inseparable con
EL MUNDO

Lev Tolstoi

Ana Karenina

TRADUCCIÓN DE L. SUREDA Y A. SANTIAGO

MILLENIUM

las 100 joyas del milenio

Quinta parte

1

La princesa Scherbazki creía imposible celebrar el matrimonio antes de la Cuaresma a causa del ajuar, cuya mitad apenas podía estar terminada para entonces, es decir, en cinco semanas. Estaba de acuerdo también con Levin en que, retrasando la ceremonia hasta después de la Pascua, había el riesgo de verla una vez más postergada a causa de un duelo, pues una anciana tía del príncipe estaba bastante enferma. Ella adoptó, pues, un término medio diciendo que la boda se celebraría antes de la Cuaresma pero que para esta fecha sólo sería entregado el «pequeño ajuar», dejando el «grande» para más tarde. Y como Levin, puesto en el trance de dar su conformidad a esta proposición, sólo respondía con chanzas, la princesa se indignó, tanto más cuanto que los jóvenes contaban con pasar la luna de miel en el campo, donde podían serles necesarias ciertas piezas del gran ajuar.

Constantino Levin, casi trastornado de dicha, seguía creyendo que su felicidad y su persona constituían el centro, el único fin de la creación. Abandonando a otros los cuidados materiales, les dejaba a la vez la tarea de trazar por él los planes para el porvenir, convencido de que ellos lo arreglarían de la mejor manera. Su hermano Sergio, Esteban Arkadievich y la princesa le tenían bajo su absoluta dirección. Su hermano allegó los fondos que le hacían falta. La princesa le aconsejó que dejara Moscú después de la boda. Oblonski, que hiciera un viaje al extranjero. Él consentía en todo. «Ordenad lo que os plazca y haced lo que os parezca, si eso os divierte. Yo soy feliz, y sea lo que fuere lo que decidáis, mi dicha no será mayor ni menor.» Cuando sometió al parecer de Kitty el consejo de Esteban Arkadievich, le causó la mayor sorpresa ver que, lejos de aprobarlo, tenía sus puntos de vista particulares, y muy marcados, sobre su vida futura. Sabía ella que Levin se apasionaba por una empresa que ella juzgaba muy importante, aunque sin hacer ningún esfuerzo por comprenderla. Y como esta empresa exigiría su presencia en el campo, ella tenía que establecerse sin más dilación en su verdadera residencia. Esta decisión, tanto tiempo contenida, no pudo menos que sorprender a Levin, pero, indiferente a todo, se doblegó a ella y pidió a Esteban Arkadievich que cuidase, con el gusto que le caracterizaba, del embellecimiento de su casa de campo. Este servicio le pareció que entraba de lleno en las atribuciones propias de su futuro cuñado.

—A propósito —le preguntó éste cuando tuvo todo organizado en el campo—. ¿Tienes la cédula de confesión?

—No. ¿Por qué?

—Nadie se casa sin eso.

—¡Ay, ay, ay! —se lamentó Levin—. Pues mira, creo que hace nueve años que no me he confesado. ¡Y ni siquiera he pensado en ello!

—Muy bonito —comentó Oblonski, riendo—. ¿Y eres tú el que me tacha de nihilista? Pero eso no puede quedar así. Es necesario que cumplas con los preceptos religiosos.

—¿Cuándo? No tenemos más que cuatro días.

Esteban Arkadievich arregló este asunto con los otros, y Levin comenzó sus devociones. Respetuoso con las convicciones de los demás, pero incrédulo por cuenta propia, encontraba muy duro asistir y participar en ceremonias religiosas sin creer en ellas. En su estado de espíritu, tierno y sentimental, la obligación de disimular le parecía particularmente odiosa. ¡Mentir, ridiculizar las cosas santas cuando su corazón florecía, cuando se sentía en plena gloria! ¿Era aquello posible? Por más que insistió y suplicó para que Esteban Arkadievich le obtuviera una cédula sin que se viera forzado a confesarse, éste se mantuvo inflexible.

—Créeme, dos días se pasan muy deprisa y sólo tienes que habértelas con un viejecito, que no tiene nada de bruto, que te arrancará ese diente sin que te des cuenta siquiera.

Durante la primera misa a la que asistió, Levin quiso hacer revivir las impresiones religiosas de su juventud, que, entre los dieciséis y diecisiete años, habían sido muy vivas: no lo consiguió. Se propuso entonces considerar esta ceremonia como una costumbre antigua, tan vacía de sentido como la costumbre de hacer visitas: tampoco cuajó esta idea. Al igual que la mayor parte de sus contemporáneos, se sentía, en efecto, tan incapaz de creer como de negar. Esta confusión de sentimientos le causó, durante todo el tiempo que debió consagrar a sus devociones, una violencia y una vergüenza extremadas. La voz de la conciencia le decía que obrar sin comprender era cometer una mala acción.

Durante los oficios, intentaba desde el principio atribuir a las plegarias un sentido que no dañase demasiado sus convicciones, pero no tardó en apercibirse de que estaba criticando en vez de comprender, y se abandonaba al torbellino de sus recuerdos y de sus pensamientos íntimos. Así escuchó la misa, y el canto de las vísperas y las oraciones de la tarde para la comunión. Al día siguiente se levantó más temprano que de costumbre, y a las ocho acudió a la iglesia para cumplir con las oraciones de la mañana y hacer la confesión. El templo estaba desierto. No vio en él más que un soldado que hacía la colecta, dos ancianas y los ministros del culto. Un joven diácono, cuya espalda larga y estrecha se dibujaba perfectamente en dos partes bajo su tenue sotana, salió al encuentro de Levin. A continuación, aproximándose a una mesita dispuesta cerca de la pared, comenzó la lectura de las plegarias. Oyéndole farfullar apresuradamente, como un estribillo, las palabras «Señor, ten piedad de nosotros», Levin, que estaba situado de pie detrás de él, prefirió dejar a sus pensamientos seguir su curso libremente, en lugar de concentrarlos en una atención de la que sin duda no habría sido capaz.

«¡Cuán expresivas son sus manos!», pensaba, recordando la velada que el día anterior había pasado con Kitty, juntos en un rincón de la sala. Mientras su plática discurría —como casi siempre— sobre cosas insignificantes, ella se divertía, riéndose de esta infantilidad, abriendo y cerrando la mano apoyada en un velador. Se acordaba de haber besado aquella manita sonrosada y de haber estudiado sus líneas.

«Una vez más, ten piedad de nosotros», repitió mentalmente. Tuvo que santiguarse y hacer una reverencia considerando que la hacía también el diácono, cuyo dorso flexible tenía delante de él.

Reanudó el curso de sus pensamientos:

«En seguida ella me agarró la mano y la estudió, a su vez. "Tienes una mano muy interesante", me dijo. —Miró la suya propia, después la del diácono, de dedos recortados y gruesos—. Bueno, creo que se aproxima el fin... No va a comenzar de nuevo... Ah, pues sí, se prosterna, esto sí que es el final.»

Su larga manga forrada de terciopelo permitió al diácono hacer que desaparecieran de la vista de todo el mundo, de la manera más discreta, los tres rublos que Levin deslizó en su mano. Después de haberle prometido que le inscribiría para la confesión, se alejó haciendo resonar sus botas nuevas sobre el enlosado del templo vacío. Por un momento se perdió detrás del iconostasio, pero volvió para hacerle una señal a Levin, cuyo pensamiento parecía querer despertarse.

«No —se dijo a sí mismo—. Es mejor no preocuparse, todo se arreglará.»

Dio unos pasos hacia el ambón, subió algunas gradas, se volvió a la derecha y se encontró con el sacerdote, un viejecillo de barba gris poco poblada, de mirada bondadosa en sus ojos fatigados, que de pie frente al atril, hojeaba su ritual. Después de hacer un ligero saludo a Levin, elevó con voz monótona las preces preparatorias, se inclinó hacia su penitente y le dijo, mientras le señalaba el crucifijo:

—Cristo asiste invisible a vuestra confesión. ¿Creéis en todo lo que enseña la Santa Iglesia Apostólica? —continuó, volviendo la mirada hacia él y cruzando las manos hacia la estola.

—He dudado, dudo aún de todo —dijo Levin, con voz que resonó desagradablemente en sus oídos.

El sacerdote aguardó unos segundos. Después, cerrando los ojos, profirió las siguientes palabras, con ese giro rápido de las gentes de Vladimir:

—Dudar es propio de la debilidad humana, pero debemos rogar al Señor Todopoderoso que venga en nuestra ayuda. ¿Cuáles son vuestros principales pecados? —añadió sin la menor interrupción como si temiera perder el tiempo.

—Mi pecado principal es la duda. Dudo de todo y casi siempre.

—Dudar es propio de la naturaleza humana, que es débil —repitió el sacerdote—. ¿De qué dudáis, principalmente?

—De todo. A veces hasta de la existencia de Dios —murmuró Levin, casi a pesar suyo.

Le espantó la inconveniencia de estas palabras, pero no parecieron producir en el sacerdote la impresión que temía.

—¿Qué dudas podéis tener sobre la existencia de Dios? —preguntó con sonrisa casi imperceptible.

Levin calló.

—¿Qué dudas podéis tener sobre el Creador, cuando contempláis sus obras? ¿Quién ha decorado la bóveda celestial con todas sus estrellas, adornando la tierra con todas sus bellezas? ¿Cómo existirían estas cosas sin el Creador?

Interrogó a Levin con la mirada. Pero éste, sintiéndose incapaz de discutir cuestiones filosóficas con un sacerdote, respondió simplemente:

—No lo sé.

—¿No lo sabéis? Pues, entonces, ¿por qué dudáis de que sea Dios quien lo ha creado todo?

—No comprendo nada de eso —replicó Levin, sonrojándose.

Se daba cuenta de lo absurdo de las respuestas, pero en el caso presente, no podía contestar más que con absurdos.

—Rogad a Dios, imploradle. Los mismos padres de la Iglesia han dudado y han pedido a Dios que les afirme en la fe. El demonio es poderoso, pero no debemos cederle paso. Rogad a Dios, imploradle. Rogad a Dios —repitió muy deprisa.

Después guardó silencio por un instante y pareció reflexionar.

—Tenéis la intención, me han dicho, de contraer matrimonio con la hija de mi feligrés e hijo espiritual, el príncipe Scherbazki, ¿no es así? —preguntó, sonriendo—. Es una persona encantadora.

—Sí —respondió Levin, sonrojándose de nuevo.

Después se preguntó: «¿Qué necesidad tiene de hacer semejantes preguntas en confesión?»

Entonces, como si contestase a este pensamiento, el sacerdote declaró:

—Vos pensáis en el matrimonio, y quizás os conceda Dios una posteridad. ¿Qué educación daréis a vuestros hijos si no acertáis a vencer las tentaciones del demonio, que es quien os sugiere la duda? Si amáis a vuestros hijos, vos les desearéis, no sólo la riqueza y los honores, sino, además, como buen padre, la salud de sus almas y la luz de la verdad, ¿no es cierto? Qué responderéis, pues, a esa inocente criatura que os preguntará: «Padre, ¿quién ha creado todo lo de la Tierra que tanto me encanta, el agua, el sol, las flores, las plantas?» ¿Le contestaréis que no sabéis nada? ¿Podéis ignorar lo que Dios, en su infinita bondad, os está revelando? Y si el niño os pregunta: «¿Qué me espera más allá de la tumba?», ¿qué le contestaréis si no sabéis nada? ¿Le abandonaréis a los sortilegios del demonio y del mundo? Eso no está bien —concluyó, agachando la cabeza para mirar a Levin con sus ojos llenos de bondad y dulzura.

Levin no respondió nada, no porque temiera esta vez una discusión inconveniente, sino porque nadie le había planteado aún cuestiones como aquéllas. Si sus hijos algún día le hacían aquellas preguntas, ya vería la respuesta que tenía que darles.

—Estáis abordando una fase de la vida donde hace falta escoger la propia ruta y atenerse a ella —advirtió el sacerdote—. Rogad a Dios que venga en vuestra ayuda y os absuelva en su misericordia.

Y después de haber pronunciado la fórmula de la absolución, el sacerdote le bendijo y le despidió.

Levin regresó muy contento a su casa. Por de pronto, se sentía libre de una posición falsa, sin haberse visto forzado a mentir. De otra parte la exhortación del buen viejo ya no le parecía tan simple como al principio había creído. Tenía la vaga impresión de haber escuchado cosas que valían la pena de ser meditadas profundamente algún que otro día. Más vivamente que nunca sentía que en el alma suya existían regiones borrascosas y oscuras. Por lo que se refiere a la religión, se encontraba exactamente en el mismo caso que Sviajski y algunos otros, a quienes reprochaba por la incoherencia de sus opiniones.

Levin pasó la tarde en casa de Dolly, acompañado de su novia. Y como su alegre sobreexcitación sorprendió a Esteban Arkadievich, se comparó a uno de esos perros que en el circo hacen saltar a través de un aro y que, gozoso de haber aprendido su lección, no vacila en saltar sobre las mesas y a través de las ventanas agitando la cola.

2

La princesa y Dolly observaban rigurosamente las antiguas usanzas, y, por consiguiente, no permitieron que Levin viese a su novia el día del matrimonio. Cenó en el hotel con tres hombres solteros que la casualidad había hecho que se reuniesen en su casa. Éstos eran su hermano, Katavassov (un compañero de la universidad y más tarde profesor de Ciencias Naturales, a quien se había encontrado y se había traído casi a la fuerza), y su invitado de honor, Tchirikov, joven compañero en la caza del oso, que ejercía en Moscú las funciones de juez de paz. La cena fue muy animada. Sergio Ivanovich, con su excelente humor, disfrutaba muchísimo de la originalidad de Katavassov. Éste, viéndose apreciado, se sentía a sus anchas. En cuanto al excelente Tchirikov, estaba siempre dispuesto a sostener una conversación, cualquiera que fuese.

—¡Qué muchacho más bien dotado era en otro tiempo nuestro amigo Constantino Dimitrievich! —decía Katavassov, con la dicción lenta del hombre habituado a perorar en lo alto de una tribuna—. Hablo de él en pasado, porque para mí ya no existe: amaba la ciencia, antes y después de la Universidad. Tenía pasiones dignas de un hombre. Mientras que ahora, emplea una mitad de sus facultades en hacerse ilusiones, y la otra mitad en dar a sus quimeras una apariencia de razón.

—No he encontrado enemigo del matrimonio tan convencido como usted —dijo Sergio Ivanovich.

—Nada de eso. Yo soy, sencillamente, partidario de la división del trabajo. A los que no sirven para otra cosa, incumbe el deber de propagar la especie. A los otros, el de contribuir al desarrollo intelectual, al bienestar de sus semejantes. Tal es mi opinión. Existe, y no pretendo ignorarlo, una gran parte de la gente dispuesta a confundir estas dos ramas de trabajo, pero yo no pertenezco a ese número.

—¡No podré contener mi alegría si algún día me entero de que está usted enamorado! —exclamó Levin—. Se lo ruego, invíteme a su boda.

—El caso es que ya estoy enamorado.

—Sí, de una sepia. —Volviéndose a su hermano, le preguntó—: ¿Tú sabes que Mikhail Semionovich escribió una obra sobre la nutrición y...?

—¡No embrolle las cosas, haga el favor! Poco importa lo que yo escriba, pero no deja de ser un hecho que yo amo las sepias.

—Eso no le impedirá amar a una mujer.

—No, es mi mujer la que se opondría a las sepias.

—¿Y eso por qué?

—Verá usted... En este momento, a usted le gusta la caza, la agronomía... Pues bien, espere un poco y ya me dirá algo nuevo.

—A propósito —dijo Tchirikov—. Ha venido a verme Archippo hace un rato. Afirma que en Prudnov hay dos osos y cierta cantidad de alces.

—Usted los cazará sin mí.

—¿Estás viendo? —dijo Sergio Ivanovich—. Despídete de la caza del oso. Tu mujer no te la permitirá.

Levin sonrió. La idea de que su mujer le prohibiese la caza le parecía tan encantadora, que con mucho gusto habría renunciado para siempre al placer de encontrarse otra vez con un oso.

—De todas maneras, no dejará de pasar un mal rato cuando se entere de que hemos matado los dos osos sin su ayuda —terció Tchirikov—. ¿Recuerda aquella caza tan hermosa el otro día, en Khapilovo?

Levin prefirió callarse. Aquel hombre imaginaba que se podía disfrutar algún placer sin la presencia de Kitty. ¿Para qué quitarle las ilusiones?

—Por alguna buena razón, se ha establecido la costumbre de la despedida de soltero —declaró Sergio Ivanovich—. Por muy feliz que se sienta uno con el cambio de estado siempre se echa de menos la libertad.

—Reconocerá usted que a veces habrá experimentado el deseo de saltar por la ventana, como aquel novio de la novela de Gogol.

—Él debe de sentir algo parecido a eso, pero esté seguro de que nunca lo confesará —opinó Katavassov, con una franca risotada.

—La ventana está abierta, salgamos para Tver —insistió Tchirikov, sonriendo—. Podemos encontrar el oso en su guarida. Todavía nos queda tiempo de coger el tren de las cinco.

—No, francamente no, lo digo con el corazón en la mano —respondió Levin, sonriendo a su vez—. Esa pérdida de la libertad me tiene sin cuidado. No llego a descubrir en mí la más leve señal de arrepentimiento.

—Es que se ha formado usted un caos de tal naturaleza que no puede distinguir nada por el momento. Espere a que se haga más claro en su mente, y entonces verá.

—No. A mí me parece que para sentir el aguijón del arrepentimiento tendría que mediar otro motivo distinto al de mi... sentimiento —se resistía a emplear la palabra amor—, y mi dicha. Pero no, os lo aseguro. Esa pérdida de la libertad me tiene sin cuidado. No me causa más que alegría.

—¡Es un caso desesperado! —exclamó Katavassov—. No obstante, vamos a beber a su salud, o mejor todavía, vamos a desearle su curación sin perjuicio de que vea cumplidos sus sueños en un ciento por ciento. Creo que así conocerá una felicidad extraordinaria, inaudita.

Casi inmediatamente después de acabada la cena, los convidados se retiraron para dedicarse a su vida habitual.

Una vez solo, Levin volvió a preguntarse si verdaderamente era digna de lamentar la pérdida de esa libertad que tanto apreciaban aquellos solterones empedernidos. La idea le hizo sonreír. La libertad, ¿por qué la libertad? La felicidad para él consistía en amar, en dar vida a los deseos y los pensamientos de ella, sin ninguna libertad. En eso estribaba la felicidad. «Pero —le sugirió de pronto una voz interior—, ¿es que verdaderamente puedo saber yo cuáles son sus pensamientos, sus deseos, sus sentimientos?» La sonrisa desapareció de sus labios. Después de haberse hundido en las profundidades de un ensueño; no tardaba en sentirse presa del temor y de la duda. ¿Y si ella no le amase? ¿Y si ella no se casaba, aunque fuera inconscientemente, más que por el hecho de no quedarse sin marido? ¿Acaso reconocería ella su error y comprendería, después de haberse casado, que no le amaba ni podía amarle? Y entonces acudieron a su mente los pensamientos más hirientes para Kitty. De nuevo experimentó unos celos violentos contra Vronski. Su memoria volvió a reflejar con la misma nitidez que si hubiera sucedido la víspera, la escena de aquella tarde en que les vio juntos, y ello le hizo sospechar que no se lo había contado todo.

—No —decidió en un arrebato de desesperación—. Yo no puedo dejar las cosas en ese estado. Voy a buscarla para decirle por última vez: somos libres. ¿No vale la pena seguir así? Todo es preferible a la desdicha de una vida entera, a la vergüenza, a la infidelidad.

Y fuera de sí, lleno de odio contra la humanidad, contra sí mismo y contra Kitty, corrió a casa de ella.

La encontró en su guardarropa, sentada sobre un gran cofre, ocupada en repasar con su doncella los vestidos de todas clases y colores esparcidos por el suelo, o colgados sobre el respaldo de las sillas.

—¡Cómo! —exclamó ella, radiante de alegría al verle—. ¿Eres tú? ¿Es usted? (hasta aquel último día le llamaba indistintamente de tú y de usted). No lo esperaba. Voy a hacer el reparto de mis trajes de soltera.

—¡Ah! Eso está bien —respondió él, en tono lúgubre, con una mirada poco amable para la doncella.

—Puedes retirarte, Duniacha, ya te avisaré.

Y pasando resueltamente al tuteo, una vez hubo salido la doncella:

—¿Qué te trae por aquí? —preguntó a Levin, cuyos rasgos alterados le habían producido un terror súbito.

—Kitty, estoy sufriendo y no puedo soportar solo esta tortura —confesó él, con acento de desesperación, implorándole con una mirada escrutadora.

Le hubiera bastado leer, en aquella faz leal y amante, que sus temores carecían de fundamento, pero quería verlos disipados por ella misma.

—He venido a decirte que no es demasiado tarde todavía, que todo puede ser reparado.

—¿El qué? No comprendo. ¿Qué tienes?

—Tengo... lo que he dicho y pensado cien veces. Yo no soy digno de ti. No es posible que tú hayas consentido en casarte conmigo. Piénsalo. Quizás estés equivocada. Piénsalo bien. No puedes amarme. Más vale confesarlo —continuó sin mirarla—. Seré desgraciado, no importa. Que digan lo que quieran. Todo antes de que seamos desdichados los dos. No esperemos a que sea demasiado tarde.

—No comprendo —murmuró ella, llena de ansiedad—. ¿Qué es lo que quieres? ¿Despedirte, romper el compromiso?

—Si tú no me amas, sí.

—¡Te has vuelto loco! —exclamó ella, roja de indignación. Pero a la vista del rostro desolado de Levin, contuvo la cólera, y desprendiéndose de un montón de trajes que tenía encima, se sentó cerca de él—. ¿En qué estas pensando? Vamos a ver, dímelo todo.

—Pienso que no sabrás amarme. ¿Por qué me tienes que amar?

—¡Dios mío! ¿Qué puedo yo...? —musitó ella, prorrumpiendo en un sollozo.

—¿Qué he hecho? —exclamó él, espantado de sí mismo.

Y echándose de rodillas, le cubrió la mano de besos.

Cuando la princesa entró allí cinco minutos después, la reconciliación era completa. Kitty había convencido a su novio de que le quería. Le había explicado que ella le amaba porque le comprendía a fondo, porque sabía lo que él amaba, y que todo cuanto amaba era bueno y estaba bien. Esta explicación pareció suficiente a Levin. La princesa les encontró sentados juntos sobre el gran cofre, disponiéndose a examinar los vestidos. Kitty quería regalar a Duniacha el de color oscuro que llevaba cuando Levin la pidió en matrimonio, y éste insistía en que no se lo regalara a nadie y que diese a Duniacha otro azul.

—Pero ¿no comprendes que siendo morena, el azul no le sienta nada bien? Ya he pensado en todo...

Al enterarse del motivo de la venida de Levin, la princesa, aunque enfadada, se rió de la ocurrencia y le despidió, porque M. Chales estaba a punto de venir para peinar a Kitty.

—¡Tan agitada como está y sin comer casi nada todos estos días, que ha adelgazado a simple vista, y todavía vienes tú a amargarla con tus locuras! Vamos, márchate, muchacho —dijo.

Algo confuso, pero tranquilizado, Levin regresó al hotel, donde le estaban esperando su hermano, Daría Alexandrovna y Esteban Arkadievich, luciendo todos sus mejores galas y dispuestos a bendecirle con la imagen santa. No había tiempo que perder. Daría Alexandrovna debía volver a su casa para recoger a su hijo, que, perfumado y rizado para la ceremonia, estaba destinado a portar el icono delante de la novia. En seguida había que enviar uno de los coches al padrino, mientras que el otro, después de haber llevado a Sergio Ivanovich a la iglesia, regresaría al hotel.

La ceremonia de la bendición se caracterizó por su falta de seriedad. Esteban Arkadievich adoptó una postura solemne y cómica al

lado de su mujer. Levantó el icono, y obligando a Levin a arrodi-
llarse, le bendijo con una sonrisa afectuosa y maligna, y después le
abrazó tres veces. Daría Alexandrovna hizo exactamente igual. Tenía prisa por marcharse y se había armado un embrollo en la orga-
nización del servicio de los carruajes.

—He aquí lo que vamos a hacer —dijo Oblonski—. Tú irás a
recoger al padrino en nuestro coche y, mientras tanto, Sergio Ivanovich hará el favor de dirigirse en seguida a la iglesia y enviarnos
el suyo.

—De acuerdo, con mucho gusto.

—Y luego, yo acompañaré a Kostia. ¿Están listos los equipajes?

—Sí —respondió Levin.

Y llamó a Kusma para que le ayudara a vestirse.

3

Una muchedumbre en la que dominaba el elemento femenino,
atestaba la iglesia, brillantemente iluminada. Las personas que no habían podido entrar se encaramaban a las ventanas para ocupar los
mejores puestos de observación. Más de veinte coches se alineaban en
la calle bajo la inspección de los guardias. Indiferente al frío, un oficial de policía en traje de gala permanecía firme bajo el peristilo, donde unos detrás de otros, los invitados de ambos sexos iban deposital-
do diferentes objetos y prendas de uso personal antes de entrar en el
templo. Ellas lucían ramilletes de flores en el pecho y levantaban las
largas colas de sus vestidos, en tanto que los caballeros llevaban uniforme o levita negra. Dos grandes arañas y los cirios encendidos delante de los iconos inundaban de luz los dorados sobre fondo rojo del
iconostasio, las cinceladuras de las imágenes, los grandes candelabros
de plata, el enlosado, los tapices, las colgaduras, las gradas del altar,
los viejos rituales ennegrecidos y los ornamentos sacerdotales. A la
derecha de la iglesia se mezclaban los trajes negros y las corbatas blancas, los uniformes y los tejidos más valiosos, el terciopelo y el satén,
los cabellos rizados y las flores exóticas, las espaldas desnudas y los
guantes impecables. De aquella ingente muchedumbre brotaba un
murmullo contenido, pero siempre animado, que resonaba extraña-
mente bajo la alta cúpula de la iglesia. Cada vez que la puerta se abría
con ruido quejumbroso, paraba aquel murmullo y todo el mundo
volvía la vista con la esperanza de ver aparecer a los novios. Pero la
puerta se había abierto ya más de diez veces para dar paso, ora a un

invitado que llegaba con retraso y que iba a reunirse con el grupo de la derecha, ora a una dama curiosa que, habiendo sabido burlar la vigilancia del oficial de policía, pasaba a engrosar el grupo de la izquierda, integrado exclusivamente de espectadores. Parientes y amigos habían pasado por todas las fases de la espera. Al principio nadie atribuyó la menor importancia al retraso de los novios. Luego, las miradas impacientes se sucedían más y más a menudo, preguntándose la gente qué podía haberles ocurrido. Por último, como para disipar el tedio que se iba apoderando de ellos, los invitados adoptaron el aire indiferente de personas absorbidas por la conversación.

A fin de demostrar, sin duda, que estaban perdiendo un tiempo precioso, el archidiácono tosía de vez en cuando de modo tan fuerte que hacía temblar los vidrios a su alrededor. Los chantres, aburridos, ensayaban su voz o se agitaban ruidosamente. El sacerdote enviaba en misión exploratoria, ya el diácono, ya al sacristán, y con frecuencia cada vez mayor mostraba su sotana violeta y su cinturón bordado en una de las puertas laterales del coro. Al fin, una señora, después de haber consultado el reloj, comentó en voz alta:

—¡Esto se está poniendo muy raro!

Y de la misma manera, todos los invitados expresaron su sorpresa y su disgusto. Uno de los padrinos partió en busca de noticias.

Durante este tiempo, Kitty, vestida de blanco, con velo largo y corona de flores de azahar, esperaba vanamente en el salón de su casa en compañía de su hermana Lvov, que su padrino llegase a anunciarle la llegada del novio a la iglesia.

Levin, por su parte, con el pantalón negro puesto, pero sin chaleco y en mangas de camisa, se paseaba a todo lo largo y todo lo ancho de la habitación de su hotel, abriendo la puerta a cada instante para echar una mirada al corredor, y no viendo venir a nadie, se volvía con gesto desesperado a Esteban Arkadievich, que fumaba tranquilamente.

—¿Habráse visto un hombre en situación tan absurda?

—Es verdad —confirmó Esteban Arkadievich, con sonrisa apacible—. Pero ten tranquilidad, que nos lo traerán en seguida.

—¡Y dale! —profería Levin, conteniendo a duras penas su rabia—. Para lo que sirven esos absurdos chalecos abiertos... ¡Imposible! —añadía mirando la pechera de su camisa, toda arrugada—. ¿Y si mis maletas están ya en el ferrocarril? —gritaba fuera de sí.

—Te pondrás la mía.

—Por ahí debías haber comenzado.

—No seas ridículo. Ten paciencia, que todo se arreglará, Levin.

En el mismo momento en que Levin había tomado la resolución

de completar su atuendo, de cualquier manera, apareció su viejo criado Kusma, portador de la levita y el chaleco que le faltaban.

—Pero ¿y la camisa? —preguntó Levin.

—¿La camisa? Usted la lleva puesta —respondió el buen hombre, con sonrisa flemática.

Y era que cuando Kusma, cumpliendo órdenes de Levin, embaló y mandó todos los efectos personales de su amo a casa de los Scherbazki —de donde los jóvenes desposados debían partir aquella misma tarde— se había olvidado de dejar aparte una camisa a tono con la levita. La que Levin llevaba puesta no era adecuada. Mandar por la suya a casa de los Scherbazki parecía que iba a invertir demasiado tiempo. No había almacenes abiertos por ser domingo. Hicieron traer una camisa de casa de Esteban Arkadievich, que le quedaba ridículamente ancha y corta. Ante lo desesperado del caso, hubo que enviar a Kusma a casa de los Scherbazki para que abriera las maletas. Y de este modo, mientras la gente esperaba en la iglesia, el malaventurado novio se revolvía en su habitación como una fiera enjaulada. ¿Qué podría imaginarse Kitty después de la escena que le había hecho unas horas antes?

Por fin, el culpable Kusma se precipitó sin aliento en la habitación con una camisa en la mano.

—He llegado con el tiempo justo —declaró—. Se estaban llevando ya las maletas.

Tres minutos después, Levin corría por el pasillo a toda la velocidad de que eran capaces sus piernas, guardándose muy bien de mirar el reloj para no aumentar su tormento.

—¡No cambiarás nunca! —le gritó Esteban Arkadievich que le seguía con mucha calma—. Cuando yo te digo que todo se arreglará...

4

—¡Son ellos!

—¡Ya están ahí!

—¿Quién?

—¿Es el más joven?

—Pues mira ella, tiene un aire más muerto que vivo.

Estas exclamaciones partían de la multitud cuando Levin, después de haber recibido a su novia en el atrio, entraba con ella en la iglesia.

Esteban Arkadievich explicó a su mujer la causa del retraso, lo que provocó sonrisas y cuchicheos entre los invitados. Pero Levin no reparaba en nada ni en nadie. No tenía ojos más que para su amada. Bajo su corona de desposada, Kitty resultaba mucho menos bonita que de costumbre, y por lo general, todos la encontraron falta de atractivo. Ésta no era la opinión de Levin. No se cansaba de mirar su cabello peinado hacia arriba, su largo velo blanco, sus blancas flores, la finura de su talle, la alta banda plisada de tul que encuadraba virginalmente su largo cuello de garza, dejándolo descubierto un poco por delante... y le parecía más bella que nunca. Por lo demás, muy lejos de parecerle que aquel atavío venido de París añadiese algo a la belleza de Kitty, admiraba qué a pesar de él, el semblante de la joven conservase su expresión exquisita de inocencia y de lealtad.

—Ya me preguntaba si habrías emprendido la fuga —dijo ella, sonriendo.

—Lo que me ha pasado es tan absurdo, que me da vergüenza hablar de ello —respondió él, confuso.

Y para no perder su continente, se volvió a su hermano, que se estaba aproximando a ellos.

—Pues sí, es muy bonita la historia de tu camisa —dijo Sergio, con una entonación irónica, que subrayaba con vivos movimientos de cabeza.

—Sí, sí —murmuró Levin, sin comprender una palabra de lo que le decían.

—Kostia, he aquí el momento de adoptar una decisión suprema —vino a decirle Esteban Arkadievich, fingiendo gran inquietud—. La cuestión es grave y tú me pareces en estado de apreciar toda su importancia. Me preguntan si los cirios deben ser nuevos o usados. La diferencia es de diez rublos —añadió, preparándose a sonreír—. He tomado una decisión, pero no sé si merecerá tu aprobación.

Levin comprendió que Oblonski estaba bromeando, y no se alteró su rostro por eso.

—Bueno, ¿qué decides? ¿Nuevos o usados? Ésa es la cuestión.

—¡Nuevos, nuevos!

—La cuestión está zanjada —dijo Esteban Arkadievich, sin dejar de sonreír—. Hay que reconocer que estas ceremonias vuelven tonta a la gente —murmuró, volviéndose a Tchirikov, mientras que Levin, después de haberle dirigido una mirada furibunda, concentraba otra vez la atención en su novia.

—Cuidado, Kitty, eres tú quien tiene que pisar primero la alfombra —advirtió la condesa Nordston, aproximándose—. ¡Buena os la ha hecho pasar! —agregó, refiriéndose al traje de Levin.

—¿No tienes miedo? —preguntó María Dimitrievna, una vieja tía.

—¿No sientes un poco de frío? Estás pálida... Agacha un poco la cabeza —dijo la señora Lvov, levantando sus hermosos brazos para reajustar la corona de su hermana.

Dolly se aproximó, a su vez, e intentó hablar, pero la emoción le privó del habla y prorrumpió en una risa nerviosa.

Entretanto, el sacerdote y el diácono, que se habían revestido sus hábitos sacerdotales, ocuparon un sitial cerca del atril preparado en el atrio. El sacerdote dirigió a Levin unas palabras que éste no comprendió en absoluto.

—Tome de la mano a su novia y llévela al lado del atril —le apuntó su padrino.

Incapaz de comprender lo que se quería de él, Levin hacía lo contrario de lo que le indicaban. Por fin, en el momento en que, desalentados, los unos y los otros pensaban abandonarle a su propia inspiración, se dio cuenta de que, con la mano derecha, debía coger sin cambiar de posición la mano derecha de su prometida. Luego, precedidos del sacerdote, dieron algunos pasos adelante y se detuvieron delante del atril. Familiares e invitados siguieron a la joven pareja en medio de un murmullo de voces que se mezclaba con el roce de los vestidos. Alguien se agachó para arreglar la cola del traje de la novia. Después reinó en la iglesia un silencio tan profundo que se oían las gotas de los cirios caer al suelo.

El anciano sacerdote, con el birrete puesto y sus cabellos de plata recogidos detrás de las orejas, sacó sus manos rugosas de debajo de su pesada casulla de cruz dorada, y se puso a buscar algo sobre el atril. Esteban Arkadievich se acercó lentamente para hablarle al oído, hizo una seña a Levin y se retiró.

El sacerdote —era el mismo viejecito que había confesado a Levin— encendió dos cirios adornados de flores, y teniéndolos inclinados en la mano izquierda sin preocuparse por la cera que goteaban, se volvió a los novios. Después de haberles envuelto, suspirando, en una mirada triste y lánguida, bendijo con la mano derecha a Levin, después a Kitty, a esta última con una nota particular de ternura, poniendo los dedos juntos sobre la cabeza inclinada de la joven. Luego les entregó los cirios, cogió el incensario y se alejó lentamente.

«Pero ¿todo esto es realidad?», se preguntó Levin, mirando de soslayo a su prometida. Por el movimiento de los labios y de las cejas de Kitty, dedujo que ella había sentido su mirada. Ella no levantó la cabeza, pero él comprendió por el temblor de la banda de tul que se alzaba hasta su pequeña oreja encendida como una rosa, que estaba ahogando un suspiro, y vio cómo su mano temblaba al sujetar el cirio.

Todo se borró en seguida de su memoria: el retraso, el descontento de sus amigos, la estúpida historia de la camisa... No sentía más que una emoción, mezcla de terror y alegría.

El archidiácono, hombre apuesto, de cabellos ondulados vistiendo una dalmática bordada de plata, avanzó con paso firme hacia el sacerdote, y levantando con dos dedos su estola, acompañando la acción de un gesto familiar, pronunció con solemnidad las palabras: «Padre, bendícenos» que resonaron largamente bajo la bóveda.

—Bendito sea el Señor nuestro Dios, ahora y siempre y por los siglos de los siglos —respondió con voz armoniosa y resignada el viejo sacerdote, sin cesar de poner en orden los rituales colocados en el atril.

Y la respuesta, cantada por un coro invisible, llenó la iglesia de sones potentes y prolongados, que subieron de volumen por espacio de un segundo para decrecer después lentamente. Se rogó como siempre por la paz suprema y la salud de las almas, por el Sínodo, por el Zar, por el siervo de Dios, Constantino, y por la sierva de Dios, Catalina.

—Para que Él les conceda el amor perfecto, su paz y su asistencia, roguemos al Señor —cantó el diácono.

Y pareció que toda la iglesia lanzaba al cielo esta deprecación, cuyas palabras conmovieron a Levin de un modo especial.

«¿Cómo han adivinado que precisamente necesito esa ayuda? ¿Qué puedo yo saber, qué puedo hacer, sin asistencia?», pensó recordando sus dudas y sus recientes temores.

Cuando el diácono terminó su letanía, el sacerdote, ritual en mano, se volvió a los novios y leyó con su propia voz, despacio:

—Dios Eterno, que unís por el lazo indisoluble del amor a los que estaban separados, que habéis bendecido a Isaac y a Rebeca, instituyéndoles herederos de vuestra promesa, bendecid también a vuestro siervo Constantino y a vuestra sierva Catalina, y mantenedles por el camino del bien. Porque Vos sois el Dios de la misericordia, a Quien sea dado toda gloria, honor y adoración, al Padre, al Hijo, y al Espíritu Santo, ahora y siempre y por los siglos de los siglos.

—Amén —cantó de nuevo el coro invisible.

«Que unáis por el lazo indisoluble del amor a los que estaban separados. ¡Cómo responden estas profundas palabras a lo que se siente en tales momentos! ¿Lo comprenderá ella como yo?», se dijo Levin.

Por la expresión de la mirada de Kitty, que en aquel instante se cruzó con la suya, creyó adivinar que ella había comprendido igual que él, pero se equivocaba. Absorbida por el sentimiento que incesantemente iba invadiendo su corazón, ella apenas había prestado atención a la ceremonia. Experimentaba la alegría profunda de ver al fin cumplido lo que durante seis semanas la había puesto, alternativamente, inquieta y feliz. Desde el momento en que, vestida con su trajecito oscuro, se aproximó a Levin para entregarse silenciosamente a él, toda entera, el pasado había sido arrancado de su alma, cediendo su puesto a una existencia nueva, desconocida, sin que su vida exterior, sin embargo, se hubiera modificado por esta causa. Aquellas seis semanas habían sido una época de delicias y de tormentos. Esperanzas y deseos, todo se concentraba sobre aquel hombre a quien no comprendía bien, hacia el cual le empujaba un sentimiento que comprendía menos todavía y que, atrayéndola y rechazándola sucesivamente, le había hecho sentir por su pasado una indiferencia absoluta. Sus costumbres de antes, las gentes y las cosas que había amado, su madre cuya insensibilidad le afligía, su padre, su padre al que hasta hacía poco ella adoraba..., nada tenía ya sentido para ella, y aunque asustada por esta ruptura, se regocijaba del sentimiento que la había provocado. Su única aspiración era inaugurar con aquel hombre una vida nueva de la que aún no se había formado una idea exacta: se limitaba a esperar lo desconocido con la mejor disposición de espíritu. Y he aquí cómo esta espera, dulce y terrible a la vez..., he aquí cómo el remordimiento de no echar de menos nada de su pasado, iban a terminar para siempre. Ella estaba atemorizada, cosa perfectamente concebible, pero el minuto que estaba viviendo no era más que la consagración de la hora decisiva, hora que había sonado hacía seis semanas.

Regresando junto al atril, el sacerdote cogió, no sin dificultad, el pequeño anillo de Kitty para pasarlo a la primera mitad del anular de Levin.

—Yo te desposo, Constantino, siervo de Dios, con Catalina, sierva de Dios.

Repitió la misma fórmula pasando al delicado meñique de Kitty el grueso anillo de Levin, y murmuró algunas palabras más. Los novios creyeron comprender lo que se esperaba de ellos, pero se equivocaron, y el sacerdote tuvo que corregirles bajando la voz. Este juego se repitió más de una vez hasta que llegó el momento de bendecirles con los anillos puestos. Entonces puso el anillo grande en la palma de Kitty y el pequeño en la de Levin, pero ambos tuvieron otro embrollo y se pasaron mutuamente los anillos, dos veces, sin llegar a enterarse de lo que debían hacer. Dolly, Tchirikov y

Oblonski quisieron acudir en su ayuda, se produjo una pequeña confusión, siguieron risas y cuchicheos, pero lejos de desconcertarse, los contrayentes conservaron su actitud grave y solemne, de tal modo que al explicarles que cada uno de ellos debía ahora pasar a su propio dedo su propio anillo, Oblonski reprimió como inconveniente la sonrisa que estaba a punto de acudir a sus labios.

—Señor Dios nuestro —prosiguió el sacerdote, después del intercambio de anillos—. Vos que habéis criado el hombre desde el principio del mundo y le habéis dado la mujer para venir en su ayuda y perpetuar el género humano; Vos que habéis revelado la verdad a vuestros siervos, nuestros padres, elegidos por Vos de generación en generación, dignaos mirar con ojos benignos a vuestro siervo Constantino y a vuestra sierva Catalina, y confirmar su unión en la fe y la concordia, en la verdad y en el amor...

Levin veía ahora la puerilidad de todas sus ideas sobre el matrimonio, de todos sus proyectos para el porvenir. Lo que se estaba realizando no era más que la antesala de algo que no había acertado a comprender, y que ahora comprendía menos que nunca. Su pecho se inflamaba de ansiedad y no pudo contener las lágrimas.

5

Todo Moscú asistía al matrimonio. Durante el oficio, aquella multitud de mujeres acicaladas y de hombres vestidos de negro o etiqueta, no cesaba de cuchichear discretamente, sobre todo los hombres, porque las mujeres preferían observar, con el interés que suelen tomarse en estas ocasiones, y sin perder ninguno de los mil detalles de la ceremonia.

En el grupo de los íntimos que rodeaban a la novia se encontraban sus dos hermanas, Dolly y la señora Lvov, de serena belleza esta última, acabada de llegar del extranjero.

—¿Cómo es que María trae un traje malva a una boda? Si eso es casi un color fúnebre —hizo notar la señora Korsounski.

—¿Qué quiere usted si es el único color que sienta bien a su tez? —respondió la señora Troubetskoi—. Lo que yo me pregunto es ¿por qué han escogido la tarde para la ceremonia? Es una costumbre que huele a rancio.

—Eso no quita para que sea más bello. Yo también me casé por la tarde —replicó la señora Korsunski, que lanzó un suspiro al recordar que ella había estado muy hermosa aquel día, y que su marido extremaba su admiración por ella hasta el ridículo. ¡Cómo habían cambiado las cosas desde entonces!

—Quien ha sido padrino de boda diez veces en la vida, no se casa de ningún modo. Eso, al menos, es lo que se dice. Yo he querido asegurarme de esta manera contra el matrimonio, pero la plaza ya estaba ocupada —dijo el conde Siniavin a la encantadora señorita Tcharski, que tenía los ojos fijos en él. Ésta no respondió más que con una sonrisa. Quedóse mirando a Kitty y pensando que, llegado el día en que se hallase con Siniavin en la misma situación, le haría acordarse de aquella broma de mal gusto.

Scherbazki manifestaba a la señorita Nicolaiev, vieja dama de honor de la emperatriz, su intención de poner la corona sobre el moño de Kitty para atraerle la buena suerte.

—¿Y de qué sirve hacerse esos moños? A mí no me gustan esos peinados estrafalarios —replicó la vieja señorita, resuelta a que su matrimonio fuera de lo más sencillo si cierto viudo, que no le disgustaba lo más mínimo, se decidía a ofrecerle su mano.

Sergio Ivanovich bromeaba con su vecina: afirmaba que la costumbre de hacer viajes de boda era debido a que los recién casados querían ocultar su vergüenza por la elección que habían hecho.

—Pues su hermano ya puede sentirse orgulloso de su elección. Ella es de un encanto avasallador. ¿No le tiene usted envidia?

—Ya ha pasado para mí ese tiempo, Daría Dimitrievna —respondió él, abandonándose a una súbita tristeza.

Esteban Arkadievich contaba a su cuñada un chiste sobre el divorcio.

—Convendría arreglarle a Kitty la corona —dijo ésta sin dignarse escuchar.

—¡Qué pena que se haya estropeado tanto! —decía a la señora Lvov la condesa Nordston—. A pesar de todo, él no vale ni el dedo meñique de ella, ¿no le parece a usted?

—No comparto esa opinión; él me gusta mucho, y no solamente en calidad de cuñado. ¡Qué buen porte tiene! Y eso que es tan difícil evitar el ridículo en semejantes casos... Pero él no tiene nada de ridículo ni de presumido; sólo se le ve que está emocionado.

—Por lo que dice, usted ve con buenos ojos este matrimonio.

—Casi, casi. Por lo menos, ella le ha querido siempre.

—Bueno, pues vamos a ver cuál de los dos es el primero que pone el pie en la alfombra. Ya he instruido a Kitty a ese respecto.

—Se ha molestado inútilmente. En nuestra familia, todas la mujeres estamos sometidas a nuestros maridos.

—Pues yo he formado la resolución de tener sujeto al mío. ¿Y usted, Dolly?

Dolly las escuchaba sin responder. Estaba muy emocionada, las lágrimas le llenaban los ojos y no habría podido pronunciar una palabra sin llorar. Aunque se alegraba por Kitty y por Levin, no dejaba de hacer amargas reflexiones sobre su propio matrimonio y, lanzando miradas hacia el deslumbrante Esteban Arkadievich, olvidaba la realidad y no se acordaba más que de su primer e inocente amor. Pensaba también en otras mujeres, en sus amigas; se las imaginaba en esta hora única y solemne de sus vidas, en la que renuncian al pasado para abordar, con la esperanza y el temor en sus corazones, un misterioso porvenir. En el número de estas mujeres casadas figuraba su querida Ana cuyos proyectos de divorcio acababa de conocer; ella también la había visto cubierta de un velo blanco, pura como Kitty bajo la corona de azahar. ¡Y ahora!

—¡Qué extraño es esto! —murmuró.

Las hermanas y las amigas no eran las únicas que seguían con interés los menores incidentes de la ceremonia; las espectadoras extrañas retenían el aliento por temor de perder un solo movimiento de los desposados; respondían con enfado a las bromas y a los chismes ociosos de los hombres, que incluso no entendían en algunas ocasiones.

—¿Por qué llora ella? ¿Es que la casan contra su voluntad?

—¿Contra su voluntad? ¿Un hombre tan apuesto? ¿No es un príncipe?

—La vestida de satén blanco, ¿es su hermana? Escucha, escucha cómo el diácono les canturrea eso de que «ella debe temer y respetar a su marido».

—Esos chantres vendrán, sin duda, del Convento de los Milagros.

—No, del Sínodo.

—He preguntado a un sirviente. Parece que el marido se la lleva en seguida a sus tierras. Es rico de millones. Por eso se ha casado con él.

—Nada de eso. Salta a la vista que forman la pareja ideal.

—¿Pues qué se figura usted, María Vassilievna, que no se aporta al matrimonio más que el tipo? Fíjese en aquella vestida de pardo oscuro, una embajadora o como se diga, fíjese que se ha puesto una crinolina. ¿No decía usted que ya no se llevan?

—¡Qué ovejita inmaculada parece la novia! Digan lo que quieran las mujeres casadas, siempre inspiran compasión.

Así hablaban las espectadoras que habían tenido la destreza de introducirse en el templo.

6

Después del cambio de anillos, el sacristán se acercó para extender delante del coro, en medio de la iglesia, un gran trozo de tela de seda rosa, mientras que la capilla entonaba un salmo de ejecución difícil y complicada, donde dialogaban el bajo y el tenor. El sacerdote hizo un signo a los novios indicándoles la alfombra. Una superstición muy arraigada en el pueblo pretende que el primero de los esposos que pisa esta alfombra se convierte, de hecho, en el verdadero jefe de la familia. Era costumbre insistir cerca de los novios y de las novias en este argumento, aunque llegado el momento decisivo, ni unos ni otras se acordaban o prestaban atención a las indicaciones qué en voz alta, se hacían en torno a ellos.

—Es él quien ha puesto primero el pie —decían los unos.

—No —replicaban los otros—. Los dos lo han puesto al mismo tiempo.

El sacerdote les hizo entonces las preguntas rituales sobre el consentimiento mutuo de los contrayentes, y la seguridad de que no habían hecho ninguna promesa de matrimonio a otras personas: ambos respondieron con fórmulas no menos rituales, cuyo sentido les pareció extraño. Y dio comienzo a una nueva parte del oficio. Kitty escuchaba las plegarias sin llegar a comprenderlas. A medida que avanzaba la ceremonia, su corazón se desbordaba de triunfante alegría, que era lo que le impedía fijar la atención.

Se rogó «para que el Señor concediese a los nuevos esposos la castidad y la fecundidad, para que gozaran juntos a la vista de sus hijos y de sus hijas». Recordóse que «habiendo creado Dios la primera mujer de una costilla de Adán, el hombre dejará a su padre y a su madre para unirse a la esposa, y serán dos en una sola carne», y que «aquél era un gran sacramento». Se pidió a Dios que les bendijera como había bendecido a Isaac y a Rebeca, a José, a Moisés y a Séfora, que les permitiese «ver los hijos de sus hijos hasta la tercera y hasta la cuarta generación».

«Todo eso está perfecto —pensaba Kitty al oír estas imploraciones—. No podría ser de otra manera.»

Una sonrisa de felicidad iluminaba su semblante.

Cuando el sacerdote presentó las coronas, Scherbazki, con sus guantes de tres botones, cogió tembloroso la perteneciente a la novia. Le aconsejaron en voz baja que la pusiera sobre la cabeza de Kitty.

—Póngamela —murmuró ésta, sonriendo.

Levin se volvió para mirarla, y admirado de la radiante expresión de su cara, se sintió feliz, y confortado como ella.

Con el corazón henchido de júbilo oyeron la lectura de la epístola, especialmente el último versículo tan impacientemente esperado por la concurrencia, y que el diácono recitó con afectada entonación. Bebieron con alegría en la copa el agua y el vino tibios, y con mayor alegría siguieron al sacerdote en la vuelta al coro que les hizo dar, teniéndoles cogidos de las manos en tanto que el diácono melodiaba el cántico «Regocíjate, Isaías». Scherbazki y Tchirikov, sosteniendo las coronas, seguían a los nuevos esposos y sonrían a su vez, pisando de vez en cuando, inadvertidamente, la larga cola del vestido de Kitty. La llama de alegría encendida por Kitty parecía haber prendido en todos los asistentes. Levin estaba convencido de que el sacerdote y el diácono se habían contagiado también de ese sentimiento general.

Después de haberles quitado las coronas y pronunciar una plegaria postrera, el sacerdote felicitó a la joven pareja. Levin miró a Kitty y le pareció no haberla visto jamás tan hermosa; tanto parecía haberla transfigurado su animación interior. Quiso hablar, pero se contuvo, no fuese que la ceremonia estuviera aún por terminar. El sacerdote le sacó de apuros diciendo dulcemente, con bonachona sonrisa:

—Ahora, besad a vuestra mujer, y vos, a vuestro marido.

Acto seguido, recogió los cirios que aún tenían en las manos. Levin besó delicadamente los labios sonrientes de Kitty, le ofreció el brazo y salió de la iglesia, sintiéndose de pronto —impresión tan nueva como rara— totalmente fundido con ella. Cuando sus miradas tímidas volvieron a encontrarse, comenzó a comprender que todo aquello no era ni mucho menos un sueño, sino que, realmente, ambos no constituían más que un solo ser.

La misma noche, después de cenar, los jóvenes esposos partieron para el campo.

7

Hacía tres meses que Ana y Vronski viajaban juntos. Habían visitado Venecia, Roma y Nápoles, y acababan de llegar a un pueblecito de Italia donde contaban con pasar una temporada.

Un imponente *maître d'hotel*, con los cabellos muy perfumados y separados por una raya que partía del cuello, en traje negro, gran pechera de batista y adornado de brillantes dijes que se balanceaban sobre su vientre redondeado, respondía en voz alta y con las manos metidas en los bolsillos a las preguntas que le dirigía un caballero. Habiéndole hecho volverse unos pasos sobre la escalinata, se encontró frente al conde ruso que ocupaba el departamento más lujoso del hotel. Sacándose en seguida las manos de los bolsillos anunció al conde, después de hacerle un saludo respetuoso, que el administrador del *palazzo* por el cual se interesaba, consentía en firmar el contrato de arrendamiento.

—Está bien —dijo Vronski—. ¿Está en casa la señora?

—La señora acaba de entrar.

Vronski se quitó el sombrero flexible de anchas alas, se enjugó el sudor de la frente y se alisó los cabellos peinados hacia atrás para disimular la calvicie. Después hizo un gesto de seguir adelante, lanzando una mirada rápida sobre el caballero, que parecía estar observándole.

—El señor es ruso y ha preguntado por usted —dijo el *maître*.

Molesto al ver que no podía sustraerse a esta clase de encuentros, pero también dichoso de tener un motivo de distracción, Vronski se volvió y su mirada se cruzó con la del forastero; las pupilas de ambos no tardaron en iluminarse.

—¡Golenistchev!

—¡Vronski!

Era, efectivamente, Golenistchev, camarada de Vronski en el Cuerpo de Cadetes. Pertenecían al clan liberal y había salido con un grado civil, sin ninguna intención de ingresar en el servicio militar. Después de salir ambos de la Academia, no habían vuelto a verse más que una sola vez. En aquel único encuentro, Vronski creía haber oído que Golenistchev, imbuido en sus opiniones liberales, despreciaba su carrera militar; y recordó que entonces su actitud hacia él cambió radicalmente, tratándole con esa frialdad altanera con la que quería dar a entender a ciertas personas: «Poco me importa que usted apruebe o no mi manera de vivir; no obstante, si quiere usted mantener relaciones conmigo, exijo que me guarde los respetos debidos». Aquel tono glacial había dejado a Golenistchev indiferente desde el principio, pero lo cierto es qué, a partir de entonces, ninguno de los dos viejos camaradas había mostrado deseos de ver al otro. Y, sin embargo, fue con una exclamación de alegría como se reconocieron. Vronski no se apercibió, sin duda, de que aquella alegría inesperada tenía por causa el profundo pesar que le embargaba. Olvidando el pasado, tendió la mano a Golenistchev, cuyos rasgos, hasta entonces un poco inquietos, se distendieron.

—Encantado de verte —dijo Vronski con una sonrisa amistosa, que puso al descubierto la blancura de sus dientes.

—Había oído pronunciar el nombre de Vronski, pero no estaba seguro de que fueses tú. Me siento feliz, muy feliz...

—Pero pasa. ¿Qué haces aquí?

—Estoy aquí desde hace un año. Trabajo.

—¿Sí? —preguntó Vronski con interés—. Entremos, pues.

Y deseoso de no ser comprendido por el *maître*, preguntó en francés:

—¿Conoces a la señora Karenina? Viajamos juntos. Yo iba a su casa.

Mientras hablaba, escrutaba la fisonomía de Golenistchev, por más que éste estaría al corriente de todo.

—¡Ah! No lo sabía —respondió, fingiendo indiferencia—. ¿Llevas aquí mucho tiempo?

—Llevo tres días —dijo Vronski, que no apartaba de él los ojos. Y pensó para sí: «Es un hombre bien educado que ve las cosas como verdaderamente son. Le puedo presentar a Ana».

Así lo decidió, apreciando verdaderamente la manera de Golenistchev de desviar la conversación.

Al cabo de tres meses de viajar en compañía de Ana, Vronski había experimentado, a cada encuentro nuevo, el mismo sentimiento de indecisión. En general, los hombres habían comprendido la situación «como debía ser». Para él hubiera sido —lo mismo que para ellos—, sumamente embarazoso decir lo que le daban a entender aquellas palabras. En el fondo, aquellas personas no hacían nada por comprender, y se contentaban con observar una discreta reserva, exenta de alusiones y de preguntas, que es a lo que se atienen las personas bien educadas cuando se hallan frente a una cuestión delicada y llena de complicaciones. Golenistchev era, indudablemente, de esta clase de personas, y Vronski, cuando le hubo presentado a Ana, se sintió doblemente satisfecho de haberle encontrado, siendo su actitud —sin que le costase el menor esfuerzo— tan correcta, que no se podía pedir más.

Golenistchev no conocía a Ana, cuya belleza y sencillez le cautivaron. Ella enrojeció al ver entrar a ambos hombres, y este detalle gustó sobremanera al recién llegado, quien además, estaba encantado por la forma tan natural como ella aceptaba su situación. En efecto, como si ella hubiera querido disipar todo malentendido en la mente de aquel extraño, llamó a Vronski por su apelativo familiar y declaró desde el principio que iban a instalarse en una mansión bellamente decorada, de las que allí se llamaban *palazzo*. Golenistchev, a quien no era desconocido el apellido Karenin, no pudo menos que dar la razón a aquella mujer joven, viva, llena de alegría. Admitía —cosa que la misma Ana no podía comprender en absoluto— que ella pudiera sentirse contenta y feliz a pesar de haber abandonado a su marido y a su hijo y perdido su buena reputación.

—Este *palazzo* está en la guía —indicó él—. Hay allí un magnífico tintoretto, de su última época.

—Pues bien, hagamos una cosa —propuso Vronski, dirigiéndose a Ana—. Volvamos a verlo, ya que hace un tiempo espléndido.

—Con mucho gusto; voy a ponerme el sombrero. ¿Dice usted que hace calor? —dijo ella en el umbral de la puerta interrogando a Vronski con la mirada. De nuevo enrojeció.

Vronski comprendió que Ana, no sabiendo exactamente qué grado de confianza le inspiraba Golenistchev, se preguntaba si ella había guardado ante aquel desconocido el tono que convenía. La miró largamente, con cariño, y contestó:

—No, no demasiado.

Ana creyó adivinar que él estaba satisfecho de ella y, respondiéndole con una sonrisa, salió con paso vivo y gracioso.

Los dos amigos quedaron mirándose con cierta perplejidad. Golenistchev como un hombre que no encuentra palabras para expresar su admiración; Vronski como alguien que desea un cumplido, y lo teme.

—¿De modo que te has radicado aquí? —preguntó Vronski para entablar algún género de conversación—. ¿Te ocupas siempre de los mismos estudios? —añadió, al recordar de súbito haber oído que Golenistchev componía una obra.

—Sí, escribo la segunda parte de *Los dos príncipes*... —respondió Golenistchev, a quien esta pregunta colmó de satisfacción—. O para ser más exacto, todavía no hago más que poner en orden mi documentación. Esta parte será mucho más vasta que la primera. Ni en la misma Rusia quieren reconocer que somos nosotros los legítimos sucesores de Bizancio...

Y se enfrascó en una larga disertación. Vronski se sintió algo confuso por no saber nada de ese libro, cuyo autor hablaba como si se tratara de una obra bien conocida; luego, a medida que Golenistchev desarrollaba sus ideas, iba tomando interés, por más que notase con pena la agitación nerviosa que se apoderaba de su amigo. Al refutar los argumentos de sus adversarios, sus ojos se animaban, se precipitaba su oratoria y su rostro adquiría una expresión irritada, atormentada. Vronski se acordó de Golenistchev cuando ambos pertenecían al mismo Cuerpo. Por aquel entonces era un muchacho de naturaleza débil, vivo de carácter y poseído de elevados sentimientos. Buen chico y siempre el primero de la clase. ¿Por qué se había vuelto tan irritable? ¿Por qué, sobre todo, un hombre como él perteneciente a la buena sociedad se situaba a la misma altura de los escritores mediocres, los vividores de la pluma? ¿Por qué les hacía el honor de darles beligerancia? Vronski se sentía casi compadecido de aquel infortunado. Le parecía leer en su bello y expresivo semblante los signos precursores de la locura.

Golenistchev, absorbido por su teoría, ni siquiera se dio cuenta de la entrada de Ana. Cuando ésta, en traje de paseo y jugueteando con una sombrilla, se detuvo al lado de los conversadores, Vronski se sintió feliz al sustraerse a la mirada fija y febril de su interlocutor, para dirigir sus ojos llenos de amor a los de su encantadora amiga, estatua viva de la alegría de vivir. Golenistchev tuvo que hacer un pequeño esfuerzo para recobrar su autodominio. Pero Ana, que en aquel tiempo se sentía muy bien dispuesta hacia todo el mundo, supo sacarle en seguida de apuros distrayéndole con sus maneras sencillas y llenas de jovialidad. Poco a poco le fue introduciendo en el tema de la pintura, en el que disertaba como un experto en la materia. De esta manera llegaron al *palazzo*, que visitaron detenidamente.

—Hay una cosa que me encanta particularmente en nuestra nueva morada —dijo Ana a Golenistchev, mientras entraban—. Y es que Alexis tendrá un estudio muy bonito. Tú te instalarás en esta habitación, ¿verdad?

Ella tuteaba a Vronski en ruso delante de Golenistchev a quien consideraba ya como una persona a quien se podía confiar la intimidad de la vida solitaria que iban a emprender.

—¿De modo que te ocupas de la pintura? —preguntó Golenistchev, volviéndose, con vivacidad a Vronski.

—En otro tiempo ya me dedicaba a eso intensamente, y ahora me he vuelto a ocupar un poco —respondió Vronski mientras se le coloreaban las mejillas.

—Tiene un verdadero talento —dijo Ana, radiante—. Yo no puedo opinar como un buen juez en el asunto, pero ésa es la opinión de entendidos que hablan seriamente.

8

Aquel primer período de liberación moral y de recuperación de la salud fue para Ana una época de alegría exuberante. La idea del mal que había causado no alcanzó a emponzoñar su embriaguez de dicha. Sus pensamientos no podían detenerse en aquellos recuerdos demasiado dolorosos, y, además, ¿no debía al infortunio de su marido una felicidad suficientemente grande para borrar la huella de los remordimientos? Los acontecimientos que habían seguido a su enfermedad, la reconciliaron y luego la nueva ruptura con Alexis Alexandrovich, la noticia del suicidio frustrado de Vronski, su aparición inesperada, los preparativos del divorcio, los adioses a su hijo, la partida de la casa conyugal, todo aquello se le antojaba una pesadilla de la que le había liberado su viaje al extranjero con Vronski. Ella no experimentaba hacia su marido otro sentimiento que el de buen nadador, que rechazaba al náufrago que se agarra a él para no perecer los dos arrastrados por la corriente.

«Después de todo —se decía ella desde el primer momento de la ruptura— el mal que yo he causado a ese hombre era inevitable, pero al menos no me aprovecharé yo de su desdicha. Y puesto que le hago sufrir, yo también sufriré. Renuncio a lo que me era más querido en el mundo, a mi hijo, a mi reputación. Puesto que he pecado, no quiero bienestar, ni divorcio. Acepto la vergüenza y el dolor de la separación.»

Y este razonamiento era la única cosa de la que quería acordarse, ya que le proporcionaba alguna tranquilidad de conciencia. Ana era sincera al razonar de este modo, pero hasta entonces no había conocido ni el dolor ni la vergüenza que ella se creía dispuesta a soportar como una expiación. Tanto Vronski como ella tenían demasiado tacto para no evitar en absoluto los reencuentros —sobre todo de las damas rusas— a fin de no quedar situados en una falsa posición. Las pocas personas con las cuales habían entrado en relaciones tenían la apariencia de comprender su posición mejor que la comprendían ellos mismos. En cuanto a la separación de su hijo, tampoco hacía sufrir mucho a Ana. Unida apasionadamente a su hijita, una chiquilla deliciosa, no pensaba en Sergio más que raras veces. Gracias a su curación y al cambio de ambiente, había reemprendido la vida con nuevo ardor y disfrutaba de una dicha verdaderamente insólita. Vronski le resultaba un ser más querido a medida que pasaban los días; su presencia era un encanto continuo. Juzgaba exquisitos todos los rasgos de su carácter, encontraba algo de noble y de grande en cada una de sus palabras, en sus pensa-

mientos, en sus actos; su cambio de traje, simplemente, la arrebata-
ba como una rapaza enamorada. En vano se esforzaba buscándole
algún defecto, y asustada precisamente de aquella admiración excesiva, se guardaba muy bien de confesársela, ante el temor de que subrayando así su propia nulidad, pudiera inducirle a distanciarse de
ella. En efecto, la idea de perder su amor se le hacía intolerable. Por
lo demás, este terror no estaba justificado en modo alguno por la
conducta de Vronski. Jamás había éste demostrado el menor sentimiento por haber sacrificado a su pasión una carrera, donde ella no
dudaba que estaba esperando un brillante porvenir. Jamás se había
mostrado él tan respetuoso, tan preocupado por la zozobra que Ana
sentía en su nueva situación. Aquel hombre tan imperioso abdicaba
su voluntad ante la suya, y no buscaba otra cosa que satisfacer sus
mínimos deseos. ¿Cómo no iba ella a apreciar el valor de estas pruebas de abnegación? Sin embargo, a veces experimentaba algo de
hastío al verse objeto de tan constantes atenciones.

En cuanto a Vronski, a pesar de la realización de sus más caros
deseos, no se sentía totalmente feliz. Eterno error de los que creen
hallar la felicidad en el cumplimiento de todos sus antojos. No poseía más que algunas partículas de aquella inmensa felicidad soñada
por él. Los primeros tiempos que siguieron a su dimisión, los sabo-
reó como quien gusta las mieles de la libertad conquistada. Pero
este encanto fue de corta duración y no tardó en ceder su puesto al
fastidio. De una manera casi inconsciente buscó un nuevo objetivo
a sus anhelos, y confundió caprichos pasajeros con aspiraciones ele-
vadas. No estaba, ni mucho menos, a sus anchas con aquellas largas estancias en el extranjero, fuera del círculo de deberes sociales
que constituían su misma vida en San Petersburgo. No había ni que
pensar en las distracciones de aquel viaje, que no significaban nada
para él después de las que conoció en otros precedentes. Una escena
en casa de unos amigos había provocado en Ana un acceso de desesperación un poco intempestiva. La situación que atravesaban no
les permitía de ningún modo entablar relaciones amistosas, ni con
la colonia rusa ni con la sociedad local. En cuanto a las curiosidades
del país, aparte de que ya las conocía, no les atribuía en su calidad
de ruso y de hombre de talento, la importancia exagerada que los
ingleses asignaban a esta clase de cosas. Lo mismo que un animal
hambriento se precipita sobre la primera presa que cae a su alcance,
Vronski se arrojaba de un modo inconsciente sobre todo aquello
que podía servir de pasto a su inspiración: política, pintura, libros
nuevos...

En su juventud había dado muestras de disposiciones especiales para la pintura y, no sabiendo qué hacer de su dinero, había adquirido una colección de grabados. Éste fue un aliciente más en sus aficiones pictóricas, para las cuales no le faltaba buen gusto, poseyendo un don de imitación que confundía con la facultad artística. Creíase capaz de abordar todos los géneros de pintura: histórica, religiosa, paisaje, pero no sospechaba que se pudiera obedecer únicamente a la inspiración sin preocuparse lo más mínimo del mundo de los géneros. Así pues, en lugar de observar la vida real, no veía ésta más que a través de las encarnaciones del arte; no podía producir más que simples imitaciones agradables a la vista y de fácil ejecución. Se aferraba sobre todo a las obras graciosas y efectistas de la escuela francesa, y con este estilo comenzó a pintar un retrato de Ana en traje regional italiano. Todos los que vieron este cuadro, una vez terminado, parecieron tan contentos de él como el mismo autor.

9

Con sus altos techos artesonados, sus paredes cubiertas de frescos, sus *parquets* de mosaico, sus tupidas cortinas de color amarillo colgando de las ventanas, sus grandes vasijas sobre las chimeneas y consolas, sus puertas esculpidas, sus habitaciones oscuras adornadas de cuadros, el viejo *palazzo* un poco destartalado en el que acababan de instalarse entretuvo a Vronski en una agradable ilusión: ya no se creía tanto un propietario ruso, coronel retirado, como un aficionado al arte, que se ocupaba modestamente de la pintura después de haber sacrificado su mundo y su ambición al amor de una mujer.

Su nuevo papel satisfizo durante algún tiempo a Vronski tanto más cuanto que Golenistchev le puso en contacto con algunas interesantes personalidades. Bajo la dirección de un profesor italiano, empezó haciendo unos estudios al natural, y fue tan ardoroso el entusiasmo que le entró por la Edad Media italiana, que acabó por llevar sombrero y una capa a la moda de aquella época, aparte de que estas prendas le sentaban bastante bien.

Una mañana entró en su casa Golenistchev.

—Bueno —le dijo a quemarropa—, no sabemos nada, ni siquiera lo que pasa a nuestro alrededor. Vamos a ver, ¿conoces a un tal Mikhailov?

Y le presentó un periódico ruso que acababa de recibir. Traía un artículo sobre la sensación que había causado un artista ruso de este nombre establecido en aquella misma ciudad, donde había dado la última pincelada a un lienzo, ya célebre, y vendido antes de acabarlo. En términos severos, el autor del artículo culpaba al Gobierno y a la Academia de Bellas Artes de haber dejado sin recursos ni estímulos a un artista de tan considerable valor.

—Yo le conozco —respondió Golenistchev—. No carece de mérito, pero sus tendencias son radicalmente falsas. Enfoca la figura de Cristo y la pintura religiosa según las ideas de Ivanov de Strauss, de Renan.

—¿Cuál es el asunto del cuadro? —preguntó Ana.

—Cristo delante de Pilatos. Mikhailov hace de Cristo un judío concebido según los preceptos más absolutos de la nueva escuela realista.

Y como éste era uno de sus temas favoritos, Golenistchev se enzarzó en el mismo sin dilación:

—No me explico cómo pueden equivocarse tan colosalmente. La figura de Cristo ya ha quedado bien definida en el arte por los antiguos maestros. Si sienten la necesidad de representar a un sabio o a un revolucionario, que cojan a Sócrates, Franklin, Carlota Corday, los que quieran, pero no a Cristo. Es el único personaje al que el arte no debería tocar, y...

—¿Es verdad que el tal Mikhailov está desprovisto de recursos? —preguntó Vronski que, sintiéndose un mecenas ruso, creía su deber acudir en ayuda del artista sin preocuparse para nada del valor del cuadro.

—Lo dudo, porque es un retratista de gran talento. ¿No habéis visto su retrato de la señora Vassiltchikov?.. Pero también puede ser que esté pasando apuros, porque he oído decir que no quiere pintar más retratos. Y yo decía que...

—¿No se le podría pedir que hiciera el de Ana Arkadievna?

—¿Por qué el mío? —objetó Ana—. Después del tuyo, no me interesa ningún otro. Mejor es que hagamos el de Annie (así era como llamaba a su hija). Precisamente aquí está —añadió, mostrando a través de la ventana a la bella institutriz que acababa de bajar la niña al jardín, y lanzaba una mirada furtiva hacia Vronski. Aquella italiana, cuya hermosura y tipo medieval habían causado admiración a Vronski —que además había pintado su cabeza—, era el único punto negro en la vida de Ana. Temiendo estar celosa y no atreviéndose a confesarlo, colmaba a aquella mujer y a su hijo de obsequios y de atenciones.

Vronski miró también por la ventana, después, al encontrarse con los ojos de Ana, se volvió a Golenistchev:

—¿Dices que conoces a ese Mikhailov?

—Le he visto una o dos veces. Es un hombre original sin ninguna preparación, uno de estos talentos vírgenes que tanto se ven ahora, ya sabéis, de esos librepensadores que desde el principio hacen profesión de ateísmo, de materialismo, la negación de todo. Antes —prosiguió Golenistchev, sin dejar que Ana ni Vronski pronunciaran una palabra— el librepensador era un hombre educado en el respeto a la religión, a la ley, a la moral, que no llegaba a serlo sino después de muchas luchas interiores, pero ahora poseemos un tipo nuevo, los librepensadores que presumen sin que jamás hayan oído hablar de leyes morales ni religiones, que ignoran la existencia de ciertas autoridades y no poseen más que el sentido simple de la negación, como los salvajes. Mikhailov es de éstos. Hijo, según creo, de un mayordomo moscovita, no ha recibido ninguna instrucción. Después de pasar por la Escuela de Bellas Artes y adquirir alguna reputación, ha querido también instruirse, porque no tiene nada de tonto. Para eso ha recurrido a lo que le parecía fuente de toda ciencia, es decir, los periódicos y las revistas. Antaño, si alguien (un francés, por ejemplo) quería instruirse, ¿qué hacía? Estudiaba los clásicos, teólogos, dramaturgos, historiadores, filósofos. Ya ves la enorme tarea que le aguardaba. Pero en nuestro tiempo todo se ha simplificado. Se lanza uno a la literatura subversiva y se asimila rápidamente un extracto de esta ciencia. Hace una veintena de años, esa literatura conservaba todavía huellas de la lucha contra las tradiciones seculares, y por lo mismo nos enseñaba algo de lo que era aquello; mientras que ahora nadie se toma siquiera la molestia de combatir el pasado; se contenta con negar resueltamente: no hay más que evolucionismo, selección, lucha por la existencia. En mi artículo...

Al cabo de algún rato, Ana cambiaba miradas furtivas con Vronski; se daba cuenta de que éste se interesaba mucho menos por el estado de espíritu de Mikhailov que del papel de mecenas que pensaba desempeñar cerca de él.

—¿Sabe usted lo que hay que hacer? —interrumpió ella, cortando resueltamente las verborrea de Golenistchev—. Vamos a ver a ese pintor.

Golenistchev consintió con mucho gusto, y como el estudio del artista se encontraba en un barrio apartado, se hicieron conducir en coche. Al cabo de una hora, paraban delante de una casa nueva, pero construida sin ningún gusto estético. La mujer del portero les manifestó que, en aquel momento, Mikhailov estaba en su casa, a dos pasos de allí. Le enviaron, pues, sus tarjetas con el ruego de que les permitiera entrar para ver su cuadro.

10

Mikhailov estaba, como siempre, trabajando cuando le trajeron las tarjetas del conde Vronski y de Golenistchev. Después de haberse pasado la mañana pintando en su estudio, al volver había tenido una violenta discusión con su mujer, que no había sabido hacer entrar en razón a la dueña de la casa.

—Te he dicho veinte veces que no discutas con ella. Eres necia a más no poder, pero lo eres triplemente cuando te lanzas a dar esas explicaciones en italiano —declaró a modo de conclusión.

—Y tú también, ¿por qué no liquidas con ella a su debido tiempo? Eso no es falta mía. Si tuviera dinero...

—¡Déjame tranquilo, en nombre del Cielo! —exclamó Mikhailov, con voz angustiada.

Inmediatamente se retiró a su cuarto de trabajo, que un tabique separaba de la habitación común, se encerró con llave y se tapó los oídos.

—Es que no tiene sentido común —se decía sentándose a la mesa. Y se puso a trabajar con un ardor inusitado.

El caso es que nunca le salían mejor los dibujos que cuando le faltaba dinero y, sobre todo, cuando tenía una disputa con su mujer.

—¡Ay, el diablo me lleve! —refunfuñaba mientras iba dibujando. Había comenzado el boceto de un hombre presa de un acceso de cólera, pero estaba descontento de cómo le salía.

—No, decididamente —se dijo—. Mi primer diseño estaba mejor. ¿Dónde lo habré metido?

Entró de nuevo en la habitación donde estaba su mujer y, sin dirigirle siquiera una mirada, preguntó a la mayor de sus hijas dónde estaba el dibujo que le había dado. Lo encontró al fin, pero todo manchado, cubierto de gotas de cera. Tal y como estaba lo cogió, lo puso sobre la mesa y lo examinó a distancia, con ojos entornados. Bruscamente, su fisonomía se iluminó con una sonrisa e hizo un gesto de satisfacción.

—¡Esto era, esto era! —exclamó. Y precipitándose sobre un lápiz-carbón, se puso a dibujar febrilmente. Una de las manchas de cera daba al cuerpo del hombre colérico una nueva actitud.

Al notarlo, se acordó de los rasgos enérgicos y el mentón prominente del vendedor de cigarros; los asignó también a su personaje, y el esquema dejó de ser una cosa vaga y muerta para adquirir vida y carácter definitivos. Bien se podrían aportar algunas modificaciones de detalle, como separar más las piernas, cambiar la posición del brazo izquierdo, alborotar los cabellos. Estos retoques acentuarían simplemente la robustez de la forma humana, que la mancha de la bujía le había hecho concebir. Se echó a reír complacido.

Cuando estaba acabando su dibujo, cosa que hacía con bastante cuidado, le trajeron las dos tarjetas.

—¡Ya voy, ya voy! —respondió.

Y volvió a la habitación con su mujer.

—Vamos, Sacha, no estés enfadada —le dijo con una sonrisa tierna y tímida—. Los dos hemos tenido la culpa. Yo arreglaré las cosas.

Reconciliado con su esposa, se cubrió con un paletó color de oliva con el cuello de terciopelo, se puso el sombrero y salió con dirección al estudio. El diseño estaba olvidado. Ya no pensaba más que en la visita de aquellos altos personajes rusos venidos en coche para ver su cuadro, aquel cuadro que en su fuero interno estimaba como lo mejor en su género. Y no era que lo juzgase superior a los de Rafael, pero la impresión que se sacaba de él parecía enteramente nueva. A pesar de esta convicción, que partía del momento en que había comenzado la obra, atribuía una extrema importancia al juicio del público, y la expectación de este juicio le conmovía hasta el fondo del alma. La observación más insignificante que acudiera en apoyo de su tesis le sumía en transportes de júbilo. A sus críticos les reconocía una profundidad de análisis de la que él mismo carecía, y esperaba con ansiedad a que descubriesen en su cuadro aspectos que él todavía no había vislumbrado.

Avanzando a grandes pasos, se sintió sorprendido —a pesar de la emoción que le embargaba— a la vista de Ana, que, de pie en la penumbra del portal, conversaba con Golenistchev y examinaba de lejos al artista. Éste, de una manera inconsciente, sepultó en seguida aquella fugaz impresión en algún rincón de su cerebro, de donde ya la exhumaría alguna vez, como el mentón del vendedor de cigarros.

La peroración de Golenistchev había predispuesto muy mal a los visitantes con respecto al pintor, y su facha exterior vino a confirmar sus prevenciones. Con su marcha agitada, su ancha cara vulgar donde la arrogancia y la timidez se disputaban el dominio de la expresión, aquel hombre rechoncho con pretensiones de gallardía, embutido en un paletó color oliva y pantalón estrecho pasado de moda, les causó un desencanto notorio.

—Háganme el honor de entrar —dijo afectando un aire indiferente, mientras abría a los visitantes la entrada del estudio.

11

Apenas entrados, Mikhailov echó otro vistazo sobre sus visitantes. La cabeza de Vronski, de pómulos que sobresalían ligeramente, se grabó instantáneamente en su imaginación, porque el sentido artístico de aquel hombre no descansaba a pesar de las emociones, y sin cesar amontonaba materiales que ayudaran a su fértil inspiración. Los comentarios finos y exactos de Golenistchev se apoyaban en indicios para él imperceptibles. Mikhailov sabía que era un ruso establecido en Italia, pero no se acordaba en absoluto de su nombre, ni del lugar donde le había conocido, ni de las palabras que habían cambiado, sino simplemente de su cara, como le pasaba con todos los que había tratado, y recordaba que esta cara la había clasificado en la inmensa categoría de las fisonomías carentes de carácter, a pesar de su falso aire de originalidad. Sus cabellos largos y una frente muy despejada daban a aquella cabeza una individualidad de pura apariencia, mientras que en el estrecho espacio que separaba ambos ojos, se concentraba una expresión de inquietud pueril. En cuanto a Vronski y Ana, Mikhailov veía también en ellos unos rusos de distinción que, sin comprender nada en materia de arte, jugaban como todos los rusos ricos, al *amateur* y al *connaisseur*.

«Seguramente —pensaba— éstos han recorrido todos los museos, y después de haber visitado a algún charlatán de Alemania y a algún seudoentendido en prerrafaelismo de Inglaterra, se han dignado venir a verme para completar su gira artística.»

Mikhailov sabía muy bien que al visitar los estudios de artistas contemporáneos, los diletantes —empezando por los más inteligentes— no tienen otra finalidad que proclamar, con conocimiento de causa, la superioridad del arte antiguo sobre el moderno. Todo esto era lo que esperaba, y lo que leía en la indiferencia con que sus visitantes conversaban entre sí, paseándose por el estudio y deteniéndose a contemplar los bustos y los maniquíes. No obstante, a pesar de esta prevención y el íntimo convencimiento de que unos rusos ricos y de alta cuna no podían ser más que unos imbéciles y unos brutos, les acompañaba en su recorrido por el estudio, alzaba las cortinas y, al llegarle el turno a su cuadro, descubrió el lienzo con mano temblorosa, porque no podía disimular que Vronski, y sobre todo Ana, le había impresionado favorablemente.

—Si les parece a ustedes —dijo frenando su marcha desgarbada y retrocediendo unos pasos para mostrar su cuadro a los espectadores— pueden ver este lienzo. Cristo delante de Pilatos. Mateo, capítulo XXVII.

Sintió que le temblaban los labios de emoción, y dio unos pasos atrás para dejar delante a sus huéspedes. Por espacio de unos segundos, Mikhailov contempló en silencio su propia obra con aire indiferente, como si hubiera sido uno de los espectadores. De aquellas tres personas, a las que hacía un instante despreciaba, esperaba ahora una sentencia infalible. Olvidando su propia opinión, los méritos incontestables que él reconocía a su obra desde hacía tres años, la veía con mirada glacial y crítica como aquellos extraños, sin concederle nada bueno de antemano. En primer plano destacaban el ceño fruncido de Pilatos y la expresión serena de Cristo; en segundo, los soldados del procónsul y el rostro de Juan, a la escucha. Cada una de estas figuras había sido para él una fuente de tormentos y de alegrías. ¡Qué de estudios, qué de retoques para profundizar el carácter particular, para ponerlo en armonía con la impresión de conjunto! Y ahora todas las figuras sin excepción, tanto en sí mismas como en los pormenores de tono y colorido, le parecían pobres, vulgares, sin ninguna originalidad. La expresión misma de Cristo, punto central del cuadro y objeto principal de su entusiasmo, le parecía sólo una buena copia —peor aún, una mala copia, porque en el acto le descubrió muchos defectos— de los innumerables Cristos del Ticiano, de Rafael, de Rubens. El mismo pastiche resultaba Pilatos. El mismo pastiche los soldados. Decididamente, todo aquello no era más que antigualla, mezquindad, pintarrajo y baratillo. ¡Qué merecidas serían las frases cortésmente hipócritas que iba a escuchar! ¡Cuánta razón tendrían sus visitantes, compadeciéndole y burlándose de él una vez fuera!

Aquel silencio, que no duró más de un minuto, le angustió de tal modo que para disimular su ansia tomó el partido de dirigir la palabra a Golenistchev.

—Creo haber tenido el honor de conocerle —dijo, aunque sus miradas inquietas erraban de Ana a Vronski, sin perder detalle del juego de sus fisonomías.

—Ya lo creo; nos hemos visto en casa de Rossi. ¿No se acuerda de aquella señorita italiana, una tarde, que nos hizo una declamación, la nueva Rachel...?

Golenistchev había respondido en tono ligero, apartando los ojos del cuadro sin ningún esfuerzo aparente. Pero como vio que Mikhailov esperaba un comentario, añadió:

—Su obra ha progresado mucho desde la última vez que la vi, y ahora, como entonces, me siento sorprendido viendo su interpretación de Pilatos. Es el tipo auténtico del hombre fuerte, funcionario inflexible hasta la médula, que no hace el menor caso de lo que sus actos puedan parecer exteriormente. Pero me parece...

El semblante inquieto de Mikhailov se iluminó por completo, le brillaron los ojos, quiso responder, pero se lo impidió la emoción y tuvo que fingir un acceso de tos. Aquella observación de un detalle, estricta, pero más bien hiriente porque omitía lo principal, y de ningún valor para él, puesto que tenía en tan baja estima el instinto artístico de Golenistchev, le llenó de alegría. Sintió un repentino afecto por el nuevo crítico y pasó bruscamente del abatimiento al entusiasmo. Para él, su cuadro había recobrado aquella vida tan compleja y tan profunda. Intentó confirmar a Golenistchev en su opinión de que efectivamente, era así como él comprendía a Pilatos, pero de nuevo sus labios temblorosos le impidieron hablar. A su lado, Ana y Vronski conversaban en voz baja, como suele hacerse en las exposiciones de pintura, en parte por no correr el riesgo de defraudar al autor, y en parte, por no dejar de escuchar alguna de esas observaciones absurdas que tan fácilmente se escapan cuando hablamos de arte. Mikhailov creyó notar que les agradaba el cuadro, y se aproximó a ellos.

—¡Qué admirable expresión tiene este Cristo! —ponderó Ana con acento de sinceridad. La figura del Salvador le atraía, en efecto, más que cualquier otra. Sabía que aquella era la figura capital, y que elogiarla sería complacer al artista—. Se ve —añadió— que tiene piedad de Pilatos.

Aquella era otra de las mil apreciaciones justas y triviales que se podían hacer del cuadro. Los rasgos de Cristo debían expresar la resignación a la muerte, la renuncia a toda palabra vana, la paz sobrenatural, el amor supremo y, por ende, también la compasión por sus enemigos. Pilatos tenía forzosamente que representar la vida carnal por oposición a Jesús, modelo de la vida espiritual, y, por consiguiente, tener el aspecto de un vulgar funcionario. Y, sin embargo, la cara de Mikhailov se volvió a iluminar.

—¡Esto sí que es pintura! ¡Qué aire alrededor de esta figura! Se le podría dar la vuelta —observó Golenistchev, queriendo mostrar sin duda con esta observación que no aprobaba aquella representación tan realista de Cristo.

—Sí, es realmente sorprendente esa facilidad de ejecución —comentó Vronski—. ¡Qué relieve el de esas figuras de segunda fila! Eso es lo que se llama técnica —añadió, sumándose a la intención de Golenistchev, al que había confesado recientemente su incapacidad de adquirir aquella técnica.

—Sí, sí, es sorprendente —confirmaron Ana y Golenistchev. Pero la observación de Vronski hirió en lo vivo a Mikhailov, que lo miró con aire descontento.

Él no comprendía bien el sentido de la palabra «técnica», pero había notado muchas veces, incluso en los mismos elogios que le dirigían, que solían oponer la habilidad técnica al mérito intrínseco de la obra, como si fuera posible pintar con talento una mala composición. No ignoraba que hacía falta mucha habilidad en los dedos para desgarrar, sin causar ningún daño a la impresión general, los velos, las apariencias que ocultan la verdadera figura de los objetos; pero, según él, aquello no entraba en el dominio de la técnica. Aquella habilidad de ver lo que él veía se le podía conceder a un niño, a una cocinera, que ellos ya sabrían dar cuerpo a su visión, en tanto que un rutinario, un practicón, el más sutil, no sabría pintar nada mecánicamente sin que se le diera de antemano una visión de su obra lo más concreta posible. Por otra parte, estimaba que la técnica, puesto que la técnica existía, constituía precisamente su punto débil: en todas sus producciones había ciertos defectos que saltaban a la vista, y provenían precisamente de la falta de prudencia con la cual había despojado a los objetos de los velos que los disimulaban.

—La única objeción que yo me permitiría hacer, si usted no tiene inconveniente... —insinuó Golenistchev.

—Hágala, por favor —respondió Mikhailov con forzada sonrisa.

—Es que usted ha pintado al hombre-dios, y no al Dios hecho Hombre. Ya sabía yo, desde luego, que tal era su intención.

—Yo no puedo pintar a Cristo más que tal como yo lo comprendo —declaró Mikhailov con tono sombrío.

—En ese caso, perdone que le exponga un punto de vista que me es particular. Su cuadro es tan notable que mi objeción no podría hacerle ningún perjuicio. Por lo demás su tema es un caso especial. Pero, pongamos por ejemplo a Ivanov. ¿Por qué ha reducido a Cristo a las proporciones de una figura histórica? Más le hubiera valido escoger un tema nuevo, menos debatido...

—¿Pues no es ese tema el mayor de todos?

—Buscando, se encontrarían otros. El arte, en mi opinión, no resiste las discusiones. Ahora bien, delante del cuadro de Ivanov todo el mundo, creyentes e incrédulos, se plantea la misma pregunta: ¿Se trata, si o no, de un Dios? Con lo que la unidad de impresión queda así destruida.

—¿Y eso por qué? Me parece que para las personas ilustradas, la duda no es posible.

Golenistchev no participaba de su opinión y, firme en su idea, enfrascó al pintor en una discusión en la que éste no encontró medios para defenderse.

12

Tras largo rato, Ana y Vronski, aturdidos por la sabia locuacidad de su amigo, cambiaban miradas que denotaban su aburrimiento y al fin, optaron por continuar solos la visita del estudio y se detuvieron delante de un cuadro de reducidas dimensiones.

—¡Qué alhaja! ¡Esto sí que es encantador, qué delicioso! —exclamaron al unísono.

«¿Qué será esto que tanto les gusta?», pensó Mikhailov. Durante meses había estado completamente absorbido por aquel cuadro, pasando día y noche en un estado alternativo de entusiasmo y desesperación, pero hacía tres años que lo había acabado y ya no había vuelto a pensar siquiera en él, ni se había dignado dirigirle una mirada. Análoga suerte esperaba, desde luego, a todos sus lienzos, y si había expuesto éste era accediendo a ruegos de un inglés, que al principio había mostrado deseos de comprarlo.

—No es nada, un antiguo ensayo —declaró.

—¡Pero si esto es arrebatador! —repuso Golenistchev que parecía también conquistado por el encanto del segundo cuadro.

Dos muchachos estaban pescando a la sombra de unos sauces. El mayor acababa de echar su sedal al agua y desprendía el flotador, amarrado a un tronco. Se le veía absorbido por esta grave tarea. El otro, tendido en el césped, apoyaba en el brazo su cabeza de cabellos rubios y enmarañados mientras miraba el agua con sus ojos azules y pensativos. ¿En qué estaría pensando?

El entusiasmo despertado por este ensayo pictórico volvió un poco a Mikhailov a su emoción anterior, pero como sentía mucho despego de las vanas reminiscencias del pasado, no concedió importancia a estos elogios halagadores y quiso conducir a sus huéspedes hacia un tercer cuadro. Habiéndole preguntado Vronski si el ensayo estaba a la venta, encontró inoportuna esta alusión al dinero y respondió, frunciendo el entrecejo:

—Está expuesto para la venta.

Al retirarse los visitantes, Mikhailov se sentó delante del cuadro de Cristo y Pilatos y se puso a meditar acerca de lo que aquéllos habían dicho o dejado entrever. Cosa extraña, los comentarios aquellos, que tanto peso parecían tener cuando estaban presentes los visitantes y él se situaba en su mismo punto de vista, perdían ahora toda su significación. Al considerar su propia obra con mirada de artista, se reafirmó en la plena convicción de que poseía un valor muy alto, y recobró por consiguiente aquella disposición de espíritu que tan necesaria le era para seguir trabajando.

La pierna de Cristo, en escorzo, no estaba sin embargo en la forma exacta que él había querido darle; cogió la paleta y se puso a corregir lo hecho. Se fijó después en el personaje de san Juan que destacaba al fondo, que él consideraba como la última palabra de la perfección, y en el que sin embargo no habían reparado los visitantes. Se propuso hacerle un retoque, pero para trabajar bien tenía que estar menos emocionado y encontrar el justo término medio entre la frialdad y la exaltación. Por el momento se sentía poseído por una fuerte excitación. Quiso tapar el cuadro, mas, se detuvo. Sosteniendo el paño con una mano, sonrió con éxtasis a su San Juan. Por fin, sustrayéndose con gran pena a su contemplación, dejó caer el paño y emprendió el regreso a su casa, fatigado pero feliz.

Al entrar en el *palazzo*, Vronski, Ana y Golenistchev departieron animadamente sobre Mikhailov y sus cuadros. La palabra «talento» se repetía con frecuencia en sus frases; por tal entendían no solamente un don innato, casi físico, independiente del espíritu y del corazón, sino algo más amplio cuyo verdadero sentido no captaban en modo alguno. Así pues, sin negarle este don, estimaban que su falta de cultura no le había permitido desarrollarlo, defecto común a todos nuestros artistas rusos. Pero el caso es que no podían olvidar los pequeños pescadores de caña.

—¡Qué cosa más bonita es su simplicidad! —ponderó Vronski—. ¡Y pensar que él no comprende su valor! No dejemos escapar la ocasión.

13

Vronski compró el pequeño cuadro y al mismo tiempo encargó a Mikhailov que hiciese el retrato de Ana. El artista acudió el día indicado y comenzó un esbozo que, a partir de la quinta jornada, llamó la atención de todo el mundo y, en particular, de Vronski, por el parecido y por la fina percepción con que había interpretado la belleza de la modelo.

«Se necesita amar a Ana como yo la amo —se dijo Vronski— para descubrir sobre este lienzo el encanto inmaterial que la hace tan seductora.»

En realidad era el retrato el que le revelaba esta nota exquisita, pero era tal la exactitud con que se reflejaba en el lienzo, que otros coincidieron con él y se imaginaban conocer esta característica desde siempre.

—Yo he estado mucho tiempo luchando por conseguirlo, sin llegar a nada —decía Vronski refiriéndose al retrato que había hecho de Ana— y en cambio ha venido éste, no ha tenido más que mirarla una vez y ya está todo hecho. ¡Eso es lo que yo llamo técnica!

—Eso llegará —decía Golenistchev para consolarle, pues a sus ojos, Vronski tenía talento, y su formación cultural tenía que permitirle una alta realización del arte. Por lo demás, este juicio favorable se basaba sobre todo en la necesidad que Golenistchev tenía de los elogios y de la simpatía de Vronski para sus propios trabajos; era un cambio de buenos procedimientos.

Fuera del estudio, Mikhailov parecía otro hombre. En el palacio, sobre todo, se mostraba respetuoso con afectación y evitaba toda intimidad con gente que, en el fondo, no estimaba nada. Llamaba a Vronski vuestra «excelencia» y, a pesar de las reiteradas invitaciones, nunca aceptó quedarse a comer. No se le veía más que en las horas de posar su modelo. Ana le profesaba, a causa de su retrato, un gran reconocimiento y le demostraba más afabilidad que a muchas otras personas. Vronski le trataba con muchas consideraciones y parecía tomarse un vivo interés por su manera de pintar. Golenistchev no desaprovechó ninguna ocasión para inculcarle ideas sanas sobre el arte. Tiempo perdido: Mikhailov se mantenía en una fría reserva. Ana sentía, sin embargo, que posaba de buen grado su mirada sobre ella evitando siempre dirigirle la palabra; a los esfuerzos de Vronski por hacerle hablar de su pintura, oponía un silencio obstinado. Tampoco fue más locuaz cuando le presentaron a su aprobación el cuadro de Vronski. En cuanto a los discursos de Golenistchev, los escuchaba con hastío y no se molestaba en contradecirlos.

Esta sorda hostilidad produjo en los tres una penosa impresión, y experimentaron un verdadero alivio cuando terminaron las «poses» y Mikhailov cesó de venir al palacio, dejando como recuerdo suyo un retrato admirable. Golenistchev fue el primero en expresar la idea de que el pintor tenía envidia de Vronski.

—Envidia es demasiado decir, sin duda, ya que él tiene talento; en todo caso, no puede soportar que un hombre de altas cualidades, rico y conde por añadidura (cosas éstas que esa gente detesta), llegue sin grandes molestias a hacer su trabajo igual, si no mejor que él, que ha consagrado toda su vida a la pintura. Y luego —¿cómo no?— está la cuestión de la educación.

Vronski, aunque encargándose resueltamente de la defensa del pintor, daba en el fondo la razón a su amigo: en su convicción íntima estimaba que un hombre de situación inferior tenía fatalmente que caer en la envidia.

Los dos retratos de Ana deberían haberle aclarado y demostrado la diferencia que existía entre Mikhailov y él. No se molestó en comprobarlo. Renunció sin embargo al suyo, pero pura y simplemente porque lo encontraba superfluo y para dedicarse por entero a su cuadro medieval, del que estaba tan satisfecho como Golenistchev y Ana: aquel lienzo, en efecto, les recordaba —mucho más que todos los trabajos de Mikhailov— las obras maestras de otros tiempos.

Por su parte, Mikhailov, a pesar del atractivo que el retrato de Ana había tenido para él, se sintió feliz al verse libre de la charlatanería de Golenistchev y de las obras de Vronski. Ciertamente, nadie tiene derecho a impedir que otros se distraigan como mejor les parezca, pero el artista sufría con este pensamiento de aficionado. Nadie puede prohibir que un hombre se haga una muñeca de cera y besarla, pero ¡que no se atreva a besarla delante de un enamorado! ¡Esto le heriría de muerte! La pintura de Vronski producía sobre Mikhailov un efecto análogo.

La admiración excesiva de Vronski por la pintura y la Edad Media fue, por lo demás, de corta duración. Tenía bastante instinto artístico para no acabar su cuadro, para reconocer que los defectos, poco aparentes al principio, se hacían más llamativos a medida que avanzaba. Estaba en el mismo caso de Golenistchev, que, sintiendo el vacío de su espíritu, imaginaba madurar sus ideas y hacer acopio de materiales. Pero mientras éste se irritaba, Vronski permanecía perfectamente tranquilo. Incapaz de engañarse a sí mismo y más aún de exasperarse, se limitaba a abandonar la pintura con su decisión de carácter habitual, sin buscar la menor justificación a su fracaso.

Pero la vida sin ocupación se le hizo muy pronto intolerable en aquella ocasión. Ana, sorprendida de su desencanto, pensó en seguida como él. El palacio les pareció de pronto viejo y sucio; las manchas de las cortinas, las grietas de los mosaicos, los desconchados de las cornisas adquirieron un aspecto sórdido; el asiduo Golenistchev, el profesor italiano y el viajero alemán se les volvieron todos intolerablemente enojosos. Sintieron la imperiosa necesidad de cambiar de vida y decidieron volver a Rusia. Vronski quería detenerse algún tiempo en San Petersburgo para concluir allí un acta de participación de herencia con su hermano, y Ana para ver a su hijo. El verano lo pasarían en el soberbio dominio patrimonial de Vronski.

14

Hacía cerca de tres meses que se había casado Levin. Era feliz, pero de una manera distinta a la que él había pensado: ciertos encantos imprevistos le compensaban de numerosas desilusiones. La vida conyugal se revelaba muy diferente de lo que él había soñado. Semejante a un hombre que, habiendo admirado la marcha tranquila y regular de su barco sobre la superficie de un lago, querría dirigirlo él mismo, sentía la diferencia que existe entre la simple contemplación y la acción. No bastaba quedarse sentado sin hacer movimientos inútiles. Hacía falta sentir el agua bajo los pies, maniobrar sin la menor distracción el timón de la nave, levantar con mano segura los pesados remos, cosas todas muy interesantes, sin duda, pero en todo caso bastante difíciles.

Cuando era soltero, las pequeñas miserias de la vida conyugal, disputas, celos, preocupaciones mezquinas, le provocaban a menudo sarcasmo. Estas cosas jamás ocurrirían en su vida familiar; su existencia íntima no se parecería nunca, ni en sus formas externas, a la de los otros. Y he aquí que esas mismas pequeñeces se reproducían e iban adquiriendo, fuese como fuere, una importancia indiscutible. Por más que él se imaginase poseer ideas muy suyas sobre el matrimonio, había creído lo que la mayor parte de los hombres creen: encontrar en él las satisfacciones del amor sin admitir ningún detalle prosaico. El amor debía darle reposo después del trabajo, y su mujer debía contentarse con ser amada; olvidaba completamente que ella tenía también derecho a una cierta actividad personal. Grande fue su sorpresa al ver aquella exquisita, aquella poética Kitty, preocuparse desde los primeros días de su vida en común del mobiliario, de la ropa de vestir y de cama, de la vajilla, de la cocina. La negativa reiterada de ella, desde los esponsales, a la oferta de un viaje de novios, para venir a instalarse en el campo, había dejado frío a Levin. Entonces, ¿sabía ella mejor que él lo que les convenía? ¿Era posible que ella pudiera pensar en otra cosa que en su amor? Todavía no podía él acostumbrarse a esta preocupación de los detalles materiales, que parecía inherente a la naturaleza de Kitty. No obstante, aun reprochándola en este aspecto, le causaba placer verla cómo ponía los muebles en sus emplazamientos respectivos, una vez llegados de Moscú; cómo arreglaba un par de habitaciones según su propio gusto, ponía cortinas, reservaba tal habitación para Dolly, instalaba a la doncella, daba instrucciones al viejo cocinero, entraba en discusión con Ágata Mikhailovna y le quitaba las llaves de la despensa. El cocinero sonreía dulcemente al recibir ciertas órdenes fantásticas, imposibles de cumplimentar, mientras que la vieja ama de llaves sacudía la cabeza con aire pensativo ante las nuevas medidas decretadas por su joven ama. Y ésta, mitad riendo, mitad llorando, acudía a su marido quejándose de que Macha, su doncella, no habiendo perdido la costumbre de llamarla *mademoiselle*, la había convertido en el hazmerreír de todos. Levin sonreía, pero al ver tan encantadora a su mujer, hubiera preferido que no se mezclase en nada. No adivinaba que, acostumbrada en casa de sus padres a frenar sus fantasías, experimentaba una especie de vértigo al sentirse dueña de sus actos, de comprar montañas de dulces y bombones, de encargar los entremeses más extraños y variados y que más le agradaban, de gastar el dinero a su gusto.

Si ella esperaba con impaciencia la llegada de Dolly, era sobre todo para hacerle admirar su instalación. Los detalles caseros la atraían irresistiblemente y, como en previsión de días adversos, hacía su nido al aproximarse la primavera. Este celo por las bagatelas, tan contrario al ideal de dicha soñado por Levin, fue en algunos aspectos una desilusión, mientras que esta misma actividad, cuyo objeto no acertaba a comprender pero que no podía ver sin complacencia, le parecía en otros aspectos de un encanto insospechado.

Las disputas fueron también causa de sorpresas. Levin jamás se habría imaginado que entre su esposa y él pudiera haber más relaciones que las de la dulzura, el respeto, la ternura y el afecto. Sin embargo, tuvieron una discusión los primeros días: Kitty le trató de egoísta, derramó lágrimas e hizo gestos de desesperación.

La primera de estas discusiones sobrevino a consecuencia de una excursión que hizo Levin a la nueva granja: habiendo querido tomar el camino más corto, se perdió y estuvo ausente una media hora más de lo que había dicho. Mientras se aproximaba a la casa, no pensaba más que en Kitty, embriagándose en la idea de su felicidad. Acudió al salón en un estado de espíritu cercano a la exaltación que se había apoderado de él aquel día que la pidió en matrimonio. Un rostro sombrío que no conocía, fue el que le acogió. Quiso besar a su mujer. Ella le rechazó.

—¿Qué tienes?

—¡Ah, eso te divierte a ti...! —comenzó a decir ella, en tono frío y amargo.

Pero apenas abrió ella la boca, salieron a relucir aquellos absurdos celos que la habían atormentado durante su espera, sentada al borde de la ventana, y estalló en palabras de reproche. Entonces comprendió él claramente, por primera vez, lo que no había podido captar bien después de la bendición nupcial, a saber: que el límite que les separaba era intangible, y que nunca podría saber dónde comenzaba y dónde terminaba su propia personalidad. Aquél fue un doloroso sentimiento de escisión interior. A punto de ofuscarse, comprendió en seguida que Kitty no podía ofenderle de ninguna manera, desde el momento que ella formaba parte de su propio «yo». Así, por ejemplo, nos ocurre alguna vez que sentimos en la espalda un dolor muy vivo. Nuestra reacción más inmediata es la de volvernos, creyendo que nos han dado un golpe; ávidos de venganza, vemos que no hay nadie y, convencidos de que ha sido un accidente, tenemos que soportar en silencio el mal que nosotros mismos nos hemos hecho.

Levin, por tanto, nunca pudo haber experimentado tan claramente aquella impresión. Necesitó algún tiempo para recobrar el equilibrio. Quería demostrar a Kitty su injusticia, pero al echarle a ella la culpa, la habría irritado más. Un sentimiento muy natural le impulsaba a disculparse; otro, más violento, a no agravar más la situación. Resignarse al azote de una injusticia era cruel, pero aún lo era más querer suavizarlo con un pretexto de justicia. Con frecuencia, un hombre adormecido lucha contra un mal doloroso del que quisiera librarse, y al despertar comprueba que aquel mal estaba en el fondo de sí mismo. Por eso Levin debía reconocer que la paciencia era el único remedio.

La reconciliación vino muy pronto. Kitty, sin confesarlo, sentía remordimientos. Se mostró más afectuosa y con esto le devolvió la felicidad. Sin embargo, estos incidentes se renovaban con bastante frecuencia, por razones fútiles, imprevistas, porque sus arrebatos de mal humor se repetían muy a menudo y porque ambos ignoraban todavía, mutuamente, lo que tenía verdadera importancia para los dos. Aquellos primeros meses fueron difíciles de pasar. La cuestión más pueril suscitaba a veces malentendidos cuya verdadera causa se les escapaba en seguida. Cada uno de ellos tiraba de su lado la cadena que les unía, y aquella luna de miel, de la que Levin esperaba maravillas, no les dejó más que recuerdos atrozmente penosos. Los dos buscaban la forma de borrar de sus memorias los mil incidentes ridículos y vergonzosos de aquel período, durante el cual raramente se encontraban en un estado de espíritu normal. La vida no se regularizó hasta bien entrado el tercer mes, después de una estancia de varios días en Moscú.

15

Habían regresado a su casa y disfrutaban de su soledad. Levin, instalado en su despacho, escribía. Sentada en el gran diván de cuero que desde tiempo inmemorial ocupaba el gabinete de trabajo, Kitty, vestida con un traje color violeta —que gustaba mucho a su marido, porque lo había llevado puesto en los primeros días de su matrimonio—, hacía sus labores de bordado inglés. Escribiendo y reflexionando, Levin gozaba con la presencia de su mujer; no había abandonado ni la dirección de la empresa, ni el desarrollo de su obra sobre la reforma agronómica. Pero si en otro tiempo, comparadas a la tristeza que ensombrecía su vida, aquellas ocupaciones le habían parecido miserables, ¡cuánto más insignificantes le aparecían en el cenit de la felicidad! Sentía que la atención se le desviaba hacia otros objetos y veía las cosas desde un punto de vista diferente. El estudio, que poco antes era el único punto luminoso de su existencia entenebrecida, ponía ahora algunas manchas sombrías sobre el fondo, fascinante en demasía, de su nueva existencia.

Una revisión de su obra le permitió calibrar el valor de la misma, atenuar ciertas aserciones excesivamente categóricas, rellenar más de una laguna. Añadió un capítulo sobre las condiciones desfavorables en que se desenvolvía la agricultura en Rusia: de darle crédito, resultaría que la pobreza del país no era debida únicamente a la desigual distribución de la propiedad territorial y a las falsas doctrinas económicas, sino sobre todo a una introducción mal comprendida y prematura de los principios de la civilización europea. Los ferrocarriles, obra más política que económica, provocaban un exceso de centralización, necesidades de lujo y, por consiguiente, el desarrollo de la industria en detrimento de la agricultura, la extensión exagerada del crédito y la especulación. El incremento normal de la riqueza de un país no admitía estos signos exteriores de la civilización en tanto que la agricultura no hubiera obtenido un grado proporcional de desarrollo.

Mientras que Levin escribía, Kitty pensaba en la extraña actitud adoptada por su marido hacia el joven príncipe Tcharski, el cual le había estado haciendo la corte a ella un poco descaradamente, la víspera de su salida para Moscú.

«Es celoso —pensaba ella—. ¡Qué tonto! Si sabe que todos los hombres me son tan indiferentes como Pedro, el cocinero.»

No quitaba la vista de la nuca y el cuello vigoroso de su marido. Quería que se volviese.

«Siento interrumpirle, pero peor sería... Quiero verle la cara, saber si siente mi mirada, que se vuelva; lo quiero, lo quiero...»

Y abrió del todo sus grandes ojos como para dar más fuerza a su mirada.

—Sí, atraen hacia sí toda la savia y dan una falsa sensación de riqueza —masculló Levin soltando la pluma, porque sentía fijos en él los ojos de su esposa.

Se volvió a ella.

—¿Qué hay? —preguntó, levantándose.

«Ya se ha vuelto», pensó ella.

—Nada, quería hacer que te volvieras —respondió, tratando de averiguar si este capricho le contrariaba.

—¡Qué alegría, estar al fin solos! Al menos, para mí —dijo aproximándose a ella, radiante de felicidad.

—¡Y para mí también! Me encuentro tan bien aquí que no pienso trasladarme a ninguna parte, y menos a Moscú.

—¿En qué estabas pensando?

—¿Yo? Pues yo pensaba... No, no, sigue trabajando, no te quiero distraer —respondió ella con una pequeña mueca—. Tengo necesidad de cortar ahora todos estos ojales, como ves.

Y cogió las tijeras de bordar.

—No. Dime, ¿en qué estabas pensando? —repitió él sentándose a su lado y siguiendo con la vista los movimientos de sus pequeñas tijeras.

—¿En qué pensaba? En Moscú y en tu nuca.

—¿Qué he hecho yo para merecer tanta ventura? Esto no es natural, es demasiado hermoso —dijo él, besándole la mano.

—Pues no, nada más bello, nada más natural.

—¡Calla! ¿Te has hecho una trenza? —preguntó él, volviéndole la cabeza con precaución.

—Claro que sí, mira... No, no. Vamos a ocuparnos de cosas más serias.

Pero «las cosas serias» estaban interrumpidas, y cuando Kusma vino a anunciarles el té, se separaron bruscamente, como una pareja de culpables.

—¿Ha venido la diligencia del pueblo? —le preguntó Levin al criado.

—Ahora mismo. Están sacando los paquetes.

—No tardes —recomendó Kitty retirándose—. Si tardas leeré las cartas sin ti. Después tocaremos a cuatro manos.

Una vez solo, Levin guardó ordenadamente sus papeles en una carpeta nueva, regalo de su esposa, se lavó las manos en un lavabo provisto de un elegante neceser, también regalo de su mujer, y sonrió entregándose a sus pensamientos. Al pensar en su vida actual, agachó la cabeza poseído de un sentimiento parecido a un escrúpulo de conciencia. Sí, su vida era demasiado muelle, demasiado blanda, y eso le causaba un poco de vergüenza.

«Estas delicias de Capua de nada me sirven —reflexionaba—. Ya llevo tres meses haciendo el vago. Por cada vez que me dedico seriamente al trabajo, cien renuncio a él. Estoy descuidando hasta mis ocupaciones ordinarias; no me intereso por nada, no voy a ninguna parte. Tan pronto me da pena estar apartado de ella, como me entra el temor de cansarla con mi presencia. ¡Y yo, que creía que hasta el matrimonio la existencia no contaba para nada, que no comenzaba realmente hasta después! Nunca he pasado tres meses en una holganza como ésta. Es necesario que esto termine. Bien entendido que ella no tiene ninguna culpa, no se le puede hacer el menor reproche, pero yo debía haber mostrado más firmeza, defender mi independencia de hombre. Si seguimos así, acabaré por tomar una mala costumbre, y hacérsela tomar a ella.»

Un hombre descontento no puede menos de defenderse echando sobre alguien —sobre todo si es una persona que tiene muy próxima— la culpa de su disgusto. Levin se puso entonces a pensar que, en defecto de su mujer, bien podría acusar a quienes le habían dado la frívola educación que había recibido.

—No ha sabido hacerse respetar por ese imbécil de Tcharski. Fuera de sus pequeños intereses domésticos, de su tocado, de su bordado inglés, no se ocupa de nada. Por mis ocupaciones no siente la menor simpatía, ni por nuestros campesinos, ningún gusto por la lectura ni tampoco por la música, a pesar de que en este último aspecto es bastante buena. No hace absolutamente nada, y está ahí, tan satisfecha.

Juzgándola así, Levin no comprendía que su mujer se preparaba para una etapa de actividad que la obligaría a ser a la vez esposa, madre, ama de casa, nodriza, institutriz... No se daba cuenta de que, en previsión de esta tarea futura y obedeciendo a un secreto instinto, se entregaba ella a aquellas horas de despreocupación y de amor, y que estaba disponiendo el nido en un ambiente de calma e íntima satisfacción.

16

Levin subió al primer piso, donde encontró, delante de un flamante samovar de plata nuevo y un servicio de té no menos novedoso, a su mujer, ocupada en leer una carta de Dolly, con la que mantenía asidua correspondencia. Sentada no lejos de ella frente a una mesita, Ágata Mikhailovna sorbía también su té.

—Ya lo ve, la señora me ha hecho sentar a su lado —dijo la vieja con gentil sonrisa indicando a Kitty.

Estas palabras significaban para Levin el fin de un drama doméstico. A pesar del desaire que había causado el ama de casa empuñando las riendas del gobierno, Kitty victoriosa, había logrado hacerse perdonar.

—Toma, aquí hay una carta para ti —dijo Kitty, alargando a su marido una misiva cuya ortografía dejaba bastante que desear—. Creo que es de aquella mujer, ya sabes..., de casa de tu hermano. La he abierto, pero no la he leído. Aquí hay otra de mis padres y de Dolly: figúrate que Dolly ha llevado a Gricha y Tania a un baile infantil en casa de los Sarmatski. Tania iba disfrazada de marquesa.

Pero Levin no escuchaba a su esposa. Con el semblante coloreado, cogió la carta de María Nicolaievna, la antigua querida de Nicolás, y la leyó por encima. Aquella mujer le había escrito ya otra vez para prevenirle que Nicolás la había despedido sin que le hubiese dado ningún motivo. Con un candor de lo más sorprendente, añadía que ella no pedía ningún socorro, a pesar de que estaba reducida a la miseria, pero que el recuerdo de Nicolás Dimitrievich la atormentaba. ¿Qué iba a ser de él, débil y enfermo como estaba? Suplicaba a su hermano que no le perdiera de vista. Y he aquí que ahora le anunciaba las más graves noticias. Habiéndose encontrado con Nicolas Dimitrievich en Moscú, habían salido juntos para una ciudad importante donde a él le habían ofrecido un empleo. Allí, habiendo discutido con uno de sus jefes, había reemprendido el camino a Moscú, pero había enfermado en el viaje y, probablemente, no se repondría jamás.

«Pregunta constantemente por usted —añadía la carta—. Y, desde luego, no nos queda nada de dinero.»

—Lee ahora esto que Dolly escribe de ti —comenzó a decir Kitty, pero observando el rostro preocupado de su marido, se detuvo—. ¿Qué tienes? ¿Qué ha pasado? —exclamó.

—Esa mujer me escribe que Nicolás, mi hermano, se muere. Tengo que partir.

Kitty cambió de expresión: Dolly, Tania de marquesa, todo estaba olvidado.

—¿Cuándo te propones partir? —preguntó ella.

—Mañana.

—¿Puedo acompañarte?

—¡Pero, Kitty, qué ocurrencia! —exclamó él, en tono de reproche.

—¿Cómo que qué ocurrencia? —repuso ella, molesta al ver que su proposición no había caído en gracia—. ¿Por qué no he de acompañarte? Yo no te estorbaré en nada. Yo...

—Yo me marcho porque mi hermano se muere. ¿Qué tienes que hacer allí?

—Lo mismo que tú.

Levin se dijo: «En un momento tan grave para mí, ella no piensa más que en el aburrimiento de quedarse sola». Y aquella insistencia, que él juzgaba hipócrita, le irritó.

—Es imposible —respondió, secamente.

Ágata Mikhailovna, viendo que la cosa se ponía de mal en peor, dejó su taza y salió sin que Kitty lo observase. A ésta le había herido el tono de su marido. Evidentemente, no daba crédito a sus palabras.

—Lo que yo te digo es que si tú te vas, yo me voy también —afirmó ella, irritada—. Quisiera saber por qué dices que es imposible. Vamos a ver: ¿por qué?

—Porque sabe Dios por qué rutas tendré que llegar hasta él, en qué tugurio le voy a encontrar. No harás más que estorbarme —arguyó Levin, queriendo conservar su sangre fría.

—De ninguna manera. Yo no tengo necesidad de nada. Donde tú puedas ir, yo puedo ir también.

—Aunque no sea más que por causa de esa mujer, con la que no sabrías ponerte en contacto...

—¡Bah! Poco me importa volver a encontrármela. Yo no quiero saber nada de esas historias. Sólo sé que el hermano de mi esposo se muere, que mi esposo va a verle, y que yo le acompaño para...

—Kitty, no te enfades, pero date cuenta de que en un caso tan grave, me es muy penoso mezclar a mi tristeza una verdadera debilidad, el temor de quedarte sola. Si te aburres en mi ausencia, ve a Moscú.

—¡Ya ves cómo eres! Tú me supones «siempre» de sentimientos mezquinos —reprochó ella, ahogada en lágrimas de despecho—. Ahora se trata de debilidad... Yo siento que mi deber es no abandonar a mi marido en un momento semejante, pero tú lo tomas en otro sentido para hacerme sufrir. Quieres hacerme daño, cueste lo que cueste.

—¡Pero esto es una esclavitud! —gritó Levin, levantándose, incapaz de contenerse más.

Pero al instante, comprendió que su furor se volvía contra él mismo.

—¿Por qué no te has quedado soltero? Serías libre... Sí, ¿para qué te has casado? ¿Para arrepentirte ya?

Y se retiró al salón.

Cuando él se reunió con ella, estaba sollozando. Buscó palabras susceptibles, si no de persuadirla, al menos de calmarla. Pero ella no escuchaba, se resistía a todos sus argumentos. Entonces se arrodilló a su lado, prendió una de sus manos que se le resistía, se la besó, besó después sus cabellos y otra vez su mano. Ella callaba siempre. Pero cuando al fin le cogió la cabeza entre las manos diciendo «¡Kitty!», se enterneció, lloró y la reconciliación llegó en seguida.

Decidieron partir juntos al día siguiente. Levin se declaró convencido de que ella quería únicamente serle útil y que no había ningún inconveniente en que María Nicolaievna estuviera presente al lado de su hermano. Pero en el fondo de su corazón, él no quería verla ni que la viera su mujer. Cosa extraña, él, que no había podido creer en la dicha de ser amado por ella, se sentía casi un infeliz por serlo demasiado. Disgustado por su propia debilidad, se asustaba ante la inminencia del encuentro inevitable entre su esposa y la querida de su hermano. La idea de ver a su amada Kitty en contacto con una mujer de vida airada le llenaba de horror y de fastidio.

17

El hotel donde se alojaba el moribundo Nicolás Levin era uno de esos nuevos establecimientos que tienen la pretensión de ofrecer a un público poco habituado a estos refinamientos, el aseo, el confort y la elegancia, pero a los que el mismo público transforma en siniestros figones que hacen echar de menos las sucias posadas de otros tiempos. Todo producía en Levin una impresión molesta... El soldado en sórdido uniforme que hacía de portero y fumaba un cigarro en el vestíbulo, la escalera de hierro fundido, agujereada, sombría y lúgubre... El camarero de aire fanfarrón y traje lleno de manchas, la mesa del comedor adornada con un horroroso ramo de flores artificiales, que se habían vuelto grises a fuerza de amontonar polvo, el estado general de desorden y falta de pulcritud, y hasta una actividad plena de suficiencia que parecía guardar tono con la moda introducida por los ferrocarriles. Esta impresión de conjunto, concebida para hacer saltar de gozo a las parejas de recién casados, no cuadraba lo más mínimo con lo que la realidad les deparaba.

Como es de rigor en estos casos, las mejores habitaciones estaban ocupadas por un inspector de ferrocarriles, por un abogado de Moscú, por una princesa Astafiev. A ellos se les ofreció un cuarto cochambroso, asegurándoles que la pieza contigua estaría libre por la tarde. Las predicciones de Levin se cumplían. En lugar de acudir al lado de su hermano, lo primero que tenía que hacer era instalar a su esposa. No ocultó su contrariedad por este motivo.

—Ve, ve corriendo —dijo ella con acento compungido, una vez que él la dejó en el cuarto.

Levin salió sin pronunciar palabra y casi chocó cerca de la puerta con María Nicolaievna, que acababa de enterarse de su llegada y no se atrevía a entrar en la habitación. Ella no había cambiado nada desde su último encuentro en Moscú: el mismo vestido de lana dejaba al descubierto su cuello y sus brazos, la misma expresión bonachona se reflejaba en sus facciones abultadas de mujer simple y vulgar.

—Bueno, ¿cómo está él?

—Muy mal. No se ha vuelto a levantar y siempre pregunta por usted. ¿Está usted..., está usted con su esposa?

Levin no adivinó en seguida lo que la tenía confusa, pero ella se explicó al momento:

—Me iré a la cocina. Su hermano se alegrará. Se acuerda de haberla visto en el extranjero.

Levin comprendió que aludía a su mujer y no supo qué responder.

—Vamos, vamos —dijo.

Pero apenas se había alejado un paso, la puerta de su cuarto se abrió y apareció Kitty en el umbral. Esta contrariedad hizo sonrojarse a Levin, viendo a su mujer ponerles a ambos en una falsa posición. María Nicolaievna se puso aún más colorada... A punto de llorar, se apretó contra la pared y contuvo sus nervios agarrando vivamente un pañuelo con sus dedos rojos.

Kitty no podía comprender a aquella mujer que casi le causaba miedo. En la mirada que le lanzó, Levin leyó una expresión de ávida curiosidad. Fue sólo cuestión de un segundo.

—¿Qué? ¿Cómo va eso? —preguntó ella, mirando primero a su marido y después a la mujer.

—Éste no es un lugar a propósito para conversar —respondió Levin, dirigiendo miradas furibundas a un caballero que caminaba lentamente por el corredor.

—Pues bien, entre usted —dijo Kitty a María Nicolaievna, que se reponía poco a poco—. O mejor, vaya usted, vaya y mándeme llamar —añadió al ver el aire aterrado de su marido.

Volvió a entrar en el cuarto y Levin acudió a reunirse con su hermano. Creía que lo iba a encontrar en ese estado de ilusión tan corriente entre los tísicos, que tanto le sorprendió después de la última visita de Nicolás, más débil y más delgado también con los síntomas de un fin próximo, pero conservando su figura humana. Pensaba también que él sentiría lástima a la vista de aquel hermano tan querido, y de ver reflejados en su rostro, más fuertes todavía, los terrores que siempre le había inspirado la idea de la muerte. Estaba preparado para todas estas cosas, pero lo que vio fue muy diferente de lo que esperaba.

En una estancia inmunda, sobre cuyas paredes seguramente habían escupido muchos viajeros y que un débil tabique separaba de otra pieza donde se oía conversar, en una atmósfera asfixiante, divisó sobre un lecho ligeramente apartado de la pared un cuerpo arropado en una manta. Una mano enorme como un rastrillo, unida a una especie de mango extraordinariamente alargado, se extendía sobre la manta. La cabeza, sobre la almohada, conservaba algunos cabellos que el sudor había pegado a las sienes. La frente casi se transparentaba.

«¿Es posible que este cadáver sea mi hermano Nicolás?», pensó Levin. Pero cuando estuvo al lado del lecho desapareció la duda. Le bastó una ojeada rápida sobre las pupilas que se animaron al verle entrar, sobre los labios que se entreabrieron al acercarse, para reconocer la atroz verdad.

Nicolás miró a su hermano con ojos severos. Aquella mirada restableció el contacto entre ellos: Constantino leyó en ella algo así como un reproche, y hasta sintió remordimientos por su propia dicha. Cogió la mano del moribundo. Éste sonrió, pero aquella sonrisa imperceptible no atenuó la dureza de su mirada.

—Tú no esperabas encontrarme así —pudo pronunciar.

—Sí..., no —murmuró Levin, armándose un embrollo—. ¿Cómo no me has avisado antes, antes de mi matrimonio? Te he hecho buscar en vano por todas partes.

Quería hablar para evitar un embarazoso silencio, pero su hermano no le respondía y le miraba sin bajar los ojos, como si hubiera pesado cada una de sus palabras. Levin se sentía violento. Comunicó a su hermano que su esposa estaba con él, y Nicolás expresó su satisfacción, pero añadió que temía causarle miedo con su aspecto. Siguió una pausa, después de la cual Nicolás se puso a hablar resueltamente y, por la expresión de su cara, Levin creyó que iba a hacerle una declaración importante, pero Nicolás lo que hizo fue quejarse del médico y lamentarse de no poder consultar a una eminencia de esta profesión en Moscú. Levin comprendió que no había perdido la esperanza.

Al cabo de un momento, Levin se levantó pretextando el deseo de traer a su mujer, pero en realidad para sustraerse, aunque fuera unos minutos, de la angustia que le oprimía.

—Está bien, voy a hacer que limpien esto un poco, que así hace muy mal efecto... ¡Macha, ven a poner todo en orden! —llamó el enfermo con esfuerzo—. ¿Y después te irás? —añadió, interrogando a su hermano con la mirada.

Levin salió sin responder, pero apenas en el corredor, se arrepintió de haber prometido traer a su mujer. Pensando en lo que acababa de ver, resolvió hacerla comprender que aquella visita era superflua.

«¿Qué necesidad tiene ella de sufrir como yo?», se dijo.

—Bueno, ¿qué hay? —preguntó Kitty, asustada.

—Es horrible, horrible. ¿Por qué habrás venido?

Kitty miró a su marido en silencio. Después, cogiéndole del brazo, le dijo con timidez:

—Kostia llévame allí, será menos duro para los dos. Condúceme y déjame allí con él. Tienes que comprender que para mí ser testigo de tu dolor y no poder averiguar la causa, es más cruel que todo lo demás. Tal vez le sea útil, y a ti también. Permíteme, te lo ruego.

Se lo suplicaba como si de ello dependiera la felicidad de toda su vida. Levin, pasada su emoción y olvidando la existencia de María Nicolaievna, consintió en acompañarla.

Con paso ligero y mostrando a su marido un semblante animoso y amable, Kitty penetró en el cuarto de Nicolás. Después de cerrar la puerta sin hacer el menor ruido, se aproximó lentamente a la cama y se colocó de manera que el enfermo no tuviera que volver la cabeza, cogió en sus frescas y jóvenes manos la mano enorme de su cuñado y se puso a hablarle con ese don, propio de las mujeres, de manifestar su simpatía sin el menor asomo de rigidez que pueda herir susceptibilidades.

—Nos hemos visto en Soden sin conocernos —dijo ella—. A usted ni siquiera le pasó por la imaginación que algún día iba a ser su hermana.

—Usted no me habría reconocido, ¿verdad? —preguntó él. Su rostro se había iluminado con una sonrisa al verla entrar.

—¡Vaya que sí! Ha hecho usted muy bien en llamarnos. No pasaba un día sin que Kostia se acordase de usted y se inquietase por no recibir noticias.

La animación de Nicolás duró poco. No había acabado de hablar Kitty, cuando reapareció en sus facciones la expresión de severo reproche del moribundo, incluso para aquellos que se portan bien.

—Me temo que no se encuentre bien aquí —continuó la joven, apartándose para examinar la estancia y librarse de aquella mirada fija—. Habrá que pedir otra habitación y tenerlo más cerca —agregó, dirigiéndose a su marido.

18

Levin no podía estar tranquilo en presencia de su hermano. Los detalles de la horrible situación del moribundo escapaban a su vista y a su atención turbadas. La suciedad, el desorden, la fetidez del aposento le impresionaban sin que pudiera remediarlo. Aguantaba los gemidos de Nicolás pero no le acudía a la mente la idea de ver cómo aquella espalda, aquellos riñones, aquellas piernas descarnadas podían adoptar una postura menos dolorosa. Sólo pensar en estos detalles le daba escalofrío, y el enfermo, adivinando aquella convicción de impotencia se irritaba por ello. Levin no hacía más que entrar y salir bajo diversos pretextos, sintiéndose desgraciado cerca de su hermano, más desgraciado todavía lejos de él, e incapaz de quedarse solo.

Kitty veía las cosas de otra manera. Desde que estaba cerca del enfermo, sentía piedad por él. Lejos de sentir como en casa de su marido, disgusto o terror, aquella compasión la inducía a informarse de todo aquello que pudiera suavizar tan triste estado. Convencida de que debía proporcionar algún consuelo a su cuñado, nunca puso en duda la posibilidad de hacerlo. Los detalles que repugnaban a su marido fueron precisamente los que más retuvieron su atención. Hizo llamar a un médico, envió un sirviente a la farmacia, ocupó al camarero y a María Nicolaievna en barrer, quitar el polvo, lavar, ayudándoles ella misma. Ahuecó la almohada del enfermo, hizo traer y llevar diferentes cosas. Sin preocuparse de los que encontraba en su camino, iba y venía de su cuarto al del enfermo, cargada de trapos, servilletas, camisas, fundas de almohadas, etc.

El camarero, que atendía a la mesa de los señores ingenieros, respondía muchas veces de mal talante a su llamada, pero ella daba las órdenes con una autoridad tan dulce, que acababa ejecutándolas. Levin no aprobaba esta actitud, la juzgaba inútil y hasta temía que molestase a su hermano, pero éste permanecía tranquilo, aunque un poco confuso, y parecía seguir con interés los movimientos de la joven. Cuando Levin volvió de casa del médico, adonde Kitty le había enviado, al abrir la puerta vio que estaban cambiando la ropa del enfermo. La enorme espalda de hombros prominentes, los costados y las vértebras salientes se hallaban descubiertos, mientras que María Nicolaievna y el camarero se hacían un embrollo con las mangas de la camisa, y no veían la forma de meterlas por los largos y descarnados brazos de Nicolás. Kitty cerró la puerta con presteza, sin mirar del lado de su cuñado, pero éste dejó escapar un gemido, y al oírlo acudió presurosa junto a él.

—Daos prisa —apremió ella.

—No se acerque —murmuró el enfermo, con acento colérico—. Ya me las arreglaré yo solo.

—¿Qué dice usted? —preguntó María Nicolaievna.

Pero Kitty, que lo había oído, comprendió que Nicolás tenía vergüenza de mostrarse a ella en aquel estado.

—Yo no miro nada —dijo ella, ayudándole a meter el brazo en la manga—. María Nicolanievna, pase al otro lado de la cama y ayúdenos. Y tú —prosiguió, dirigiéndose a su marido— corre a mi habitación. Encontrarás un frasquito en el bolsillo lateral de mi neceser, cógelo y tráemelo. En este tiempo acabaremos de arreglarlo todo.

Cuando Levin volvió con el frasco, el enfermo estaba acostado de nuevo y todo a su alrededor había cambiado de aspecto. El aire antes viciado, exhalaba ahora un agradable olor de vinagre aromatizado, que Kitty había esparcido soplando en un pequeño tubo. El polvo había desaparecido. A los pies de la cama se extendía una alfombra. So-

bre un velador estaban puestos en orden los recipientes de las medicinas, un jarro, los paños que hacían falta y el bordado inglés de Kitty.
Sobre otra mesa, cerca del lecho, una bujía, polvos de salvadera y un
vaso de agua. El enfermo, lavado, peinado, tendido entre sábanas lim-
pias y recostado en varias almohadas, estaba revestido de una camisa
nueva cuyo cuello blanco hacía destacar la extraordinaria delgadez de
su cuello. En sus ojos se leía una expresión de esperanza. No los apartaba de Kitty.

El médico hallado por Levin en el club, no era el que había dejado tan descontento a Nicolás. Auscultó cuidadosamente al enfermo, agachó la cabeza, escribió una receta y dio explicaciones deta-
lladas sobre los remedios a aplicar y la dieta a observar. Recomendó
huevos frescos casi crudos y agua de Seltz con leche caliente a cierta
temperatura. Cuando se ausentó, el paciente dijo a su hermano algunas palabras, de las que éste no comprendió más que las últimas:
«Tu Katia». Pero por su mirada, Levin comprendió que hacía elogios de su joven esposa. En seguida llamó a Katia, como la había
nombrado.

—Me siento ya mucho mejor —dijo—. Si la hubiera tenido a
usted cerca de mí, hace muchísimo tiempo que estaría curado.

Intentó llevarse a los labios la mano de su cuñada, pero temiendo desagradarla, contentóse con acariciársela. Kitty estrechó afec-
tuosamente aquella mano entre las suyas.

—Vuélvanme ahora del lado izquierdo —murmuró él.

Sólo Kitty comprendió lo que decía, porque pensaba sin cesar
en lo que podría serle útil.

—Vuélvele sobre el lado izquierdo, es sobre el que tiene costumbre de dormir. Hazlo tú mismo. Yo no soy bastante fuerte y no quisiera encargar al camarero de este menester. ¿Puede usted incorpo-
rarle? —preguntó a María Nicolaievna.

—Tengo miedo —respondió ésta.

Por muy aterrorizado que estuviese de levantar aquel cuerpo
horroroso que se agitaba bajo la manta, Levin cedió a la voluntad
de su mujer y, adoptando aquel aire resuelto que ella tan bien le conocía, rodeó con sus brazos al enfermo, invitándole a echar los suyos a su cuello. Le sorprendió la extraña pesadez de aquellos
miembros maltrechos. En tanto que, con grandes esfuerzos, cambiaba de postura a su hermano, Kitty dio la vuelta a la almohada y
la sacudió vivamente, y puso orden en la cabellera un poco men-
guada de Nicolás, algunos mechones de la cual se habían vuelto a
pegar a las sienes.

Nicolás retuvo una mano de su hermano entre las suyas y le atrajo hacia él. El corazón pareció fallarle a Levin cuando sintió que se la llevaba a los labios para besarla. Le dejó hacer, sin embargo. Después, estremecido por los sollozos, salió del cuarto sin poder pronunciar una palabra.

19

«Él ha revelado a los pequeños lo que ha ocultado a los sabios y a los prudentes», pensaba Levin aquella tarde cuando estaba a solas con su mujer.

No es que se creyese un sabio al citar aquella frase del Evangelio, pero de una parte, le era forzoso reconocerse superior en inteligencia a su mujer y a Ágata Mikhailovna, y de otra, sabía perfectamente que cuando le llegaba el momento de pensar en la muerte, este pensamiento se apoderaba de él por completo. Sobre este terrible misterio habían profundizado, como él, muchos hombres de espíritu elevado, con todas las potencias de su alma. Él había leído sus escritos, pero sobre el significado de aquel capítulo del Evangelio no estaban más ilustrados que su vieja sirvienta y su querida Katia, como llamaba ahora a su mujer, imitando con manifiesto placer el ejemplo de su hermano. Aquellas dos personas, tan diferentes por otros conceptos, ofrecían a la luz de aquella breve fórmula una semejanza perfecta. Ambas conocían, sin experimentar la menor duda, el sentido de la vida y de la muerte, y aunque, desde luego eran incapaces de responder a las preguntas que se hacía Levin —incapaces también de comprenderlas—, ellas debían explicarse de la misma manera el problema del destino, y compartir su creencia a este respecto con millones de seres humanos. Como prueba de su familiaridad con la muerte sabían aproximarse a los moribundos sin reparos, mientras que Levin y los que podían, como él, discurrir largamente sobre el tema de la muerte, la temían sin saber por qué y no se sentían capaces de socorrer a un moribundo. Sólo al lado de su hermano, Constantino no podía hacer más que esperar resignado y lleno de espanto la llegada de su hora postrera. No sabía ni siquiera adónde dirigir sus miradas, de qué manera andar ni qué palabras pronunciar. Hablar de cosas indiferentes le parecía afrentoso. Hablar de cosas tristes, imposible. Callarse no lo encontraba mejor.

«Si le miro, va a creer que yo le observo. Si no le miro, creerá que estoy pensando en cosas extrañas. Si ando de puntillas, se excitará. Y a mí me apura andar libremente.»

Kitty, por el contrario, no tenía tiempo de pensar en sí misma. Ocupada únicamente de su enfermo parecía tener un sentido muy exacto de la conducta a seguir, y salía victoriosa en todos sus empeños. Se ponía a contar detalles de su matrimonio, de ella misma, le sonreía, le exponía sus quejas, le acariciaba, le citaba casos de curación. Su actividad no era, desde luego, ni instintiva ni irreflexiva. Igual que Ágata Mikhailovna, se preocupaba de una cuestión más alta que los cuidados físicos.

Hablando del viejo sirviente que acababa de morir, Ágata Mikhailovna había dicho:

—Gracias a Dios, ha recibido la comunión y los santos óleos. Dios dé a todos un fin parecido.

Por su parte, a pesar de sus desvelos por la ropa, por los medicamentos, por los apósitos, Kitty encontró desde el primer día un medio para preparar a su cuñado a recibir los sacramentos.

De regreso a su habitación, ya entrada la noche Levin se sentó con la cabeza baja sin saber qué hacer, incapaz de pensar en la cena, ni en dormir, de prever nada para el día siguiente, ni siquiera de hablar con su mujer. Tan grande era su confusión. Kitty, al contrario, se mostraba más activa, más animada que nunca. Hizo traer la cena, deshizo ella sola el equipaje, ayudó a hacer las camas, las cuales no olvidó de salpicar con polvos insecticidas. Tenía esa excitación, esa rapidez de pensamiento que poseen ciertos hombres antes de una batalla, o bien en una hora grave y decisiva de la vida, cuando se presenta la ocasión de demostrar su valor.

No habían sonado las doce de la noche cuando todo estaba perfectamente arreglado. Aquellas dos habitaciones del hotel ofrecían el aspecto de un compartimiento íntimo. Cerca de la cama de Kitty, sobre una mesa cubierta con un mantelito blanco, tenía colocado su espejo, sus cepillos y sus peines. Levin no sabía cómo arreglárselas para comer, para dormir, hasta para hablar. Cada uno de sus movimientos le parecía inconveniente. Kitty, en cambio, se cuidaba hasta de los detalles más menudos sin que su actividad tuviese nada de enojosa. No pudieron comer, sin embargo, y estuvieron desvelados hasta muy tarde, no habiendo podido decidirse a dormir.

—Estoy contenta porque le he persuadido para que mañana reciba la extremaunción —dijo Kitty, que, vestida con una camisola de noche, se peinaba ante el espejo de viaje sus cabellos perfumados—. No la he visto administrar nunca, pero mamá me ha contado que se dicen oraciones para pedir la curación.

—¿Crees tú posible una curación? —preguntó Levin, contemplando por detrás la cabecita redonda de Kitty, cuya raya desaparecía cada vez que hacía avanzar el peine.

—He consultado al médico. Dice que no puede vivir más de tres días, pero ¿qué saben ellos? Estoy contenta de haberle decidido —añadió, mirando de reojo a su marido a través de su cabellera—. Todo puede ocurrir.

Nunca, desde la conversación que habían tenido siendo novios, se habían ocupado de cuestiones religiosas, pero no por eso había dejado Kitty de rezar y asistir a los oficios, con la tranquila convicción de cumplir un deber. A pesar de la confesión que su marido se creyó obligado a hacerle, ella le creía también un buen cristiano, quizá mejor que ella. Sin duda bromeaba él al acusarse de lo contrario, como cuando porfiaba con ella sobre su labor de bordado inglés.

—Las personas honradas tienen recaídas en sus propias faltas, pero tú recaes por puro placer —le advertía ella.

—Sí —decía ahora Levin—, esa María Nicolaievna no había sabido arreglar eso y, francamente, soy dichoso porque tú has venido. Eres muy pura de intención para que...

Le cogió la mano sin osar besársela —¿no parecía una profanación aquel beso casi a la misma cara de la muerte?—, pero al ver brillar sus ojos, se la apretó con aire contrito.

—Habrías sufrido mucho estando solo —repuso Kitty, mientras sus brazos, que levantaba para trenzar y sujetar los cabellos por encima de la cabeza, tapaban sus mejillas encendidas de satisfacción—. Esa mujer no sabe a qué atenerse, mientras que yo aprendía bastantes cosas en Soden.

—¿Es que hay allí enfermos como él?

—Y mucho más enfermos aún.

—No puedes imaginarte la tristeza que siento al no verle tal y como era en su juventud. ¡Era tan buen mozo! Pero entonces yo no lo comprendía.

—Te creo. Siento que nosotros «habríamos sido» amigos —declaró ella, y se volvió con los ojos empañados de lágrimas a su marido, que se había quedado estupefacto después de esta alusión al pasado.

—Vosotros lo «habríais sido» —respondió tristemente—. Es uno de esos hombres de los que se puede decir, con razón, que no se han hecho para este mundo.

—Entretanto, no olvidemos que tenemos bastantes días de fatigas en perspectiva. Hay que acostarse —concluyó Kitty, después de echar una mirada a su minúsculo reloj.

20

El enfermo fue ungido al día siguiente. Durante la ceremonia, Nicolás rezó con fervor. Una súplica apasionada se reflejaba en sus grandes ojos, clavados en la imagen santa que habían colocado sobre una mesa de juego, recubierta con una servilleta de color. Levin estaba asustado de ver a su hermano abrigar aquella esperanza de curación, su amargura por dejar una vida que se le presentaba cada vez más cruel. Sabía además, que Nicolás estaba totalmente desligado de la religión, no por el deseo de vivir más libremente, sino por efecto de una lenta asimilación de las teorías científicas modernas. Su retorno a la religión, debido únicamente a aquellas insensatas esperanzas que Kitty había ido avivando con sus relatos de curas milagrosas, no podía ser más que temporal y por móviles interesados. Sabiendo todo aquello, Levin contemplaba con angustia aquel rostro transfigurado, aquella mano demacrada alzándose a duras penas hasta la frente hundida para hacer el signo de la cruz, aquellos hombros salientes y aquel pecho sofocado, incapaz de conservar la vida que imploraba el moribundo. Durante la ceremonia, Levin rezó como lo había hecho cien veces, a pesar de su incredulidad. «Cura a este hombre —decía, dirigiéndose a Dios—, y así nos salvarás a los dos.»

Después de haber recibido la extremaunción, el enfermo sintióse mucho mejor. Por espacio de una hora no tosió más que una sola vez. Aseguraba, sonriendo y besando la mano de Kitty con lágrimas de gratitud, que ya no sufría y sentía recobrar las fuerzas y el apetito. Cuando le trajeron la sopa, se levantó por sí mismo y pidió una chuleta. Por más que el simple aspecto del enfermo demostraba la imposibilidad de la curación, Levin y Kitty pasaron aquella hora en un estado de agitación que pasaba alternativamente de la alegría al temor.

—¿Va mejor?

—Sí, mucho mejor.

—Es asombroso.

—¿Y eso por qué?

—Decididamente, va mejor.

Todo esto murmuraban en voz baja, sonriendo, pero la ilusión no duró mucho. Después de un sueño tranquilo de una media hora, despertó al enfermo un acceso de tos. Las esperanzas se desvanecieron para todos, empezando por él mismo. Olvidando lo que había creído una hora antes, hasta avergonzado al recordarlo, pidió que le dieran a inhalar algo de yodo. Levin le alargó un frasco cubierto de un papel perforado. Para hacerse confirmar las palabras del médico, que atribuía al yodo virtudes milagrosas, Nicolás miró a su hermano con el mismo aire estático con que había contemplado la imagen.

—¿No está Kitty ahí? —murmuró con voz enronquecida una vez que Levin, con displicencia, hubo repetido las palabras del médico—. ¿No? ¡Entonces puedo hablar! Por ella he fingido. ¡Es tan gentil! Pero entre nosotros, eso no es necesario. He aquí lo único en lo que tengo fe —dijo, apretando aquella redoma con sus manos huesudas.

Se puso a aspirar el yodo con avidez.

Hacia las ocho de la tarde, cuando Levin y su mujer tomaban el té en su habitación, vieron llegar corriendo a María Nicolaievna sofocada, pálida, con los labios temblorosos.

—Se está muriendo —balbuceó—. Temo que ya no va a durar mucho...

Ambos corrieron al cuarto de Nicolás y le encontraron sentado en la cama, apoyado en un codo, la cabeza baja y su larga espalda inclinada.

—¿Qué te pasa? —preguntó en voz baja Levin, después de un momento de silencio.

—Esto se acaba —respondió Nicolás, emitiendo a duras penas las palabras que pugnaban por salirle del pecho, aunque las pronunciaba todavía con una claridad sorprendente. Sin levantar la cabeza, volvió los ojos hacia su hermano, cuyo rostro no podía ver—. Katia, márchate —murmuró.

Levin obligó a su mujer a salir.

—Esto se acaba —repitió el moribundo.

—¿Por qué te imaginas eso? —preguntó Levin, por decir algo.

—Porque sí, porque se acaba —repitió Nicolás, como si hubiera tomado afecto a aquellas palabras—. Es el fin.

María Nicolaievna se aproximó a él.

—Acuéstese, estará mejor —dijo.

—Pronto estaré acostado, muerto —musitó, no sin ironía—. Está bien, acostadme, si queréis.

Levin recostó a su hermano sobre la espalda, se sentó a su lado y, sin respirar apenas, examinó su fisonomía. El enfermo tenía los ojos cerrados, pero los músculos de su frente se agitaban de vez en cuando como si estuviese sumido en una meditación profunda. En vano y a pesar suyo, Levin se esforzó en comprender lo que podía pasar por la mente del moribundo: aquella expresión severa y el movimiento de los músculos por encima de las cejas daban a entender que su hermano entreveía misterios que le eran inaccesibles.

—Sí, sí —profirió Nicolás, con largas pausas—. Esperad... ¡Eso es! —dijo de repente, como si todo se hubiera aclarado para él—. ¡Oh, Señor!

Lanzó un profundo suspiro. María Nicolaievna le palpó los pies.

—Se está enfriando —advirtió en voz baja.

El enfermo permaneció inmóvil un tiempo que le pareció infinitamente largo a Levin, pero vivía aún y suspiraba por instantes. Fatigado por la tensión de su espíritu, Levin no se sentía con fuerzas para ir al unísono con su desfallecido hermano, ni acertaba a comprender lo que había querido decir con aquellas dos palabras: *¡Eso es!* No quedándole energías mentales para descifrar los misterios de la muerte, sus inquietudes recayeron en otros problemas de índole material: ¿Qué le restaba por hacer? ¿Cerrar los ojos de su hermano, amortajarle, encargar el féretro? Cosa extraña. Se sentía frío e indiferente. El único sentimiento que experimentaba era algo parecido a la envidia. Nicolás poseía ahora una certidumbre a la que él, Constantino, no podía aspirar. Largo rato estuvo cerca de él, esperando aquel fin que no llegaba. Se abrió la puerta y Kitty se deslizó en el interior. Levin se levantó para impedírselo, pero en seguida el moribundo se agitó.

—No te vayas —le suplicó Nicolás, extendiendo la mano.

Levin cogió aquella mano en la suya e hizo un gesto de disgusto a su esposa indicándole que saliera. Así estuvo media hora, una hora y otra más. Ya no pensaba más que en cosas triviales. ¿Qué hacía Kitty? ¿Quién podría ser el que ocupaba la habitación vecina? ¿No tenía el médico casa de propiedad? Luego sintió hambre y sueño. Poco a poco fue soltando la mano demacrada que tenía entre las suyas, para tocar los pies del enfermo. Estaban fríos, pero Nicolás seguía respirando. Levin trató de levantarse y salir de puntillas.

El enfermo se agitó y repitió:

—No te vayas.

Amaneció el nuevo día y la situación seguía igual. Levin soltó la mano del moribundo sin mirarle, entró en su cuarto y se durmió. Al despertar, en lugar de comunicarle la muerte de su hermano, le dijeron que había pedido de comer, que ya no hablaba de la muerte, sino que expresaba la esperanza de curarse, a todo esto mostrándose más sombrío, más irritado que nunca. Nadie lograba calmarle. Acusaba a todo el mundo de sus sufrimientos, reclamaba a un célebre médico de Moscú, y a todas las preguntas que le hacían sobre su estado, contestaba que estaba sufriendo de una manera intolerable.

Como el dolor de las llagas era más vivo y se hacía cada vez más difícil mitigarlo, su irritación fue en aumento. La misma Kitty se vio impotente para reducirle, y Levin comprendió que había llegado al límite de sus fuerzas, tanto morales como físicas, por más que él no quisiera reconocerlo. El enternecimiento causado la otra noche por los adioses a la vida de Nicolás había cedido lugar a otra clase de sentimientos. Todos sabían cuál era el fin inevitable, todos veían al enfermo medio muerto, todos coincidían en desear que el fin llegara lo más pronto posible. Pero no por eso dejaban de administrarle pócimas, de buscar al médico y de aplicarle otros remedios, con lo que se engañaban a sí mismos, y este disimulo era más doloroso para Levin que para los otros, porque él quería a Nicolás más entrañablemente, y porque nada era tan contrario a su naturaleza como la falta de sinceridad.

Levin, a quien desde hacía tiempo había venido acuciando el deseo de reconciliar a sus dos hermanos —aunque fuese *in artículo mortis*— había prevenido a Sergio Ivanovich, éste le respondió, y Levin leyó la carta a Nicolás: Sergio no podía acudir, pero pedía perdón a su hermano en términos conmovedores.

Nicolás guardó silencio.

—¿Qué debo escribirle? —preguntó Levin—. Espero que no le guardarás rencor.

—No, nada de eso —respondió el enfermo, en tono contrariado—. Escríbele que me envíe el doctor.

Tres crueles días pasaron todavía. El paciente seguía en el mismo estado. Todos los habitantes del hotel, desde el patrón y los camareros hasta Levin y Kitty, sin excluir al médico y a María Nicolaievna, anhelaban sólo una cosa: que todo acabase. El enfermo, empero, no se expresaba en este sentido y seguía pidiendo que le trajesen el médico de Moscú, tomando medicinas y hablando de su restablecimiento. Durante los pocos minutos en que el estupefaciente le sumía en un sueño artificial, el subconsciente confesaba, sin embargo, lo que pesaba en su alma más aún que en la de los otros.

—¡Ah, si esto pudiera terminar!

Aquellos sufrimientos, más intensos cada vez, cumplían su misión de prepararle para morir. Cada movimiento era un dolor. No había un miembro en aquel miserable cuerpo que no le causara una tortura. Cualquier recuerdo, cualquier pensamiento, cualquier impresión, todo le causaba repugnancia. La vista de los que le rodeaban, sus palabras, todo le dañaba. Todos le oían, nadie osaba moverse ni hablar más de lo estrictamente necesario. La vida se concentraba para todos en la condolencia por los sufrimientos del que iba a morir, y en el deseo ardiente de verle libre de ellos.

Se acercaba ese momento supremo en que la muerte parece lo más deseable, como la última felicidad, y así tenía que experimentarlo el mísero Nicolás. Todas las sensaciones, como el hambre, la fatiga, la sed, que antes, una vez satisfechas por las funciones del cuerpo, le causaban algún placer, ahora no eran más que dolores. Por consiguiente, no podía aspirar a otra cosa que verse libre del origen mismo de todos sus males, de su cuerpo roturado. Pero como no encontraba palabras para expresar este deseo, continuaba, por hábito, reclamando lo que antes le dejaba satisfecho.

—Acostadme del otro lado —pedía. Y una vez acostado, quería volver a su posición primitiva—. Dadme caldo... —Y luego—: Lleváoslo. ¿Por qué estáis callados? Contadme algo.

Y tan pronto como uno abría la boca, su rostro recobraba la misma expresión de fatiga, de indiferencia y de disgusto.

El décimo día después de su llegada, Kitty cayó enferma. Tenía dolor de cabeza y de corazón, y no pudo levantarse por la mañana. El médico dijo que aquello era efecto de la fatiga y de las emociones. Prescribió calma y reposo. Sin embargo, se levantó después de comer y acudió, como de costumbre, a la habitación del enfermo con su labor. Nicolás le lanzó una mirada severa y sonrió con desdén cuando ella le dijo que había estado sufriendo. En todo el día no cesó de sonarse y de gemir.

—¿Cómo se siente usted? —preguntó ella.

—Peor —respondió—. Estoy sufriendo.

—¿Dónde le duele a usted?

—En todas partes.

—Ya verá cómo esto termina hoy —dijo María Nicolaievna, en voz baja.

Levin la hizo callar, temiendo que su hermano —cuyo oído se había vuelto muy sensible— pudiera escucharlo. Se volvió hacia él, que lo había oído perfectamente, pero aquellas palabras no le produjeron ninguna impresión, porque su mirada se mantuvo grave y fija.

—¿Qué le hace suponer eso? —preguntó Levin, después de haber sacado a María Nicolaievna al corredor.

—Se está despojando de todo.

—¿De qué manera?

—Así —dijo ella, tirando de los pliegues de su vestido de lana.

Levin había notado, en efecto, que durante todo el día, el enfermo había estado tirando de sus mantas como si quisiera quitárselas.

María Nicolaievna había sido exacta en su predicción. Bien entrada la tarde, el enfermo ya no tenía fuerzas ni para levantar los brazos, y su mirada inmóvil adquirió una expresión como de atención concentrada, que no cambió cuando Kitty y su hermano se inclinaron sobre él para que pudiera verles. Kitty hizo venir al sacerdote para recitar las oraciones de los agonizantes.

Al principio, el enfermo no dio ningún signo de vida, pero al final de las plegarias lanzó inesperadamente un suspiro, se estiró y abrió los ojos. Una vez terminadas sus oraciones, el sacerdote puso la cruz sobre aquella frente helada, la envolvió lentamente en su estola y tras unos instantes de silencio, tocó con los dedos la enorme mano exangüe del moribundo.

—Ya concluyó de sufrir —declaró al fin, haciendo ademán de marcharse.

De pronto, los labios resecos de Nicolás temblaron ligeramente, y del fondo de su pecho salieron estas palabras, que resonaron claramente en medio de aquel silencio:

—Todavía no..., pero pronto.

Pasado un minuto se aclaró el semblante, se dibujó una sonrisa bajo el mostacho y las mujeres se apresuraron a preparar la mortaja.

A la vista de aquel espectáculo, todo el horror de Levin por el pavoroso enigma de la muerte se reveló con la misma intensidad que durante la noche otoñal en que vino a verle su hermano. Ahora más que nunca se sentía incapaz de sondear aquel misterio. Pero esta vez, la compañía de su esposa le impidió caer en la desesperación, porque a pesar de la presencia de la muerte, experimentaba la necesidad de vivir y de amar. El amor por sí solo bastaba para salvarle y se hacía, por tanto, más fuerte y más puro que el otro sentimiento que le embargaba.

Apenas Levin había visto realizarse aquel misterio de la muerte, cerca de él se realizaba, a la vez, otro misterio igualmente insondable, pero de vida y amor. El médico declaró que Kitty estaba encinta, como había supuesto desde el principio.

21

Desde el instante en que hubo comprendido, gracias a Betsy y a Esteban Arkadievich, que todos —y Ana la primera— esperaban de él que librase de su presencia a su mujer, Alexis Alexandrovich se sintió completamente desorientado. Incapaz de tomar personalmente una decisión, una vez más puso su suerte en manos de terceras personas, a quienes no desagradaba ni mucho menos mezclarse en estos asuntos, y consintió en todo ciegamente. No volvió a la realidad hasta que, después de la partida de Ana, la inglesa mandó preguntarle si ya podía seguir haciendo las comidas con él, o aparte. Entonces, por primera vez, su suerte se le apareció en toda su descarnada realidad.

Lo que más le afligía era no poder encontrar una relación lógica entre el pasado y el presente. Por pasado no entendía la época feliz vivida en buena armonía con su mujer, época que los sufrimientos padecidos después de la traición le habían hecho olvidar hacía tiempo. El abandono de Ana después de confesarle la verdad le había causado, sí, un penoso desengaño, pero aquella desgracia no era comparable a la situación sin salida dentro de la cual se estaba ahora debatiendo. En efecto, ¿cómo podía explicarse que la ternura con la que había cedido en todo, el perdón otorgado tan generosamente, el afecto demostrado a una mujer culpable y al hijo del otro, le hubiese valido el abandono, la soledad, los sarcasmos y el desprecio general? Ésta era la pregunta que se hacía constantemente y a la que no podía hallar la menor respuesta.

Los dos primeros días que siguieron a la partida de Ana, Alexis Alexandrovich continuó con sus recepciones, asistió a las reuniones del Consejo e hizo las comidas en su casa, como de costumbre. Todas las fuerzas de su voluntad iban a converger instintivamente a un solo propósito: dar la apariencia de un hombre tranquilo e indiferente. A las preguntas de los criados, que deseaban informarse sobre las medidas necesarias para el acondicionamiento de las habitaciones de Ana y demás atenciones, respondía, a costa de sobrehumanos esfuerzos, con un aire de hombre preparado para los acontecimientos, que no veía en ellos nada de extraordinario. Así pudo disimular durante algún tiempo su dolor.

El tercer día, Kornei le presentó la factura de una casa de modas que Ana se había olvidado de liquidar. Como el interesado esperaba en la antesala, Karenin le hizo entrar.

—Vuestra excelencia —dijo el hombre—, ¿tendrá a bien excusar esta molestia y facilitarnos la dirección de la señora, si es a ella a quien debemos pasar la factura?

Alexis Alexandrovich pareció reflexionar y, volviéndose de pronto, tomó asiento y se inclinó sobre la mesa de su despacho, con la cabeza entre las manos. Estuvo algún tiempo en esta posición, intentando hablar sin conseguirlo. Comprendiendo la angustia de su amo, Kornei suplicó al portador de la factura que se retirase. Una vez solo, Karenin sintió que le faltaban fuerzas para luchar. Hizo desenganchar el coche, cerró la puerta y no acudió al comedor.

El desdén, la crueldad que había creído leer en el rostro de aquel dependiente de comercio, de Kornei y de todas las personas con quienes había tenido trato aquellos dos días se le hacían insoportables. Si hubiera atraído sobre sí el desprecio de sus semejantes con una conducta reprensible, habría podido esperar que una conducta mejor le devolviera su estima. Pero como no era más que un desgraciado —de una desgracia vergonzosa, execrable—, la gente se mostraba más implacable a medida que se intensificaban sus sufrimientos. Serían capaces de aplastarle, como los perros destrozan a dentelladas al compañero de la jauría que, herido, aúlla de dolor. Para resistir a la hostilidad general, no tenía más remedio que ocultar sus llagas costase lo que costara pero, ¡ay!, dos días de lucha le habían dejado agotado. Y lo más atroz de todo, no veía ninguna persona a quien confiar su martirio. No había en todo San Petersburgo un hombre que se interesara por él, que le guardase alguna consideración, no como personaje de alto rango, sino como esposo al borde de la desesperación.

Alexis Alexandrovich había perdido su madre a la edad de diez años. No se acordaba de su padre, su hermano y él habían quedado huérfanos con una fortuna muy modesta. Su tío Karenin, alto funcionario que se había granjeado las simpatías del difunto zar, encargóse de su educación. Después de estudiar con aprovechamiento en el colegio y en la universidad, Alexis Alexandrovich debutó brillantemente, gracias a su tío, en la carrera administrativa, a la que se dedicó exclusivamente. Jamás se dejó llevar por la amistad de nadie. Sólo su hermano gobernaba en su corazón. Pero cuando su hermano ingresó en la diplomacia se fue a residir al extranjero, y allí murió poco después del matrimonio de Alexis Alexandrovich.

Karenin, nombrado gobernador de una provincia, conoció allí a la tía de Ana, persona muy rica, que supo maniobrar hábilmente para poner en contacto a su sobrina con aquel alto dignatario, todavía joven. Cierto día, Alexis Alexandrovich se vio en la alternativa de escoger entre una petición de mano o un cambio de destino. Estuvo mucho tiempo vacilando, hallando tantas razones en pro como en contra del matrimonio. Seguramente no se había apartado de su máxima favorita, «en la duda, abstente», si no fuera porque un amigo de la tía le había dado a entender que sus asiduidades comprometían a la joven y que, como hombre de honor, su deber era declararse. Decidióse, pues, inmediatamente, y desde entonces dedicó, a su prometida primero y luego a su mujer, todo el afecto de que su naturaleza era capaz.

Este afecto excluyó de él toda otra apetencia de intimidad. Sus relaciones sociales eran muchas. Podía invitar a numerosos personajes, pedirles un servicio, una protección para cualquier solicitante, criticar libremente delante de ellos los actos del Gobierno, pero sin extremar la cordialidad. El único hombre al que hubiera podido confiar su desazón, un antiguo camarada de la universidad con quien había conservado el trato, ejercía en provincias las funciones de rector de academia. Las relaciones más estrechas que tenía en San Petersburgo eran su jefe de gabinete y su médico.

El primero, Mikhail Visilievich Sludin, hombre galante, sencillo, bueno e inteligente, parecía sentir por Karenin una viva simpatía; pero cinco años de subordinación habían levantado entre su jefe y él una barrera que interceptaba las confidencias. Aquel día, sin embargo, después de haber firmado los documentos que Sludin traía, Alexis Alexandrovich le miró un buen rato en silencio, dispuesto a expansionarse. Hasta tenía preparada una frase: «Usted sabe mi desgracia», que intentó pronunciar más de una vez, pero que murió en sus labios. Tuvo que contentarse con despedirle de la manera habitual: «Tenga la bondad de prepararme este trabajo».

El médico estaba igualmente muy bien dispuesto con respecto a él, cosa que no ignoraba Karenin, pero entre ellos se había concertado tácitamente un pacto, por virtud del cual ambos se suponía que estaban sobrecargados de trabajo y tenían que reducir al mínimo sus ratos de charla.

Por lo que tocaba a las amigas, incluyendo a la principal de ellas, la condesa Lidia, Alexis Alexandrovich ya no se preocupaba en absoluto de ellas. Las mujeres le infundían miedo y no sentía por ellas más que aversión.

22

Si Karenin había olvidado a la condesa Lidia, ésta no había dejado de pensar en él. Precisamente llegó en aquella hora lúgubre cuando, sentado en su despacho, con la cabeza entre las manos, Alexis se entregaba de lleno a la desesperación. Sin hacerse anunciar, penetró en el gabinete de trabajo.

—He forzado la consigna —dijo con paso rápido, sofocada por la emoción—. ¡Lo sé todo, Alexis Alexandrovich, amigo mío!

Y le apretó la mano entre las suyas, mirándole a sus bellos ojos pensativos, Karenin se levantó con aire abrumado, retiró la mano y aproximó un sillón para ella.

—Sírvase sentarse, condesa. Discúlpeme. Estoy sufriendo —murmuró con los labios temblorosos.

—Amigo mío —repitió la condesa sin apartar los ojos; sus cejas fruncidas dibujaron un triángulo sobre la frente, gesto que acentuó aún más la fealdad natural de sus facciones, un tanto amarillentas.

Alexis Alexandrovich comprendió que estaba a punto de llorar de compasión, y esta actitud tan enternecedora acabó de conquistarle. Cogió su mano regordeta y se la besó.

—Amigo mío... —repitió ella con voz entrecortada por la emoción—, no debe usted abandonarse así al dolor; es grande, sí, pero hay que ver la manera de calmarlo.

—Estoy destrozado, muerto, no soy un hombre —confesó Alexis Alexandrovich, soltando la mano de la condesa y sin quitar la mirada de sus ojos llenos de lágrimas—. Mi situación es tanto más apurada, cuanto no encuentro ningún apoyo, ni dentro ni fuera de mí.

—Encontrará usted ese apoyo, no en mí, aunque debe creer en mi amistad, se lo ruego, sino en Él. Nuestro apoyo —prosiguió con un suspiro— está en su amor. Su yugo es ligero —continuó con aquella mirada exaltada, que Karenin le conocía tan bien—. Él le sostendrá. Vendrá en su ayuda.

Aquellas palabras testimoniaron una exaltación mística recién introducida en San Petersburgo. Sonaron dulcemente en los oídos de Alexis.

—Soy débil, estoy aniquilado. Nada había previsto y nada comprendo.

—¡Amigo mío!

—No es la pérdida sufrida lo que deploro —continuó Alexis Alexandrovich—. ¡Oh, no, pero no puedo desprenderme de esa sensación de vergüenza que experimento a los ojos del mundo! Ése es mi mal, pero nada puedo hacer.

—No es usted el que ha realizado ese acto tan noble de perdón que todos admiramos; es Él; no tiene usted de qué avergonzarse —aseguró la condesa, levantando las pupilas como en un arrebato de éxtasis.

El rostro de Karenin adquirió un tinte sombrío. Juntó las manos y las apretó una contra otra hasta hacer crujir las coyunturas.

—¡Si usted conociera todos los detalles! —exclamó con su voz penetrante—. Las fuerzas humanas tienen su límite, y ya he llegado al límite de las mías, condesa. Todo el día me lo he pasado resolviendo cuestiones domésticas, dimanantes —recalcó esta palabra— de mi situación solitaria. El ama de llaves, los criados, las cuentas, esas pequeñeces me consumen lentamente. Ayer en la mesa... Apenas puede contenerme. No podía soportar la mirada de mi hijo. No se atrevía a hacerme preguntas, ni yo osaba mirarle. Tenía miedo de mí... Pero eso no es nada todavía...

Karenin quiso hablar de la factura que le habían traído, pero le tembló la voz y se contuvo. Aquella factura en papel azul, por un sombrero y unas cintas, le había afectado más que cualquier otra cosa.

—Lo comprendo, amigo mío, lo comprendo todo —manifestó la condesa—. La ayuda y el consuelo no los encontrará usted en mí; si he venido, ha sido para ofrecerle mis servicios, para ver si le distraigo de esas pequeñas y míseras preocupaciones... Se necesita aquí una mano de mujer... ¿Me dejará usted hacer?

Alexis Alexandrovich le estrechó la mano sin pronunciar palabra.

—Nos ocuparemos los dos de Sergio. No estoy impuesta ni mucho menos en las cosas de la vida práctica, pero ya me las arreglaré; yo seré su administrador. No me dé las gracias, no parte de mí hacerlo...

—¿Cómo no voy a tenerle agradecimiento?

—Nada de eso, amigo mío, no ceda usted a ese sentimiento del que estaba hablando hace un instante; no se avergüence de lo que constituye el más alto grado de la perfección cristiana. «El que se humilla será ensalzado.» No me agradezca nada a mí sino a Aquél a quien hay que rezar. ¡Sólo en Él encontraremos la paz, el consuelo, la salud y el amor!

Levantó los ojos al cielo. Alexis Alexandrovich comprendió que estaba rezando. Aquella fraseología, que en otras circunstancias le habría parecido fuera de lugar, la encontraba ahora natural y tranquilizante. Él no aprobaba aquella exaltación más que desde el punto de vista político y como las doctrinas nuevas abrían la puerta a la discusión y al análisis, le tenían que resultar en principio antipáticas. De ordinario, oponían a las efusiones místicas de la condesa un silencio aprobador, pero esta vez dejóla hablar con placer, sin contradecirla, ni siquiera interiormente.

—He escuchado con agrado sus palabras y agradezco sus promesas —declaró cuando ella hubo acabado de rezar.

La condesa apretó una vez más la mano de su amigo.

—Ahora me voy a poner manos a la obra —dijo, después de haber eliminado, sonriendo, las últimas huellas de las lágrimas en su rostro—. Voy a ver a Sergio y no acudiré a usted más que en los casos graves.

La condesa se levantó y fue a reunirse con Sergio, una vez a su lado, bañando con sus lágrimas las mejillas del muchacho asustado, le comunicó que había estado con su padre, que era un santo, y que su madre había muerto.

La condesa cumplió lo prometido y se encargó, efectivamente, de los pormenores caseros, pero no había exagerado nada al confesar su falta de sentido práctico. Dio órdenes tan poco razonables que Kornei, el ayuda de cámara de Alexis Alexandrovich, asumió la responsabilidad de revocarlas y, poco a poco, se fue apoderando de las riendas del gobierno. Aquel hombre tenía la habilidad de acostumbrar a su amo a escucharle, durante el aseo, las informaciones que tenía a bien hacerle en tono tranquilo y circunspecto. La intervención de la condesa no fue menos útil en otro aspecto. Su afecto y su estima fueron para Karenin un sostén moral, y prodigándole sus consuelos estuvo ella a punto de convertirle, es decir, de cambiar su tibieza en materias de religión por una cálida y firme simpatía hacia la doctrina cristiana, tal como se enseñó poco después en San Petersburgo. Aquella conversión no fue difícil. Como la condesa, como todos los que preconizaban las ideas nuevas, Alexis Alexandrovich estaba desprovisto de imaginación profunda, es decir, de esa facultad del alma gracias a la cual las ilusiones, los espejismos de la misma imaginación, exigen una cierta semejanza con la verdad para hacerse aceptar. Él no veía nada de imposible en que la muerte existiera para los incrédulos y no para él, en que el pecado fuese excluido de su alma, y su salud espiritual asegurada en este mundo, porque poseía una fe sólida y firme de la que él sólo era juez.

La ligereza, el error de estas doctrinas, le asaltaban sin embargo, en algunos momentos. El sentimiento irresistible que, sin el menor impulso divino, le había arrastrado al perdón, le había causado una alegría muy diferente de la que sentía ahora, repitiéndose constantemente que Cristo habitaba en su alma. No obstante, por ilusoria que fuese aquella grandeza moral, le era indispensable en su actual estado de humillación. Desde lo alto del plano espiritual en que le había situado aquella imaginaria revelación, se creía con derecho a despreciar a quienes le despreciaban, y se aferraba a sus nuevas convicciones como a una tabla de salvación.

23

La condesa Lidia se había casado muy joven. De un natural exaltado, encontró en su marido un gran señor, con apariencias de niño grande, pero tan lleno de vicios como de dinero. Al segundo mes de matrimonio fue abandonada por su marido, quien respondía a sus efusiones amorosas con frases sarcásticas y demostraciones de hostilidad que nadie podía explicar, pues la bondad del conde era bastante conocida y la romántica Lidia no era una presa fácil para la crítica. Desde entonces, aunque los esposos vivían separados, cada vez que se encontraban, el conde acogía a su mujer con una sonrisa amarga, que siempre constituía un enigma.

Hacía tiempo que la condesa había renunciado a la adoración que sentía por su esposo, pero siempre quedaba prendada de alguna persona, y hasta de varias a la vez —tanto hombres como mujeres— que atraían su atención de cualquier manera. Estaba prendada de todos los príncipes, de todas las princesas que se aliaban a la familia imperial; sucesivamente se enamoró de un metropolitano, de un vicario y de un simple sacerdote; inmediatamente después de un periodista, tres «hermanos eslavos» y un comisario; a continuación de un ministro, de un médico, de un misionero inglés y, por último, de Karenin. Aquellos amores múltiples, con sus diferentes fases de calor o de enfriamiento, no le impedían en absoluto seguir cultivando, tanto en la Corte como en la ciudad, las más complicadas relaciones. Pero desde aquel día que puso a Karenin bajo su protección particular y se preocupó de su bienestar, sintió que jamás había amado a nadie sinceramente, más que a él. Sus otros amores perdieron todo valor a sus ojos. Comparándolos con el que ahora sentía, debió confesarse que jamás se habría enamorado de Komissarov si éste hubiese sido quien salvó la vida del zar, ni de Ristitch-Koujidski si no hubiese planteado la cuestión eslava, mientras que a Karenin le amaba por él mismo, por su gran alma incomprendida, por su carácter, por el sonido de su voz, su hablar lento, su mirada cansada y sus manos blancas y flácidas, de venas hinchadas.

No sólo le alegraba la idea de verle, sino que además procuraba leer en el semblante de su amigo una impresión análoga a la suya. Ella quería agradarle tanto con su persona como con su conversación; jamás se había preocupado de dispendios de «toilette». Más de una vez se sorprendió reflexionando qué habría podido pasar si ambos fuesen libres. Entraba él, y ella se ponía colorada de emoción; le decía él alguna palabra amable, y no podía contener una sonrisa embriagadora.

Al cabo de algunos días, la condesa estaba saturada de emoción y sobresalto. Acababa de enterarse de que Ana y Vronski volvían. Era necesario a toda costa evitar que Alexis Alexandrovich padeciera el suplicio de ver a su esposa, alejar de él hasta la idea de que aquella persona de triste memoria respiraba en la misma ciudad que él, y podía en cualquier momento encontrársela. Mandó hacer averiguaciones para conocer los planes de «aquella gente vil», como denominaba a Ana y Vronski. El joven ayudante de campo, amigo de Vronski, al que ella encargó de tal misión, tenía necesidad de la condesa para obtener por recomendación suya cierta concesión que le interesaba. No tardó en volver para informarle que, después de terminar ciertos preparativos, se proponían partir al día siguiente. Lidia Ivanovna empezaba a respirar tranquila cuando le trajeron, a la mañana siguiente, una carta cuya escritura reconoció en seguida: era de Ana Karenina. El sobre, de papel inglés grueso como corteza de árbol, contenía una hoja oblonga y amarilla, adornada con un inmenso monograma. La carta esparcía un perfume delicioso.

—¿Quién ha traído esta carta?

—Un botones de hotel.

Durante algún tiempo, la condesa permaneció de pie, sin valor para sentarse a leer. La oprimía un acceso de asma. Una vez calmada, se puso a leer la siguiente misiva, escrita en francés:

Los sentimientos cristianos de los que su alma está llena, condesa, me inducen al atrevimiento —imperdonable, ya lo sé— de dirigirme a usted. Sufro mucho por estar separada de mi hijo y le suplico tenga a bien autorizarme para verle una vez, antes de mi marcha. Si no me dirijo directamente a Alexis Alexandrovich es por no despertar en este hombre generoso recuerdos que han de causarle pena. Conociendo su amistad con él, he pensado que tal vez usted me comprenda. ¿Me enviará a casa a Sergio? ¿Prefiere que vaya a la hora que usted me indique? ¿O me notificará a qué lugar podría ir a verle? Una negativa me parece imposible, pensando en la magnanimidad del que tiene el poder de decidir. No puede usted imaginarse mi anhelo por ver a mi hijo, ni por consiguiente el grado de mi reconocimiento por la ayuda que seguramente tendrá a bien prestarme.

Ana

Todo lo que decía la carta irritó a la condesa Lidia: su contenido, la alusión a la magnanimidad y, sobre todo, el tono desenvuelto que creyó descubrir en ella.

—Dígale que no hay respuesta —indicó al criado.

Y abriendo acto seguido su carpeta, escribió a Karenin que esperaba encontrarle una hora después en Palacio. Era día de fiesta y los altos dignatarios de la Corte presentaban sus respetos y sus mejores votos a la familia imperial.

Tengo necesidad de informarle de un asunto grave y triste [escribió]. Nos pondremos de acuerdo en Palacio sobre el lugar en que podré verle. Lo mejor sería en mi casa, donde le haría preparar el té. Es indispensable... Él nos impone su cruz, pero Él nos da también fuerzas para llevarla [añadió, para prepararle en cierta medida].

La condesa escribía dos o tres notas por día a Alexis Alexandrovich. Le gustaba aquel medio de dar a sus informes, más a menos extractados a gusto suyo, una pincelada de elegancia y de misterio.

24

La audiencia imperial había terminado. Al retirarse, todo el mundo comentaba las noticias del día: recompensas y sustituciones.

—¿Qué diría usted si a la condesa María Borrissovna la nombrasen ministro de la Guerra, y a la princesa Vatkovski jefe del Estado Mayor? —preguntaba un vejete de cabellos plateados y uniforme rutilante, a una alta y bella dama de honor que le interrogaba sobre los nombramientos.

—En ese caso, yo debo ser ascendida a ayudante de campo, ¿no le parece? —sugirió la joven, sonriendo.

—¡Nada de eso! Usted debe ser nombrada ministro de Cultos, con Karenin como secretario de Estado... Buenos días, mi príncipe —continuó el buen hombre, estrechando la mano de alguien que se le acercó.

—¿Hablaba usted de Karenin? —preguntó el príncipe.

—Pontiatov y él han recibido el Gran Cordón de San Alejandro Nevski.

—Creía que ya estaba en posesión de él.

—No. Mírele —dijo el vejete, haciendo girar su tricornio bordado hacia Karenin para indicárselo.

Éste, de pie en el umbral de una puerta, platicaba con uno de los miembros más influyentes del Consejo de Estado; vestía el uniforme de corte ostentando su nueva condecoración.

—¿No le ve feliz y contento como un niño con zapatos nuevos?

El viejo se interrumpió para dar la mano a un soberbio y atlético chambelán que acertó a pasar por su lado, y que al oírle contestó:

—¿Ése? No. Basta con ver lo que ha envejecido.

—Eso es efecto de las preocupaciones. Se pasa la vida escribiendo proyectos. Apuesto a que en este momento está exponiendo alguno a su interlocutor, a quien no envidio la suerte porque no le dejará hasta que se lo haya explicado con todos sus puntos y comas.

—¿Dice usted que ha envejecido? —terció otra persona—. Pues eso es efecto de su drama pasional. La condesa Lidia debe de estar celosa de su mujer.

—Le ruego que no hable mal de la condesa Lidia.

—¿Hay algo malo en haberse prendado de Karenin?

—¿Es verdad que está aquí la señora de Karenin?

—No aquí en Palacio, pero sí en San Petersburgo. Ayer me encontré con ella en la calle Morskaia, del brazo de Alexis Vronski.

—Ése es un hombre que no tiene nada de... —comenzó a decir el chambelán, pero calló para dejar paso y hacerle la reverencia a una persona de la familia imperial.

Mientras la gente le ridiculizaba en estos o parecidos términos, Alexis Alexandrovich obstruía el camino al consejero de Estado, y sin omitir ni una jota le exponía en toda su magnitud un proyecto financiero.

Casi al mismo tiempo de ser abandonado por su esposa Alexis Alexandrovich se había encontrado, sin que se diera exacta cuenta de ello, en la situación más penosa que puede encontrarse un funcionario: la marcha ascendente de su carrera había tocado a su fin. Es cierto que todavía desempeñaba un cargo importante y, seguía formando parte de un gran número de comités y de comisiones, pero estaba clasificado entre las personas que han cumplido su misión en el tiempo y de las que ya no se espera más. Todos sus proyectos parecían caducos, periclitados. Lejos de creerlo así, Karenin creía discernir con más exactitud los errores del Gobierno, desde el momento que no participaba directamente en ninguno de sus planes, y consideraba que era su deber llamar la atención sobre la necesidad de introducir determinadas reformas. Poco después de la partida de Ana, escribió algunas páginas sobre los nuevos tribunales, primera de las innumerables e inútiles memorias que tenía que redactar, y que abarcaban las más diversas ramas de la administración. Ciego a su desgracia, se mostraba más satisfecho que nunca de sí mismo y de su actitud, y como la Sagrada Escritura era de ahora en adelante su guía en todas las cosas, recordaba sin cesar aquella sentencia de san Pablo: «El que tiene una mujer, piensa en los bienes terrestres; el que no la tiene, no piensa más que en el servicio del Señor».

Alexis Alexandrovich no prestaba ninguna atención a la impaciencia, muy visible, sin embargo, del consejero de Estado; no tuvo más remedio que interrumpir su disertación al pasar un miembro de la familia imperial, circunstancia que aprovechó su interlocutor para eclipsarse. Al verse solo, Karenin bajó la cabeza, procuró coordinar sus ideas y, dirigiendo una mirada distraída alrededor, encaminó sus pasos a la puerta donde esperaba encontrar a la condesa Lidia.

«¡Qué fuertes son y qué buen porte tienen todos! —pensaba, al apreciar, mientras pasaba por su lado, el cuello vigoroso del chambelán de las patillas perfumadas—. Cualquiera que sea su charla, la verdad es que todo va mal en este mundo.»

Después de echar un vistazo a las fuertes pantorrillas del chambelán, y sin dejar de buscar con los ojos a la condesa, se dirigió a aquellos señores de aspecto tan agradable, que estaban hablando de él sin que se hubiese dado cuenta. Les dedicó un saludo lánguido y digno, de aquellos a los que estaban tan acostumbrados.

—Alexis Alexandrovich —exclamó el vejete, cuyos ojos brillaban maliciosamente—, todavía no le he felicitado. Reciba todos mis cumplidos —agregó, señalando la insignia del Gran Cordón.

—Se lo agradezco infinitamente. Hace un tiempo soberbio, ¿eh? —respondió Karenin, insistiendo, según su costumbre, en la palabra «soberbio».

Sospechaba con razón que aquellos señores se estaban burlando de él, pero conociendo sus sentimientos hostiles, no concedió a sus habladurías la menor importancia.

Los hombros amarillentos y los hermosos ojos pensativos de la condesa Lidia se le aparecieron desde lejos y le atrajeron como un imán. Se dirigió a ella con una sonrisa que puso al descubierto la blancura de sus dientes.

La *toilette* de la condesa, como todas las que desde hacía tiempo se tomaba la molestia de componer, había sido causa de bastantes apuros. Ella perseguía un fin muy diferente del que se proponía treinta años antes. En aquel entonces su ilusión era sólo adornarse, y nunca se encontraba muy elegante para satisfacer su exigente gusto, mientras que ahora lo que buscaba era evitar el contraste entre su persona y su indumentaria, y lo había conseguido a los ojos de Alexis Alexandrovich, quien la encontraba encantadora. La simpatía de aquella mujer era para él su único refugio contra la animosidad general. También en medio de aquella muchedumbre hostil, se sentía atraído hacia ella como una planta hacia la luz.

—Mi enhorabuena más cordial —dijo ella, fijando su mirada en la condecoración.

Conteniendo una sonrisa de contento, Karenin alzó los hombros y entornó los ojos, queriendo indicar así que a él no le importaban nada esta clase de distinciones. Pero la condesa sabía que, muy al contrario, le interesaban.

—¿Qué tal se porta nuestro ángel? —preguntó ella, haciendo alusión a Sergio.

—No estoy muy contento de él —respondió Alexis Alexandrovich, levantando las cejas y abriendo los ojos—. Tampoco lo estoy de Sitnikov, el profesor. Como ya le había dicho a usted, muestra frialdad para las cuestiones más esenciales que debe abordar toda alma humana, incluso, y en gran manera, la de un niño.

Dejando aparte su carrera, la única preocupación que tenía Alexis Alexandrovich era, por el momento, la educación de su hijo. Nunca, hasta entonces, le habían interesado las cuestiones de educación, pero sentía necesidad de vigilar las cuestiones de su hijo. Había dedicado cierto tiempo a estudiar libros de antropología y de pedagogía, a fin de formarse un plan de estudios que el mejor profesor de San Petersburgo se encargaría de poner en práctica.

—Sí, pero ¿y el corazón? Observo que ese niño tiene el mismo corazón de su padre, y eso no puede convenirle —expuso la condesa con su tono enfático.

—Quizá... Por lo que a mí respecta, cumplo con mi deber. No puedo hacer otra cosa.

—¿Vendrá usted a mi casa? —preguntó la condesa tras un momento de silencio—. Tenemos que hablar de una cosa triste para usted. Habría dado el mundo entero para evitarle ciertos recuerdos, pero otros no piensan igual. «Ella» esta aquí, en San Petersburgo y «ella» me ha escrito.

Alexis Alexandrovich se estremeció, pero su rostro adquirió inmediatamente aquella expresión de inmovilidad cadavérica, que indicaba su total impotencia en semejantes asuntos.

—Ya lo esperaba —dijo.

La condesa le envolvió con una mirada ansiosa y, al ver tal grandeza de alma, de sus ojos brotaron lágrimas de admiración.

25

Alexis Alexandrovich esperó unos instantes en el elegante *boudoir*, decorado con retratos y viejas porcelanas. La condesa se cambiaba de traje. Un servicio de té, chino estaba dispuesto sobre un velador, junto a un infiernillo de alcohol. Karenin recorrió con la vista los innumerables cuadros que adornaban la pieza, se sentó cerca del velador y cogió un libro de los Evangelios que había encima. El roce de un vestido de seda le distrajo en su lectura.

—Por fin vamos a estar un poco tranquilos —dijo la condesa, deslizándose con una sonrisa emocionada entre el velador y el canapé—. Podremos charlar mientras tomamos nuestro té.

Después de un corto preámbulo le alargó, mientras contenía el aliento y se le coloreaban las mejillas, la carta de Ana Karenina, la cual leyó él, guardando un largo silencio.

—No creo que tenga derecho a negárselo —manifestó al fin, no sin alguna timidez.

—Amigo mío, usted no ve el mal en ninguna parte.

—Al contrario, lo veo por todas partes. Pero ¿sería justo...?

Su fisonomía denotaba indecisión, el deseo de un consejo, de una ayuda en cuestión tan espinosa.

—No —interrumpió la condesa—. Hay límites para todo. Yo comprendo la inmoralidad —declaró sin ninguna franqueza puesto que jamás había podido discernir lo que inducía a las mujeres a enfrentarse con las leyes de la moral—, pero lo que no comprendo es la crueldad, y una crueldad ¿con quién? ¡Con usted! ¿Cómo tiene ella el atrevimiento de estar en la misma ciudad donde usted vive? Nunca somos demasiado viejos para aprender. La experiencia de todos los días me ha enseñado a distinguir entre la grandeza de alma de usted y la bajeza de su conducta.

—¿Quién de nosotros puede tirar la primera piedra? —replicó Alexis Alexandrovich, satisfecho de su papel—. Después de haberlo perdonado todo, ¿puedo privarla de lo que es una necesidad de su corazón, su amor por su hijo?

—¿De veras cree usted que eso es amor, amigo mío? ¿Hay alguna sinceridad en todo eso? Usted ya ha perdonado una vez, y sigue perdonando, bien lo veo, pero ¿tenemos el derecho de atormentar el alma de ese angelito? Él cree que su madre está muerta, reza por ella y pide a Dios el perdón de sus pecados. ¿Qué pensaría ahora?

—No se me había ocurrido —murmuró Alexandrovich, abrumado por el peso de este razonamiento.

La condesa se tapó la cara con las manos y estuvo silenciosa cierto tiempo. Se había puesto a rezar.

—Si quiere usted mi consejo —habló al fin—, he de decirle que mi parecer es contrario a esa autorización. ¿Acaso no sé cuánto está usted sufriendo, cuánto le sangra su herida? Supongamos que prescinde usted de lo que afecta a su propia persona, ¿adónde le llevará eso? Prepárese para nuevos sufrimientos y una inquietud más por su hijo. Si ella fuese aún capaz de sentimientos humanos, sería la primera en comprenderlo. No, yo no siento ninguna duda, y si usted me autoriza voy a darle una respuesta en ese sentido.

Habiendo dado su aquiescencia Karenin, la condesa escribió en francés la siguiente carta:

Señora:
El recordarla a su hijo podría dar lugar, por parte suya, a una serie de preguntas a las cuales nadie sabría responder, sin obligar al niño a juzgar sobre algo que debe permanecer en el mayor secreto para él. Por eso, comprenderá usted muy bien la negativa de su marido con espíritu de caridad cristiana. Ruego al Todopoderoso que tenga misericordia de usted.
Condesa Lidia

Aquella carta obtenía el fin secreto que la condesa se ocultaba a sí misma. Había herido a Ana en el mismo fondo del alma.

Por su parte, Alexis Alexandrovich volvió a casa preocupado; en lo que restaba del día, no pudo reanudar sus ocupaciones ni recobrar la paz de un hombre que posee la gracia y se siente elegido. El recuerdo de su mujer, tan culpable con respecto a él, y con la cual se había portado como un santo al decir de la condesa, no debía causarle ninguna turbación y, sin embargo, no se sentía tranquilo. No comprendía nada de lo que sucedía. No pudiendo desechar de su espíritu las crueles reminiscencias del pasado, se acusaba de innumerables faltas: ¿Por qué, después de la confesión de Ana, no había exigido de ella más que el respeto a las conveniencias sociales? ¿Por qué no había provocado un duelo a Vronski? Y la carta que había escrito a su mujer, su inútil perdón, las atenciones prodigadas a la hija de un extraño, todo le volvía a su memoria y le sumía en una amarga y descorazonadora confusión. De una manera análoga, encontraba deshonrosos todos los incidentes de la vida en común con Ana, empezando por la necia declaración que se decidió a hacerle, después de tantas vacilaciones.

«Pero ¿de qué soy culpable?», se preguntaba. Aquella cuestión originaba invariablemente otra: «¿Cómo amaban entonces, cómo se casaban, pues, los Vronski, los Oblonski, los chambelanes de gruesas pantorrillas? Y evocó una serie de seres vigorosos y seguros de sí mismos, que siempre habían cautivado su atención. Cualquier esfuerzo que hiciera para rechazar semejantes pensamientos, para recordar que el fin de su existencia no estaba en este mundo mortal, que sólo la paz y la caridad debían habitar en su alma, le hacían sufrir como si la salud eterna no fuese más que una quimera. Se sobrepuso, empero, a aquella perturbación y recobró muy pronto la serenidad y la elevación de espíritu, gracias a las cuales lograba olvidar las cosas cuyo recuerdo quería borrar de su imaginación.

26

—¿Qué hay, Kapitonich? —preguntó Sergio al regresar del paseo, con voz alegre y las mejillas encendidas, la víspera de su cumpleaños, mientras que el viejo portero, sonriendo al pequeño desde lo alto de su corpachón, intentaba desembarazarle de su caftán plisado—. ¿Ha venido el funcionario de la venda? ¿Le ha recibido papá?

—Sí, apenas marchó el jefe de gabinete, le he anunciado —respondió el portero, guiñando alegremente un ojo—. Permítame que le quite esto.

—¡Sergio! —llamó el preceptor servio, parado ante la puerta que daba acceso a los aposentos—, ¡debe cambiarse la ropa usted mismo!

Pero Sergio, aunque oyó muy bien la voz severa de su preceptor, no le prestó ninguna atención. Tenía agarrado al portero por el cinturón y le miraba fijamente a los ojos.

—¿Y papá ha hecho lo que le pedía?

El portero hizo un signo afirmativo con la cabeza.

Aquel funcionario que iba vendado tenía mucho interés para

Sergio y para el portero; era la séptima vez que se presentaba, y Sergio le había encontrado una vez en el vestíbulo, suplicando al suizo que le anunciara y afirmando que sólo le quedaba morir con sus siete hijos; desde entonces, el muchacho estaba muy preocupado por la suerte del pobre hombre.

—¿Tenía cara de contento? —preguntó.

—Ya lo creo. Se ha marchado casi dando saltos.

—¿Han traído alguna cosa? —preguntó Sergio, tras un intervalo de silencio.

—¡Ah, sí señor! —dijo a media voz Kapitonich, agachando la cabeza—. Hay un paquete de parte de la condesa.

—¿De veras? ¿Dónde lo han puesto?

—Kornei lo ha llevado a que lo vea su padre de usted. Debe ser una cosa bonita.

—¿Cómo de grande? ¿Así?

—Más pequeño, pero debe ser algo bonito.

—¿Un libro?

—No, un objeto. Vaya, vaya. Vassili Loukitch le llama —dijo el portero, designando con un guiño al preceptor que se aproximaba. Y separó suavemente la manita medio enguantada, agarrada a su ancho cinturón.

—En seguida, Vassili Loukitch —dijo Sergio con aquella sonrisa amable y graciosa que siempre desarmaba al severo preceptor.

A Sergio le rebosaba el corazón de alegría, y no podía resistir el deseo de compartir con su amigo, el portero, la buena nueva familiar que había recibido de una sobrina de la condesa Lidia, durante su paseo por el Jardín de Verano. Aquella alegría le parecía aún mayor después de las gratas noticias del funcionario y del regalo que acababa de llegar. En un día tan hermoso como aquél, tenía la impresión de que todo el mundo debía sentirse satisfecho y feliz.

—¿Sabes una cosa? —repuso—. Papá ha recibido el Gran Cordón de San Alejandro Nevski.

—De sobra lo sabía. Como que han venido a felicitarle.

—Debe de estar contento, ¿verdad?

—Siempre da alegría recibir un favor del zar. Es una prueba de que lo ha merecido —ponderó Kapitonich en tono grave.

Sergio reflexionó, sin dejar de contemplar al portero cuya cara le era conocida en sus menores detalles, el mentón sobre todo, perdido entre sus patillas grises y que nadie había podido descubrir más que el niño, que no podía ver a su amigo más que de abajo arriba.

—¿Y tu hija, hace mucho que ha venido?

La hija del portero formaba parte del conjunto de ballet.

—¿De dónde sacaría tiempo para venir un día entre semana? Tiene que recibir sus lecciones como usted tiene que recibir las suyas. Vamos, vaya deprisa, señor, que le esperan.

Al entrar en su cuarto, Sergio, en lugar de entregarse a sus deberes, participó al preceptor sus suposiciones acerca del regalo que le habían traído: debía de ser una locomotora.

—¿A usted qué le parece? —preguntó.

Pero Vassili Loukitch no pensaba más que en la lección de gramática que debía estar aprendida antes de la llegada del profesor, a las dos de la tarde. El niño se instaló en su mesa de trabajo; tenía ya el libro entre las manos, cuando de pronto, se le ocurrió preguntar:

—Dígame, ¿hay alguna orden por encima de la de San Alejandro Nevski? Ya sabe usted que papá ha recibido el Gran Cordón de esta orden.

El preceptor respondió que existía la de San Vladimiro.

—Y más arriba, ¿hay alguna?

—La de San Andrés.

—¿Y por encima de ésa?

—No lo sé.

—¿Cómo, ya no sabe usted más?

Y Sergio, con la frente entre las manos, quedó sumido en las más complicadas meditaciones. Se imaginaba que quizá su padre iba a recibir también los cordones de San Vladimiro y de San Andrés, y se mostraría en consecuencia mucho más indulgente por la lección de aquel día. Después se decía que cuando fuese mayor, ya se las arreglaría para merecer todas las condecoraciones, incluso las que fuesen creadas por encima de la de San Andrés. Apenas fuese instituida una nueva Orden, se haría digno de ella.

Estas reflexiones hicieron pasar el tiempo tan deprisa, que interrogado a la hora de la lección sobre los complementos de tiempo, de lugar y de modo, no supo qué responder, con gran disgusto del profesor. Sergio estaba muy apenado por lo mismo. Ninguna lección, cualquiera que fuese, le entraba en la cabeza. En presencia del profesor, aquello marchaba todavía, porque a fuerza de escuchar y de creer que comprendía, se imaginaba comprender; pero una vez solo, se negaba a reconocer que una palabra tan corta y tan simple como «pronto», se pudiera clasificar entre los adverbios de tiempo.

Ansioso de congraciarse, escogió un momento en que el maestro buscaba alguna cosa en su libro, para preguntarle:

—Miguel Ivanich: ¿cuándo es el día de su santo?

—Haría usted mejor en pensar en su trabajo. ¿Qué importancia tiene una onomástica para un ser razonable? Es un día como otro cualquiera, que hay que dedicar al trabajo.

Sergio miró con atención al profesor, examinó su barba rala, sus gafas que le habían descendido por la nariz, y se perdió en unas reflexiones tan profundas que no se enteró nada del resto de la lección. Por el tono con que había sido pronunciada la frase, le parecía imposible que fuese sincera. «Parece como si todos se hubiesen puesto de acuerdo para decirme de igual modo las cosas más aburridas y más inútiles; ¿por qué? ¿Por qué éste me rechaza y no me quiere?», se preguntaba tristemente el pequeño, sin poder hallar respuesta.

27

Después de la lección del profesor, le tocó el turno a la del padre. Sergio, esperándole, jugaba con el cortaplumas y seguía el curso de sus meditaciones.

Una de sus ocupaciones favoritas consistía en buscar a su madre durante los paseos; él no creía en la muerte en general y, en particular, menos aún en la de su madre a pesar de las afirmaciones de la condesa y de su padre. En los primeros tiempos que siguieron a la partida de Ana, creía reconocerla en todas las mujeres altas, morenas, graciosas y un poco fuertes: su corazón se llenaba de ternura, respiraba anhelante, le asomaban lágrimas a los ojos. Esperaba a que una de aquellas señoras se le acercase y se alzara el velo; entonces volvería a verle el rostro, ella le dedicaría una sonrisa, le abrazaría, le acariciaría dulcemente con la mano mientras él aspiraba aquel perfume tan conocido y lloraba de alegría, como una tarde que se había echado a los pies de su madre porque ésta le hacía cosquillas, y que tanto había reído mordiéndole su mano blanca y cubierta de joyas. Más tarde, la vieja criada, habiendo sabido por casualidad que su madre vivía, se lo comunicó al niño. Su padre y la condesa tuvieron que explicarle que ella había muerto para él, porque se había vuelto mala. Él no creyó nada de aquello, porque la quería, y siguió esperándola y buscándola con más afán. Aquel día, en el Jardín de Verano, había visto a una señora con velo color malva y su corazón latió con fuerza cuando la vio tomar el mismo sendero que él; luego, la dama desapareció de repente. Sergio sintió aquella ternura por su madre más vivamente que nunca. Con ojos brillantes, perdido en aquel ensueño, tenía la mirada fija frente a él mientras con el cortaplumas dejaba sobre la mesa señales indelebles.

Vassili Loukitch le sacó de aquella meditación:

—¡Ahí viene papá!

Sergio saltó de la silla, corrió a besarle la mano y buscó en su semblante algún signo de contento por su condecoración.

—¿Has tenido un buen paseo? —preguntó Alexis Alexandrovich, que se dejó caer en un butacón y abrió el volumen del Antiguo Testamento. Aunque a menudo repetía a Sergio que todo cristiano debía conocer a fondo la Historia Sagrada, la verdad era que él tenía necesidad de consultar el libro para sus lecciones, y este detalle no le pasaba inadvertido al niño.

—Sí, papá. Me he divertido mucho —respondió Sergio al mismo tiempo que, sentándose de través en la silla, iniciaba un balanceo para distraerse, a pesar de que le estaba prohibido—. He visto a Nadia —prosiguió, refiriéndose a una sobrina de la condesa, que ésta educaba— y me han dicho que le habían dado a usted una nueva condecoración. Debe estar usted muy contento, papá.

—En primer lugar, no te balancees de esa manera —advirtió Alexis Alexandrovich— y, en segundo, has de saber que lo que debe sernos más preciado es el trabajo por sí mismo, y no la recompensa. Quisiera hacértelo comprender. Si tú no buscas más que la recompensa, el trabajo te parecerá penoso; pero si amas el trabajo por sí mismo, en él encontrarás tu recompensa.

Y Alexis Alexandrovich recordó que al firmar aquel día ciento dieciocho documentos diferentes, no había tenido por aliciente, en aquella ingrata tarea, más que el sentimiento del deber.

Los ojos de Sergio, brillantes de afecto y alegría, se nublaron ante la mirada de su padre. Sintió que éste, al hablarle, adoptaba un tono particular, como si se dirigiese a uno de aquellos niños imaginarios que aparecían en los libros, pero a los cuales él, Sergio, no se parecía en nada. Para complacer a su padre le faltaba desempeñar el papel de uno de aquellos ejemplares.

—Tú me comprendes, supongo.

—Sí, papá —respondió Sergio, empezando a asumir aquel papel.

La lección consistía en la recitación de algunos versículos del Evangelio y el repaso de los primeros capítulos del Antiguo Testamento. La recitación no iba del todo mal, pero de pronto notó Sergio que el hueso frontal de su padre formaba casi un ángulo recto cerca de las sienes; aquella extraña disposición le sorprendió de tal modo que se embarulló y, equivocándose con la repetición de la palabra, trasladó el final de un versículo al comienzo del siguiente. Alexis Alexandrovich sacó en conclusión que su hijo no comprendía nada de lo que estaba recitando, cosa que le irritó. Frunció el entrecejo y se puso a explicarle cuestiones sobre las que ya habían tratado más de una vez, pero Sergio no llegaba jamás a retener en su memoria esta clase de explicaciones, aun encontrándolas bien claras. Pasaba lo mismo con el vocablo «pronto», adverbio de tiempo. El niño, asustado, se figuraba que su padre no pensaba más que una cosa: ¿Sería necesario repetirle aquellas explicaciones, como le había exigido alguna vez? Este temor era el que le impedía comprender. Pero Alexis Alexandrovich pasó inmediatamente a la Historia Sagrada. Sergio relató bastante bien los hechos en sí mismos, pero cuando llegó el momento de explicar el significado de algunos de ellos, no supo qué decir, por más que esta lección le había costado ya un castigo. El momento más crítico fue cuando tuvo que recitar la lista de los patriarcas antediluvianos. No se acordaba de ninguno más que de Enoch. Quedóse turbado tallando nerviosamente la mesa con el cortaplumas y reanudando el balanceo en la silla. Enoch era su personaje favorito de la Historia Sagrada, y atribuía a la elevación de este patriarca a los cielos una larga sucesión de ideas que le absorbía por completo, en tanto que miraba fijamente la cadena de reloj de su padre y un botón a medio abrochar del chaleco.

Por mucho que le hablasen de la muerte, Sergio se negaba a creer en ella. No podía admitir que seres a los que él amaba pudieran desaparecer, y menos que él mismo pudiera morir algún día. Pero esta idea inverosímil e incomprensible de la muerte se la habían confirmado personas que le inspiraban confianza: la vieja criada era una de ellas y, aunque mal de su grado, reconocía que todos los hombres estaban destinados a morir. Pues, entonces —se preguntaba él—, ¿por qué Enoch no había muerto con los demás? ¿Por qué otros no merecían, como él, subir en vida al cielo? Los malos, los que Sergio no amaba, bien podían morirse, pero los otros debían estar en el caso de Enoch.

—Bueno vamos a ver esos patriarcas...

—Enoch, Enos...

—Ya los has nombrado. Eso está mal, Sergio, muy mal. Si no te esfuerzas en ilustrarte sobre estas cosas, tan esenciales para un cristiano, ¿qué te va a interesar entonces? —arguyó el padre levantándose—. No estoy contento contigo, tampoco lo está tu maestro. Me veo obligado a castigarte.

Sergio no se esforzaba, en efecto; sin embargo, estaba mejor dotado que ciertos niños, los cuales le citaba su maestro como modelos. Si él no quería aprender lo que le enseñaban, era porque no podía, y esto le ocurría porque su alma sentía necesidades muy distintas a las que le imponían su padre y su maestro. A los nueve años no era más que un niño, pero conocía bien su alma y la protegía como el párpado protege al ojo, contra los que pretendían entrar en ella sin valerse de la llave del amor. Se le reprochaba por no querer aprender nada, cuando precisamente ardía en deseos de saber; pero su instrucción la recibía al lado de Kapitonich, de su criada, de Nadia, de Vassili Loukitch.

Sergio fue, pues, castigado. No obtuvo permiso para ir a casa de Nadia, pero aquel castigo se volvió a su favor. Vassili Loukitch, que estaba de buen humor, le enseñó a construir pequeños molinos de viento. La tarde se la pasó construyendo uno y buscando el medio de servirse de él para dar vueltas en el aire. ¿Bastaba agarrarse a las alas simplemente, o había de ajustarlas al cuerpo? Con esto se olvidó de su madre, pero el recuerdo de ésta le volvió en la cama. Rezó a su manera para que ella dejara de esconderse y le hiciera una visita al día siguiente, aniversario de su nacimiento.

—Vassili Loukitch, ¿sabe usted lo que he pedido a Dios?

—¿Ser mejor estudiante?

—No.

—¿Tener juguetes?

—No, no lo adivinará usted. Es un secreto. Si ello llega, se lo diré... ¿Le interesa saberlo?

—Ahora no, ya me lo dirá usted —dijo Vassili Loukitch sonriendo, cosa que no sucedía a menudo—. Vamos, acuéstese, que voy a apagar la bujía.

—Cuando deja de haber luz, veo más claro lo que he pedido en mi oración. ¡Ay, que casi he descubierto mi secreto! —exclamó Sergio, riéndose.

Cuando todo estaba sumido en la oscuridad, Sergio creyó oír a su madre y sentir su presencia; de pie a su lado, le acariciaba con su mirada llena de ternura. Pero pronto empezó a ver molinos, un cortaplumas... Luego todo se mezcló en su cabecita y se durmió.

28

Vronski y Ana acababan de instalarse en uno de los mejores hoteles de San Petersburgo. Vronski se alojó en el piso bajo, mientras que

Ana, con la niña, la institutriz y la doncella, se instalaban en el primero, en un gran departamento integrado por cuatro habitaciones.

Ya el primer día, Vronski fue a ver a su hermano, en cuya casa encontró a su madre, que debía resolver asuntos de intereses. Su madre y su cuñada le recibieron como de costumbre, le interrogaron sobre su viaje, charlaron sobre sus amistades comunes, pero no hicieron ninguna alusión a Ana. Al devolverle la visita al día siguiente, su hermano fue el primero en hablar de ella. Alexis aprovechó la oportunidad para darle a entender que consideraba como un matrimonio el lazo afectivo que le unía con Ana Karenina. Como tenía la firme esperanza de obtener un divorcio que regularizara su situación, deseaba que su madre y su cuñada comprendieran sus intenciones.

—Poco me importa —añadió—, que el mundo apruebe o no mi conducta, pero si mi familia quiere seguir en buenas relaciones conmigo, es necesario que sepa mantener también las relaciones convenientes con mi mujer.

Respetuoso siempre con las opiniones de su hermano menor, el primogénito prefirió dejar a otros el cuidado de resolver esta cuestión tan delicada y siguió sin protestar a Alexis al departamento de Ana. Durante aquella visita Vronski no tuvo reparo en tutear a su amante, pero dio a entender que su hermano conocía ya sus relaciones, y declaró sin ambages ni rodeos que Ana le acompañaría al campo.

A pesar de su experiencia del mundo, Vronski caía en un extraño error. Él debía saber mejor que nadie que la sociedad les cerraba sus puertas, pero por un curioso efecto de imaginación, se figuraba que la opinión pública, superados antiguos prejuicios, había tenido que sufrir la influencia del progreso general. Y era él quien, sin darse demasiada cuenta de ello, se había vuelto partidario del progreso en todas las cosas.

«Sin duda —pensaba— no hay para qué contar con el mundo oficial, pero nuestros parientes, nuestros amigos, se mostrarán más comprensivos.»

Para poder estar sentado largo tiempo con las piernas cruzadas, hay que estar perfectamente seguro de la libertad de los propios movimientos. En el caso contrario, no tardarán en venir los calambres, y las piernas, automáticamente, tenderán a alargarse de alguna forma. Lo mismo ocurría con Vronski. Convencido en su fuero interno de que las puertas del mundo permanecerían cerradas, no menos dispuesto estaba a creer en una transformación de las costumbres. Llamó entonces a las puertas del mundo, y éstas se abrieron para él, pero no para Ana. Lo mismo que en el juego del gato y el ratón, las manos extendidas en torno de él se retiraban inmediatamente delante de Ana.

Una de las primeras mujeres mundanas que volvió a encontrarse fue su prima Betsy.

—¡Por fin! —exclamó ésta alegremente al verle—. ¿Y Ana? ¡Qué contenta estoy! ¿Dónde paráis? Ya me imagino la pobre impresión que os debe causar San Petersburgo después de un viaje como el vuestro. ¡Qué luna de miel tenéis que haber pasado en Roma! ¿Y lo del divorcio, se ha arreglado?

Aquel entusiasmo se desvaneció tan pronto como Betsy supo que el divorcio no se había obtenido todavía, lo cual no pasó inadvertido a Vronski.

—Ya sé que seré blanco de las críticas —dijo—, pero iré a ver a Ana. ¿Estaréis mucho tiempo aquí?

Acudió, en efecto, aquel mismo día, pero había cambiado de tono. Parecía como si quisiera hacer ver su valor y la prueba de amistad que estaba dando a Ana. Después de haber hablado de las novedades del día por espacio de diez minutos, se levantó, diciendo al salir:

—No me habéis dicho nada acerca de vuestro divorcio. Yo he venido a saludaros contra viento y marea, pero salvo alguna excepción como la mía, los miembros de nuestra familia os harán el vacío en tanto no estéis casados. Y eso ahora es tan fácil... Eso es lo que se hace... En fin, ¿os vais el viernes? Siento que no nos podamos ver de aquí en adelante.

El tono de Betsy habría podido prevenir a Vronski sobre el género de acogida que les estaba reservado. Quiso, no obstante, hacer una tentativa más cerca de su familia. Desde luego no contaba para nada con su madre, que encantada al principio con Ana, ahora se mostraba inexorable con la que había frustrado la carrera de su hijo. Pero fundaba las mayores esperanzas en su cuñada Varia. Ésta —creía— no lanzaría la piedra contra Ana. Le parecía lo más sencillo y natural venir a verla y recibirla luego en su casa.

Al día siguiente, habiéndola encontrado sola, le comunicó su deseo.

—Tú sabes, Alexis, cuánto te aprecio y cuánto me intereso por tus cosas —respondió Varia después de escucharle hasta el final—. Si yo me mantengo apartada, es porque no puedo ser de ninguna utilidad a Ana Arkadievna (recalcó este nombre). No es que yo me permita juzgarla; es posible que hubiera obrado como ella en su lugar. No quiero entrar en detalles —añadió en tono medroso, al ver el rostro sombrío de su cuñado—, pero hay que llamar las cosas por su nombre. Tú quieres que vaya a verla, que la reciba en mi casa para rehabilitarla ante la sociedad, ¿no es eso? Pues, con toda franqueza, no lo puedo hacer. Mis hijas se están haciendo mayores; por causa de mi marido, me veo obligada a vivir en el mundo. Supongamos que yo voy a ver a Ana Arkadievna; ¿cómo puedo corresponder invitándola a mi casa? Tendría que arreglármelas para que no encuentre en ella personas menos condescendientes que yo y eso, ¿no sería herirla de todas maneras? Yo me siento incapaz de levantarla...

—Pues yo no admito ni por un instante que ella esté caída, ni siquiera compararla a centenares de esas mujeres, que vosotros recibís —interrumpió Vronski levantándose, pues comprendía que Varia había dicho su última palabra.

—Alexis, no te enfades, te lo ruego. No es culpa mía —adujo Varia con una sonrisa temerosa.

—No tengo nada contra ti, pero estoy sufriendo doblemente —declaró él cada vez más sombrío—. Lo siento por nuestra amistad rota, o al menos enfriada, porque ya comprenderás que después de esto...

La dejó con estas palabras y, comprendiendo la inutilidad de nuevas tentativas, tomó la resolución de considerarse como en una ciudad extranjera y evitar que se repitieran esta clase de razonamientos.

Una de las cosas que le parecieron más inaguantables era oír su nombre, en todas partes, asociado con el de Alexis Alexandrovich; no oía hablar más que de Karenin; se lo encontraba por todas partes o al menos así se lo figuraba, lo mismo que una persona lastimada en un dedo siempre cree que le está chocando con todos los muebles.

Por otra parte, la actitud de Ana le tenía desconcertado. Tan pronto se mostraba solícita con él, como todo lo contrario: fría, irritable, enigmática. Era evidente que algo la atormentaba, pero a diferencia de él, tan sensible a aquellos roces que le atormentaban —y que ella, con su finura de percepción tan característica, no habría podido soslayar— sólo parecía preocupada por disimular sus inquietudes.

29

Al dejar Italia, Ana se había propuesto antes que nada volver a ver a su hijo. A medida que se aproximaba a San Petersburgo, aumentaba su gozo. Como iban a instalarse en la misma ciudad, la entrevista le parecía lo más sencillo del mundo, lo más natural. Pero desde que llegó, se dio cuenta de que las cosas iban de otra manera.

¿Cómo debía hacerlo? ¿Yendo a casa de su marido? Ella no se reconocía este derecho, y corría el riesgo de padecer una afrenta. ¿Escribir a Alexis Alexandrovich, cuando precisamente era olvidando la existencia de este hombre como recobraba la calma perdida? ¿Acechar a Sergio en las horas de paseo y contentarse con un rápido encuentro, cuando tantas cosas tenía que decirle, tantos besos y caricias que prodigarle? La anciana sirvienta podía haber acudido en su ayuda, pero no vivía en casa de los Karenin; Ana perdió dos días buscándola en vano. El tercer día, habiendo sabido las relaciones de su esposo con la condesa Lidia, se decidió a escribir a ésta una carta, que le costó muchos esfuerzos redactar: en ella apelaba a la generosidad de su marido, sabiendo que, una vez asumido aquel papel de hombre generoso, lo mantendría hasta el fin.

El botones al que había confiado su mensaje le trajo la más cruel y la más inesperada de las respuestas, a saber: que no había ninguna que darle. No dando crédito a sus oídos, llamó a su presencia a aquel hombre y, para mayor humillación suya, éste le confirmó con todos los detalles aquella penosa noticia. Ana tuvo que reconocer, sin embargo, que la condesa tenía razón desde su propio punto de vista. Su dolor era tanto más vivo cuando no encontraba a nadie a quien confiárselo. El mismo Vronski no la comprendería; trataría este asunto como cosa de escasa importancia; hablaría de aquello en un tono tan glacial que ella no podría menos que aborrecerle. Y como ella nada temía tanto como odiarle, resolvió guardar la mayor reserva y ocultarle sus gestiones respecto al niño.

Todo el día estuvo pensando otros medios para reunirse con su hijo, y al fin resolvió escribir directamente a su esposo. En el momento que comenzaba la carta, le llegó la contestación de la condesa. Ella no habría protestado por su silencio, pero la animosidad, la ironía que leyó entre líneas en aquella carta, acabaron por descomponerla.

«¡Qué frialdad, qué hipocresía! —se dijo—. Quieren herirme y atormentar al niño. No les dejaré que lo hagan. Ella es peor que yo.

Al menos, yo digo las cosas sin faltar a la sinceridad.»

Inmediatamente tomó el partido de ir al día siguiente, cumpleaños de Sergio, a casa de su marido, de ver allí al niño, sobornando si fuera preciso a los sirvientes, y de poner fin a la serie de absurdas mentiras de que le estaban rodeando. Se apresuró a comprar juguetes y trazó su plan. Iría por la mañana temprano, antes de que se hubiese levantado Alexis Alexandrovich, tendría preparado el dinero para el portero y el ayuda de cámara, a fin de que la dejasen subir sin levantar el velo, con el pretexto de poner sobre la cama de Sergio unos regalos enviados por su padrino. En cuanto a lo que diría a su hijo, había mucho que reflexionar. No podía improvisar nada.

Al día siguiente por la mañana, hacia las ocho, Ana se hizo conducir en coche a su antigua residencia. Llamó a la puerta.

—Ve a ver quién es. Parece una señora —dijo Kapitonich a su ayudante, un muchachote al que Ana no conocía, al ver por la ventana una dama con velo, que esperaba junto a la puerta.

El portero estaba todavía en indumentaria matinal: el paletó sobre los hombros y chancletas en los pies.

Apenas el mozo abrió la puerta, Ana sacó de su manga un billete de tres rublos y se lo deslizó en la mano.

—Sergio... Sergio Alexievich —murmuró ella, queriendo seguir adelante.

Pero después de echar una mirada al billete, el sustituto del portero interceptó a la visitante en la segunda puerta.

—¿A quién quiere usted ver? —preguntó.

Ella no le escuchó ni respondió nada.

Notando el apuro de aquella desconocida, Kapitonich en persona salió de su aposento, la dejó entrar y le preguntó lo que deseaba.

—Vengo de parte del príncipe Skorodumov a ver a Sergio Alexievich.

—No se ha levantado todavía —arguyó el portero, examinándola atentamente.

Jamás habría creído Ana que el aspecto de aquella casa, en la que había vivido nueve años, llegaría a turbarla hasta ese punto. En su alma se despertaban recuerdos dulces y crueles y, por un momento, olvidó el motivo que allí la había traído.

—Espere, por favor —dijo el portero, recogiéndole su abrigo. Al mismo instante la reconoció e hizo una profunda reverencia—. Tenga la bondad de entrar vuestra excelencia.

Ella intentó hablar, pero le fallaba la voz. Dirigió a Kapitonich una mirada suplicante y se lanzó a la escalera. El portero, con el cuerpo doblado y haciendo sonar sus chancletas a cada paso, se puso a subir detrás de ella, intentando alcanzarla.

—Es posible que no se haya vestido el preceptor. Tengo que prevenirle.

Ana seguía subiendo aquella escalera tan conocida, sin oír una sola palabra de lo que decía el viejo.

—Por aquí, a la derecha —insistió éste—. Perdone este desorden. Como ha cambiado de habitación... Dígnese vuestra excelencia esperar un instante, voy a ver.

Fue y volvió a reunirse con Ana, entreabrió una gran puerta y desapareció tras ella para reaparecer al cabo de unos minutos, durante los cuales Ana permaneció en pie, esperando.

—Acaba de despertarse —declaró Kapitonich.

Mientras le hablaba, Ana percibió un bostezo en el interior y, tan sólo oírlo, reconoció a su hijo y hasta se lo representó delante de ella.

—Déjeme..., déjeme entrar —balbuceó, precipitándose en la habitación.

A la derecha de la puerta, sentado en el lecho, estaba desperezándose un niño en camisa de dormir. Sus labios se cerraron dibujando una sonrisa, sin acabar de despertarse, y se dejó caer otra vez sobre la almohada.

—Mi pequeño Sergio... —murmuró ella, acercándose lentamente a la cama.

En sus efusiones de ternura por el hijo ausente, Ana se lo representaba siempre a la edad de cuatro años, a esa edad en que lo encontraba más gentil. Y ahora ya no se parecía en nada al niño que había dejado. Había crecido y adelgazado, su cara daba la sensación de habérsele alargado con aquellos cabellos cortos. ¡Y qué brazos más grandes! Había cambiado bastante, pero siempre era él por la forma de su cabeza, sus labios, su cuello esbelto y sus anchos hombros.

—Mi pequeño Sergio —repitió al oído del niño.

Éste se alzó sobre un codo, volvióse a derecha e izquierda, movió la cabeza como aturdido, buscando a alguien, y al fin abrió los ojos. Por espacio de unos segundos miró con ojos interrogantes aquella figura inmóvil delante de él. De pronto, expresó su alegría con una sonrisa y, cerrando los ojos de nuevo, se echó en brazos de su madre.

—Sergio, mi pequeño querido... —musitó ella, sofocada por las lágrimas mientras estrechaba en sus brazos aquel cuerpecillo redondeado.

—Mamá —murmuró él, dejándose deslizar entre las manos de su madre, para que todo su cuerpo sintiera el contacto.

Con los ojos siempre cerrados, se estrechó contra ella. Restregaba su rostro contra el cuello y el pecho de Ana que se embriagaba con aquel cálido perfume del niño aún medio dormido.

—Yo lo sabía —dijo éste, entreabriendo los ojos—. Es mi cumpleaños. Sabía que ibas a venir. Voy a levantarme en seguida.

Y mientras hablaba, se adormeció de nuevo.

Ana le devoraba con los ojos. Observaba los cambios sobrevenidos en su ausencia, reconocía a duras penas aquellas piernas tan largas, aquellas mejillas enflaquecidas, aquellos cabellos tan recortados, que formaban pequeños bucles sobre la nuca, por donde tanto le había acariciado, como ahora le acariciaba sin decir palabra, porque las lágrimas le impedían hablar.

—¿Por qué lloras, mamá? —preguntó Sergio, ya despierto del todo—. ¿Por qué lloras? —repitió, disponiéndose él también a llorar.

—Es de alegría, pequeño mío. ¡Hacía tanto tiempo que no te veía! Vamos, esto se ha terminado —dijo, volviéndose para devorar sus lágrimas—. Pero ya es tiempo de vestirte —repuso después de un rato de calma. Y sin soltar las manos de Sergio, se sentó junto a la cama sobre una silla donde estaba preparada la ropa del niño—. ¿Cómo te vistes sin mí? ¿Cómo...?

Quería hablarle en un tono alegre y sencillo, pero no consiguiéndolo, tuvo que volver la cabeza una vez más.

—Ya no me lavo más con agua fría. Papá me lo ha prohibido. ¿No has visto a Vassili Loukitch? Va a venir... ¡Anda, si te has sentado encima de mis cosas!

Y Sergio se echó a reír. Ella le miró y sonrió.

—¡Mamá querida! —exclamó, echándose de nuevo en sus brazos, como si al verla sonreír hubiera comprendido mejor lo que le pasaba—. Quítate eso —prosiguió, tirando de su sombrero.

Al verle la cabeza descubierta, la volvió a abrazar.

—¿Qué has pensado de mí? ¿Habías creído que estaba muerta?

—No lo he creído nunca.

—¿No lo has creído, querido mío?

—Sabía muy bien que no era verdad —dijo—. Lo sabía, lo sabía bien.

Y repitiendo su frase favorita, cogió la mano que acariciaba su cabellera, apoyó la palma sobre su boquita y la cubrió de besos.

30

Durante este tiempo, Vassili Loukitch se encontraba bastante apurado: acababa de saber que aquella dama, cuya visita le había parecido extraordinaria, era la madre de Sergio, aquella mujer que había abandonado a su esposo y a la que no conocía, porque él no formaba parte del personal de la casa hasta después que se marchó. ¿Debía penetrar en la habitación o prevenir a Alexis Alexandrovich? Hecha su reflexión, resolvió cumplir estrictamente con su deber, comprobando si Sergio se levantaba a la hora habitual, sin que le inquietase la presencia de una tercera persona, aunque fuese la madre. Abrió, pues, la puerta, pero se detuvo en el umbral. A la vista de las caricias de la madre y el niño, al oír el sonido de sus voces y comprender el sentido de sus palabras, cambió de opinión. Agachó la cabeza, lanzó un suspiro y volvió a entrar.

«Esperaré diez minutos más», se dijo, enjugándose los ojos.

La servidumbre se sentía agitada por una fuerte emoción. Todos sabían que Kapitonich había dejado entrar a su antigua ama y que ésta se encontraba en el dormitorio del niño. También sabían que el señor se acercaba allí todas las mañanas poco después de las ocho. Comprendían que a toda costa había que impedir el reencuentro de los esposos. Kornei, el ayuda de cámara, bajó a la habitación del portero para hacer allí una investigación y, al saber que Kapitonich en persona había escoltado a Ana Arkadievna hasta las habitaciones de arriba, le amonestó con una dura filípica.

El portero guardaba un silencio estoico, pero cuando el ayuda de cámara dijo que merecía ser expulsado de la casa, saltó como movido por un resorte y se aproximó a Kornei con un ademán enérgico.

—¡Ya, ya! —dijo, envalentonándose—. ¡Tú no la habrías dejado entrar! Después de haberla estado sirviendo diez años y no haber oído más que buenas palabras, te atreverías a decirle: «¡Tenga la bondad de marcharse!». ¡Valiente perillán estás tú hecho! Tú siempre vas a tu avío, a tirarle de la levita al señor.

—¡A ver, esa vieja astuta! —refunfuñó Kornei. Y se volvió al aya, que entraba en aquel momento—. Sea usted juez, María Iefimovna. Este hombre ha dejado subir a la señora sin decir oxte ni moxte y, dentro de nada, Alexis Alexandrovich se la va a encontrar con el pequeño.

—¡Qué conflicto, qué conflicto! —exclamó el aya—. Entonces usted, Kornei Vassilievich, vea la forma de entretener al señor mientras que yo corro para prevenirla y hacerla salir. ¡Qué conflicto!

Cuando el aya entró en el cuarto del niño, Sergio contaba a su madre cómo Nadia y él se habían caído al deslizarse por una pendiente nevada y habían dado tres volteretas. Ana escuchaba el sonido de la voz, contemplaba el rostro del niño, el juego de su fisonomía, palpaba su bracito, pero no atendía a nada de lo que estaba diciendo. ¡Había llegado el momento de partir! No lo podía pasar mejor y, sin embargo, no hacía más que pensar en el instante de aquella separación tan horrible. Había oído los pasos de Vassili Loukitch y su tosecita discreta, y ahora oía venir a la vieja criada, pero, incapaz de moverse o de decir una palabra, se quedó inmóvil como una estatua.

—¿Es usted, mi querida señora? —saludó el aya, aproximándose a Ana y besándole los hombros y las manos—. Dios, en su bondad, ha querido causar una gran alegría a nuestro pequeño señor, por su cumpleaños. ¿Sabe usted que no la encuentro cambiada en absoluto?

—¡Ah, mi buena María! Creí que ya no vivía usted aquí —dijo Ana, fijándose en ella por un momento.

—No, vivo en casa de mi hija. ¡Mi querida señora! Ya ve usted, venía a felicitar al niño y me encuentro...

La anciana se puso a llorar y a besar de nuevo la mano de su antigua ama.

Sergio, cuyos ojos brillaban de alegría, tenía de una mano a su madre y de otra al aya, agitando sus piececitos desnudos sobre la alfombra. El cariño de la anciana sirvienta hacia su madre le llenaba de júbilo.

—Mamá, María viene a verme muchas veces, y cuando viene...

Se interrumpió al ver que el aya susurraba algo al oído de su madre, cuyo semblante expresaba inquietud y algo así como una sensación de vergüenza. Ana se volvió a su hijo.

—Querido mío —comenzó a decir, sin que le pudiera salir la palabra «adiós». Pero por la expresión de su cara, el niño comprendió—. Mi pichoncito querido —murmuró, empleando un apodo que le daba cuando era un bebé—. Tú no me olvidarás, ¿verdad? Dime, tú...

No pudo acabar. ¡Cómo se lamentó más tarde de no haber sabido decirle tantas cosas como quería, porque en aquel momento se sentía incapaz de expresarse! Pero Sergio lo comprendió todo. Comprendió que su madre le quería y que era desgraciada. Comprendió también lo que la criada le había murmurado al oído, porque había oído estas palabras: «...siempre después de las ocho».

Era evidente que se refería a su padre, y comprendió que ella no debía encontrárselo. Pero ¿por qué se reflejaban en el semblante de su madre la vergüenza y el temor? Sin ser culpable parecía temer la venida de su padre y sonrojarse por algo que él ignoraba. Hubiera querido interrogarla, pero no se atrevió, porque la veía sufrir y le causaba mucha pena. Se estrechó contra ella, murmurando:

—No te vayas todavía... Él no vendrá tan pronto...

Su madre lo apartó de ella un instante para poderle contemplar, y comprender si verdaderamente pensaba lo que decía. Por el aire asustado del niño, dedujo que hablaba realmente de su padre y que estaba intrigado, preguntándose tal vez qué sentimientos debía guardar respecto a él.

—Sergio, niño mío, quiérele —dijo ella—. Él es mejor que yo y yo me siento culpable por mi comportamiento con él. Cuando seas mayor, podrás juzgar.

—No hay nadie mejor que tú —exclamó el pequeño, entre sollozos desesperados.

Y colgándose en los hombros de su madre, la abrazó con toda la fuerza de sus pequeños y temblorosos brazos.

—Querido mío, querido mío... —exclamó ella, inundada en lágrimas como un niño.

En aquel momento entró Vassili Loukitch. Se oían ya pasos cerca de la otra puerta, y el aya, espantada, alargó a Ana su sombrero, diciendo en voz baja:

—¡Ahí viene!

Sergio se dejó caer en la cama y se puso a sollozar, cubriéndose la cara con las manos. Ana se las apartó para besar, una vez más, sus mejillas bañadas en lágrimas, y salió con paso apresurado. Alexis Alexandrovich le salió al encuentro. Se paró al verla y bajó la cabeza.

Ana acababa de afirmar que él era mejor que ella y, sin embargo, la mirada rápida que le dirigió, abarcando toda su persona, no despertó en su corazón más que un sentimiento de odio, de desprecio, de celos (pensando únicamente en su hijo). Bajóse rápidamente el velo y salió casi corriendo.

Su impaciencia había sido causa de que olvidase en el coche los juguetes, escogidos la víspera con tanto amor como tristeza. Se los llevó consigo al hotel.

31

Por más que lo hubiera deseado hacía tanto tiempo y se hubiera preparado con antelación, Ana no esperaba las violentas emociones que le causó aquella entrevista con su hijo. De regreso al hotel, le costó mucho explicarse por qué estaba allí.

«Vamos —se dijo—. Al fin ya ha pasado todo y heme aquí sola otra vez.»

Sin quitarse el sombrero, se dejó caer en un sillón cerca de la chimenea y, con los ojos clavados en el péndulo de un reloj de bronce, colocado sobre una consola entre las ventanas, quedó sumida en sus reflexiones.

La doncella francesa que se había traído del extranjero acudió a recibir sus órdenes. Ana pareció sorprendida y respondió:

—Más tarde.

El camarero, que deseaba servirle el desayuno, recibió la misma respuesta.

Le tocó después el turno a la nodriza italiana, que entró llevando en brazos a la niña, que acababa de vestir. A la vista de su madre, la pequeña sonrió agitando sus manecitas en el aire, de la misma forma que un pez agita sus aletas o frotando los pliegues almidonados de su ropita. ¿Cómo podía explicarse que Ana no contestara a su sonrisa con otra sonrisa, ni besara sus frescas mejillas ni sus bracitos desnudos, que no la hiciera saltar sobre sus rodillas y le alargara el dedo para que se lo cogiera con gritos de alegría, ni le presentara los labios para que ella apretase su boquita contra ellos, según su manera de besar? Pero adoptando aquella actitud pasiva, Ana estaba comprobando —¡ay!— que el sentimiento que le inspiraba aquella pequeña criatura era algo muy distinto a aquel profundo amor del que rebosaba su corazón por la criatura que le nació primero. Todas las fuerzas de su cariño insaciable se habían concentrado ahora en su hijo, el hijo de un hombre al que, sin embargo, no amaba, y aquella hija nacida en las más tristes condiciones, jamás había recibido ni la centésima parte de los solícitos cuidados que ella había prodigado a Sergio. La pequeña no representaba para ella más que una esperanza, mientras que Sergio era casi un hombrecito, que ya conocía los conflictos de los sentimientos y de las ideas, que amaba a su madre, que la comprendía, tal vez la juzgaba.... pensaba ella acordándose de sus palabras y de sus miradas. Y ahora estaba separada de él, moral y materialmente, y no encontraba ningún remedio para aquella situación.

Después de haber devuelto la pequeña a su nodriza y de despedir a ambas, Ana abrió un medallón donde guardaba el retrato de Sergio cuando tenía aproximadamente la misma edad de su hermanita. Después se levantó, se quitó el sombrero y, cogiendo de la mesa un álbum de fotografías, apartó, para compararlos entre sí, diversos retratos de su hijo en diferentes edades. De todos escogió uno, en el que Sergio estaba representado a horcajadas sobre una silla, con una blusa blanca, la boca sonriente y las cejas arqueadas. La semejanza era perfecta. Con sus dedos ágiles, más nerviosa que nunca, intentó en vano hacer salir la fotografía de su cartulina. No teniendo a mano un cortapapeles, hizo salir aquella fotografía con ayuda de otra cogida al azar, y que resultó ser un retrato de Vronski sacado en Roma, con los cabellos largos y sombrero flexible.

—¡Helo aquí! —exclamó ella, mirándolo.

Al instante se acordó de que él era el autor de sus actuales sufrimientos. No había pensado en él en toda la mañana, pero la vista de aquel semblante noble y viril, tan querido y tan familiar, hizo subir inopinadamente a su corazón una oleada de amor.

«¿Dónde estará? ¿Por qué me deja sola en mi dolor?», se preguntó con amargura, olvidando que ella le disimulaba con el mayor cuidado todo lo que estaba relacionado con su hijo.

Mandó recado pidiéndole que viniera, y se puso a esperar con el corazón oprimido las palabras de consuelo que iba a prodigarle. El camarero volvió para decirle que el conde tenía una visita, y de su parte le preguntaba si podía recibirle en compañía del príncipe Iachvin, recién llegado a San Petersburgo.

«No quiere venir solo y no me ha vuelto a ver desde ayer a la hora de la comida —pensó ella—. No podré decirle nada mientras esté con Iachvin.»

Una duda cruel asaltó su alma.

«¿Y si hubiera dejado de quererme?»

Por su memoria desfilaron los incidentes de días anteriores. En ellos encontraba la confirmación de aquella terrible sospecha. Desde su llegada a San Petersburgo, había exigido que ella se alojase aparte. La víspera no había comido con ella, y ahora venía a verla acompañado, como si tuviera miedo de un diálogo cara a cara.

«Si eso es verdad, está obligado a confesármelo. Debo estar prevenida. Entonces sabré a qué atenerme», se dijo, lejos de imaginar lo que sería de ella, caso de confirmarse la indiferencia de Vronski.

Aquel terror próximo a la desesperación la puso sobreexcitada. Llamó con el timbre a la doncella, pasó al cuarto de aseo y extremó su atención al vestirse, como si de su porte exterior dependiera el retorno de su amante a los primeros tiempos. Aún no había acabado de arreglarse, cuando sonó la llamada que esperaba.

Cuando volvió a la sala, su mirada se cruzó primero con la de Iachvin. Vronski, embebido en la contemplación de los retratos de Sergio que Ana había olvidado sobre la mesa, no se dio ninguna prisa en levantar los ojos hacia ella.

—Nos conocemos hace mucho tiempo. El año pasado nos vimos en las carreras —dijo ella, posando su mano menuda en la manaza de aquel gigante, cuya confusión contrastaba tan raramente con su semblante rudo y su talla descomunal—. Dame eso —añadió, arrebatando a Vronski con un movimiento rápido las fotografías de su hijo, mientras sus ojos brillantes le lanzaban una mirada significativa—. Las carreras de este año, ¿han estado bien? Yo he tenido que contentarme con ver las de Roma en el Corso. Pero ya sé que a usted no le gusta el extranjero —agregó con una sonrisa acariciadora—. Yo le conozco bien y, aunque nos hayamos visto pocas veces, estoy al corriente de todos sus gustos.

—Estoy descontento de ellos, porque generalmente son malos —respondió Iachvin, mordiéndose la guía izquierda del bigote.

Tras unos minutos de conversación, Iachvin, viendo que Vronski consultaba su reloj, preguntó a Ana si pensaba quedarse mucho tiempo en San Petersburgo. Después, cogiendo el quepis, se levantó desplegando la ingente mole de su persona.

—No pienso estar mucho tiempo —contestó ella con aire resignado dirigiendo a Vronski una mirada furtiva.

—¿Eso quiere decir que no nos veremos? —interrogó Iachvin, volviéndose a Vronski—. ¿Dónde vas a comer?

—Véngase a comer con nosotros —invitó Ana, en tono decidido. Pero pronto se sonrojó, muy apenada de no poder disimular su apuro todas las veces que su situación falsa se ponía de relieve delante de un extraño—. La cocina del hotel es un poco mediocre, pero al menos estarán ustedes juntos. De todos sus camaradas de regimiento, usted es el preferido de Alexis.

—Encantado —respondió Iachvin, con una sonrisa que demostró a Vronski que Ana le había caído en simpatía.

Despidióse y salió. Vronski se dispuso a seguirle.

—¿Te vas ya? —preguntó Ana.

—Ya llevo retraso. ¡Sigue, que ahora te alcanzaré! —gritó a su amigo.

Ana le cogió de la mano y, sin dejar de mirarle, buscó alguna frase con la que retenerle.

—Espera, tengo algo que preguntarte —dijo—. ¿He hecho bien en invitarle? —añadió, apretando la mano de Vronski contra su mejilla.

—Has hecho muy bien —respondió él, con una sonrisa que descubrió toda su dentadura.

Y le besó la mano.

—Alexis, ¿no has cambiado respecto a mí? —preguntó ella, apretándole la mano entre las suyas—. Alexis, ya no aguanto más aquí. ¿Cuándo partimos?

—Pronto, pronto. Yo también he llegado al límite de mis fuerzas. Retiró su mano.

—¡Está bien, márchate, márchate! —dijo ella, en tono resentido.

Y se alejó precipitadamente de él.

32

Cuando Vronski volvió al hotel, Ana no estaba allí. Le dijeron que, poco después de ausentarse él, ella había salido con una dama, sin decir adónde iban. Aquella ausencia inesperada, prolongada, unida a la actitud agitada de ella, al tono duro que empleó cuando le quitó las fotografías de su hijo delante de Iachvin, hicieron reflexionar a Vronski. Resuelto a pedir una explicación, la esperó en el salón. Pero Ana no volvió sola. Se había traído a una de sus tías, solterona, la princesa Oblonski, con la que había salido de compras. Sin hacer ningún caso del aire inquieto e interrogante de Vronski, se puso a enumerarle sus adquisiciones. Pero él había descubierto una atención concentrada en sus ojos brillantes, que le miraban a hurtadillas, y aquellos nervios que tanto le encantaban en otros tiempos y que ahora le causaban miedo.

Ya iban a pasar a la salita donde estaba servido el cubierto para cuatro, cuando anunciaron la presencia de Tuchkevich, enviado por Betsy. La princesa se excusaba de no poder hacer a Ana una visita de despedida. Se encontraba delicada y rogaba a su amiga que la visitase de siete y media a nueve. Vronski quiso dar a entender a Ana que, al designarle una hora, se habían tomado las medidas necesarias para que ella no se encontrase con nadie, pero Ana pareció no prestarle ninguna atención.

—Siento no tener tiempo libre de siete y media a nueve —dijo a Tuchkevich, con sonrisa imperceptible.

—La princesa lo sentiría también mucho.

—No menos que yo.

—¿Tal vez va usted a escuchar a la Patti?

—¿La Patti? Me ha dado usted una idea. Desde luego que iría, si pudiese adquirir una localidad.

—Yo puedo procurarle una.

—Se lo agradezco infinito, pero ¿no va usted a comer con nosotros?

Vronski alzó ligeramente los hombros. No comprendía la manera de portarse de Ana. ¿Por qué había traído a aquella solterona, por qué invitaba a Tuchkevich a comer y, sobre todo, por qué quería adquirir una localidad? ¿Podía ella, en su situación, exhibirse en la Ópera un día de abono? Allí se encontraría todo San Petersburgo. A la mirada severa que le dirigió, respondió ella con otra medio jocosa, medio provocativa, de aquellas que constituían un enigma para él.

Durante la comida, Ana se mostró muy animada, y parecía coquetear tanto con el uno como con el otro de sus convidados. Al levantarse de la mesa, Tuchkevich fue a buscar la localidad prometida, mientras que Iachvin bajaba a fumar con Vronski. Al cabo de algún tiempo, volvió éste y encontró a Ana con un traje muy escotado de seda clara, realzada con aplicaciones de terciopelo, mientras que una mantilla de encaje hacía destacar la deslumbrante hermosura de su cabeza.

—¿Verdaderamente vas al teatro? —preguntó, evitando su mirada.

—¿Por qué me lo preguntas con ese aire aterrorizado? —respondió ella, molesta porque no la quería mirar—. No veo ninguna razón para no ir.

Daba la impresión de no acertar lo que él quería decirle.

—Verdaderamente, no hay ninguna razón —repuso él, frunciendo las cejas.

—Eso es lo que yo digo —insistió ella, fingiendo no comprender la ironía de aquella respuesta.

Y sin abandonar la calma, empezó a calzarse su largo guante perfumado.

—Ana, en nombre del cielo, ¿qué te pasa? —inquirió él, queriendo hacerla volver a la realidad, como ya lo había intentado su marido más de una vez.

—No alcanzo a comprender lo que quieres de mí.

—Tú sabes muy bien que no puedes ir.

—¿Por qué? No voy sola. La princesa Bárbara ha ido a cambiarse de vestido. Ella me acompañará.

Vronski alzó los hombros, desanimado.

—Entonces es que no sabes... —quiso decirle.

—¡Pero si yo no quiero saber nada! —exclamó ella—. No, no quiero. No me arrepiento en absoluto de lo que he hecho, no, no y no. Si hubiera que comenzar otra vez, otra vez comenzaría. Sólo hay una cosa que cuenta para ti y para mí, y es saber si realmente nos queremos. Lo demás no tiene valor. ¿Por qué vivimos aquí separados? ¿Por qué no puedo ir donde mejor me parezca? Yo te quiero y todo me es igual mientras tú no cambies —añadió ella, clavando en él una de aquellas miradas llenas de exaltación que él no llegaba a comprender—. ¿Por qué no me miras tú?

Vronski levantó los ojos, vio su belleza y su atuendo, que tan bien le sentaba, pero en tales momentos aquella belleza, aquella elegancia, no hacían más que irritarle.

—Sabes muy bien que mis pensamientos no pueden cambiar, pero te ruego, te suplico que no vayas —dijo él, con una mirada fría pero con voz implorante.

La conversación se desarrollaba tanto en francés como en ruso. Ana no reparó más que en la mirada, y respondió bruscamente:

—Pues yo te pido que me expliques por qué razón no he de ir.

—Porque eso puede atraerte...

No se atrevió a terminar.

—No te comprendo. Iachvin no es un hombre comprometedor y la princesa Bárbara vale tanto como las otras. ¡Ah, aquí está!

33

Por primera vez desde que unieron sus vidas, Vronski experimentó con respecto a Ana un descontento cercano a la cólera. Lo que más le contrariaba era no poder hablarle con el corazón en la mano, no poder decirle que presentándose con aquel vestido en la Ópera, en compañía de una persona como la princesa Bárbara, no sólo se reconocía a sí misma como una mujer perdida, sino que además desafiaba a la opinión pública y renunciaba para siempre al gran mundo donde le correspondía vivir.

«¿Cómo es que no lo comprende? ¿Qué le pasará?», se decía él. Pero si por un lado bajaba su estima por el carácter de Ana, por otro crecía su admiración por la belleza de su amante.

Volvió a su aposento y se sentó preocupado junto a Iachvin, quien, con sus largas piernas tendidas en una silla, saboreaba una mezcla de agua de Seltz y coñac. Vronski imitó su ejemplo.

—¡Vaya vigor que tiene el caballo de Lankovski! ¡Y qué ejemplar más hermoso! Te aconsejo que lo compres —dijo Iachvin, echando un vistazo al rostro sombrío de su camarada—. Tiene la grupa irregular, pero la cabeza y las patas son admirables. No encontrarás otro igual.

—Entonces me voy a quedar con él —le respondió Vronski.

Mientras hablaban de caballos, no se le quitaba del pensamiento a Vronski la figura de Ana. Miraba el péndulo y afinaba el oído para descubrir lo que pasaba en el corredor.

—Ana Arkadievna me encarga decirle que ha salido para el teatro —anunció el ayuda de cámara.

Iachvin vertió la bebida en un vaso de gaseosa, apuró su contenido de un trago y se levantó, abotonándose el uniforme.

—¿Qué, nos vamos? —preguntó, dando a entender con una discreta sonrisa que comprendía la causa de la contrariedad de Vronski, pero sin darle importancia.

—No iré —respondió Vronski, en tono lúgubre.

—Pues yo he prometido asistir y debo hacerlo. Hasta la vuelta. Si te arrepientes, puedes contar con la butaca de Korsunki, que está libre —añadió, retirándose.

—No, tengo que arreglar un asunto.

«Decididamente —se dijo Iachvin, saliendo del hotel—, si uno tiene disgustos con su mujer, tenerlos con su querida es bastante peor.»

Una vez solo, Vronski se puso a pasear a todo lo largo y todo lo ancho de la habitación.

«Vamos a ver, ¿qué función es la de hoy? La cuarta. Mi hermano estará allí seguramente con su mujer, y sin duda estará también mi madre, es decir todo San Petersburgo... Ella entra en este momento, se quita el abrigo y ya la tenemos delante de todo el mundo. Tuchkevich, Iachvin, la princesa Bárbara... Entonces yo, ¿qué hago allí? ¿Es que tengo miedo, o es que he delegado en Tuchkevich el derecho de protegerla? ¡Qué estúpido es todo esto! ¿Por qué me habrá metido ella en esta situación tan absurda?», se dijo, acompañando su reflexión con un gesto decidido.

El movimiento que hizo estuvo a punto de derribar el velador sobre el que descansaba la bandeja, con el coñac y el agua de Seltz. Queriendo sujetar el mueble tambaleante, acabó por volcarlo definitivamente. Lleno de coraje, le dio un puntapié e hizo sonar la campanilla.

—Si quieres seguir a mi servicio, tienes que cumplir mejor tu obligación —dijo al ayuda de cámara que apareció—. ¿Por qué no has venido a llevarte esto?

Persuadido de su inocencia, el ayuda de cámara quiso justificarse, pero una ojeada a su señor le bastó para convencerse de que era mejor callar y, después de excusarse a toda prisa, se arrodilló sobre la alfombra para recoger —rotos o intactos— los vasos y las botellas.

—Ésa no es misión tuya. Llama a un camarero y prepara mi ropa.

A las ocho y media, Vronski entraba en la Ópera. El espectáculo había comenzado ya. El viejo encargado del guardarropa, al quitarle el abrigo de pieles, le reconoció y le llamó excelencia.

—No hace falta número —declaró el buen hombre—. Al salir, vuestra excelencia no tiene más que llamar a Teodoro.

Aparte de aquel hombre, no había en el pasillo más que dos acomodadores que escuchaban por una puerta entreabierta. Se oía a la orquesta acompañando en *stacatto* una voz femenina. La puerta se abrió del todo para dejar paso a un empleado, lo que permitió que la frase cantada llegara a oídos de Vronski. No pudo oír el final, pues la puerta volvió a cerrarse; pero, a juzgar por los aplausos que siguieron, comprendió que el fragmento había terminado. Todavía sonaban los aplausos cuando penetró en la sala, brillantemente iluminada con arañas y lámparas de bronce. En el escenario, la diva, luciendo un escote desmesurado y una enorme profusión de joyas, saludaba sonriente y se inclinaba para recoger —con la ayuda del tenor que estaba a su lado— los ramos de flores que con escasa puntería le arrojaban sus numerosos entusiastas por encima de las candilejas. Un caballero, cuyos cabellos untados con pomada separaba una raya impecable, le estaba alargando un aderezo de brillantes, extendiendo los brazos todo lo que le era posible, mientras el público entero —butacas y palcos— vociferaba, aplaudía, se levantaba para ver mejor. Después de haberla ayudado a recoger las ofrendas, el director de la orquesta se ajustó la blanca corbata.

Llegado a la mitad del patio de butacas, Vronski se detuvo, y maquinalmente pasó la vista a su alrededor, menos interesado que nunca lo mismo por el escenario, que por el ruido, que por aquel abigarrado tropel de espectadores aglomerados en la sala: las mismas damas en los palcos, los mismos oficiales detrás de ellas, las mismas mujeres emporifolladas, los mismos uniformes y las mismas levitas, la misma plebe desaliñada en el paraíso. En medio de toda aquella mescolanza, sólo una cuarentena de personas que ocupaban los palcos y las primeras filas de butacas, representaban la elite de la sociedad petersburguesa. Este oasis mundado no tardó en captar la atención de Vronski a pesar de la falta de interés que sentía al principio.

Como el acto había acabado hacía un instante, Vronski, antes de dirigirse al palco de su hermano, ganó la primera fila de butacas en la que vio a Serpujovskoi, quien, apoyado en un tramo, que frotaba nerviosamente con el talón, le sonreía. No había visto todavía a Ana, ni tampoco la buscaba, pero en la misma dirección que seguían sus miradas creyó adivinar el sitio donde se encontraba, temiendo lo peor. Temblaba ante una posible aparición de Karenin. Por un azar venturoso, éste no había acudido aquella noche al teatro.

—¡Qué poco te queda ya de tu aspecto militar! —le dijo Serpujovskoi—. Se diría que eres un diplomático, un artista...

—Sí. No hice más que llegar y colgar los hábitos —respondió Vronski, sacando lentamente los gemelos.

—En eso te envidio. Vuelvo a Rusia, te confieso que lo hago a regañadientes —dijo Serpujovskoi, tocando sus cordones.

Hacía mucho tiempo que Serpujovskoi había renunciado a convencer a Vronski para que siguiese la carrera militar. Pero como siempre le tuvo en mucho aprecio, se mostró particularmente amable con él.

—Es una lástima que te hayas perdido el primer acto —siguió diciendo Serpujovskoi.

Vronski no le escuchaba más que a medias. Estaba examinando las butacas de primera fila y los palcos de platea. De pronto se le apareció la cabeza de Ana en el campo visual de sus anteojos, altiva, adorable y sonriente entre sus encajes, cerca de una dama de turbante y de un viejo calvo, este último muy gesticulante y de aspecto nada simpático. Ana ocupaba la quinta platea, a veinte pasos de él. Sentada en la delantera del palco, conversaba con Iachvin, un poco vuelta al exterior. El lazo que le pendía sobre la nuca, sus hermosos y opulentos hombros, el centelleo contenido de sus pupilas y la expresión radiante de su faz, todo le recordaba tal como él la había visto otra vez, en el baile de Moscú. Pero los sentimientos que le inspiraba su belleza ya no tenían nada de misterio; al resaltar de aquella manera sus encantos, ella le hacía sentirse ofendido de verla tan hermosa. Aunque no miraba en dirección a él, Vronski no dudaba de que le había divisado.

Cuando pasado un minuto dirigió los gemelos al palco, vio a la princesa Bárbara, muy colorada, reír sin poder contenerse y volver-

se a cada instante hacia el palco vecino. Ana, golpeando con su aba-
nico cerrado el reborde de terciopelo rojo, miraba a lo lejos, con la
intención evidente de no fijarse en lo que pasaba alrededor suyo. En
cuanto a Iachvin, su rostro expresaba las mismas impresiones que si
hubiese perdido en el juego. Se mordía nerviosamente el bigote,
arrugaba el entrecejo, miraba de soslayo el palco de la izquierda.

Enfocando los gemelos en dirección a los ocupantes de aquel
palco, Vronski reconoció al matrimonio Kartassov, cuyo trato habían frecuentado Ana y él en otro tiempo. De pie, volviéndole la
espalda a Ana, la señora Kartassov, muy pequeña y delgada, se estaba poniendo un chal que acababa de darle su marido. Estaba pálida y su cara tenía una expresión de disgusto. Parecía muy alterada al hablar. El marido, grueso y calvo, hacía todo lo posible para
serenarla, volviéndose sin cesar al palco donde estaba Ana. Cuando
la mujer salió del palco, el marido se retrasó intencionadamente,
esperando encontrarse con la mirada de Ana para saludarla, pero
ésta volvía la espalda ostensiblemente, como si le entretuviese más
la cabeza monda de Iachvin, inclinada hacia ella. Kartassov salió
sin saludar y el palco quedó vacío.

Sin haber llegado a comprender nada de aquella rápida escena,
Vronski se dio cuenta de que Ana acababa de sufrir un desaire. Por
la expresión de su rostro, dedujo que estaba agotando sus últimas
fuerzas para desempeñar hasta el fin el papel que se había trazado.
Procuraba, además, conservar la apariencia de una calma absoluta.
Los que no la conocían no podían comprender las expresiones de
indignación o de lástima que había suscitado su presencia entre las
antiguas amistades, ante la audacia de que había hecho alarde, apareciendo en público con todos los atractivos de su belleza y su elegancia. No podían sospechar que aquella mujer estaba pasando la
misma vergüenza que un malhechor expuesto en la picota.

Visiblemente contrariado, Vronski se encaminó al palco de su
hermano con la esperanza de averiguar lo que había pasado. Atravesó el patio de butacas por el mismo corredor que precisamente iba a
desembocar frente al palco de Ana, y al salir se encontró con su antiguo coronel, que estaba conversando con dos amigos. Vronski creyó oírle pronunciar el nombre de Karenin y notó el énfasis que
puso su ex jefe al llamarle en voz alta, cambiando con sus interlocu-
tores una mirada significativa.

—¡Ah, Vronski! ¿Cuándo volveremos a verte en el regimiento?
¡Qué diantre! No podemos dejarte marchar sin haberte dado el es-
paldarazo. Porque tú nos perteneces hasta la médula de los huesos.

—No tendré tiempo esta vez. Lo siento mucho —respondió Vronski.

Subió a toda prisa la escalera que conducía a los palcos de platea. La vieja condesa, su madre con sus pequeños bucles plateados, se encontraba en el palco de su hermano. Varia y la joven princesa Sorokin paseábanse por el corredor. Al reconocer a su cuñado, Varia llevó de nuevo a su compañera al lado de su madre política y, dando la mano a Vronski con una emoción que raras veces había apreciado en ella, fue derecha al asunto que le interesaba.

—Opino que lo que ha ocurrido ha sido una falta de tacto y una villanía. La señora Kartassov no tenía derecho a hacer lo que hizo. La señora Karenina...

—Pero ¿qué ha sido eso? No me he enterado de nada.

—¿Cómo? ¿No te lo ha dicho nadie?

—Tú sabes muy bien que sería el último en enterarme.

—¡No hay en el mundo bicho más malo que esa señora Kartassov!

—Pero ¿qué ha hecho?

—Ha insultado a la señora Karenina, a la que su marido dirigía la palabra de un palco a otro... Igor me lo ha contado. Ella ha hecho una escena a su marido y se ha retirado, tras haberse permitido una expresión ofensiva para la señora Karenina.

—Conde, su mamá le llama —dijo la princesa Sorokin, entreabriendo la puerta del palco.

—Yo te espero siempre —dijo su madre, al recibirle con una sonrisa irónica—. ¡Qué poco se te ve!

El hijo sintió que ella no podía disimular su satisfacción.

—Buenos días, mamá. Venía a presentarle mis respetos.

—¿Cómo? ¿No vas a hacerle la corte a la señora Karenina? —repuso ella cuando se hubo alejado la joven—. Su presencia ha causado sensación. Como que el público se ha olvidado de la Patti por ella.

—Mamá, ya le he rogado que no me hable de eso —respondió él, con aire sombrío.

—No hago más que repetir lo que dice todo el mundo.

Vronski no respondió nada y, después de haber cambiado unas palabras con la joven princesa, salió al pasillo. Allí se encontró con su hermano.

—¡Ah, Alexis! —dijo éste—. ¡Qué villanía! Aquella mujer no es más que una pécora. Quería ir a ver a la señora Karenina. Vamos los dos juntos.

Vronski no le escuchaba. Se había lanzado por la escalera acuciado por el sentimiento de un deber que tenía que cumplir. Pero ¿cuál era éste? Furioso por la falsa posición en la que Ana había puesto a los dos, sentía no obstante una gran piedad por ella. Al dirigirse hacia el palco que ocupaba su amante, vio a Stremov, que acomodado en la barandilla divisoria, charlaba animadamente con Ana.

—Ya no hay tenores —decía él—. La cantera está agotada.

Vronski se inclinó delante de Ana y cambió un apretón de manos con Stremov.

—Me parece que has llegado muy tarde. Te has perdido la parte mejor —dijo Ana a Vronski, con un aire que a éste le pareció burlón.

—No soy más que un aficionado mediocre —respondió él, clavando en sus ojos una mirada severa.

—Entonces eres igual que el príncipe Iachvin —dijo ella, sonriendo—. Le parece que la Patti canta demasiado fuerte... Gracias —añadió, cogiendo con su pequeña mano aprisionada en un guante largo el programa que le ofrecía Vronski.

Pero de pronto, su bello rostro se estremeció. Se levantó y se retiró al fondo del palco.

Apenas había comenzado el segundo acto, cuando Vronski se apercibió de que el palco de Ana estaba vacío. Sin hacer caso de las protestas de los espectadores, pendientes de los sones de una cavatina, se levantó, atravesó el patio de butacas y regresó al hotel.

Ana ya había regresado. Vronski la encontró tal y como estaba en el teatro: sentada, la mirada fija, sobre el primer butacón que encontró, junto a la pared. Al verle le dirigió, sin moverse, una mirada distraída.

—Ana... —empezó a decir él.

—¡Eres tú el causante de todo! —exclamó ella, levantándose, con lágrimas de coraje y voz desesperada.

—Ya sabes que te pedí, te supliqué, que no fueras. Sabía que te esperaba un resultado nada agradable...

—¡Nada agradable! —gritó ella—. Querrás decir horrible. Aunque viva cien años, no lo olvidaré jamás. Aquella mujer dijo que era una deshonra para ella estar sentada cerca de mí.

—¡Palabras necias! Pero ¿por qué exponerte a oírlas?

—Odio tu tranquilidad. No debías haberme obligado a que lo hiciera. Si tú me amases...

—Ana, ¿qué tiene que ver el amor con todo esto?

—Sí. Si tú me amases como yo te amo, si tú sufrieras como yo sufro... —dijo ella, mirándole con expresión de terror.

Ana le inspiró compasión, y él le hizo protestas de amor, porque veía muy bien que éste era el único medio de calmarla, pero en el fondo de su corazón no lo sentía. Ella, al contrario, saboreaba con deleite aquellos juramentos de amor, cuya vulgaridad repugnaba a su amante, pero fue así como, poco a poco, recobró la calma.

Al día siguiente, partieron para el campo, completamente reconciliados.

Sexta parte

1

Daría Alexandrovna estaba pasando el verano en Prokovskoie, en casa de su hermana Kitty. Como su casa de Ierguchovo se hallaba en estado ruinoso, había aceptado la proposición que le hicieron los Levin de instalarse en su residencia campestre con sus hijos. Esteban Arkadievich, que debía permanecer en Moscú, aprobó complacido esta solución, y expresó su más vivo sentimiento por no poder acudir de cuando en cuando, ya que sus ocupaciones le impedían dedicar aquellos días tan bellos a la familia, lo que hubiera sido el colmo de la dicha para él.

Además de los Oblonski, sus hijos y el ama de llaves, los Levin tenían en su casa a la vieja princesa, que creía necesario controlar el peso de su hija. También tenían a Varenka, la amiga de Kitty en Soden, que había prometido ir a verla después de su casamiento. Por simpática que le fuera toda esta gente, Levin lo único que sacaba en conclusión era que todos eran parientes o amigos de su mujer. Se lamentaba de que el «grupo Scherbazki», como él decía, estuviese un poco distanciado del «grupo Levin». Éste no estaba representado más que por Sergio Ivanovich, el cual, por otra parte, tenía más de los Kosnichev que de los Levin.

El viejo caserón, tanto tiempo desierto, no tenía ni un aposento sin ocupar. Todos los días, al sentarse a la mesa, la princesa contaba los comensales. Para evitar el fatídico número 13, se veía forzada a obligar a uno de sus nietos a tomar asiento en una mesa aparte. En cuanto a Kitty, como buena administradora de la casa, ponía especial cuidado en tener abastecida la despensa de pollos, patos y pavos con los que saciar el apetito de sus huéspedes grandes y pequeños, a los que el aire del campo había hecho muy exigentes en materia gastronómica.

Mientras la familia estaba sentada a la mesa, los niños hacían proyectos para cazar o recoger setas cuando —con gran sorpresa de todos los reunidos que le profesaban un respeto rayano en la admiración, por su elevado espíritu y amplia cultura— Sergio Ivanovich tuvo la ocurrencia de mezclarse en aquella prosaica conversación.

—Permitidme que os acompañe. A mí me gustan mucho esas distracciones —dijo mirando a Varenka.

—Con mucho gusto —respondió ésta, ruborizándose.

Kitty cambió una mirada con Dolly. Aquella proposición venía a confirmar una idea que la tenía preocupada hacía tiempo. Temiendo que alguien se diera cuenta de su gesto, apresuróse a dirigir la palabra a su madre.

Después de la comida, Sergio Ivanovich, con la taza de café en la mano, se trasladó al salón y se sentó al borde de una ventana, prosiguiendo con su hermano la conversación iniciada en la mesa y sin dejar de mirar a la puerta, por donde debían salir los niños. Levin se puso a su lado, mientras que Kitty, de pie detrás de su marido, parecía esperar para decirle algunas palabras al final de aquella charla, que no le importaba lo más mínimo.

—Tú has cambiado mucho desde que te casaste..., para mejorar, desde luego —decía Sergio Ivanovich, mientras sonreía mirando halagadoramente a Kitty—. Pero no por eso has dejado de defender, como antes, las más extrañas paradojas.

—Kitty, haces mal en estar de pie —advirtió Levin, ofreciendo una silla a su mujer, no sin una mirada severa.

—Evidentemente, pero yo debo dejar de haceros compañía —dijo Sergio Ivanovich al ver a los niños, que venían corriendo a su encuentro precedidos por Tania, la cual, al galope, con los brazos muy estirados, agitaba en una mano una cesta y en otra el sombrero de Kosnichev.

Hizo ademán de ponérselo en la cabeza, atenuando con una sonrisa la libertad de su gesto, mientras sus bellos ojos, tan parecidos a los de su padre, brillaban con un resplandor vivo.

—Varenka le espera —dijo poniendo el sombrero, cuidadosamente, en la cabeza de Sergio Ivanovich.

Éste la había autorizado previamente con una sonrisa.

En aquel momento, hizo su aparición en el marco de la puerta la joven Varenka, con un vestido de tela amarilla y una toquilla blanca.

—Aquí estoy, aquí estoy, Bárbara Areievna —dijo Sergio Ivanovich, apurando la taza de café al mismo tiempo que metía en los bolsillos su pañuelo y su pitillera.

—¿Qué me decís de mi Varenka? ¿Verdad que es encantadora?

—preguntó Kitty a su marido y a su hermana, de modo que pudiera ser oída por Sergio Ivanovich—. ¡Y qué nobleza la de sus facciones, tan hermosas! ¡Varenka! —gritó—. ¿Estaréis en el bosque del molino? Allí iremos a recogeros.

—Te olvidas siempre del estado en que te hallas, Kitty —advirtió la princesa, mostrándose a la puerta del salón—. ¡Qué imprudencia gritar tan fuerte!

Al oír la llamada de Kitty y la reprimenda de su madre, Varenka volvió sobre sus pasos. El nerviosismo de sus gestos y el carmín que cubría sus mejillas, todo era indicio de que estaba poseída de una excitación extraordinaria. Y su amiga, que adivinaba la causa de esta emoción, no la había llamado más que para otorgarle mentalmente su bendición.

—Seré muy dichosa si sucede lo que me figuro —le cuchicheó al oído, besándola.

—¿Nos acompaña usted? —preguntó la joven a Levin para disimular su turbación.

—Hasta las granjas nada más.

—¿Tienes algo que hacer allá abajo? —inquirió Kitty.

—Sí, tengo que examinar las nuevas carretas. Y tú, ¿dónde te vas a quedar?

—En la terraza.

2

En la terraza, donde solían reunirse las señoras después de la comida, aquella tarde se habían entregado todas a una laboriosa ocupación. No sólo se dedicaban a la confección de mantillas y camisones de dormir, sino que además hacían confituras según el procedimiento empleado en casa de los Scherbazki, y que consistía en prescindir del agua para su confección. Este procedimiento era desconocido para Ágata Mikhailovna, la cual, contraviniendo las instrucciones recibidas, había sido sorprendida echando agua en unas fresas, según la receta de los Levin. Entonces, las damas invitadas resolvieron preparar unas frambuesas según su propia fórmula, a la vista de aquella vieja testaruda, para demostrarle que no había ninguna necesidad de echar agua para conseguir una excelente confitura.

Ágata Mikhailovna, malhumorada, con la faz encendida, los cabellos en desorden, las mangas levantadas a la altura del codo, mostrando sus brazos descarnados, estaba colocando la fuente de la confitura encima de un brasero, haciendo votos para que terminase lo peor posible el proceso de la cocción.

La princesa, autora de aquella innovación y sintiéndose, en consecuencia responsable de su éxito, había optado por fingir la mayor indiferencia charlando de unas cosas y otras con sus hijas, pero no por eso dejaba de vigilar con el rabillo del ojo a la cocinera.

—Pues a las mujeres que tengo a mi servicio, les compro yo misma la ropa en las liquidaciones de primavera —decía la princesa, enfrascada en una interesante conversación sobre las mejores prendas de vestir para las domésticas—. ¿No ha llegado el momento de espumar, querida? —preguntó a Ágata Mikhailovna—. ¡No, tú no! —añadió reteniendo a Kitty, que estaba dispuesta a levantarse—. Esos no son menesteres tuyos. Además, tendrás mucho calor cerca del fuego.

—Déjame hacer a mí —dijo Dolly.

Y aproximándose a la fuente, removió con precaución aquel jarabe hirviente valiéndose de una cuchara, con la que luego llenó un plato de espuma amarilla rosácea, de la que manaba un jugo de color sangre.

«¡Qué regalo para los pequeños a la hora del té!», pensaba, recordando sus alegrías de niña y su sorpresa ante la incomprensión de las personas mayores, que hacían ascos a la espuma, cuando era precisamente la parte más exquisita de la confitura.

—Stiva dice que es mejor darles dinero —repuso, volviendo al tema de conversación que apasionaba a aquellas señoras—. Pero...

—¡Dinero! —exclamaron a una la princesa y Kitty—. Nada de eso. No. Lo que a ellas más les halaga es la atención...

—Así, por ejemplo, el año pasado hice un regalo a nuestra aya de un vestido de popelín —añadió la princesa.

—Sí, ya me acuerdo. Se lo puso aquel día de su onomástica.

—Un diseño precioso, sencillo y de buen gusto. Como que me dieron ganas de encargarme otro igual. Es bonito y barato, del mismo género del que lleva Varenka.

—Las frambuesas están en su punto, me parece —opinó Dolly, probando con la cuchara la consistencia del jarabe.

—No. Es necesario que espesen algo más —decretó la princesa—. Déjelas cocer a fuego lento, Ágata Mikhailovna.

—¡Ay, son más fastidiosas que las mismas moscas! —murmuró entre dientes la vieja fámula—. Y con tanto como dan que hacer, no van a salir mejor las malditas frambuesas —añadió con tono gruñón.

—¡Oh, qué pajarito más mono! No le espantéis —exclamó de pronto Kitty, señalando un gorrión que había venido a posarse sobre la balaustrada, para picotear en ella un rabo de frambuesa.

—Sí, sí, pero no te arrimes al brasero —dijo la madre.

—A propósito de Varenka —repuso Kitty en francés, pues su charla proseguía en esta lengua cuando no querían que les comprendiera Ágata Mikhailovna—. He de decirle, mamá, que espero hoy una decisión. Ya sabe usted cuál. ¡Cómo me gustaría que se llevase a cabo!

—¡Miren la casamentera! —bromeó Dolly—. ¡Qué arte! ¡Qué tino!

—En serio, mamá: ¿qué piensa usted de eso?

—¿Qué quieres que te diga? Él —se refería a Sergio Ivanovich— ha podido siempre aspirar a los mejores partidos de toda Rusia. Y aunque ha pasado ya la primera juventud, conozco, sin embargo, a más de una joven que de buen grado aceptaría su corazón y su mano. En cuanto a ella, se ve que es una persona excelente, pero ella podría, creo...

—No, no. Es imposible encontrar mejor partido, lo mismo para el uno que para la otra. Por de pronto, no puede negarse que ella es deliciosa —comentó Kitty, empezando a llevar la cuenta con los dedos.

—Ella le gusta mucho, ciertamente —aprobó Dolly.

—Después, él disfruta de una posición que le permite casarse con la que mejor le parezca, al margen de toda consideración de rango o de fortuna. Lo que le hace falta es una chica animosa y honesta, dulce, tranquila...

—¡Oh, para eso sí! Es una persona muy reposada —confirmó Dolly.

—No te excites tanto, que no te va bien —le hizo notar la princesa.

—Pero si no me excito, mamá. Yo creo que él se va a declarar hoy mismo.

—¡Qué sentimiento más extraño se experimenta cuando un hombre os pide en matrimonio! Es como si entre vosotras se rompiera un dique —manifestó Dolly con una sonrisa pensativa.

Se acordaba de sus esponsales con Esteban Arkadievich.

—Dígame, mamá: ¿cómo le pidió papá las relaciones?

—De la manera más sencilla del mundo —respondió la princesa, radiante de felicidad al evocar aquel acontecimiento de su vida.

—Pero bueno, supongo que usted le amaría antes de que le diesen permiso para hablarle.

Kitty se sentía orgullosa de poder ahora abordar con su madre, como con una igual, aquellos temas tan importantes en la vida de las mujeres.

—¡Y tanto que le amaba! Venía al campo a vernos.

—¿Y cómo se decidió aquello?

—Pues como siempre: con miradas y con sonrisas. ¡A ver si te crees que vosotras habéis inventado algo nuevo!

—Con miradas y con sonrisas —repitió Dolly—. Exacto. ¡Qué bien lo ha expresado usted, mamá!

—Pero ¿con qué palabras se expresó él?

—¿Y qué te dijo a ti Kostia de particular?

—¡Oh! Él me hizo su declaración con un trozo de tiza... No podía ser más original. Pero ¡qué lejano me parece todo eso!

Siguió un silencio, durante el cual los pensamientos de las tres mujeres siguieron el mismo curso. Kitty se acordó de su último invierno de muchacha colegiala, de su deslumbramiento por Vronski, y por una asociación de ideas de lo más natural, de la pasión contrariada de Varenka.

—Estoy pensando que puede haber un obstáculo: el primer amor de Varenka. Tenía la intención de preparar a Sergio Ivanovich para que se fuese haciendo a esta idea. Los hombres son tan celosos de nuestro pasado...

—No todos —objetó Dolly—. Tú juzgas según tu marido porque yo estoy segura de que le sigue atormentando el recuerdo de Vronski.

—Es verdad —asintió Kitty con expresión pensativa.

—¿Qué hay en tu pasado que pueda inquietarle? —preguntó la princesa, muy susceptible cuando parecía ponerse en duda su solicitud maternal—. Vronski te hizo la corte pero ¿es que no hay alguna joven agraciada a quien no se la hagan?

—No se trata de eso —objetó Kitty, mientras se le coloreaban las mejillas.

—Perdón —repuso la madre—. Pero ¿no fuiste tú quien me impidió entenderme con él? ¿Es que no te acuerdas?

—¡Ay, mamá! —suspiró Kitty, con voz turbada.

—En la hora actual no se pueden frenar impulsos... Pero en aquel entonces, nuestras efusiones no podían rebasar ciertos límites. Yo le habría hecho declararse... Pero por el momento, querida mía, haz el favor de calmarte. Te exijo que te calmes.

—Pero si estoy muy tranquila, mamá.

—¡Qué suerte fue para Kitty el que después surgiese Ana, y qué desgracia para ella! —hizo notar Dolly—. Sí —repuso, estremecida por aquel recuerdo—. ¡Cómo cambiaron los papeles! Ana era entonces feliz, mientras que Kitty se creía digna de lástima... Pienso mucho en ella.

—¡Mira que pensar en esa mujer sin corazón, en esa abominable criatura! —exclamó la princesa, que no se consolaba de tener a Levin por yerno en lugar de Vronski.

—Dejemos, pues, ese asunto —dijo Kitty, con impaciencia—. No he pensado ni quiero pensar nunca en eso... No, no quiero pensar —repitió, al mismo tiempo que su oído percibía los pasos bien conocidos de su marido que estaba subiendo la escalera.

—¿En qué no quieres pensar? —preguntó Levin, apareciendo en la terraza.

Nadie le respondió. Tampoco repitió la pregunta.

—Siento turbar vuestra intimidad —declaró, envolviendo a las tres mujeres en una mirada recelosa, pues se daba cuenta de que no querían seguir su conversación delante de él.

Por un instante se mostró de acuerdo con la vieja cocinera, furiosa por tener que hacer confituras sin agua y, en general, de tener que sufrir la dominación de los Scherbazki.

No obstante, se acercó sonriente a Kitty.

—¿Qué, cómo va eso? —preguntó con exactamente el mismo tono que empleaba todo el mundo, cada vez que hacían esta pregunta a la joven.

—Esto va muy bien —respondió Kitty, sonriendo—. ¿Y tus carretas?

—Soportan el triple de carga que nuestras telegas.[1] ¿Quieres que vayamos a buscar a los niños? He hecho enganchar.

—Supongo que no se te ocurrirá dar sacudidas a Kitty en un carricoche de ésos —advirtió la princesa, en tono reprobatorio.

—Iremos al paso, princesa.

Aun queriendo y respetando a su suegra, Levin no podía resolverse a llamarla mamá, como suelen hacer los yernos. Le habría parecido que injuriaba la memoria de su madre. Aquel despego molestaba a la princesa.

—Venga con nosotros, mamá —propuso Kitty.

—No me gusta nada ver vuestras imprudencias.

—Entonces iré a pie. El paseo me sentará bien.

Kitty se levantó y cogió del brazo a su marido.

—¿Y qué, Ágata Mikhailovna, cómo salen sus confituras con las nuevas recetas? —preguntó Levin, sonriendo a su vieja sirvienta para hacerle desarrugar el entrecejo.

—Dicen que están buenas, yo las encuentro muy cocidas.

[1] Carros de transportes utilizados en Rusia. *(N. de los T.)*

—Por lo menos, no se echarán a perder, Ágata Mikhailovna —indicó Kitty, comprendiendo la intención de su marido—. Y ya sabe usted que no queda más nieve en la heladora. En cuanto a los salazones que hace usted, mamá asegura que no los ha probado mejores en su vida —declaró, ajustando la toquilla de la anciana, que se había soltado.

Pero Ágata Mikailovna la miró con gesto iracundo.

—No se moleste en consolarme, señora. Para estar contenta me basta verla a usted con él.

Aquella manera familiar de designar al dueño de la casa impresionó mucho a Kitty.

—Venga con nosotros y nos enseñará los sitios mejores para buscar setas —propuso.

La vieja denegó con la cabeza, sonriendo. Aquella sonrisa parecía querer decir: «Me gustaría teneros rencor, pero no podría».

—Siga mi consejo —advirtió la princesa—. Tape cada tarro con un papel impregnado de ron y así no tendrá necesidad de hielo para que no se corrompan.

3

La nube de descontento que había ensombrecido el rostro de su marido, un hombre tan jovial de ordinario, no había escapado a la sagacidad de Kitty, pero se sintió más aliviada estando junto a él, y una vez que hubieron emprendido la marcha por aquella ruta polvorienta, toda alfombrada de espigas y de granos, se apoyó amorosamente en el brazo de Levin. Éste había olvidado ya su enojosa impresión de aquel momento, para no pensar más que en el estado de Kitty. Además, aquél era el pensamiento que le dominaba hacía algún tiempo, y la presencia de su mujer hacía nacer en él un sentimiento nuevo, muy puro y muy dulce, exento de toda sensualidad. Sin tener nada que decirle, deseaba escuchar su voz, que había cambiado y adquirido, igual que su mirada, esa mezcla de dulzura y de seriedad tan peculiar a las personas que se entregan, en cuerpo y alma, a una sola y única ocupación.

—Entonces, ¿no tienes miedo de cansarte? Apóyate más fuerte —recomendó él.

—¡Qué feliz me hace estar sola un momento contigo! Yo quiero a los míos, pero hablando francamente, echo de menos aquellas veladas de invierno que pasábamos solos los dos.

—No niego que tenían algo de bueno, pero el presente vale mucho más —aseguró Levin, apretándole el brazo.

—¿Sabes de qué estábamos hablando cuando llegaste?

—De confituras.

—Sí, pero también de la manera cómo se hacen las peticiones de matrimonio.

—¡Ah, bah! —dijo Levin, que prestaba menos atención a las palabras que al sonido de la voz de Kitty.

Como en aquel momento entraban en el bosque, vigilaba escrupulosamente las asperezas del terreno, para evitar cualquier mal paso a su joven esposa.

—Y también hablábamos de Sergio Ivanovich y de Varenka —continuó Kitty—. ¿Has observado algo? ¿Qué piensas tú de eso? —preguntó ella, mirándole fijamente a la cara.

—No sé qué pensar —respondió Levin, sonriendo—. En ese punto, no he podido comprender nunca a Sergio. No sé si te he dicho...

—¿Que ha amado a una muchacha y que está muerta?

—Yo era todavía un niño y sólo conozco esa historia de oídas. Pero mi memoria se lo representa muy a menudo en aquella época. ¡Qué buen mozo era! Desde entonces he observado su conducta con las mujeres. Se muestra amable con ellas. Algunas le agradan, pero se ve que ellas no existen para él en tanto no sean más que mujeres.

—De acuerdo, pero con Varenka... hay, creo yo, algo...

—Quizá. Pero hay que conocerle. Es un ser aparte. No vive más que para el espíritu. Tiene el alma demasiado pura, demasiado elevada...

—¿Crees, entonces, que el matrimonio le rebajaría?

—No, pero está demasiado metido en la vida espiritual para poder admitir la vida real. Y Varenka, como ves, es lo mismo que la vida real.

Levin había adquirido la costumbre de expresar abiertamente su pensamiento, sin darle una forma concreta. Sabía que, en las horas de perfecto acuerdo, su mujer le comprendía con medias palabras, y éste era precisamente el caso.

—¡Oh, no! Varenka pertenece más bien a la vida espiritual que a la vida real. No es como yo, y yo comprendo muy bien que una mujer de mi estilo no puede hacerse amar por él.

—Pues él te quiere mucho, y yo me siento muy feliz de que hayas hecho la conquista de los míos.

—Sí, él se muestra lleno de bondad conmigo, pero...

—Pero no es lo mismo que con aquel pobre Nicolás —conclu-

yó Levin—. Él te quiso en seguida, y tú estuviste a la recíproca...
¿Por qué no confesarlo? A veces me reprocho de no haber pensado
bastante en él. Acabaré por olvidarlo. Era un ser exquisito... y extraño... Pero ¿de qué estábamos hablando? —repuso él, después de un
silencio.

—Entonces, ¿le crees incapaz de enamorarse? —preguntó Kitty,
traduciendo en su lengua el pensamiento de su marido.

—No digo eso —respondió Levin, sonriendo—. Pero no es ac-
cesible a ninguna debilidad. Es una cualidad que siempre le he envidiado, y sigo envidiándole, a pesar de mi dicha.

—¿Le envidias porque no puede enamorarse?

—Le tengo envidia porque vale más que yo —contestó Levin,
tras una nueva sonrisa—. No vive para su propio egoísmo, sólo le
guía el sentimiento del deber. Por eso tiene el derecho de vivir tranquilo y satisfecho.

—¿Y tú? —preguntó ella, con una sonrisa entre amorosa y so-
lapada.

Si se la hubiese interrogado sobre la razón de aquella sonrisa, no
hubiera sabido indicarla formalmente. En realidad, no creía que su
marido, proclamándose inferior a Sergio Ivanovich, le hubiese dado
una prueba de sinceridad. Lo que hacía era ceder buenamente al cariño que sentía por su hermano, al hastío que le causaba su mismo
exceso de felicidad, a su constante deseo de perfeccionamiento.

—Y tú ¿por qué tienes que estar disgustado contigo mismo?
—repitió ella, sonriendo aún.

Dichoso al ver que ella no creía en su desengaño, experimentó el
anhelo inconsciente de hacerla hablar, para que le expresara la causa de su escepticismo.

—Soy feliz, pero no estoy contento de mí —dijo.

—¿Por qué, si eres feliz?

—¿Cómo te lo diría yo? Yo no tengo nada que ambicionar en
este mundo. Ahora mismo, lo único que me preocupa es que no des
ningún paso en falso... ¡Ah, eso no, guárdate bien de saltar! —gritó,
interrumpiendo el hilo de su discurso, para reprenderla por haber
saltado bruscamente sobre una rama que interceptaba el camino—.
Pero cuando me comparo con otros, mi hermano sobre todo, siento que no valgo gran cosa.

—¿Y eso por qué? —preguntó ella, manteniendo la sonrisa—.
¿No piensas tú también en el prójimo? Te olvidas de tus granjas, de
tu empresa, de tu libro...

—No, nada de eso es serio, y pasado algún tiempo me sentiré

sujeto a esas cosas como a uno de esos yugos de los que todos quieren librarse. Tú tienes también alguna culpa —confesó, apretándole el brazo—. ¡Ay, si pudiera amar mis deberes como te amo a ti!

—Entonces, ¿qué piensas de papá? ¿Le crees malo, acaso, porque no se ha preocupado bastante del bien general?

—¡Nada de eso! Pero yo no poseo ni su simplicidad, ni su bondad ni su claridad de espíritu. No hago nada y sufro por no hacer nada. Y de eso la causa eres tú. Cuando en mi vida no había nadie, ni tú ni «eso» —dirigió al talle de su mujer una mirada cuyo significado comprendió ella en seguida—, me entregaba con todo mi corazón a esos quehaceres. Ahora, lo repito, todo esto no es más que un deber penoso, una falsa ilusión...

—¿Te gustaría tal vez cambiarte por tu hermano? ¿No amar más que tu deber y el bien general?

—Desde luego que no. Por lo demás, me siento lo bastante feliz para no tener que razonar. Así pues, ¿tú crees que él se va a declarar hoy mismo? —preguntó, después de una pausa.

—No lo sé, pero me gustaría. Aguarda un minuto.

Se inclinó para coger una margarita al borde del camino.

—Toma, ponte a contar. Lo hará, no lo hará... —dijo ella, entregándole la flor.

—Lo hará, no lo hará —repitió Levin, arrancando uno a uno los blancos pétalos.

Pero Kitty, que observaba con emoción cada movimiento de sus dedos, le detuvo asiéndole por el brazo.

—No, no vale. Que acabas de arrancar dos de una vez.

—Pues bien, no contaré éste tan chiquitín —dijo él, dejando caer un pétalo atrofiado—. Pero fíjate, ya está ahí el coche, que nos ha alcanzado.

—¿Estás cansada, Kitty? —preguntó de lejos la princesa.

—Ni lo más mínimo, mamá.

—Si quieres, puedes hacer el resto del itinerario en coche, pero al paso, bien entendido.

Mas como estaban ya cerca del bosque, todos terminaron de hacer aquel paseo a pie.

4

Con la toquilla blanca destacando sobre sus negros cabellos, en medio de aquella pandilla infantil cuyos alegres pasatiempos compartía de muy buen grado, Varenka —emocionadísima ante la idea de que iba a pedirle su mano, probablemente, un hombre que no le disgustaba ni mucho menos— parecía más atractiva que nunca. Caminando a su lado, Sergio Ivanovich no podía contener su admiración, comprendiendo la razón de las múltiples alabanzas que le habían hecho de aquella encantadora persona. Decididamente, experimentaba por ella ese sentimiento tan particular no conocido por él más que una sola vez hacía tiempo, en su primera juventud. La impresión de gozo que le producía la presencia de Varenka iba en aumento. Habiendo encontrado un hongo gigante, cuyo enorme sombrero extendía sus bordes por encima de un minúsculo pie, quiso depositarlo en el cesto de la joven. Pero al cruzarse sus miradas, observó en sus mejillas el rubor de una placentera emoción. Turbóse él, a su vez, y le dirigió, sin pronunciar palabra, una sonrisa más que suficientemente expresiva.

«Si las cosas llegan a cierto punto —pensó— conviene reflexionar antes de tomar una decisión, porque no quiero de ninguna manera ceder como un bobo a una atracción momentánea.»

—Si me lo permite —prosiguió en voz alta—, voy a buscar setas separándome del grupo, ya que, según parece, mis hallazgos pasan inadvertidos.

Apartándose, pues, del lindero, donde algunos viejos abedules emergían de entre la hierba corta y blanda, se internó en la espesura del bosque. Allí, los sombríos avellanos se mezclaban con los troncos grises de los álamos y los más claros de los abedules. Después de dar unos cuantos pasos, se ocultó a las miradas de los demás, detrás de un matorral de boneteros en plena floración. Reinaba allí un silencio casi absoluto. Sólo un enjambre de moscas zumbaba revoloteando por el ramaje. De vez en cuando llegaba a aquel lugar apartado la voz de los niños. De pronto, resonó, no lejos del lindero, la voz de contralto de Varenka llamando a Gricha, y Sergio Ivanovich no pudo contener una sonrisa de alegría, seguida inmediatamente de un movimiento de cabeza denegatorio. Sacó un cigarro del bolsillo, pero las cerillas se negaban a prender sobre el tronco del abedul junto al cual había hecho alto. Las hojuelas nacaradas de la corteza se pegaban al fósforo. Por fin prendió una de ellas, y no tardó en alzarse por encima del matorral una columna de fragante humo. Sergio Ivanovich, que había reanudado la marcha a pasos lentos, seguía a Varenka con los ojos, sumido en profundas reflexiones.

«¿Por qué tengo que resistir? —se preguntaba—. No se trata de una pasioncilla, sino de una inclinación mutua, según me parece, y que no comprometería mi vida en nada. Mi única objeción seria al matrimonio es la promesa que me he hecho a mí mismo, al perder a María, de permanecer fiel a su recuerdo. (Esta objeción sabía bien Sergio Ivanovich que sólo afectaba al papel poético que desempeñaba a los ojos del mundo.) No, francamente, no deseo ninguna otra, y mi razón no podría dictarme una acción mejor.»

Hojeando en el álbum de sus recuerdos, no encontraba en ninguna muchacha aquel conjunto de cualidades que harían de Varenka una esposa ideal en todos los sentidos, digna de ser elegida por él. Tenía el encanto, la lozanía de la juventud, pero nada de infantil. Si ella le amaba, tendría que ser con discernimiento, como corresponde a una mujer. Estaba al corriente de los usos y costumbres mundanos, pero los detestaba, lo cual tenía una importancia capital a los ojos de Sergio Ivanovich, quien no habría admitido maneras vulgares en la que había de ser compañera de su vida. Tenía fe, pero no una fe ciega, como Kitty, sino con completo conocimiento de causa. Otras ventajas le ofrecía hasta en los detalles más insignificantes: pobre y sin familia, nunca se le ocurriría, como a Kitty, imponer la presencia y la influencia de una numerosa parentela. Se debería en todo a su marido, que era lo que siempre había anhelado Sergio Ivanovich. Y este parangón de virtudes le agradaba. Por modesto que él fuese, no podía menos que halagarle. La diferencia de edad entre ellos no sería un obstáculo. Él pertenecía a una raza fuerte, no tenía una cana y nadie le calcularía más de los cuarenta años. Además, ¿no había dicho Varenka una vez que un hombre de cincuenta años no pasaba por viejo más que en Rusia? En Francia, por el contrario, aquélla era «la edad fuerte», y un cuarentón era tenido por un hombre joven. Por otra parte, ¿qué importaba la edad? ¿Acaso no sentía el corazón tan joven como hacía veinte años? ¿No era una prueba de frescor juvenil el enternecimiento que se apoderó de él cuando poco antes descubrió entre los viejos abedules la graciosa silueta de Varenka? A los rayos oblicuos del sol, se recortaba con el cesto en la mano, mientras detrás de la joven el campo de avena agitado por el viento simulaba un mar de doradas olas, inundado de luz, y en la lejanía azul, el bosque secular desplegaba su ramaje, que empezaba a amarillear. Varenka se agachó para coger una seta, se enderezó con ademán desenvuelto y echó una ojeada a su alrededor. Sergio Ivanovich sintió que le rebosaba el corazón de alegría y, resuelto a explicarse, tiró el cigarro y avanzó hacia la joven.

«Bárbara Andreievna, desde mi primera juventud me había formado el ideal de la mujer que me haría feliz teniéndola por compañera. Nunca la había encontrado. Usted sola realiza mi sueño. Yo la quiero y le ofrezco mi nombre.»

Con estas palabras a flor de labio, Sergio Ivanovich contemplaba a Varenka, quien, arrodillada en la hierba a diez pasos de él, defendía una seta de los ataques de Gricha, para reservársela a Macha y los más pequeños.

—¡Por aquí, por aquí hay grandes cantidades! —gritaba con su seductora voz de inflexiones profundas.

No se levantó al acercarse Sergio Ivanovich, pero todo en su persona revelaba alegría por volverle a ver.

—¿Ha encontrado usted muchas? —preguntó, volviendo hacia él su amable rostro y sonriendo bajo su toquilla.

—Ni una. ¿Y usted?

Ella no respondió en seguida, porque estaba pendiente de los niños.

—Mira, ¿ves ésta, cerca de la rama? —dijo a Macha, mostrándole una pequeña rúsula, que despuntaba bajo una brizna de hierba seca y a la que una pajita había atravesado su sombrero de color rosa.

Queriendo cogerla, la criatura la partió en dos.

—Esto me recuerda mis tiempos de pequeña —dijo entonces, Varenka, que se levantó para reunirse con Sergio Ivanovich.

Dieron algunos pasos en silencio. Varenka, sofocada por la emoción, estaba intrigada por lo que pasaría en el corazón de su compañero. Ambos estaban ya bastante alejados para que se les pudiese oír, pero Sergio Ivanovich no pronunciaba ni una palabra hasta que, de pronto involuntariamente, la joven rompió el silencio.

—¿De modo que no ha encontrado usted nada? Pues es verdad que en la espesura hay menos que en el lindero.

Sergio Ivanovich dejó escapar un suspiro. Unos instantes de silencio le habrían preparado mejor para explicarse, que una conversación trivial sobre las setas. Reteniendo en su memoria la última frase de la joven, quiso hacerla hablar de su infancia. Pero, con gran sorpresa por su parte, le salió espontáneamente otra respuesta, la de rigor:

—Se afirma que las verdaderas setas no crecen más que en las lindes de los bosques, pero si he de hablar con franqueza, no sé distinguir unas de otras.

Pasaron unos minutos más. Ahora estaban completamente solos. El corazón de Varenka latía con ritmo precipitado. Se sentía enrojecer y palidecer alternativamente. Dejar a madame Stahl para casarse con un hombre como Kosnichev, del que casi estaba segura de haberse enamorado, le parecía el colmo de la dicha. ¡Y todo iba a decidirse ahora! Si la declaración era embarazosa, el silencio lo era mucho más.

«Ahora o nunca», se dijo Sergio Ivanovich, lleno de lástima al ver la mirada turbada, el rubor y los ojos bajos de Varenka. Se culpó, además, de ofenderla callándose. Apresuróse a rememorar sus argumentos en pro del matrimonio, pero en lugar de la frase que había preparado, le salió inopinadamente otra:

—¿Cuál es la diferencia entre una seta y un hongo?

Los labios de Varenka temblaron al responder:

—Sólo se diferencian en el pie.

Ambos estaban convencidos de una cosa: que no serían pronunciadas las palabras que les debían unir, y la emoción violenta que les agitaba se fue calmando poco a poco.

—El pie del hongo, oscuro, hace pensar en una barba mal afeitada —dijo tranquilamente Sergio Ivanovich.

A partir de este momento, la marcha de ambos se orientó involuntariamente al lado de los niños. Confusa y decepcionada, Varenka experimentaba, a pesar de todo, la sensación de haberse quitado un gran peso de encima. Sergio Ivanovich repasaba mentalmente sus razonamientos, a favor del matrimonio y acabó por encontrarlos falsos: no podía ser infiel al recuerdo de María.

Detrás de los pequeños aparecieron Varenka y Sergio Ivanovich. Kitty no tuvo necesidad de interrogar a su amiga: la expresión serena, un poco avergonzada, de sus fisonomías, le hizo comprender que no se había realizado la esperanza que había venido abrigando.

—Bien, ¿qué impresión has sacado de eso? —preguntó Levin a Kitty, en el camino de regreso.

—Pues que no cuaja —respondió ella, con un tono y una sonrisa que le eran muy familiares, y que divertían mucho a su marido, por recordarle el tono y la sonrisa del viejo príncipe.

—¿Qué quieres decir? ¿Qué es lo que no cuaja?

—Esto —explicó ella, acercando a los labios la mano de su esposo, sin rozarla siquiera con ellos—. Así es como se besa la mano a un obispo.

—¿Y en cuál de los dos no cuaja? —preguntó él, riéndose.

—En ninguno de los dos. Ahora mira cómo hay que hacerlo.

—Cuidado, que se acercan unos labradores.

—No han visto nada.

6

En tanto que los niños merendaban, las personas mayores, reunidas en la terraza, conversaban plácidamente. Sin embargo, cada uno se daba cuenta de que había ocurrido un hecho importante, aunque negativo. Sergio Ivanovich y Varenka parecían dos escolares fracasados en los exámenes. Levin y Kitty, más enamorados que nunca, se sentían cohibidos por su dicha, como si hicieran una indiscreta alusión a la falta de destreza de quienes no sabían labrar su felicidad.

—Creedme —decía la princesa—, Alejandro no vendrá.

Esperaban a Esteban Arkadievich en el tren de la tarde y el príncipe había escrito que a lo mejor se decidía a acompañarle.

—Y no sé por qué —continuó la dama—. Cree que no se debe estorbar la libertad de un matrimonio joven.

—Y en virtud de ese principio, papá nos abandona —dijo Kitty—. ¿Y por qué nos considera como unos recién casados, ahora que hemos ganado un grado más en veteranía?

—Si no viene, hijos míos, será necesario que yo os deje —declaró la princesa, no sin lanzar un profundo suspiro.

—¿Qué dice usted, mamá? —exclamaron al unísono las dos hijas.

—Pensad un poco, y comprenderéis lo solo que debe encontrarse.

Y al decir esto, se alteró la voz de la princesa. Sus hijas cambiaron una mirada que quería decir: «Mamá tiene el arte de provocar situaciones tristes». Ignoraban que su madre, por indispensable que se creyese en casa de Kitty no podía pensar sin un sentimiento de desolación infinita en su marido y en ella misma, desde aquel día en que el último vástago voló del nido familiar, tan vacío a partir de entonces.

—¿Qué desea usted, Ágata Mikhailovna? —preguntó Kitty a la vieja ama de llaves, que había surgido de pronto ante ella, con aire misterioso.

—Es para lo de la cena, señora.

—Perfectamente —dijo Dolly—. Ve a dar tus órdenes, que entretanto yo me encargaré de Gricha, que no ha hecho nada en todo el día.

—Eso déjalo de mi cuenta —exclamó Levin, saltando de la silla—. No tienes que preocuparte más, Dolly. Lo haré yo.

Gricha, que ya estaba en edad escolar, tenía unos deberes que hacer durante las vacaciones, y Daría Alexandrovna creía conveniente ayudarle en los más difíciles, especialmente los de Aritmética y Latín. Esta lengua se había dedicado a aprenderla para ser útil a su hijo. Habiéndose ofrecido Levin a sustituirla, ella se apercibió de que seguía un método distinto al del profesor particular de Moscú, y le indicó con mucho tacto y no menos firmeza, que debía atenerse rigurosamente a las indicaciones del manual. En su interior, Levin despotricaba contra la mala enseñanza de los profesores y contra la despreocupación de Esteban Arkadievich, que abandonaba a su mujer una tarea de la que nada entendía. No se opuso al requerimiento de su cuñada de seguir el texto al pie de la letra, pero aquella manera de enseñar le interesaba cada vez menos, y con frecuencia olvidaba la hora de dar la lección.

—No, Dolly. No te muevas que ya voy yo —insistió—. Puedes estar tranquila, que seguiremos el orden del manual. Sólo falta que venga Stiva y tenga que acompañarle a ir de caza, ¡y entonces, adiós a las lecciones!

Y salió en busca de Gricha.

Entretanto, Varenka —que sabía ser útil hasta en una casa tan bien atendida como la de los Levin— retenía al lado a su querida Kitty.

—Quédate tranquila, que yo me encargaré de la cena —dijo, reuniéndose con Ágata Mikhailovna.

—Quizá no habrá encontrado pollos. Habrá que matar de los nuestros —dijo Kitty.

—Eso lo arreglaremos con Ágata Mikhailovna.

Y Varenka desapareció, seguida de la sirvienta.

—¡Qué encantadora es esta jovencita! —hizo notar la princesa.

—Encantadora es poco, mamá: deliciosa, incomparable.

—¿Así que usted espera a Esteban Arkadievich? —preguntó Sergio Ivanovich, con la intención evidente de romper las cadenas—. Difícilmente se encontrarían dos hermanos políticos tan diferentes —añadió con una sonrisa muy fina—. El uno, que es la movilidad en persona, no puede vivir más que en sociedad, como el pez en el agua. El otro también muy vivaz, delicado, sensible, penetrante, pierde su dominio en el mundo elegante y se debate en él como el pez fuera del agua.

—Sí —aprobó la princesa, volviéndose hacia Sergio Ivanovich—.

Es un cabeza loca. Y yo precisamente quisiera que usted le diera a entender que, en su estado, Kitty no puede quedarse aquí. Habla de hacer venir a un médico, pero yo estimo que los alumbramientos deben tener lugar en Moscú.

—¡Pero, mamá, él hará todo lo que usted quiera! —protestó Kitty, molesta al ver que su madre dirigía sus quejas a Sergio Ivanovich.

En este momento se oyó un resoplido de caballerías y el ruido de un coche rodando sobre la grava de la avenida. Apenas se había levantado Dolly para bajar al encuentro de su marido, cuando Levin saltó por la ventana de la habitación donde Gricha hacía sus deberes, arrastrando a su alumno en pos de sí.

—¡Aquí está Stiva! —gritó bajo la terraza—. ¡Estáte tranquila, Dolly, que hemos terminado! —añadió, corriendo como un gamo en dirección al carruaje.

—*Is, ea, id ejus, ejus, ejus* —declinaba Gricha, dando saltitos detrás de él.

—¡Y alguien viene con él! ¡Papá, sin duda! —gritó de nuevo Levin, parado a la entrada de la avenida—. ¡Kitty no bajes por la escalera empinada! Da la vuelta por la otra.

Pero Levin se equivocaba. El compañero de Esteban Arkadievich era un mocetón grueso, que se tocaba con una boina escocesa cuyas largas cintas colgaban por detrás. Vassia Veslovski, primo segundo de los Scherbazki, era muy conocido y apreciado en el gran mundo de San Petersburgo y de Moscú, hombre dinámico y apasionado de la caza, si había que dar crédito a Esteban Arkadievich, que le presentó con estas palabras.

Veslovski no se mostró nada contrariado por la desilusión que causaba su presencia. Saludó alegremente a Levin, le recordó que ambos se habían encontrado alguna vez y cogiendo a Gricha en los brazos, le instaló en la carretela junto al perro de caza de Oblonski.

Levin siguió a pie a los recién llegados, disgustado de ver llegar en lugar del príncipe, persona a la que apreciaba cada vez más, a aquel Vassia Veslovski, cuya presencia le parecía a todas luces inoportuna. Esta desfavorable impresión se acentuó cuando vio cómo el recién llegado besaba galantemente la mano de Kitty a la vista de toda la familia —grandes y pequeños— reunida en la escalinata.

—Su mujer y yo somos primos y, además, antiguos amigos —declaró el joven, apretando por segunda vez y muy enérgicamente la mano de Levin.

—¿Y qué? ¿Hay caza por estos contornos? —interrogó Esteban

Arkadievich, poniendo fin a aquellas efusivas manifestaciones—. Veslovski y yo hemos venido con unos proyectos bárbaros... No, mamá, hacía mucho tiempo que no iba él por Moscú... Toma, Tania, esto es para ti. ¿Quiere usted coger ese paquete del fondo del coche? —continuó, hablando a todo el mundo a la vez—. ¡Cómo has rejuvenecido, Dolly! —exclamó por fin, dirigiéndose a su mujer y besándole la mano, que retuvo entre las suyas y acarició con gesto afectuoso.

El buen humor de Levin se había eclipsado totalmente: había adoptado un aire lúgubre y todo el mundo le parecía repugnante.

«¿A quién habrán besado ayer esos mismos labios? —pensaba—. ¿Y de qué puede estar Dolly tan contenta, si ha dejado de creer en su amor?» ¡Qué abominación!

Se sintió vejado al ver la amistosa acogida dispensada por la princesa a Veslovski. La cortesía de Sergio Ivanovich con Oblonski le parecía hipócrita, porque sabía que su hermano le tenía en muy baja estima. Varenka le hizo el efecto de una mosquita muerta, que jugaba a niña inocente sin otra ilusión que el matrimonio. Pero su despecho llegó al colmo cuando vio a Kitty, cediendo al ejemplo de todos, responder con una sonrisa —que le pareció harto significativa— a la sonrisa llena de cinismo de aquel individuo, que consideraba su visita como un motivo de dicha para cada uno.

Todo el mundo penetró en la casa, pero Levin aprovechó el barullo del primer momento para eclipsarse. Como su cambio de humor no había pasado inadvertido a Kitty, ésta quiso retenerle, pero la rechazó con el pretexto de que sus asuntos le reclamaban en el despacho.

7

Levin no volvió hasta que le avisaron que la cena estaba servida. En el descansillo se encontró a Kitty y Ágata Mikhailovna, que intentaban ponerse de acuerdo sobre los vinos a servir.

—¿Por qué tantos miramientos? Se sirve el vino ordinario y en paz.

—No, porque Stiva no bebe. Pero ¿qué tienes, Kostia? Espera un poco —le pidió Kitty, intentando reunirse con él.

Mas él, sin querer escucharla, siguió su camino a largos pasos hacia el salón, donde se dispuso a tomar parte en la charla general.

—¿Qué, vamos mañana de caza? —le preguntó Esteban.

—Vayamos, se lo ruego —insistió Veslovski, sentándose de través en una silla y cruzando una pierna.

—Con mucho gusto. ¿Habéis cazado algo este año? —respondió Levin, los ojos fijos en la pierna del personaje y ensayando un tono falsamente cordial que Kitty le conocía muy bien y que no le favorecía lo más mínimo—. Abundan las becasinas. No sé si encontraremos otras especies. Eso sí, hay que partir temprano. ¿Podréis hacerlo? ¿No estás fatigado, Stiva?

—¿Yo fatigado? ¡Nunca lo estoy! Estoy dispuesto, si quieres, a pasarme la noche en vela. Vamos a dar una vuelta.

—¡Eso es, no nos acostemos! —aprobó Veslovski.

—¡Oh, no dudamos de que seas capaz, como también de turbar el sueño de los demás! —exclamó Dolly con aquel tono de leve ironía que había adoptado respecto a su marido—. Pues en lo que se refiere a mí, como no ceno, voy a retirarme.

—¡Espera un poco, Dolly! —rogó Esteban Arkadievich tomando asiento a su lado en la gran mesa, donde ya estaba servida la cena—. Tengo tantas cosas que contarte...

—Nada de verdadera importancia, seguro.

—¿Sabes que Veslovski ha visto a Ana y que piensa volver a su casa al dejarnos? Yo también tengo el propósito de ir allí. Total, no vive más que a setenta verstas de aquí. Veslovski, vente con nosotros.

Veslovski pasó al lado de las señoras y se sentó junto a Kitty.

—¿Verdaderamente ha estado usted en casa de Ana Arkadievna? —preguntó Dolly—. ¿Cómo está?

La animación de aquel grupito atrajo la atención de Levin, que conversaba al otro extremo de la mesa con la princesa y Varenka. Llegó a creer que era una conversación misteriosa. Kitty no apartaba los ojos del bello rostro de Veslovski, dispuesto a lanzar alguna perorata. Su fisonomía parecía expresar un sentimiento profundo.

—Están soberbiamente instalados —contaba el joven—. Evidentemente, no soy yo quién para juzgarlo, pero debo decirles que en su casa se siente uno verdaderamente a gusto.

—¿Y cuáles son sus intenciones?

—Pasar el invierno en Moscú, creo.

—Sería encantador reunirse allí. ¿Cuándo piensas volver? —preguntó Oblonski.

—Pasaré allí el mes de julio.

—¿Y tú, irás también? —preguntó Stiva a su mujer.

—Seguramente. Hace tiempo que tenía esa intención, porque Ana es una excelente persona a la que quiero y compadezco. Iré sola, después de tu partida. Será lo mejor. Así no molestaré a nadie.

—Perfectamente. ¿Y tú, Kitty?

—¿Yo? ¿Qué tengo yo que hacer en aquella casa? —replicó Kitty, sonrojándose y señalando con un gesto en dirección a su marido.

—¿Conoce usted a Ana Arkadievna? —preguntó Veslovski—. Es una mujer muy seductora.

—Sí —respondió Kitty, cuyo rostro iba adquiriendo un tinte purpúreo.

Se levantó y fue a reunirse con su marido.

—¿Conque mañana te vas de caza? —le preguntó.

Al ver lo colorada que estaba su mujer, Levin no fue dueño de contener sus celos, pareciéndole la pregunta de Kitty una prueba de su interés por aquel advenedizo, del que, por lo visto, ya se había prendado y al que quería proporcionar momentos agradables. Lo absurdo de aquella inquietud no debía comprenderlo hasta mucho más tarde.

—Ciertamente —respondió con un acento tan seco, que él mismo se estremeció al oírse.

—Deberíais por lo menos pasar el día de mañana con nosotros. Dolly no ha tenido apenas tiempo de ver a su marido.

Levin traducía así sus palabras: «No me separes de él. Poco me importa que tú te vayas, pero déjame disfrutar la presencia de ese joven encantador».

Entretanto, Veslovski, sin sospechar la tragedia de que era causa involuntaria, se había levantado de la mesa para reunirse con su prima menor, a la que acariciaba con los ojos.

«¡El insolente! —pensó Levin, oprimido, pálido de cólera—. ¿Cómo se permite mirarla así?»

—Mañana de caza, ¿verdad? —preguntó Veslovski, sentándose nuevamente de través y cruzando la pierna según su costumbre.

Presa de los celos, Levin se veía ya en la situación del marido engañado al que su mujer y el amante de ésta explotan para saciar sus propios deseos.

Se mostró, no obstante, amable con Veslovski, le hizo hablar sobre sus cacerías, le preguntó si había traído su escopeta y sus botas, y consintió en organizar una partida para el día siguiente.

La princesa acudió a poner fin a las torturas de su yerno, aconsejando a Kitty que se retirase a dormir, pero —nuevo suplicio para Levin— al dar las buenas noches al ama de la casa, Veslovski quiso otra vez besarle la mano. Kitty ruborizada, la retiró, y con una naturaleza casi brusca, que más tarde le costaría los reproches de su madre, le explicó:

—Esto no se acostumbra hacer entre nosotros.

A los ojos de Levin había cometido una falta permitiendo a aquel mequetrefe semejantes familiaridades, y la cometía mayor después demostrándole torpemente que le desagradaban.

Con el genio alegre, gracias a varias copas de excelente vino, Oblonski se sentía de un humor poético.

—¡Qué ocurrencia, irse a la cama haciendo un tiempo como éste! ¡Mira, Kitty, qué hermosura! —dijo, señalando la luna, que asomaba por encima de los tilos—. Veslovski ésta es la hora de las serenatas. ¿Sabes que tienes una voz encantadora? Nos hemos ejercitado en el camino. Tiene preparadas dos nuevas romanzas que podría cantarnos en compañía de Bárbara Andreievna.

Ya se había retirado toda la concurrencia, y aún seguían cantando Veslovski y Esteban Arkadievich, que se paseaban ejercitando sus voces. Los sones de una nueva romanza llegaron a los oídos de Levin, que había acompañado a Kitty hasta su cuarto, donde, hundido en un butacón, guardaba obstinado silencio. Kitty, después de interrogarle vanamente sobre la causa de su mal humor acabó preguntándole si la conducta de Veslovski era, tal vez, lo que le había herido. Entonces, Levin estalló y desembuchó todo lo que tenía que decir, aunque, excitado por sus propias palabras, no podía recobrar el dominio de sí mismo.

Permanecía en pie delante de su mujer, los ojos brillantes bajo sus arrugadas cejas, las manos apretadas contra el pecho como si hubiera querido reprimir su cólera, el mentón tembloroso, los rasgos endurecidos, y revelando, no obstante, las huellas de un sufrimiento que no pudo menos que *impresionar* a Kitty.

—Compréndeme bien —decía con voz alterada—. Yo no soy celoso, ésa es una palabra infame. No, yo no sabría tener celos de ti, creer que... Me expreso mal, pero lo que siento es atroz... Yo no soy celoso, pero me siento herido, humillado, de que alguien se atreva a mirarte así.

—¿Pues cómo me ha mirado? —preguntó Kitty queriendo recordar en todos sus detalles las incidencias de la noche.

Tal vez reconocía en el fondo que la actitud de Veslovski, al ir de un extremo al otro de la mesa para reunirse con ella, había sido un poco familiar, pero no osó confesárselo a su marido, por temor a aumentar sus sufrimientos.

—¿Es que una mujer en mi estado puede ser atractiva? —repuso.

—¡Cállate! —gritó Levin, llevándose las manos a la cabeza—. Entonces, si tú te encontrases seductora, podrías...

—¡De ningún modo, Kostia, escúchame! —exhortó ella, desolada al verle sufrir así—. Tú sabes que para mí no hay nadie en el mundo más que tú. ¿Quieres que me encierre, aislada de todo el mundo?

Después de sentirse ofendida por aquellos celos, que la privaban hasta de las más inocentes distracciones, Kitty estaba dispuesta a renunciar a todo por calmarle.

—Trata de comprender lo ridículo de mi situación —continuó él, con un murmullo de desesperación—. Ese joven es mi huésped, y si quitamos sus ademanes desenvueltos, que él interpreta como de buen gusto, no tengo nada que reprocharle. Me veo, pues, obligado a mostrarme amable y...

—Pero, Kostia, tú exageras las cosas —interrumpió Kitty, orgullosa en el fondo de su corazón de sentirse tan profundamente amada.

—Y después que tú eres para mí, más que amada, el objeto de un culto, que somos tan felices, ese mozalbete va a tener derecho... Bien mirado, hago mal en injuriarle. Poco me importan sus cualidades o sus defectos. Pero ¿por qué nuestra dicha ha de estar a merced de él?

—Escucha, Kostia, creo que ya me acuerdo de lo que te ha sacado de tus casillas.

—¿Y qué es, pues?

—Te he visto observándonos durante la cena.

—Pues sí, así es —confesó Levin, turbado.

Jadeando de emoción la cara pálida, alterada, Kitty le contó la conversación misteriosa. Levin guardó un instante de silencio.

—¡Kitty, perdóname! —exclamó por fin, llevándose otra vez las manos a la cabeza—. ¡Estoy loco! ¿Cómo ha podido martillearme la cabeza una necedad semejante?

—Me das lástima.

—¡No, no! Estoy loco... Te causo tormentos... Con semejantes ideas, el primer extraño que venga puede, sin quererlo, destruir nuestra dicha.

—La conducta de usted era reprobable...

—No, no, le voy a retener toda esta temporada y le colmaré de atenciones —aseguró Levin, besando las manos de su mujer—. Ya verás, desde mañana... ¡Ah, me olvidaba! Mañana nos vamos de caza.

8

Dos equipos completos de caza, un coche de bancos y una telega esperaban a la puerta al día siguiente por la mañana, antes de que se levantasen las señoras. *Mignonne*, la perra, había comprendido desde el alba las intenciones de su dueño, las cuales celebraba con fuertes ladridos y ágiles cabriolas. Sentada al lado del cochero en la baca del vehículo, lanzaba miradas inquietas y desaprobatorias hacia la puerta por donde tardaban en mostrarse los cazadores. El primero que apareció fue Vassia Veslovski, calzando botas nuevas que le llegaban hasta medio muslo, vestido de blusa verde, ajustada al talle por un cinturón de cartuchos hecho con cuero de Rusia, tocándose la cabeza con su boina de cintas y sosteniendo una escopeta inglesa enteramente nueva, sin funda ni abrazadera. *Mignonne* salió hacia él para saludarle y preguntarle a su manera si todos iban a venir pronto, pero viéndose incomprendida volvió a su sitio y se puso a esperar, la cabeza ladeada y el oído atento. Por fin, la puerta se abrió de nuevo con estrépito dando paso a *Crac*, el perro pachón blanco y negro de Esteban Arkadievich, retozando y haciendo piruetas. Después, a su amo en persona, escopeta en mano y el cigarro en la boca.

—¡Ya está bien, ya está bien, *Crac*! —gritaba alegremente Oblonski, queriendo eludir las patas del animal, que, en su euforia, intentaba colgarse del morral.

Su dueño calzaba botas anchas, por encima de las cuales se ajustaba unas vendas a ambas piernas, cubiertas con unos pantalones viejos. Una chaqueta corta y un sombrero desfondado completaban su indumentaria. En revancha, su escopeta era el modelo más reciente, y aunque bastante usados, su morral y su cartuchera desafiaban todas las críticas. Hasta aquel día, Veslovski no había podido concebir que la última palabra de la moda, para un cazador, consistiese en aquel atuendo que tanto dejaba que desear, mientras el equipo constituía una verdadera maravilla. Pero a la vista de Esteban Arkadievich, que bajo aquella ropa lucía un porte de gran señor alegre y satisfecho, se juró a sí mismo no desaprovechar su ejemplo en otra ocasión.

—Bueno, ¿y nuestro amigo? —preguntó.

—Un joven recién casado, ya se sabe —contestó Oblonski, sonriendo.

—Y con una mujer deliciosa.

—Seguro que habrá ido a verla, porque le he visto preparado para marchar.

La suposición de Esteban Arkadievich era exacta. Levin había vuelto con Kitty para hacerle repetir que ella le perdonaba su necedad de la víspera y para pedirle con encarecimiento que tuviese prudencia, que se mantuviera apartada de los traviesos niños. Kitty tuvo que jurar, una vez más, lo que él quiso, y le expresó su pesar por aquella ausencia, que no quería que se prolongase más de dos días, a lo que él contestó prometiéndole que al día siguiente le mandaría una nota para tranquilizarla. Aquel viaje no le gustaba nada a la joven, pero se resignó fácilmente al ver el aspecto de su marido, a quien sus botas y su blusa blanca hacían parecer más alto y más fuerte que nunca.

—¡Les presento mis excusas, señores! —exclamó Levin corriendo hacia sus compañeros—. ¿Han guardado las provisiones en el coche? ¿Por qué han enganchado a la derecha el bayo oscuro? Al final, lo peor. ¡Vamos, acuéstate, *Mignonne*!... ¡Ponlos con los bueyes! —dijo al vaquero, que acechaba al paso para consultarle acerca de unos becerros—. Les pido otra vez perdón, pero allí veo a otro bestia al que tengo que despachar.

Saltó del coche, donde aún no había acabado de instalarse, para salir al encuentro del maestro carpintero, que se adelantaba con el metro en la mano.

—Mejor habrías hecho yendo a verme ayer a la oficina. Bueno, ¿qué es lo que pasa?

—Si usted lo permite, vamos a añadir a la escalera un recodo de tres peldaños todo lo más. Con eso se llega justo al nivel del descansillo y será menos empinado.

—¿Por qué no has querido escucharme? —replicó Levin, irritado—. Te dije que debías contar primero los escalones. Ahora es demasiado tarde. Habrá que hacer algo nuevo.

Al hacer una obra, el contratista carpintero había dejado baja la escalera, por haber calculado erróneamente la altura del hueco. Ahora quería reparar esta deficiencia añadiendo tres peldaños.

—Eso será mucho mejor, se lo aseguro.

—Pero ¿dónde crees que irá a parar tu escalera con tres peldaños más?

—¡Pues en el sitio preciso, pardiez! —replicó el carpintero con una sonrisa de suficiencia—. Partiendo de la base, como es natural —explicó con gesto persuasivo—, subiendo en espiral y llegando hasta lo alto en el sitio preciso, bien nivelado.

—¡Claro! ¿Te imaginas que los tres peldaños no le añadirán altura? Reflexiona un poco, vamos, y dime hasta dónde llegará.

—Hasta el sitio preciso —sostenía el carpintero.

—¡Justamente debajo del techo, mi pobre amigo!

—No —repuso testarudamente el buen hombre—. Partirá de la base, subirá en espiral y llegará al nivel del sitio preciso.

Levin sacó la baqueta de su fusil y con ella se puso a dibujar la escalera en la arena.

—¿Te das cuenta ahora?

—Estoy a sus órdenes —respondió el carpintero, cuya mirada se aclaró de pronto. ¡Había comprendido al fin!—. Va a ser necesario construirla de nuevo.

—¡Eso es lo que yo me empeñaba en hacerte comprender! ¡Obedéceme siquiera una vez! —exclamó Levin, volviendo a montar en el coche—. Andando... Sujeta bien a los perros, Felipe.

Feliz al verse libre de sus preocupaciones domésticas, Levin experimentó una alegría tan viva, que hubiera querido hallarse solo para pensar en las emociones que le aguardaban. ¿Encontrarían caza en el pantano de Kolpenskié? Y *Mignonne*, ¿sabría rivalizar con *Crac*? ¿Y él mismo, sabría mantenerse a su altura ante aquel forastero? ¡Con tal de que Oblonski hiciera un papel más lucido que el suyo...!

Presa de análogas preocupaciones, Oblonski no se mostraba más locuaz. Veslovski era el único que no estaba ensimismado, y Levin, oyéndole hablar, se arrepintió de sus injusticias de la víspera. Verdaderamente era un buen muchacho al que no se le podía reprochar nada, como no fueran sus uñas demasiado cuidadas, su boina escocesa y, en suma, aquel falso sentido de la elegancia, que esgrimía como una prueba más de superioridad. Por lo demás, sencillo, alegre, bien educado, pronunciando admirablemente el francés y el inglés, era una de aquellas personas a las que Levin, antes de su casamiento, habría dispensado con toda evidencia una gran amistad.

El caballo retozón de la izquierda procedente del Don gustó extraordinariamente a Veslovski.

—¡Qué estupendo sería galopar por la estepa en uno de estos animales! —repetía sin cesar, atribuyendo a aquella galopada un placer poético y salvaje, sin duda, aunque muy impreciso.

Las cualidades físicas de aquel hombre, su encantadora sonrisa, la gracia de sus gestos, su naturalidad sobre todo, ejercían un atractivo indiscutible al que Levin no sabía resistir, tanto menos cuanto que, de todo corazón, estaba deseando compensar de algún modo los juicios temerarios de la noche anterior.

Ya habían recorrido tres verstas, cuando Vassia notó la falta de su cartera y su petaca, la primera conteniendo trescientos sesenta rublos. Tenía idea de haberla dejado en la mesilla de noche.

—Atiéndame, Levin —se le ocurrió decir, dispuesto a lanzarse del coche—. Déjeme montar ese caballo y en seguida estaré de vuelta.

—No se tome esa molestia; mi cochero hará el recorrido fácilmente —se opuso Levin, calculando que Vassia debería pesar cien kilos por lo menos.

El cochero fue enviado en busca de la cartera, y Levin empuñó las riendas.

9

—Explícanos tu plan de campaña —sugirió de pronto Oblonski.

—Helo aquí: el objetivo es Gvozdiev, a veinte verstas de aquí. De este lado del pueblo encontraremos unas ciénagas donde anidan las becasinas y del otro, grandes marismas frecuentadas por estas aves y no desdeñadas por otras. Llegando por la tarde, no hará tanto calor y podremos cazar; iremos a dormir a casa de un campesino y mañana emprenderemos el camino de los grandes pantanos.

—¿Algo de interés en la ruta?

—Sí, por cierto; hay dos buenos apostaderos, pero eso nos haría perder tiempo y, además, hace mucho calor; y para lo que nos proponemos, no vale la pena.

Levin quería reservar, para su uso particular, los terrenos de caza vecinos a sus propiedades, donde además tres escopetas no habrían hecho más que estorbarse mutuamente, pero nada escapaba al ojo experto de Oblonski, quien al pasar delante de un pequeño pantano, propuso:

—¿Y si nos detuviésemos?

—¡Oh, sí, Levin, vamos a hacer un alto! —suplicó Vassia.

Hubo que resignarse. Apenas parado el coche, los perros se precipitaron a cual más deprisa por el pantano.

—¡*Crac, Mignonne*, aquí!

Los perros se volvieron.

—Para repartir entre tres, los resultados van a ser muy pobres; prefiero quedarme —dijo Levin, con la esperanza de que no encontrarían más caza que algunas avefrías. Los perros habían hecho levantarse varias que, balanceándose al volar, dejaron escapar desoladores quejidos sobre la líquida superficie.

—No, no, Levin, venga con nosotros —insistió Veslovski.

—Que no, se lo aseguro, no vamos a hacer más que estorbarnos. ¡Aquí, *Mignonne*! Creo que les bastará con un perro, ¿no?

Levin permaneció cerca de los coches, siguiendo con ojos de envidia a los cazadores, los cuales dieron una batida por todo el pantano, pero sin encontrar más que una cerceta y algunas zancudas, una de las cuales abatió Veslovski.

—Ya veis que no os había engañado —les dijo Levin cuando volvieron—. No hemos hecho más que perder el tiempo tontamente.

—Nada de eso, ha sido muy divertido —replicó Veslovski—. ¿Han visto ustedes cómo he derribado esta pieza? Buen tiro, ¿verdad? ¿Llegaremos pronto al sitio bueno?

Con la impedimenta de su arma y su avefría, Veslovski se encaramó dificultosamente al coche. De pronto, los caballos se encabritaron, Levin se dio en la cabeza con el cañón de una escopeta y ésta se disparó. Aquello fue al menos lo que le pareció. La realidad era que Veslovski, queriendo desarmar su escopeta, había apretado por error el gatillo con una mano mientras que con la otra sujetaba al perro. Por suerte para todos, la descarga no hirió a nadie y la bala se hundió en el suelo. Esteban Arkadievich movió la cabeza de modo reprobatorio, pero a Levin le faltó valor para reprender a Veslovski, cuya desesperación era manifiesta y que podía tal vez atribuir la reprimenda a la irritación de su amigo, por haberse hecho un chichón en la frente. A decir verdad, aquella consternación duró poco para ceder paso a una explosión de alegría franca y contagiosa que acabó con el incidente.

Al llegar al segundo pantano, más extenso que el primero y, por consiguiente, donde se necesitaba más tiempo para dar la batida, Levin encareció a sus invitados la conveniencia de seguir adelante, pero cediendo a los ruegos de Veslovski, le dejó bajar y se quedó de nuevo al lado de los coches.

Crac se lanzó sobre el pantano seguido de cerca por Vassia y, antes de que se le hubiera reunido Oblonski, había hecho remontar el vuelo a una becasina de buen tamaño que, al fallarle el tiro a Veslovski, volvió a posarse en un prado. Pero la segunda vez, *Crac* se quedó quieto y Vassia no erró la puntería. Cobró la pieza y volvió al coche.

—Le ha llegado su turno —dijo a Levin—. Yo vigilaré a los caballos.

Sintiéndose estimulado por aquel disparo de su compañero, Levin tendió las riendas a Veslovski y se introdujo en el pantano. *Mignonne*, que después de tanto tiempo inactiva gemía por aquella injusticia, enfiló de un salto el islote que había pasado inadvertido a *Crac*, pero que tanto ella como su amo conocían de mucho tiempo atrás.

—¿Por qué no la detienes? —gritó Esteban Arkadievich—. No te preocupes, que no las hará volar —respondió Levin, que compartía el mismo gozo de la perra, en pos de la cual corría.

A medida que *Mignonne* se aproximaba a aquel islote, abundante en caza, su búsqueda se hacía más minuciosa. Dio una o dos vueltas alrededor del mismo, sin distraerse apenas más que por algún que otro pequeño pájaro, sin consecuencias. Súbitamente, le entró al animal un temblor que le sacudió todo el cuerpo, quedándose inmóvil.

—¡Corre, corre, Stiva! —gritó Levin, que sentía latir su corazón a un ritmo precipitado. Y de repente, como si su aguzado oído hubiese perdido el sentido de la distancia, todos los sonidos vinieron a herirle con una intensidad desordenada. Tomaba los pasos cercanos de Oblonski por pataleo lejano de unos caballos, y el desprendimiento de un trozo de tierra bajo sus pies por el aleteo de una becasina, y sobre todo percibía detrás de él, no muy lejos, una especie de chapoteo cuyo origen no se podía explicar.

Avanzando con prudencia, volvió a reunirse con *Mignonne*.

—¡Busca! —gritó al can.

Una becasina emergió bajo los pies de la perra; Levin la tenía ya enfilada por su punto de mira, cuando a aquel extraño chapoteo vino a mezclarse la voz de Veslovski, gritando de una manera inusitada. Levin notó perfectamente que tiraba fuera de tiempo y erró el disparo. Al volverse, vio el coche de bancos y los caballos sumergidos en el barro. Vassia, para no perder de vista las incidencias de la caza, les había hecho cambiar de posición, de la carretera al pantano.

—¡Que el diablo le lleve! —murmuró Levin deshaciendo camino hacia el carruaje, metido en el barrizal—. ¿Por qué diantres ha venido usted hasta aquí? —preguntó secamente al joven. Y llamando a gritos al cochero, se puso a desenganchar los caballos.

No solamente le había sustraído a su placer cinegético, sino que había puesto a sus caballos a riesgo de inutilizarse. Sin embargo, sus compañeros le dejaron desenganchar y trasladar a lugar seco a los pobres animales sin más ayuda que la del cochero. Bien es verdad que ninguno de ellos estaba hecho a esta clase de menesteres. Como compensación, el culpable de aquel pequeño desastre hizo lo posible por desempantanar el coche, y en su celo se extremó tanto que arrancó un guardabarros. Esta demostración de buena voluntad conmovió a Levin, que pasó su ataque de mal humor a la cuenta de sus prevenciones de la víspera y no tardó en redoblar sus amabilidades con Veslovski. Pasada la alarma dio orden de sacar las cestas del almuerzo.

—¡Buen apetito, buena conciencia! Este pollo va a descender hasta el fondo de mis botas —dijo Vassia, ya completamente sereno, devorando su segunda ración—. Han pasado los malos ratos, caballeros; ahora todo nos saldrá bien. Pero en castigo por mis fechorías, pido instalarme en la silla del conductor para servirles como tal... No, no, déjenme hacer, van a ver ustedes cómo les llevo. Estaré muy bien en ese asiento y pondré todo mi empeño en enmendar mi falta.

Levin temía por sus caballos, especialmente por el bayo, que Vassia tenía mal cogido, pero de pronto cedió a la despreocupación del bravo mozo, la cual se le había contagiado. Durante el resto del camino, no paró de cantar romanzas o de remedar a un inglés que conducía *four in hand*.[1]

Nuestros cazadores avistaron los pantanos de Gvozdiev en la mejor disposición de ánimo.

10

Vassia había conducido los caballos con excesiva rapidez: habían llegado al objetivo de la expedición antes de sobrevenir la oleada grande de calor.

El primer deseo de Levin al llegar fue desembarazarse de tan incómodo compañero. Esteban Arkadievich parecía compartir el mismo deseo, aunque el humor infantil que le era tan peculiar disimulaba en su rostro el aire de preocupación que se apodera de todo cazador, cuando comienza la parte seria de su expedición.

—Este sitio me agrada, porque estoy viendo dos gavilanes —dijo Oblonski señalando dos aves de presa que revoloteaban sobre las plantas acuáticas—. Eso es indicio de caza. ¿Cómo lo vamos a explorar?

—Un momento, señores —advirtió Levin, que con expresión un poco sombría, se ajustaba las botas y verificaba los pistones de la escopeta—. ¿Ven ustedes aquella espesura de juncos, delante mismo de nosotros? —preguntó, señalando un punto oscuro que resaltaba sobre la inmensa pradera húmeda, segada en algunos lugares—. En

---

[1] Tronco de cuatro caballos. *(N. de los T.)*

ese lugar es donde comienza la ciénaga para torcer hacia la derecha, no lejos de aquella manada de caballos; por esa parte se encuentran aves zancudas. Después sigue contorneando los terrenos cubiertos de vegetación y se extiende hasta aquel bosquecillo de alisos, y aún más, hasta aquel molino que verán allá abajo, en un recodo del río; ése es el mejor sitio. Allí he tenido ocasión de matar nada menos que diecisiete becasinas. Si les parece bien, vamos a separarnos y a hacer el recorrido del pantano, con el molino como punto de cita.

—Pues bien, tomad la derecha —dijo Esteban Arkadievich con aire indiferente—, puesto que hay espacio suficiente para dos, y yo tomaré la izquierda.

—Eso es —aprobó Vassia—, y vamos a empezar la batida.

Forzoso fue para Levin aceptar este arreglo.

Apenas se les soltó, los perros se pusieron a husmear y rastrear por la parte del pantano. A juzgar por el paso lento e indeciso de *Mignonne*, Levin creyó que iba a levantar el vuelo alguna bandada de becasinas.

—Veslovski, no se quede atrás, se lo ruego —murmuró a su compañero de caza, que chapoteaba en las charcas.

—No se ocupe de mí, no quiero causarle ningún trastorno.

Pero como el incidente de Kolpenskoié ya le había puesto en alerta, Levin desconfiaba, recordando además la advertencia que le había hecho Kitty antes de la partida: «Sobre todo, no haya engaños entre vosotros».

Los perros se aproximaban cada vez más a los matorrales donde estaban ocultas las becasinas, y cada uno por su parte intentaba descubrir su propia caza. Levin estaba tan emocionado, que el chirriar del talón de sus botas, en un rozamiento que se produjo al salir del agua, le pareció el grito de una de estas aves. Inmediatamente alzó la escopeta.

¡Pif! ¡Paf! Sonaron en su oído dos detonaciones. Vassia tiraba sobre una banda de patos que pasaban sobre el pantano, pero fuera del alcance de su arma. Levin no había tenido tiempo de volverse, cuando alzó el vuelo una becasina seguida de una segunda, de una tercera, y así hasta ocho. En el momento que una de estas palmípedas cambiaba súbitamente de dirección, Esteban Arkadievich se echó el arma a la cara, apuntó e hizo fuego, haciéndola caer a plomo. Sin apresurarse a disparar, siguió el vuelo de otra que rasaba los juncos. Apenas salió la segunda bala, el ave estaba debatiéndose entre las matas, dejando al descubierto la parte blanca interior del ala, que aún se movía en su estertor.

Levin fue menos afortunado. Disparó demasiado cerca contra su primera becasina y erró el tiro. Quiso alcanzarla en el momento que se remontaba, pero habiéndole surgido inopinadamente otra bajo los pies, se distrajo y volvió a fallarle la puntería.

Mientras Oblonski y Levin recargaban sus escopetas saltó una última becasina y Veslovski, que ya había recargado la suya, envió al agua dos perdigonadas. Oblonski recogió su caza, brillándole las pupilas de alegría.

—Y ahora separémonos —indicó.

Y se dirigió a la derecha, cojeando ligeramente de la pierna izquierda, silbando a su perro y empuñando el arma, presto a disparar.

Siempre que Levin erraba el primer tiro, perdía su sangre fría y se exponía a perder también todas las oportunidades, como le pasó aquel día. A cada instante, las becasinas parecían brotar bajo la nariz del perro o los pies de los cazadores. No le faltaban, pues, ocasiones de reparar su fracaso inicial, pero cuanto más tiraba, más se cubría de vergüenza ante Veslovski, que disparaba su escopeta a tontas y a locas sin conseguir nada, pero que no por eso perdía su buen humor. Levin, que se irritaba cada vez más, casi estuvo a punto de derrochar sus cartuchos, tirando a lo que saliera. *Mignonne*, estupefacta, miraba a los cazadores con aire de reproche, y su búsqueda se hizo menos regular. Por más que se sucedían los tiros, envolviendo a los cazadores en una densa nube de humo, aquel morral de grandes proporciones no contenía en total más que tres raquíticos polluelos de becasina y, por si fuera poco, uno de ellos lo había matado Vassia él solo, y otro a medias con Levin.

En cambio, al otro extremo de la marisma, los disparos hasta ahora poco frecuentes, hechos por Oblonski, parecían haber sido fructíferos, pues casi a cada uno se le oía gritar: «¡Trae, *Crac*!». Su éxito irritó aún más a Levin.

Las becasinas volaban ahora en bandadas; algunas volvían a posarse en sus puntos de origen, y el ruido seco que hacían éstas al agitar las alas en el suelo húmedo alternaba con los gritos que lanzaban las otras en pleno vuelo. Docenas de gavilanes planeaban en aquel momento sobre la ciénaga.

Levin y Veslovski ya habían ojeado más de la mitad del pantano, cuando a sus ojos apareció un predio perteneciente a varias familias de campesinos, que ya estaba parcelado formando largos surcos que iban a morir al borde del agua, junto a los matorrales. Como varios de estos lotes estaban desbrozados, aquella pradera no ofrecía ningún interés para la caza. Así y todo, Levin se propuso continuar, porque quería ser fiel a su palabra e igualarse a su cuñado en aquella aventura cinegética.

Algunos campesinos se habían sentado a tomar un refrigerio, junto a una carreta desenganchada.

—¡Eh, los cazadores! —gritó uno de ellos—. ¡Vengan con nosotros a tomar una copa!

Levin se fijó en el grupo.

—¡Vengan, en confianza! —continuó el rústico, un compadre de genio alegre, rostro escarlata, barbudo, que enseñaba unos dientes blanquísimos mientras sobre la cabeza alzaba una botella que brillaba al sol.

—¿Qué dicen? —preguntó Veslovski.

—Nos invitan a beber con ellos; seguramente acaban de hacer la partición de la pradera. Yo aceptaría de buen agrado —añadió Levin, con la secreta intención de desprenderse de Vassia.

—Pero ¿por qué quieren obsequiarnos?

—En señal de alegría probablemente. Vaya con ellos, que le divertirá.

—Pues sí que voy, debe ser curioso.

—Vaya, vaya, que en seguida encontrará, sin dificultad, la senda del molino —le instó Levin, encantado al ver cómo Veslovski se alejaba encorvado, con la escopeta descansando en el brazo y moviendo penosamente los pies en aquel terreno enfangado.

—¡Venga usted también —gritó el campesino a Levin—, que tenemos un buen pastel!

Levin no habría rehusado, desde luego, ni un trozo de pan ni un vaso de aguardiente, porque se sentía flojo y a duras penas arrastraba los pies por aquel suelo fangoso. Pero había visto a *Mignonne* a la expectativa, y esto le hizo olvidar el cansancio para reunirse con ella. Bajo sus pies se revolvió una becasina y echó a volar. Con ésta no le falló el tiro. La perra permanecía quieta. Levin la estimuló con un grito. Otra ave se alzó ante la nariz del perro. Hizo un segundo disparo, pero decididamente, la jornada se presentaba mal para él. No solamente erró el blanco, sino que no pudo cobrar la pieza anterior. *Mignonne*, no queriendo creer que la había matado, sólo hizo un remedo de búsqueda.

La mala suerte, que atribuía a Vassia, le seguía a cada paso. Por mucho que abundase la caza, no hacía más que cometer un error detrás de otro.

Los rayos del sol poniente eran aún muy cálidos; las ropas mojadas se le pegaban al cuerpo, el agua que se le había metido en la bota izquierda entorpecía su marcha; el sudor le corría a grandes gotas por la cara, ennegrecida a causa de la pólvora. En la boca notaba un mal sabor. Se le había aferrado a la garganta un gusto detestable a humo y fango; le aturdían los incesantes chillidos de las becasinas, el corazón le latía con ritmo acelerado, le temblaban las manos nerviosamente, sus pies lastimados se hundían en el barro. Sin embargo, no quería rendirse hasta que, al fin, otra equivocación más vergonzosa que las anteriores le hizo tirar al suelo la escopeta y el sombrero.

«Decididamente —se dijo—, me van a tener que llevar de la mano.»

Acto seguido, recogiendo sombrero y arma, llamó a *Mignonne* y salió del pantano. Una vez sobre el ribazo, se sacó la bota, bebió unos sorbos de agua con gusto de herrumbre, mojó los pistones recalentados y se refrescó la cara y las manos. Después se dirigió de nuevo a la ciénaga de las becasinas, firmemente convencido de haber recobrado la calma. ¡Pura ilusión! Sin haber avistado la pieza, el dedo ya había apretado el gatillo.

Su morral no contenía en total más que cinco aves, de escaso volumen, cuando llegó al bosque de alisos donde debía reunirse con Esteban Arkadievich. *Crac* fue el primero en aparecer, cubierto de fango negro y hediondo que se sacudió al lado de un tronco abatido, y después se acercó a olfatear a *Mignonne* con aire de triunfo. En seguida apareció su dueño a la sombra de los alisos, con la cara roja y brillando de sudor, el cuello de la camisa desabrochado y cojeando aún.

—¿Qué tal? —exclamó alegremente—. Supongo que habréis hecho una buena cacería. No se oían más tiros que los vuestros.

—¿Y tú? —preguntó Levin, cuestión a la que el morral de Oblonski, sobrecargado con catorce becasinas, dio una elocuente respuesta.

—Es una verdadera bendición de Dios este pantano. Veslosvski ha debido estorbarte. No hay nada más incómodo que cazar dos con un solo perro —declaró Esteban Arkadievich, a modo de consuelo.

11

Los dos cuñados encontraron a Veslovski ya instalado en la isba donde Levin solía albergarse. Sentado en un banco al que se agarraba con las dos manos, se hacía secar las botas cubiertas de barro por un soldado, hermano del ama de la casa.

—Acabo de llegar —les dijo con su risa contagiosa—. Se han portado conmigo como no cabe más. Figúrense ustedes que después de haberme hecho comer y beber, no han querido aceptar nada. ¡Y qué pan! ¡Delicioso! ¡Y qué aguardiente! No han bebido jamás nada parecido. Y no hacían más que repetirme: «Debe perdonarnos, se hace lo que se puede».

—Pero ¿por qué quería usted pagar? —le reconvino el soldado, que pudo al fin extraer una de las botas, cuyo fondo estaba negro del barro que se había filtrado—. Ellos le obsequiaban, ¿no es así? Pues su aguardiente es una cosa que no venden jamás.

Ni la suciedad de la isba, que sus botas y las patas de sus perros habían salpicado de un barro negruzco, ni el olor a pólvora y a humedad que les seguía por todas partes, como tampoco la ausencia de tenedores y cuchillos, fueron obstáculo para que nuestros cazadores cenaran con un apetito verdaderamente envidiable, que no se conoce más que en esta clase de expediciones. Después de haberse aseado, los tres se retiraron a descansar en el henil, donde los cocheros les habían improvisado unos lechos con algunas brazadas de heno.

Aunque ya era avanzada la noche, no podían conciliar el sueño. Se pusieron a evocar otras excursiones cinegéticas. Veslovski encontraba todo aquello pintoresco y encantador: el albergue embalsamado por el heno, los perros reposando a los pies de sus dueños, el carro que se dibujaba en un rincón y que creía roto, porque le habían quitado el juego delantero. Como no se le agotaban los elogios a la hospitalidad de aquellos lugareños, Oblonski creyó conveniente oponer a aquellos goces campestres la fastuosidad de una gran cacería en la que había tomado parte el año anterior, en la provincia de Tver, organizada por un tal Malthus que había hecho su fortuna en el ferrocarril. Estuvo describiendo los cotos reservados para la caza de aves acuáticas, los trineos, la tienda levantada al borde del lago para almorzar...

—¿Cómo es posible que semejantes personas no te sean odiosas? —preguntó Levin, incorporándose en su lecho de heno—. No niego que eso de almorzar en una quinta de recreo tenga su encanto, pero ¿no te subleva tanto lujo? Esa clase de gente se enriquece, como los especuladores del aguardiente en otra época, y se ríe de su mala fama, porque sabe que algún día ese mismo dinero mal adquirido la rehabilitará.

—¡Totalmente exacto! —exclamó Veslovski—. Bien entendido que Oblonski acepta sus invitaciones por pura «hombría de bien», pero con su presencia daba allí un ejemplo bastante deplorable.

—Os equivocáis —arguyó Esteban Arkadievich con una risita burlona que no pasó inadvertida a Levin—. Si voy a su casa, es porque le considero tan honrado como a este negociante o aquel agricultor, que deben su fortuna a su talento y a su trabajo.

—Según a lo que tú llames trabajo. Si es al hecho de procurarse el privilegio de una concesión y explotarlo...

—Ciertamente, en el sentido de que alguien tenía que hacerse cargo de eso, pues de lo contrario no tendríamos la ventaja del ferrocarril.

—¿Puedes comparar ese trabajo con el de un hombre que labra la tierra o el de un sabio que investiga?

—No, pero no deja de haber un resultado positivo, que son las ventajas del ferrocarril. Ahora caigo en que tú no eras partidario de esta innovación.

—Ésa es otra cuestión. Yo no veo inconveniente, si eso te sirve de satisfacción, en reconocer su utilidad. Pero tengo por inmoral toda remuneración que no guarde la debida proporción con el trabajo.

—¿Y cómo determinar esa falta de proporción?

—Refiriéndola a toda ganancia adquirida por medios insidiosos poco correctos —respondió Levin, incapaz de trazar un límite exacto entre lo justo y lo injusto—. Pongo por ejemplo los pingües beneficios de los bancos. Esas fortunas tan rápidas son, sencillamente, escandalosas. «Le roi est mort, vive le roi.» No tenemos más campos que sembrar. Esa falta de riqueza no la suplen los bancos ni los ferrocarriles.

—Todo eso puede ser verdad, y me parece un razonamiento muy espiritual —replicó en tono reposado Esteban Arkadievich, evidentemente convencido de la justicia de su punto de vista— pero no has respondido a mi pregunta... ¡Acuéstate, *Crac*! —gritó a su perro, que se estaba rascando y revolviendo todo el heno—. ¿Por qué, por ejemplo, mis ingresos son más elevados que los del jefe de mi secretaria, que conoce los asuntos mejor que yo? ¿Eso es justo?

—No sé nada de eso.

—¿Es justo que tú ganes, supongamos, cinco mil rublos cuando con mucho más trabajo, el campesino que nos alberga esta noche apenas gana cincuenta? No. Comparadas con las de estas buenas gentes, tus ganancias y las mías son tan desproporcionadas como las de Malthus con relación a los obreros de su línea. En el fondo, como puedes ver, lo que hay es cierta dosis de envidia en el odio que inspiran esos millonarios.

—Van ustedes demasiado lejos —interrumpió Veslovski—. No

es que se les envidie por sus riquezas; es que no es posible disimular ciertos aspectos, que les dan un tinte tenebroso...

—Tiene razón —convino Levin— al tachar de injustos mis cinco mil rublos de ganancia, lo siento, pero...

—Eso es verdad, a fe mía —aprobó Veslovski, con un tono tanto más sincero cuanto que era, sin duda, la primera vez en su vida que pensaba en estas cosas—. Nos pasamos el tiempo bebiendo, comiendo, cazando, mano sobre mano, mientras que esos pobres diablos están afanándose desde el principio del año hasta el fin.

—Sí, tú lo sientes, pero no hasta el punto de ceder tu tierra al campesino —objetó, no sin malicia, Esteban Arkadievich.

Desde que se habían convertido en cuñados, una sorda hostilidad alteraba las relaciones entre los dos amigos. Cada uno, en su fuero interno, pretendía haber organizado su vida mejor que el otro.

—Yo no la cedo porque nadie me la pide —replicó Levin—. Además aunque quisiera no podría. ¿Y a quién demonios quieres tú que se la ceda?

—Pues, por ejemplo, a este buen hombre en cuya casa pasamos la noche.

—¿Y de qué manera quieres que me desprenda de mi propiedad? Habría que extender un acta de compraventa o de donación.

—Eso no lo sé, pero desde el momento que tienes la convicción de estar cometiendo una injusticia...

—No del todo. Estimo, al contrario, que teniendo una familia debo cumplir mis deberes con ella y no me creo con derecho a despojarla.

—Perdóname, pero si tú consideras esa desigualdad como una injusticia, debes obrar en consecuencia.

—Es lo que hago, esforzándome para no acrecentarla.

—¡Qué paradoja!

—¡Sí, eso huele a sofisma! —añadió Veslovski—. ¡Ah, pero si aquí está el patrón! —exclamó al ver al dueño de la isba, que abría la puerta haciéndola chirriar sobre sus goznes—. ¿Cómo no te has acostado todavía?

—¡Para acostarnos estamos! Hace tiempo que les creía dormidos, pero me encuentro con que están ustedes de charla, y como daba la casualidad que necesitaba entrar para recoger una hoz... Espero que esos bichos no me muerdan —añadió, posando sus pies desnudos con precaución, uno delante del otro.

—¿Dónde vas a dormir?

—Estamos guardando los caballos en los pastos...

—¡Ah, qué bella es la noche! —exclamó Veslovski, al divisar, en el cuadro de la puerta, a la débil luz de la luna, un rincón de la casa y el coche sin enganchar—. Pero ¿de dónde vienen esas voces femeninas? No cantan del todo mal.

—Son las chicas de al lado.

—Démonos una vueltecita. Como de todas maneras, no vamos a poder dormir... Vamos, Oblonski.

—No dan ganas de pasearse estando tendido —respondió Oblonski, estirándose—. ¡Se está tan bien aquí...!

—Entonces iré solo —decidió Veslovski, que se levantó apresurándose a ponerse el calzado—. Hasta luego, señores. Si lo encuentro divertido, les llamaré. Se han portado con demasiada amabilidad en la cacería para que yo les olvide.

—¡Qué buen muchacho! ¿Verdad? —dijo Oblonski una vez hubo salido Vassia, y el patrón dejó cerrada la puerta tras de sí.

—Sí, sí... —respondió evasivamente Levin, que seguía el hilo de su pensamiento. No alcanzaba a comprender cómo dos hombres sinceros y que no tenían nada de necios, podían acusarle de sofista, cuando expresaba sus sentimientos tan claramente como le era posible.

—Sí, querido —repuso Oblonski—; hay que sacar partido de todas las situaciones. Si reconocemos que la sociedad actual reposa sobre fundamentos legítimos, defendemos en justicia nuestros derechos; si por el contrario, permite la existencia de privilegios injustos, hay que hacer como yo: aprovecharse de ellos, obteniendo algún placer.

—Eso no. Si tú sabes que esos privilegios son inicuos, no puedes gozar de ellos. Yo, al menos, no podría. Necesito estar en paz con mi conciencia.

—¡Al grano! ¿Por qué no echamos una canita al aire? —propuso Esteban Arkadievich, al que aquella charla, por demasiado seria sin duda, había empezado a fastidiar—. Vayamos, porque está visto que nosotros tampoco podemos dormir.

Levin no respondió nada; estaba reflexionando. Así pues juzgaba sus actos en contradicción con el concepto que él tenía de la justicia.

«¿Es posible —se preguntaba— que uno no pueda ser justo más que de una manera puramente negativa?»

—Decididamente, el olor del heno me impide dormir —dijo Oblonski, levantándose—. Me da la impresión de que Vassia no se está aburriendo. ¿No oyes esas carcajadas? Vamos, anda.

—No, yo me quedo.

—¿Es por un imperativo moral? —preguntó, riéndose para sus adentros Esteban Arkadievich, que buscaba su gorra a tientas.

—No, pero ¿qué voy a hacer ahí?

—¿Sabes una cosa? —inquirió a su vez Oblonski, levantándose—. Me parece que te estás deslizando por una pendiente peligrosa.

—¿Por qué?

—Porque adoptas una postura equivocada con respecto a tu mujer. He notado la importancia que atribuyes a obtener su autorización para ausentarte por cuarenta y ocho horas. Eso puede ser muy bonito a modo de idilio entre recién casados, pero no para durar toda la vida. El hombre debe mantener su independencia; sus intereses a él solo le atañen —concluyó Oblonski abriendo la puerta.

—¿Cuáles? ¿Los de correr tras las chicas de la granja?

—¿Por qué no, si eso le divierte? Eso no trae consigo ninguna consecuencia. Mi mujer no se va a encontrar mejor o peor por ello. Respetemos adecuadamente el domicilio conyugal, pero en lo demás, no nos dejemos atar las manos.

—Tal vez sea como tú dices —respondió secamente Levin, volviendo la espalda—. Mañana salgo al amanecer y no despertaré a nadie, os lo prevengo.

Veslovski llegó corriendo.

—¡Señores, vengan deprisa! —gritó—. ¡Colosal! Soy yo quien la ha descubierto. Una verdadera Gretchen. Ya somos amigos. Les aseguro que es deliciosa —añadió, dando a entender por su tono que aquella muchacha tan encantadora había sido creada y puesta en el mundo para que él se encontrase a gusto con ella.

Levin se fingió dormido, mientras Oblonski se ponía las zapatillas y encendía un cigarro; dejó que sus dos amigos se alejaran, pero estuvo largo tiempo sin poder dormir con el oído atento a los rumores del exterior: los caballos consumían su ración de heno; el patrón salió con su primogénito para guardar el ganado que pastaba; el soldado se acostó al otro lado del henil con su pequeño sobrino y, como el niño le preguntaba a quién pertenecían aquellos perros tan malos y para qué servían, su tío le contestó que, a la mañana siguiente, los cazadores se irían al pantano para hacer ¡pim! y ¡pam! con sus escopetas; después, exasperado por las preguntas del mocoso, le hizo callarse con amenazas:

—¡Duerme, Vassia, duerme o vas a ver!

Pronto sus ronquidos fueron los únicos que turbaron el silencio y, a intervalos, el relincho de los caballos y la llamada de las becasinas.

«Pero vamos a ver —se repetía sin cesar Levin—, ¿es que no puede un hombre ser justo más que de una manera negativa? Después de todo, yo no puedo hacer más, no es culpa mía.»

Se puso a pensar en el día siguiente.

«Me levantaré al amanecer y sabré conservar mi sangre fría; el pantano está lleno de becasinas; hay también otras aves. Y al volver me espera una nota de Kitty... Bien puede Stiva tener razón; soy demasiado débil con ella... Pero ¿qué voy a hacer? Ya salió otra vez el "negativo".»

Entre sueños oyó las risas y las bromas de sus compañeros que volvían; abrió un instante los ojos, deslumbrándose con la luna, que se asomaba por la puerta. Oblonski comparaba un pimpollo tierno a aquellas mocitas frescas y descaradas, en tanto que Veslovski, riendo con su risa contagiosa, repetía una frase que, sin duda, había oído a uno de los villanos: «Mira antes de tocar a una que te guste».

—¡Mañana antes del alba, señores! —balbució Levin, y se volvió a dormir.

12

De pie, al rayar el alba, Levin intentó en vano despertar a sus compañeros. Tendido de bruces y no dejando ver más que la venda que le envolvía una pierna, Veslovski no daba ningún signo de vida; Oblonski emitió algún que otro bufido, haciéndose el remolón; la misma *Mignonne*, hecha una pelota al pie del montón de heno, no se decidió a seguir a su dueño hasta desperezarse estirando primero, perezosamente, una pata y después la otra. Levin se calzó, cogió la escopeta y salió poniendo especial cuidado en no hacer chirriar la puerta. Los cocheros dormían cerca de sus vehículos, los caballos también estaban en actitud de reposo excepto uno, que engullía su pienso de avena extendiendo el morro sobre el pesebre. Apenas era de día.

—¿Cómo has madrugado tanto, amigo? —le preguntó la dueña del albergue, una buena mujer entrada en años, que salía de la isba y le saludó familiarmente, como corresponde a una persona conocida de mucho tiempo atrás.

—Voy de caza, abuela. ¿Por dónde tengo que pasar para ir al pantano?

—Sigue todo derecho detrás de nuestra granja, y toma luego el camino de las cañameras; allí encontrarás un sendero.

Andando con precaución, porque estaba descalza, la anciana le acompañó hasta el granero, donde le alzó la barrera.

—Por allí irás a parar al centro del pantano. Nuestros muchachos llevaron allí el ganado, ayer por la tarde.

Mignonne tomó la delantera, jugueteando, y Levin la siguió con paso ligero mientras escrutaba el cielo con mirada inquieta, porque le gustaba llegar al pantano antes de la salida del sol. La luna, que cuando dejó el henil lucía aún en el firmamento, estaba adquiriendo un tinte vivo argentado; el lucero del alba, que hacía un rato se imponía a la vista iba palideciendo cada vez más; unos puntos que al principio se dibujaban vagamente en el horizonte empezaban a presentar contornos más definidos: eran haces de espigas. En la cañamera —cuyas matas ya muy crecidas exhalaban un olor acre, y de la que ya habían arrancado las malas hierbas—, el rocío matinal, todavía invisible, empezaba a mojar las piernas y la blusa de Levin hasta la cintura. En el límpido silencio de la mañana, los menores sonidos se percibían netamente, y una abeja, al zumbarle al oído, le pareció a Levin que silbaba como un proyectil. También divisó dos o tres más que, franqueando la cerca del colmenar, levantaban el vuelo sobre los cañaverales en dirección al pantano. Éste ya se resentía por los vapores desprendidos de aquella sábana blanca en la que los macizos de sauces y plantas acuáticas formaban islotes de color verde oscuro. En la desembocadura del sendero, unos hombres y unos niños, envueltos en sus capotes, dormían profundamente después de haber velado toda la noche. Cerca de ellos pastaban tres caballerías trabadas, una de las cuales hacía sonar sus cadenas. *Mignonne* andaba ahora pegada a los talones de su dueño, registrando con la mirada los alrededores y ansiosa de correr. Cuando después de dejar atrás los durmientes, Levin sintió ceder la tierra bajo sus plantas comprobó el juego del arma y dio suelta al animal. A la vista de éste, uno de los caballos, hermoso potro oscuro de tres años, movió la cola y se encabritó. Los otros se contagiaron del pánico y salieron del agua, librando a duras penas los cascos del cieno en el que pesadamente chapoteaban.

Mignonne se paró; tuvo para los caballos una ojeada burlona y para su amo una mirada interrogativa. Levin la acarició y con un silbido la autorizó para comenzar el rastreo. La perra partió en seguida, percibiendo sobre el suelo movedizo, entre olores conocidos (raíces, plantas, cepas), o desconocidos (el estiércol de los caballos) aquel olor de caza tan especial, que la excitaba más que ningún otro. Este olor impregnaba de trecho en trecho el musgo y las plantas, pero no se podía determinar la dirección de donde venía.

Para encontrar la pista, era indispensable que la indicara el viento. No oyéndose los movimientos de las plantas, marchando a un trote menudo para poder detenerse bruscamente en caso necesario, la perra se alejó hacia la derecha, siguiendo la brisa que soplaba del este. Un vez hubo captado el viento, aspiró el aire a pleno pulmón y reanudó la carrera sabiendo que tenía, no sólo la pista, sino la misma caza y en gran abundancia, pero ¿dónde exactamente? Ya estaba empezando a describir círculos cuando resonó la voz de su amo, llamándola desde otro sitio:

—¡Aquí, *Mignonne*!

Se detuvo, indecisa, como para darle a entender que era mejor dejarla obrar a su antojo; pero Levin reiteró la orden con voz enojada, designando un montículo donde nada podía haber. Por darle gusto, la perra trepó al montículo e hizo como que buscaba, pero pronto regresó al lugar que la atraía. Segura de su instinto, ahora que su dueño no la estorbaba, sin mirar a sus pies y tropezando rabiosamente con los bloques de tierra, cayendo al agua pero incorporándose en seguida sobre sus patas vigorosas y flexibles, dio un rodeo que debía aclararle el enigma. El olor se sentía más fuerte, más preciso cada vez, de pronto comprendió que había «algo» allí, a cincuenta pasos de ella, y se puso en guardia, inmóvil como una estatua. Sus patas demasiado cortas le impedían ver, pero su olfato no la engañaba. Su cola tendida no temblaba más que por el extremo. Tenía las fauces entreabiertas y las orejas enderezadas. Respiraba con pesadez pero con precaución, y volvía la cabeza hacia su amo, que se aproximaba con ojos que ella creía siempre enojados, y avanzando a un ritmo tan rápido como le permitía el suelo movedizo, pero cuya lentitud maldecía el pobre animal.

Al ver a *Mignonne* apretarse contra el suelo, con las fauces entreabiertas y las patas posteriores rascando la tierra, Levin comprendió que había olfateado alguna agachadiza, y siguió sus huellas rogando al cielo que no le hiciera errar su primer tiro. Llegado que hubo junto a la perra, descubrió a menos de un metro el ave que ésta sólo había podido olfatear. Era, efectivamente, una agachadiza. Escondida, al acecho, entre dos montones de tierra, hizo ademán por un momento de abrir las alas, las replegó y retozando, un poco inclinada del lado izquierdo, fue a acurrucarse en un rincón.

—¡Busca! —gritó Levin, empujando a la perra con el pie.

«No puedo moverme —se dijo "Mignonne"—. Lo siento.»

Pero el amo la empujó con la rodilla, repitiendo:

—¡Busca, *Mignonne*, busca!

«Puesto que se empeña, voy a obedecerle, pero no respondo de mí», se dijo la perra, lanzándose desatinadamente entre los dos montones de tierra, sin olfatear más y sin saber lo que hacía.

A diez pasos del lugar anterior, se alzó un ave lanzando el graznido bronco y produciendo el sonoro ruido de las alas característico de las agachadizas. Levin hizo fuego. El ave se abatió, golpeando la tierra húmeda con su blanco pecho. Otra levantó el vuelo detrás de Levin. Al volverse éste, ya estaba lejos, pero así y todo la alcanzó el tiro. Después de haber volado sobre una extensión de veinte pasos, describió una curva, dio una voltereta en pleno aire y acabó estrellándose pesadamente en un lugar seco.

—Esto marcha —murmuró Levin, introduciendo en el morral las dos aves, gruesas y aún calientes—. ¿Verdad, bonita mía, que esto marcha bien?

Cuando Levin reanudó la marcha, después de haber cargado su escopeta ya salía el sol, aunque oculto por unas nubes. La luna no parecía más que un punto blanco en el espacio, habían desaparecido todas las estrellas. Las charcas, antes de un tono plateado bajo el rocío matinal, tenían ahora reflejos de oro y ámbar; los tonos azules de la hierba pasaban a un verde amarillento. Las aves acuáticas se agitaban en los matorrales, brillantes de escarcha, que proyectaban grandes sombras a lo largo de un arroyo. Un gavilán, planeando sobre un pajar, se despabiló, giró la cabeza a derecha e izquierda, y lanzó a su alrededor miradas descontentas, en tanto que una bandada de cuervos emprendía el vuelo en dirección a los campos. Uno de los rapaces, descalzo, conducía los caballos hacia el viejo campesino, que se rascaba después de haber apartado el capote. El humo de la escopeta trazaba una línea blanca en la hierba verde, como un rastro lechoso.

—También hay aquí patos, ¿sabes, señor? Ayer los han visto —le gritó a Levin uno de los rapaces, que se puso a seguirle a una distancia respetuosa.

Levin experimentó un placer singular al matar, de tres tiros consecutivos, otras tantas becasinas delante de aquel niño, que saludó su proeza con una ruidosa explosión de alegría.

13

La superstición del primer tiro no fue en vano esta vez. Levin emprendió el regreso entre las nueve y las diez, derrengado, hambriento, pero lleno de entusiasmo, después de haber recorrido una treintena de verstas y matar diecinueve becasinas y un pato, al que tuvo que colgar a la cintura por faltarle sitio en el morral. Sus compañeros se habían levantado hacía bastante rato y, después de desayunar, habían optado por esperarle, aunque la espera fuese tan larga que les sobrase tiempo para morirse de hambre.

—Permitidme, permitidme, yo sé que hay diecinueve —decía Levin contando por segunda vez aquellos avechuchos, de plumaje tan brillante en el momento de levantar el vuelo, y ahora de tan mezquina apariencia con sus cuerpecillos encogidos, sus picos encorvados y sus plumas cubiertas de sangre coagulada.

La cuenta era exacta, y el sentimiento de envidia que no pudo ocultar su cuñado, causó cierto placer a Levin. Para colmo de su dicha, le esperaba el mensaje de Kitty con unas palabras reanimadoras:

«Me encuentro de maravilla [escribía] y si no me crees bastante bien atendida, tranquilízate al saber que María Vlassievna está aquí. (Era la comadrona, personaje nuevo y muy importante en la familia.) Me encuentra perfectamente de salud y estará con nosotros hasta que tú vuelvas; de modo que no te des prisa si la caza es buena.

Gracias a esta nota y al balance afortunado de la cacería, Levin no tomó demasiado a mal dos pequeños y desagradables incidentes. Por de pronto, el caballo de repuesto, sobrecargado ya la víspera, se negaba a comer y parecía aspeado.

—Se le hizo correr demasiado ayer, Constantino Dimitrievich, se lo aseguro —advirtió el cochero—. Imagínese: diez verstas a semejante velocidad.

La segunda contrariedad, que después le hizo reír bastante aunque al principio le revolvió la bilis, fue no encontrar ni rastro de las provisiones preparadas por Kitty el día de la partida, en cuyos preparativos había extremado su generosidad. ¡Como que había hecho acopio para ocho días! Levin contaba particularmente con ciertas empanadillas, cuyo aroma había creído percibir en el camino de vuelta. Su primera palabra fue para ordenar a Felipe que se las sirviera, pero no quedaba ni una, y todos los pollos, uno a uno, habían igualmente desaparecido.

—¡Para apetito el de éste! —replicó Esteban Arkadievich, riendo e indicándole a Vassia—. No es que yo me queje del mío, pero el de mi amigo es verdaderamente fenomenal.

—Eso está en la naturaleza de cada cual —respondió Levin, mirando a Vassia con expresión nada afable—. Pues entonces, Felipe, sírveme el asado.

—No queda, señor. Se han echado los huesos a los perros.

—¡Ya podían haberme dejado algo! —gritó Levin descompuesto y a punto de llorar de despecho—. Bueno, pues si es así —repuso con voz temblorosa, evitando mirar a Veslovski —vacíame las becasinas y rellénamelas de ortigas. Y a ver si me puedes encontrar siquiera un jarro de leche.

Calmada el hambre, sintió haber tenido que demostrar su disgusto delante de un extraño, y fue el primero en reírse de la cólera que su gazuza le había despertado.

Aquella tarde, después de la última batida, en la que Vassia también se distinguió, los tres compañeros emprendieron viaje de regreso a la mansión de Levin, donde llegaron por la noche. El viaje de vuelta fue tan alegre como el de ida. Veslovski cantó sus romanzas y recordó con placer todas las incidencias de la expedición: la parada junto a los labradores que le obsequiaron con aguardiente, el paseo nocturno con la chica de la granja, en compañía de la cual estuvo cascando nueces, y la chocarrera observación que le había hecho uno de aquellos patanes, al enterarse de que no estaba casado: «Pues entonces, en vez de timarte con las mujeres de los demás, búscate alguna que sea de tu agrado», frase de la que no se podía acordar sin reírse.

—Estoy contento a más no poder de nuestra excursión —declaró—. ¿Y usted, Levin?

—Yo también —respondió éste con franqueza, muy satisfecho de no haber sentido ninguna animosidad contra aquel muchacho tan bueno.

14

Al día siguiente, hacia las diez, después de haber hecho su ronda, Levin llamaba a la puerta de Veslovski.

—¡Pase! —le gritó éste—. Perdone, estoy terminando de lavarme —añadió, abochornado por su retraso.

—No se preocupe. ¿Ha dormido bien? —preguntó Levin, sentándose cerca de la ventana.

—Como un lirón. ¿Hace hoy buen tiempo para cazar?

—¿Qué toma usted de desayuno, café o té?

—Ni lo uno ni lo otro; me desayuno a la inglesa... Me da vergüenza de mi apetito... Supongo que las señoras se habrán levantado. ¿Y si diéramos una vueltecita? Así me podría enseñar usted sus caballos.

Después de un paseo por el jardín, una inspección de la caballeriza y algunos ejercicios en las barras paralelas, los dos nuevos amigos pasaron al comedor.

—Tuvimos una partida de caza muy entretenida, de la que he recogido un montón de impresiones —dijo Veslovski acercándose a Kitty, sentada al lado del samovar—. ¡Lástima que las damas estén privadas de este placer!

«No está de más que diga un cumplido a la dueña de la casa», pensó Levin, queriendo apaciguarse, porque ya le empezaba a incomodar la sonrisa y el aire de conquistador de aquel joven.

Al otro extremo de la mesa, la princesa demostraba a María Vlassievna y a Esteban Arkadievich la necesidad de que su hija se trasladase a Moscú para dar a luz, y llamó a su yerno para hablarle de este grave asunto. Nada indignaba tanto a Levin como la discusión de estas triviales cuestiones en torno a un acontecimiento tan sublime como el nacimiento de un hijo..., porque tenía que ser un varón. No podía admitir que aquella dicha inverosímil, rodeada por él de tanto misterio, fuese discutida como un hecho de lo más ordinario por aquellas mujeres, que hacían sus cálculos con los dedos de la mano. Le enojaban las charlas sempiternas sobre la mejor manera de envolver a los recién nacidos; le horripilaban todas aquellas prendas de vestir y de dormir, tan singularmente queridas para Dolly y confeccionadas con tanto esmero como ilusión. Desviaba la vista y se hacía el sordo, como en otro tiempo lo hizo con los preparativos de la boda.

Incapaz de comprender los sentimientos que dominaban a su yerno, la princesa calificaba de aturdimiento aquella indiferente apariencia, y no le daba punto de reposo. Había encargado a Esteban Arkadievich que buscase un alojamiento adecuado, y esperaba que Levin le diese su opinión.

—Haga lo que mejor le parezca, princesa; yo de eso no entiendo —repetía éste.

—Pero hay que fijar la fecha de vuestro regreso.

—La ignoro. Lo único que sé es que millones de niños nacen fuera de Moscú, y sin ayuda de ningún médico.

—En ese caso...

—Kitty hará lo que ella quiera.

—Kitty no debe entrar en esos detalles, que podrían impresionarla. Recuerda que Natalia Golitsyne murió esta primavera al dar a luz, por faltarle un buen especialista.

—Haré lo que usted quiera —repitió Levin con aire lúgubre y dejó de escuchar a su suegra. Su atención iba más lejos.

Echando miradas de soslayo hacia el sitio donde Vassia estaba reunido con Kitty, su rostro adquirió una sombría expresión al ver al primero inclinado sobre la segunda, turbada y ruborosa. Aquello no podía continuar. Tanto la postura como la sonrisa del joven le parecían de todo punto inconvenientes y, lo mismo que la antevíspera, cayó súbitamente desde lo alto del éxtasis al abismo de la desesperación. El mundo se le hizo otra vez insoportable.

—Haga lo que quiera, princesa —repitió una vez más, multiplicando sus miradas de reojo.

—No todo es color de rosa en la vida conyugal —le dijo bromeando Esteban Arkadievich, a quien no escapaba la verdadera causa de aquel mal humor—. ¡Qué tarde has bajado, Dolly!

—Macha ha dormido mal, y me ha estado mareando toda la mañana con sus caprichos.

Todo el mundo acudió a presentar sus respetos a Daría Alexandrovna. Veslovski, dando pruebas de esa pasividad que caracteriza a la gente joven de hoy día, apenas hizo ademán de levantarse; le hizo de lejos un breve saludo y, sonriendo, reanudó la conversación que había establecido con Kitty, cuyo tema principal lo constituían Ana Karenina y el problema del amor libre. Este tema y el tono adoptado por Veslovski disgustaban tanto más a la joven cuanto que no ignoraba lo enfurecido que su esposo debía estar. No obstante, era demasiado ingenua y falta de experiencia para poder contestar una palabra al monólogo de su primo, así como para disimular la turbación, mezclada con algo de placer, que le producían sus atenciones. Sabía además que Kostia interpretaría mal cada uno de sus gestos, cada una de sus palabras. Y en efecto, cuando preguntó a su hermana detalles sobre el comportamiento de Macha, aquella pregunta le pareció a Levin una odiosa hipocresía. Vassia, por su parte, miraba a Dolly con indiferencia, y parecía que aguardaba con afán el término de aquel intermedio tan enojoso.

—¿Y nosotros iremos pronto a buscar champiñones? —preguntó Dolly.

—Desde luego, y yo os acompañaré —respondió Kitty.

Por cortesía, le habría gustado preguntar a Vassia si deseaba acompañarles, pero no se atrevió.

—¿Dónde vas, Kostia? —inquirió, al ver a su marido salir con paso resuelto.

El tono abatido con que pronunció esta frase, confirmó las sospechas de Levin.

—En mi ausencia ha llegado un mecánico alemán. Tengo que verle —respondió sin mirarla.

Apenas hubo entrado en su despacho, oyó los pasos de Kitty, que tan familiares le eran, bajando la escalera con imprudente vivacidad.

—¿Qué quieres? Estamos ocupados —advirtió Levin, secamente.

—Perdóneme usted —dijo ella, dirigiéndose al alemán—. Tengo que decir unas palabras a mi marido.

El mecánico hizo ademán de salir, pero Levin le contuvo.

—No se moleste usted —indicó.

—Es que no quisiera perder el tren de las tres —le hizo observar el visitante.

Sin responderle, Levin salió con su mujer al corredor.

—¿Qué quieres? —le preguntó en francés, sin querer mirar su rostro, contraído por la emoción.

—Yo..., yo quería decirte que esta vida es un suplicio —murmuró ella.

—Hay gente en el despacho. No me hagas ninguna escena —previno él, lleno de cólera.

—Entonces, ven por aquí.

Quiso arrastrarle a una habitación vecina, pero como Tania estaba dando en ella su lección de inglés, Kitty le condujo al jardín.

El jardinero estaba rastrillando en una alameda. Sin importarle mucho el efecto que podrían producir en aquel hombre sus semblantes alterados, ambos avanzaban a paso rápido, como esas gentes que sienten la necesidad de arrojar lejos de sí el peso de un tormento, de una vez para siempre y a través de una franca explicación.

—¡Es un martirio esta existencia! ¿Por qué tenemos que estar sufriendo así? —quejóse ella, cuando ambos llegaron a un banco solitario, en un rincón de la alameda de tilos.

—Confiesa que tu actitud tenía algo de ofensiva, de inconveniente —reprochó Levin, apretándose el pecho con ambas manos igual que la otra noche.

—Sí —respondió ella, con voz temblorosa—. ¿No ves, Kostia, que yo no puedo hacer nada? Mi deseo hubiera sido hacerle volver en seguida a su lugar de procedencia, pero esta clase de gente... ¡Dios mío! ¿Por qué habrá venido? ¡Éramos tan felices!

Unos sollozos ahogaron su voz y la sacudieron de pies a cabeza.

Cuando el jardinero les volvió a ver poco después, pasando ante él con caras tranquilas y felices, no pudo explicarse por qué habían huido de aquella manera de la casa, y menos aún qué feliz acontecimiento les había podido sobrevenir en aquel banco solitario.

15

Después de acompañar a Kitty a su aposento, Levin se trasladó al cuarto de Dolly, a quien encontró muy excitada, recorriendo nerviosamente la habitación de un extremo al otro y reprendiendo a la pequeña Macha, que de pie en un rincón lloraba a lágrima viva.

—Ahí te quedarás todo el día sin ver una muñeca, comerás sola y no tendrás el vestido nuevo —decía a la pequeña, para corregirla con estos castigos—. Esta niña es insoportable comentó al ver a su cuñado—. ¿De dónde vienen estos malos instintos?

—¿Qué ha hecho? —preguntó Levin, en tono un poco indiferente. Deseando consultar a Dolly, lamentaba haber llegado en tan mal momento.

—Ha ido con Gricha a coger frambuesas y... No, me pongo colorada si lo digo. ¡Cuánto hecho de menos a miss Elliot! Esta institutriz es una simple máquina, no se interesa por nada... Figúrate que la pequeña...

E hizo un relato de las travesuras de Macha.

—No veo nada que sea verdaderamente grave en eso. No es más que una chiquilla —dijo Levin para sosegarla.

—Pero ¿qué es lo que tú tienes? Te veo con un aire muy preocupado. ¿Qué querías decirme? ¿Sucede algo ahí abajo?

Por el tono de Dolly, Levin comprendió que podía hablarle con el corazón en la mano.

—No sé... Estaba en el jardín con Kitty... Es la segunda vez que discutimos desde la llegada de Stiva.

Dolly le miró con ojos penetrantes. Él prosiguió:

—En conciencia, dime... ¿No has observado..., no en Kitty, sino en ese... joven, un tono que puede ser, no sólo desagradable, sino intolerable para un marido?

—¿Qué quieres que te diga? —repuso ella—. ¡Haz el favor de seguir en el rincón! —gritó a Macha, que habiendo creído descubrir una sonrisa en los rasgos de su madre, hacía ademán de volver—. Según las ideas admitidas en este mundo, ese joven se conduce como toda la gente de su edad. Hace la corte a una mujer joven y bonita, y un marido que sea hombre de mundo, tiene que sentirse orgulloso de ello.

—Sí, sí —murmuró Levin, en tono lúgubre—. Pero, en fin, el caso es que tú lo has observado también.

—No sólo yo. Stiva me ha dicho después del té: «Me parece que Veslovski le está haciendo un poquitín la corte a Kitty».

—Entonces, ya estoy tranquilo. Voy a echarle.

—¿Has perdido la cabeza? —exclamó Dolly, asustada. Dirigiéndose a Macha, añadió—: Ya puedes ir a buscar a Fanny. Vamos a ver, Kostia, ¿en qué piensas? Si quieres, hablaré con Stiva. Él se lo llevará. Se le puede decir que esperas huéspedes. Desde luego, que un invitado de ese tipo no nos conviene de ninguna manera.

—No, no, déjame hacer a mí.

—Supongo que no irás a pelearte con él.

—Claro que no, claro que no, es otra cosa que me va a divertir —contestó Levin, serenado de pronto y brillándole las pupilas—. Anda, Dolly, perdónala, que no lo volverá a hacer —añadió, señalando a la pequeña delincuente que, en lugar de ir a buscar a Fanny se había quedado plantada frente a su madre, cuya mirada estaba escrutando con el rabillo del ojo. Emocionada al ver que había suavizado sus facciones, la niña prorrumpió en sollozos y escondió la carita en la falda de Dolly, quien le puso tiernamente sobre la cabeza su bella mano demacrada.

«¿Qué hay de común entre ese muchacho y nosotros?», se dijo Levin. Y en seguida se lanzó a la busca de Veslovski. Al pasar por el vestíbulo, dio orden de enganchar la calesa.

—Ayer se le estropeó un resorte —respondió el criado.

—Pues entonces la tartana, y aligera... ¿Dónde está nuestro invitado?

—En su cuarto.

Vassia había deshecho su equipaje, ordenando sus papeles y escogiendo sus romanzas. La pierna puesta sobre una silla, se estaba poniendo las polainas para montar a caballo cuando entró Levin. La cara de éste tenía, sin duda, una expresión particular, o quizá se dio cuenta Veslovski de que eso de «hacer un poquito la corte» era algo que no cuadraba en el seno de aquella familia. En una palabra, se sintió todo lo violento que puede sentirse un joven mundano en semejantes circunstancias.

—¿Monta usted con polainas?

—Sí, es lo más adecuado —respondió Veslovski, con sonrisa bonachona, acabando de abrocharse.

Era un chico tan bueno en el fondo, que a Levin le dio algo de vergüenza al notar en la mirada de Vassia lo intrigado que empezaba a sentirse. No sabiendo cómo empezar, cogió de la mesa una baqueta que habían roto por la mañana, cuando intentaban levantar las barras paralelas hinchadas por la humedad, y se puso a desmenuzar la punta astillada.

—Yo quería...

Se detuvo indeciso, pero al evocar la escena con Kitty, continuó, mirándole al blanco de los ojos:

—Quería decirle que he ordenado enganchar.

—¿Para qué? ¿Adónde vamos? —preguntó Veslovski.

—Para llevarle a la estación —respondió Levin, con su tono lúgubre.

—¿Se va usted de viaje? ¿Ha ocurrido algo?

—Ocurre que espero gente —respondió Levin, deshilachando la baqueta con gesto cada vez más nervioso—. O mejor dicho, no. No espero a nadie, pero le ruego a usted que se marche de mi casa inmediatamente. Interprete mi descortesía como mejor le parezca.

Vassia se irguió con dignidad. Al fin había comprendido.

—Sírvase explicarme... —empezó a decir.

—No tengo nada que explicarle, y hará mejor en no dirigirme más preguntas —contestó lentamente Levin, esforzándose por contener el temblor convulsivo de su labio inferior.

Y como ya había terminado de desmenuzar la punta rota, cogió la baqueta por su extremo más grueso, la partió en dos y recogió cuidadosamente el pedazo que había caído.

Los ojos brillantes de Levin, su voz sombría, sus labios temblorosos, y, sobre todo, la tensión de sus músculos, cuyo vigor había comprobado Veslovski aquella misma mañana al hacer los ejercicios gimnásticos, convencieron a éste mejor que sus palabras. Alzó los hombros, sonrió desdeñosamente, saludó y dijo:

—¿Podría ver a Oblonski?

Ni la sonrisa ni el alzamiento de hombros incomodaron a Levin.

«¿Qué más le queda por hacer?», pensó. Y dijo:

—Voy a avisarle.

Esteban Arkadievich se reunió con Levin en el jardín, después de haberse enterado por boca del mismo Veslovski que el dueño de la casa le había puesto «en la puerta de la calle».

—¡Pero eso no tiene sentido común! ¡Es el colmo del ridículo! —exclamó—. ¿Qué mosca te ha picado? Y todo porque un hombre joven...

Levin se sentía aún tan irritado que, poniéndose lívido, interrumpió a su cuñado:

—No te molestes en disculparle. Me encuentro desolado, tanto por tu culpa como por la suya. Pero él se consolará fácilmente, mientras que para mi esposa y para mí, su presencia se hacía intolerable.

—Pero tú le infieres una ofensa gratuitamente. Y además eso es ridículo.

—Yo también me siento ofendido y, lo que es peor, estoy sufriendo sin haber hecho nada para merecerlo.

—Nunca te hubiera creído capaz de un acto semejante. Se puede estar celoso, pero hasta ese punto, es el colmo del ridículo.

Levin le volvió la espalda y siguió paseando a todo lo largo de la alameda, esperando el momento de la partida. Pronto oyó un rechinar de ruedas y a través de los árboles divisó a Veslovski, que pasaba con las cintas de su boina escocesa flotando al viento, asido a un montón de heno y sobresaltándose a cada sacudida, porque la tartana carecía de asiento.

«¿Qué pasa ahora?», se preguntó Levin, cuando vio al criado salir corriendo de la casa y detener el vehículo.

Era para instalar en él a aquel mecánico, de quien se había olvidado, y que se colocó al lado de Veslovski después de saludarle y cambiar con él algunas palabras. En seguida desaparecieron los dos.

Esteban Arkadievich y la princesa mostráronse irritados por la conducta de Levin. Él mismo se sentía culpable y encontraba su situación ridícula hasta el último extremo; pero, recordando lo que Kitty y él habían padecido, reconoció que si la ocasión se presentase lo volvería a hacer.

Sin embargo, al caer la tarde, todo el mundo —menos la princesa, indispuesta con su yerno— había recobrado su animación y su alegría. Parecían niños después de un castigo o maestros de ceremonias después de una penosa recepción oficial. Cada uno se sentía más confortado y, cuando se retiró la princesa, se habló de la expulsión de Vassia como de un suceso lejano. Dolly, que tenía el don humorístico de su padre, hizo reír a Varenka hasta saltarle las lágrimas, contándole tres o cuatro veces, y siempre con distintas añadiduras, sus propias emociones. En honor del joven huésped había preparado, para colgarlo en su boina, un nudo de brillantes cintas nuevas. Había llegado el momento de presentárselo —agregó—, y con este objeto entró en la sala, cuando el sonido quejumbroso del carro le hizo asomarse a la ventana. ¡Qué espectáculo se ofreció a su vista! Vassia en persona, con su boina escocesa, sus romanzas y sus polainas, ignominiosamente agarrado a un montón de heno.

—¡Si al menos le hubieran instalado en el coche! Pero no... Y de pronto oigo gritar: «¡Alto!»... ¡Vamos!, me dije, han cambiado de opinión... Han tenido lástima de él. ¡Sí, sí! Y era un hombre voluminoso, aquel alemán, lo que añadían a su desdicha. Decididamente, me había fallado el plan con aquel nudo de cintas...

16

Siempre temiendo desagradar a los Levin, que no deseaban de ninguna manera —cosa que ella comprendía muy bien— un acercamiento a los Vronski, Daría Alexandrovna tenía el proyecto de ver a Ana para demostrarle que su afecto hacia ella no había variado. A fin de salvaguardar su independencia, quiso alquilar los caballos en el pueblo. Cuando Levin tuvo conocimiento de ello, acudió a reprochárselo a su cuñada.

—¿Por qué te imaginas que me apenas yendo a casa de Vronski? Y aunque así fuera, me afligirías más aún sirviéndote de caballos ajenos a los míos. Los que te alquilen nunca podrán competir en el trote con ellos.

Daría Alexandrovna acabó por someterse y, el día indicado, Levin le hizo preparar cuatro caballos y otros tantos de refresco, todos ellos animales más de carga que de tiro, pero capaces de hacer el recorrido en un solo día, a pesar de lo extenso de aquél.

El enganche fue difícil de realizar, pues los otros caballos estaban retenidos por la partida de la princesa y de la comadrona. Todo aquello causó a Levin ciertos trastornos, pero, además de cumplir un deber de hospitalidad, proporcionaba a su hermana política —cuyos apuros conocía— el ahorro de una veintena de rublos, cantidad que suponía mucho para ella.

Siguiendo el consejo de su cuñado, Daría Alexandrovna se puso en camino al rayar el alba, bajo la protección del tenedor de libros que, para mayor seguridad, habían instalado junto al cochero a guisa de ayudante.

El camino era bueno, el carruaje cómodo. Mecida por el trote regular de los caballos, Dolly se adormeció y no despertó hasta el primer relevo, ocasión que aprovechó para tomar una taza de té en casa del rico labrador donde Levin paraba cuando iba a ver a los Sviajski. Después que el buen hombre le hizo un vivo elogio del conde Vronski, ella entabló con sus nueras una conversación, que discurrió principalmente sobre el tema de los niños. Hacia las diez reanudó el viaje. Sus deberes maternales, de ordinario, absorbían demasiado su atención para que pudiera permitirse el lujo de reflexionar de manera que aquella etapa de cuatro horas le brindaba una ocasión excepcional para meditar sobre su propia vida y en sus hijos, que había confiado a los cuidados de la princesa y de Kitty. Con esta última era con quien contaba especialmente.

«¡Con tal de que Macha no haga más escenas, que Gricha no se exponga a recibir alguna coz y que Lilí no pesque una indigestión...!», se decía ella.

Estas pequeñas preocupaciones del momento cedieron lugar muy pronto a otras de mayor importancia. En cuanto volviera a Moscú, tendría que cambiar de residencia, renovar los muebles de la sala, encargar un abrigo para su hija mayor. Después se le planteó un problema todavía más grave, aunque de perspectivas menos próximas: ¿Podría ella continuar la educación de los niños de una manera conveniente?

«Los hijos me inquietan más que las hijas —pensaba—. ¿Qué hacer con ellos? Imposible contar con Stiva. Si este verano me he ocupado de Gricha, es porque mi estado de salud me lo ha permitido, cosa realmente extraordinaria. ¡Pero si se me presenta un embarazo...!»

Pensó que era injusto considerar los dolores del parto como el signo de una maldición que pesa sobre la mujer.

«¡Resulta tan poca cosa, comparándolo con las molestias del embarazo!»

Recordó su última experiencia en este trance y la pérdida de su hijo. Aquel recuerdo le trajo a la memoria la respuesta que acababa de hacerle una de las nueras del viejo labrador, cuando le preguntó si tenía hijos.

—Tenía una niña, pero Dios, en su bondad, me libró de ella durante la Cuaresma.

—¿Te dio mucha pena?

—A fe mía, no. Es una preocupación menos. Al viejo no le faltan nietecitos. ¿Y qué quiere usted que yo haga con una criatura mamando, en los brazos?

Aquella respuesta parecía odiosa. Sin embargo, los rasgos de aquella mujer expresaban bondad, y Dolly veía ahora que en sus palabras había una parte de verdad.

«En resumen —reflexionaba, evocando sus quince años de matrimonio—, mi juventud ha transcurrido entre náuseas, antojos estúpidos, sin hallarme a gusto nunca y con ese aspecto horrible, deforme... Porque si hasta nuestra hermosa Kitty esta afeada por el mismo motivo, ¿cómo no he de parecer yo horrible cada vez que me llega un embarazo? Y luego los alumbramientos, los espantosos alumbramientos, el desgarramiento del último minuto, las penalidades de la lactancia, las noches de insomnio, sufrimientos, sufrimientos atroces...»

Y Dolly temblaba al recuerdo de las grietas de los senos, que tanto le hacían padecer al encontrarse encinta.

«Y luego las enfermedades de los niños, esa inquietud permanente, las preocupaciones de la educación, las malas inclinaciones que hay que corregirles —se representó en la mente la escena de Macha entre las frambuesas—, el latín y sus dificultades, y lo peor de todo, la muerte.»

Su corazón de madre sangraba cruelmente todavía por la pérdida del último hijo nacido, a causa de unas anginas. Recordó su dolor a solas ante aquella frentecita blanca aureolada de cabellos rizados, ante aquella boquita atónita y entreabierta, y el momento en que retumbó la tapa del féretro color rosa con una cruz dorada... «Y todo eso, ¿para qué? ¿Para qué tanto estar encinta, tanta lactancia, siempre extenuada y áspera, detestada por mi marido y fastidiosa a los ojos de todo el mundo? ¿Cómo he podido soportar tantos días llenos de tormentos? Para dejar una familia desgraciada, pobre, sin instruir. ¿Qué habría hecho este verano si Kostia y Kitty no me hubieran invitado a su casa? Pero por delicados y afectuosos que sean, no podrán hacerlo otra vez, pues también les ha tocado su turno y tendrán hijos. ¿Acaso no se encuentran ya un poco molestos? Papá casi se ha despojado de todo por nosotras. Ya no está en disposición de ayudarme. ¿Cómo conseguiré que mis hijos se hagan hombres? Habrá que buscar influencias, tendré que humillarme... Si no me los quita la muerte, lo más que puedo esperar para ellos es que no se desvíen por la senda del mal. Y hasta haberlos situado en la vida, ¡cuántos padecimientos! Mi existencia la tengo comprometida hasta el fin.»

Decididamente, las palabras de la joven campesina tenían algo de verdad en su cínica sencillez.

—¿Llegamos, Mikhail? —preguntó al tenedor de libros, deseando librarse de aquellos penosos pensamientos.

—Parece que quedan aún siete verstas, después del pueblo que se ve por allí.

La calesa atravesó un puentecillo donde unas segadoras, con sus hoces a la espalda, se pararon para verla pasar, sin dejar de charlar alegre y ruidosamente. Dolly observó que todas aquellas caras rebosaban de júbilo y de salud.

«Cada cual vive y disfruta su propia existencia —se dijo, dejándose caer de nuevo en el respaldo, mecida por el trote de los caballos, los cuales aceleraron la viveza de su marcha después de remontar una pequeña cota—. Yo, sola, tengo la impresión de ser una prisionera puesta en libertad provisional. Mi hermana Natalia, Varenka, todas las mujeres, y Ana también, saben lo que es la existencia, pero yo... yo la ignoro. ¿Y por qué acusan a Ana? ¿Acaso soy yo mejor que ella? Yo, al menos, amo a mi marido, no como yo quisiera amarle, sin duda, pero le amo al fin mientras que ella detesta al suyo. ¿De qué es culpable? Ella ha querido vivir, es un anhelo que Dios nos ha puesto en el corazón. Si yo no hubiese amado a mi marido, quizás habría hecho igual que ella. Todavía me pregunto si habré hecho bien siguiendo sus consejos, en lugar de separarme de Stiva. ¡Quién sabe! Podría haber rehecho mi vida, amar, ser amada... ¿Es más honorable mi conducta actual? Yo le aguanto, porque tengo necesidad de él. Eso es todo. En esta época, todavía puedo seducir a los hombres, me queda algo de belleza...»

Quiso sacar de su bolso un espejito de viaje, pero temió ser sorprendida por los dos hombres que ocupaban el pescante. Sin necesidad de mirarse, se dijo que su tiempo no había pasado todavía. Recordó las atenciones particulares que tuvo con ella Sergio Ivanovich, la asiduidad del buen Turovtsine, que por amor a ella le había ayudado a cuidar de los niños durante la escarlatina que padecieron, y hasta las impertinencias de Stiva a propósito de un joven que la encontraba más hermosa que sus hermanas. Y se presentaban a su imaginación las novelas más apasionadas, las más inverosímiles.

«Ana tiene mucha razón y no seré yo quien le arroje la piedra. Ella es feliz y hace feliz a otro. Y mientras yo me encuentro ahora como embrutecida, ella debe llevar una vida descansada, brillante, dedicada a todas las cosas que verdaderamente le interesan.»

Una sonrisa maliciosa afloró a los labios de Dolly, forjando en su imaginación un romance análogo al de Ana, en el que ella era la heroína y el héroe, un personaje anónimo y redivivo. Se representó el momento en que se lo confesaba todo a su marido, y se echó a reír pensando en la estupefacción de Esteban Arkadievich.

Estaba sumida en estos pensamientos cuando el coche llegó a la encrucijada del camino de Vozdvijenskoié.

17

El cochero hizo parar los caballos y echó un vistazo a la derecha, hacia un grupo de labradores sentados en un campo de centeno, cerca de un carro desenganchado. Después de haber hecho un ademán de saltar del pescante, el tenedor de libros cambió de opinión y llamó a los patanes, haciendo ostentación de un tono y un gesto autoritarios. El polvo levantado por el trote de los caballos cesó repentinamente, y los tábanos se precipitaron en enjambres sobre las pobres bestias bañadas en sudor, que buscaban rabiosamente el medio de librarse de los odiosos dípteros. Cesó también como por encanto el son metálico de una hoz que alguien utilizaba, y uno de aquellos hombres se levantó y se dirigió a la calesa. Sus pies desnudos avanzaban lentamente por un terreno escabroso.

—Bueno, ¿qué pasa? —le gritó el tenedor de libros—. ¿Es que no puedes aligerar?

El hombre apresuró el paso. Era un anciano. Una tira, larga y estrecha, hecha con fibras vegetales, sujetaba sus cabellos encrespados. Una blusa ennegrecida por el sudor se pegaba a su espalda encorvada. Una vez en el coche, se apoyó con una mano en el guardabarros.

—Esto es Vozdvijenskoié, ¿qué se te ofrece? ¿A casa del conde? Después de subir la cuesta, amigo, toma la izquierda, y siguiendo todo derecho irás a parar a la avenida. ¿Es al mismo conde a quien os interesa ver?

—¿Estarán ahora en casa, buen hombre? —le preguntó Daría Alexandrovna que, no sabiendo cómo informarse acerca de Ana, ni siquiera por medio de un campesino, prefería dar un tono ambiguo a su interrogación.

—Es de creer que sí —respondió el viejo, que balanceaba el cuerpo apoyándose ora en un pie, ora en otro y dejaba en el polvo la marca visible de sus huellas—. Es de creer que sí —repitió, deseando entablar conversación—. Vinieron de la ciudad ayer, a más tardar, unos señores. Gente de mundo... Pero ¿de qué me hablas? —preguntó a un joven gañán, que le gritaba algunas cosas—. ¡Ah, sí, sí que es verdad! Tienes razón, no había pensado. Hace ya mucho que han pasado. Iban todos montados, a ver la máquina nueva. A estas horas tienen que haber vuelto... Y vosotros, ¿de dónde venís por acá?

—De lejos —respondió el cochero, encaramándose de nuevo en su sitio—. Así pues, ¿no queda mucho para llegar?

—Cuando yo te digo que está ahí cerca... No tienes más que

subir la cuesta —repitió, tamborileando con los dedos sobre el guardabarros.

El joven campesino, un mozo rechoncho, de sólida constitución, se aproximó a su vez.

—¿Habría algún trabajo en vuestra granja? Para todo lo que sean faenas de siega, aquí estamos.

—No sé nada de eso, amigo mío.

—Toma la izquierda, ¿sabes?, y vas a parar derecho a la avenida —continuaba diciendo el buen hombre, a quien, evidentemente, gustaba mantener la conversación.

El cochero azuzó a los caballos. Apenas habían arrancado éstos, cuando sintió que le llamaban.

—¡Eh, amigo, párate! ¡Oh, oh, párate! —gritaban los dos labradores.

El cochero obedeció.

—¡Ahí están, esos que vienen tan deprisa! —repuso el viejo, designando cuatro figuras ecuestres y un coche que se aproximaban.

Eran Vronski, Ana, Veslovski y un palafrenero a caballo. Les seguían en coche la princesa Bárbara y Sviajski. Volvían de los campos, donde se estaban experimentando las nuevas máquinas segadoras.

Al ver que paraba la calesa, los jinetes se pusieron al paso. Ana había tomado la delantera en compañía de Veslovski. Montaba con desenvoltura una pequeña jaca inglesa, de cola corta y crines muy cuidadas. Se tocaba con un sombrero de forma alargada, bajo el cual asomaban los mechones rizados de su cabello negro. Su bonita cabeza sus hombros redondeados, su talle bien ajustado en una oscura chaqueta de montar, su postura graciosa y tranquila, llamaron la atención, un poco escandalizada, de Daría Alexandrovna. Ésta, en efecto, atribuía a la equitación practicada por mujeres un sentido de coquetería llamativa poco conveniente a la situación especial por la que estaba pasando su cuñada. Pero sus prevenciones no tardaron en desvanecerse por completo, tanto por la actitud como por los gestos y la sobria elegancia de Ana, que ponían de manifiesto aquella nota de nobleza y de sencillez, que la caracterizaba.

Vassia Veslovski, con las cintas de su boina escocesa colgándole sobre la nuca, acompañaba a Ana sobre un caballo del tipo usado en el ejército, una bestia gris que parecía despedir fuego. El jinete estiraba hacia delante sus gruesas piernas, y su aspecto era de estar muy satisfecho consigo mismo. Dolly, al verle, no pudo contener una sonrisa.

Vronski les seguía cabalgando en un pura sangre, bayo oscuro, al que probablemente había excitado la galopada porque tuvo que manejar las bridas con suma destreza para poder calmarle. Cerraba la marcha su palafrenero, un mancebo estrafalariamente vestido con un traje de *jockey*.

A cierta distancia, un flamante landó, completamente nuevo, arrastrado por un precioso trotador negro, transportaba en su interior a Sviajski y la princesa Bárbara.

Al reconocer a aquella pequeña persona, reclinada en un ángulo de la vieja calesa, el rostro de Ana se iluminó. Se estremeció, dejó escapar un grito de alegría y puso su jaca al galope. Cuando llegó junto al coche, saltó de su cabalgadura sin ayuda de nadie y corrió al encuentro de Dolly.

—¡Conque eres tú, Dolly! No me atrevía a creerlo. Me causas una alegría inmensa —dijo, estrechando en sus brazos a la viajera, cubriéndola de besos y apartándola después para verla mejor—. ¡Mira, Alexis, qué felicidad! —añadió, volviéndose al conde, quien había echado pie a tierra a su vez, y se adelantaba sombrero en mano.

—No puede imaginarse el placer que nos causa su visita —ponderó, recalcando cada una de sus palabras, en tanto que una sonrisa descubría su magnífica dentadura.

Sin abandonar su montura, Vassia Veslovski, a guisa de saludo, volteó alegremente su boina por encima de la cabeza.

Entretanto, el landó se había aproximado.

—Es la princesa Bárbara —dijo Ana, respondiendo a una mirada interrogadora de Dolly.

—¡Ah! —respondió ésta, dejando entrever su descontento.

La princesa Bárbara, tía de su marido, había siempre medrado a expensas de los parientes ricos. Dolly, que por esta razón no le profesaba ninguna estima, se sintió un poco desairada al verla instalada en casa de Vronski, que no tenía ningún parentesco con ella. Al darse cuenta de su desaprobación, Ana se turbó, se le colorearon las mejillas y, sin quererlo, dio un traspié al pisarle la cola del vestido.

Dolly saludó a la princesa con frialdad. Sviajski, a quien ya conocía, se interesó por su amigo Levin, «hombre original», y por su joven esposa. A continuación, después de echar un vistazo al tiro de la calesa, mal ajustado, y a los guardabarros del viejo vehículo, llenos de remiendos, invitó a las damas a subir al suntuoso landó.

—El caballo es muy tranquilo y la princesa conduce muy bien. En cuanto a mí, ocuparé una plaza en ese «vehículo»...

—¡Oh, no! —interrumpió Ana—. Quédese donde está, que yo voy a subir con Dolly.

Jamás había visto Daría Alexandrovna nada tan brillante como aquellos caballos, aquellos trajes, todo aquel lujo... Pero había algo que la sorprendía aún más, y era aquella especie de transfiguración que se había operado en su querida Ana, y de la cual quizá no se habría dado cuenta en absoluto, a no ser por las reflexiones que había hecho durante el trayecto sobre las cosas del amor. Ana parecía irradiar aquella belleza fugaz que da a una mujer la certeza de una pasión compartida. El brillo de sus ojos, el pliegue de sus labios, los hoyuelos que se le dibujaban claramente en las mejillas y en el mentón, la sonrisa que animaba su rostro, la gracia nerviosa de sus gestos, el tono cálido de su voz, y hasta la forma amistosa, aunque un tanto brusca, de autorizar a Veslovski para que montase su jaca a fin de hacerle aprender a galopar del pie derecho, todo en su persona emanaba un fluido seductor del que ella misma parecía estar consciente y cautivada.

Cuando se vieron solas, las dos mujeres pasaron un momento muy embarazoso. Ana se encontraba violenta bajo la mirada inquisitiva de Dolly, quien, por su parte, a raíz de la observación hecha por Sviajski, se sentía triste por haber hecho su aparición tan pobremente equipada. La misma confusión se apoderó del cochero y del tenedor de libros, pero en tanto que éste la disimulaba mostrándose solícito con las señoras, Felipe, que se había vuelto lúgubre de repente, no quiso de ninguna manera dejarse imponer por todo aquel relumbrón. Se contentó con dedicar una sonrisa irónica al trotador negro enganchado al landó.

«Un animal como ése podrá ser bueno para la *promenade*, pero nunca recorrerá cuarenta verstas en tiempo de calor», dijo para sus adentros a modo de consolación.

Entretanto, los segadores habían dejado su carro para contemplar la entrevista.

—Todos están contentos de volverse a ver —hizo notar el viejo.

—Fíjese en el garañón negro, padrecito Gerasimo. Una bestia como ésa es la que nos hacía falta para acarrear nuestras gavillas.

—Y eso que se ve ahí —dijo otro, indicando a Veslovski que se instalaba sobre una silla de montar femenina—, ¿es una mujer con pantalones?

—Seguro que no. No tienes más que ver cómo ha saltado a la grupa, lo bien que lo ha hecho.

—Y ahora, amigos, ¿qué os parece echar una siesta?, que ya va siendo hora.

—No está mal eso de descabezar un sueño —respondió el viejo, después de echar una mirada al sol—. Pero ya es más de mediodía. Recoged vuestras hoces y al avío.

18

El semblante de Dolly se veía surcado por unas arrugas en las que era fácil adivinar la huella dejada por el polvo del camino. Ana hubiera querido decirle que la encontraba mucho más delgada, pero le contuvo la admiración por su propia belleza que leyó en los ojos de su cuñada.

—¿Me estás examinando? —dijo—. Seguramente te preguntarás cómo yo, en mi situación, puedo parecer tan dichosa. Confieso que lo soy de una manera imperdonable. Lo que ha pasado por mí tiene su encanto. He salido de mis angustias como quien sale de una pesadilla. ¡Y qué despertar! Sobre todo, desde que nos hemos instalado en este lugar.

Interrogó a Dolly con mirada tímida.

—Me alegro mucho por ti —respondió ésta, sonriendo, pero en un tono más frío de lo que ella hubiera deseado—. ¿Cómo es que no me has escrito?

—No me he atrevido. Olvidas mi situación...

—¡Oh, si tú supieras cuánto...!

Iba a contarle sus reflexiones de la mañana, cuando le vino a la mente que no era un buen momento.

—Hablaremos de eso más tarde. ¿Qué es aquel conjunto de edificios? Se diría que es un verdadero pueblo —sugirió Dolly por cambiar de conversación, al mismo tiempo que señalaba los techos verdes y rojos que dominaban unos setos de lilas y acacias.

—Dime lo que piensas de mí —insistió Ana, sin responder a la pregunta.

—Pues pienso que...

En aquel momento pasó de largo Vassia Veslovski, a quien el trote de su cabalgadura hacía dar grandes sacudidas sobre la montura femenina de cuero agamuzado. Había conseguido enseñar a la jaca el galope del pie derecho.

—¡Esto marcha, Ana Arkadievna! —gritó, sin que ésta se dignase dirigirle una mirada.

Estaba visto que la calesa no era, precisamente, el sitio más adecuado para las confidencias, y Dolly prefirió resumir su pensamiento en pocas palabras.

—La verdad es que no pienso nada —repuso—. Te quiero como te he querido siempre. Cuando se quiere así a una persona, se la quiere tal como es, y no tal como desearíamos que fuese.

Ana desvió la mirada cerrando los ojos a medias (un gesto nuevo, desconocido para Dolly) como concentrándose, para meditar mejor sobre el sentido de aquellas palabras. Les dio una interpretación favorable y volvió a mirar a su cuñada, a la que dijo, bañada en lágrimas:

—Si tienes pecados en la conciencia, te serán perdonados en atención a tu visita y a esas palabras tan consoladoras.

Dolly le estrechó la mano.

—A todo esto, no me has dicho qué es lo que encierran esos edificios. ¡Cuántos hay, gran Dios! —comentó, tras unos instantes de silencio.

—Pues son las dependencias, los depósitos de sementales, las caballerizas. Ésta es la entrada del parque. Alexis siente mucho cariño por estas tierras, que estaban abandonadas, y con gran sorpresa por mi parte le ha entrado una enorme pasión por la agricultura. Además, un temperamento como el suyo, una naturaleza tan bien dotada, no sabría dedicarse a cosa alguna sin entregarse por completo. Y ahí le tienes, convertido en un excelente propietario, económico, casi avariento... Desde luego, sólo lo es para agricultura, porque por lo demás, gasta los rublos por millares y sin contar —añadió, con esa sonrisa maliciosa de los seres enamorados, que han descubierto en su amante alguna secreta debilidad—. ¿Ves aquel edificio tan grande? Es un hospital, su pasión del momento, que sin duda le va a costar más de cien mil rublos. ¿Sabes qué es lo que le ha inducido a construirlo? Pues un reproche de avaricia por mi parte, a propósito de una pradera que se negaba a ceder a los habitantes del pueblo, por un precio reducido. Lo dije en broma y puede haber otras razones, pero en fin, ese hospital vendrá a demostrar la injusticia de aquella observación mía. Es una pequeñez, si quieres, pero yo no dejo de quererle, cada vez más. Y ésta es la casa, que data de tiempos de su abuelo y en la que nada ha cambiado exteriormente.

—¡Es algo soberbio! —exclamó Dolly, a la vista de aquel grandioso edificio que desplegaba la columnata de su fachada sobre un fondo de árboles seculares.

—¿Verdad que sí? Y desde lo alto, la vista es espléndida.

La calesa rodaba sobre la gravilla del «patio de honor», adornado con un parterre en cuyo centro se alzaba un macizo de flores bordeado de piedras porosas. Pararon el coche bajo un peristilo cubierto.

—Ya han llegado los caballeros —dijo Ana, al ver que retiraban las cabalgaduras—. ¿Has visto que animal más precioso, mi jaca? Es un ejemplar inglés, mi favorito... Llévenlo y que le den su terrón de azúcar. ¿Y el conde? —preguntó a uno de los criados vestidos de librea, que salieron a recibirles—. ¡Ah, aquí están todos! —añadió al ver a Vronski y a Vassia, que acudían a su encuentro.

—Y ¿dónde alojaremos a la princesa? —preguntó Vronski en francés.

Sin esperar la respuesta de Ana, presentó de nuevo sus respetos a Daría Alexandrovna, besándole la mano otra vez.

—¿Qué te parece la habitación grande del balcón?

—¡Oh, no! Es demasiado lejos. En el cuarto que hace esquina. Así estaremos más cerca una de otra. Bueno, vamos —prosiguió Ana, después de haber obsequiado con azúcar a su favorito—. *Vous oubliez votre devoir* —agregó, dirigiéndose a Vronski.

—Perdón, tengo los bolsillos llenos de azúcar —repuso Vronski, también en francés, hurgando en el bolsillo del chaleco.

—Demasiado tarde —replicó ella, mientras se secaba la mano, humedecida por los belfos del caballo, cuando le daba el azúcar. Después, volviéndose a Dolly, agregó—: espero que te quedarás algún tiempo con nosotros... ¡Cómo! ¿Un día nada más? ¡No es posible!

—Es que he prometido no tardar, por los niños —respondió Dolly, confusa por la mezquina apariencia de su equipaje y por el polvo de que se sentía cubierta.

—No, no, querida mía, es imposible... En fin, ya hablaremos. Ahora vamos a subir a tu cuarto.

La habitación, que le ofrecieron con excusas de no ser el aposento de honor, estaba amueblada con un lujo que recordó a Dolly los mejores hoteles del extranjero.

—¡Qué contenta estoy de verte aquí, querida amiga! —repitió Ana una vez más, sentándose al lado de su cuñada—. Háblame de tus hijas. Stiva no ha estado aquí más que de paso, y no es el hombre indicado para hablar de temas semejantes. ¿Qué ha sido de Tania, la preferida por mí? Debe de ser ya una mujercita.

—¡Oh, sí! —exclamó Dolly sorprendida de hablar tan lacónicamente de sus hijos—. Estamos en casa de los Levin y muy contentos de hallarnos allí.

—Si yo hubiera sabido que no me despreciabas, os habría invitado a todos a venir. Stiva es un viejo amigo de Alexis —recordó Ana, sonrojándose.

—Sí, pero allí estamos muy bien —insistió Dolly, toda confusa.

—La alegría de verte me hace desvariar —dijo Ana, abrazándola una vez más—. Pero prométeme ser franca conmigo, no ocultarme nada de lo que pienses de mí. Mi vida te la voy a revelar sinceramente. No te imagines, sobre todo, que pretendo justificar mi conducta, sea cual fuere. No aspiro más que a vivir..., vivir sin hacer daño a nadie como no sea a mí misma, cosa que al fin y al cabo me está permitido. Pero ya hablaremos de todo eso a nuestras anchas. Ahora voy a mudarme y a enviarte la doncella.

19

Una vez sola, Daría Alexandrovna examinó su cuarto como una mujer que conoce bien el valor de las cosas. Jamás había visto un lujo comparable al que se ofrecía ante sus ojos después de su encuentro con Ana. A lo sumo, estaba enterada de que un confort semejante empezaba a extenderse en Europa, por lo que había leído en las novelas inglesas. Pero en Rusia, aquello no se veía en ninguna parte, y menos en el campo. El tapizado de las paredes, la alfombra que cubría toda la pieza, el lecho de somier elástico, la colcha y las fundas de seda, el tocador con mesa de mármol, el reloj de bronce sobre la chimenea, el diván, los almohadones, las cortinas, las mamparas, todo era nuevo y elegante, a la última moda.

A la última moda también venía vestida y peinada la flamante doncella que se presentó a ofrecerle sus servicios, mucho mejor arreglada que la pobre princesa. Aunque conquistada por la gracia natural y el deseo de complacer de aquella encantadora joven, Dolly se sintió abochornada al sacar delante de ella, de su maletín de viaje, una camisa de dormir remendada que se había traído por error. En su casa utilizaba sin ningún reparo aquellas piezas remendadas y aquellos zurcidos, que representaba una notable economía. Seis camisolas suponían veinticuatro o veinticinco metros de mahón, a sesenta y cinco kopeks, o sea más de quince rublos, sin contar los adornos y la confección. ¡Pero allí, delante de esa doncella...!

Experimentó, en cambio, un gran alivio, al ver entrar a Annuchka, a quien conocía de hacía mucho tiempo, y que pasó a ocupar el puesto de la joven, reclamada por su señora. Annuchka parecía entusiasmada por la llegada de la princesa, y muy anhelosa de confiarle su punto de vista sobre la situación de su querida señora, y de un modo especial, sobre el gran afecto, la perfecta adhesión que el conde le demostraba. Pero Daría Alexandrovna cortaba secamente toda tentativa de conversación.

—Yo he sido educada por Ana Arkadievna y la quiero más que a nadie en el mundo. No somos quiénes para juzgarla. Y ella parece quererle tanto...

—Vamos a ver. Usted procurará que me laven todo esto si es posible, ¿verdad? —interrumpió Dolly.

—Desde luego, no tenga cuidado. Tenemos dos lavanderas y toda la ropa se lava a máquina. El conde se ocupa personalmente hasta de las cosas más pequeñas. Un hombre como éste, para marido, ya ve usted...

La entrada de Ana puso fin a estas expansiones. Se había puesto un vestido de batista muy sencillo, pero que Dolly examinaba con atención, pues bien sabía el precio a que se pagaba aquella elegante simplicidad.

—Aquí estás entre antiguos conocidos —dijo Ana, señalando a su sirvienta.

Por la manera como fueron pronunciadas estas palabras, Dolly comprendió que su cuñada, habiendo recobrado el dominio de sí misma, se atrincheraba detrás de un tono tranquilo e indiferente.

—¿Cómo va tu hijita? —le preguntó.

—¿Annie? Muy bien. ¿Quieres verla? Te la voy a enseñar. Hemos estado un poco preocupados con su nodriza italiana, buena mujer, pero más torpe... Como la niña le tiene tanto apego, no ha habido más remedio que conservarla.

—Pero ¿cómo os las habéis arreglado para... —comenzó a decir Dolly, curiosa por el apellido que llevaba la niña. Pero al ver ensombrecerse el rostro de Ana, cambió el sentido de la pregunta—: para quitarle el pecho?

—Eso no era lo que querías decir —advirtió Ana, que había captado la reticencia de su cuñada—. Tú pensabas en el apellido de la niña, ¿verdad? El tormento de Alexis es que ella lleva el apellido de Karenin...

Entornó los ojos; los párpados se le quedaron inmóviles, pero pronto sus facciones recobraron la expresión habitual.

—Ya trataremos de eso. Ven, que te la voy a enseñar. ¡Es tan linda! Ya empieza a andar a gatas.

El confort de la «nursery», una gran habitación alta de techo y con mucha claridad, sorprendió a Dolly, tal vez más que el lujo de las otras estancias. Los cochecitos, la bañera, los columpios, el mueble en forma de mesa de billar donde la pequeña podía gatear a su gusto, todo era de fabricación inglesa, sólido y de coste elevado.

La niña, en camisita de dormir, sentada en un butacón, y asistida por una sirvienta rusa —que probablemente compartía su condumio— se estaba tomando un caldo, del que estaba mojado su pequeño lecho. Ni la institutriz ni la nodriza estaban presentes, pero en la habitación vecina se oían frases chapurreadas en francés, idioma en el que mejor o peor se entendían ambas mujeres.

En el instante que oyó la voz de Ana, la institutriz inglesa acudió presurosa deshaciéndose en excusas, a pesar de que nadie le había llamado la atención. Era una mujer de alta estatura, líneas armoniosas y bucles dorados, cuya mirada maliciosa desagradó a Dolly. A cada palabra de Ana repetía: «*Yes, milady*».

En cuanto a la pequeña, una chiquilla robusta, de cejas y pelo negros, cuerpo menudo y sonrosado, y piel delicada, a pesar de la mirada severa con que acogió a aquella desconocida, hizo en seguida la conquista de Daría Alexandrovna. Al ponerla sobre la alfombra, se puso a gatear como un animalito, con la ropa recogida por detrás y con sus bellos ojos clavados en las espectadoras, a las que contemplaba con aire satisfecho, cual si quisiera demostrarles que era sensible a su admiración. Con ademán enérgico, avanzaba ayudándose de las manos, de los pies y de las rodillas.

Dolly hubo de reconocer que ninguno de sus hijos había gateado tan bien, ni mostrado tan buena fisonomía.

Pero el ambiente de la *nursery* tenía algo que resultaba molesto. ¿Cómo era posible que Ana tuviera a su servicio un ama tan antipática, tan poco «respetable»? Sin duda porque ninguna persona digna de respeto habría transigido con entrar a servir en casa de una familia tan irregular. Por otra parte, Dolly creyó observar que Ana era casi una extraña en aquel medio: no pudo encontrar un juguete que quería darle a la niña y, cosa todavía más rara, ignoraba hasta el número de sus dientes.

—Yo me encuentro aquí como un ser inútil y eso me causa mucha pena —manifestó Ana, levantando la cola de su vestido para no arrastrar ningún juguete—. ¡Qué diferencia con el mayor!

—Yo habría creído, al contrario.... —insinuó Dolly, tímidamente.

—¡Oh, no!... Ya sabrás que he vuelto a verle, a mi pequeño Sergio —dijo Ana, entornando los ojos como si concentrara la vista en un punto lejano—. Pero ya hablaremos de eso más adelante. Yo me siento como una criatura desfallecida de hambre que, colocada ante la mesa de un festín, no sabe por dónde comenzar. Tú eres ese festín para mí. ¿Con quién, sino contigo, podría hablar yo con el corazón en la mano? Así pues, no te ocultaré nada... Pero déjame, ante todo, darte una impresión de conjunto de la sociedad que aquí encontrarás. En primer lugar, la princesa Bárbara. Conozco tu opinión sobre su táctica. Sé también que de creer a Stiva, no piensa más que en demostrar su superioridad sobre nuestra tía Catalina Pavlovna. Pero tiene algo de bueno, te lo aseguro, y yo le estoy muy agradecida. Ha sido un gran recurso para mí en San Petersburgo, donde estaba muy necesitada de un rodrigón... No puedes imaginarte lo penosa que resulta mi situación... al menos allí, porque aquí me siento totalmente tranquila y feliz... Pero volvamos a nuestros huéspedes. Ya conoces a Sviajski, el comisario del distrito, hombre bien situado que parece tener necesidad de Alexis, porque ya sabes que con su fortuna, Alexis puede adquirir una gran influencia si vivimos en el campo... A continuación, Tuchkevich, hombre de mundo que dedica sus cuidados a Betsy, o mejor dicho, que se los dedicaba, porque ya ha cesado, con su beneplácito. Como dice Alexis, es un hombre muy aceptable, si se le toma por la clase de persona que quiere aparentar; *il est comme il faut*, afirma la princesa Bárbara... Y por último, Veslovski, que también conoces. Un buen chico. Nos ha contado una historia inverosímil de los Levin —añadió con una sonrisa irónica en los labios—. Tengo que adaptarme a toda esta sociedad, porque los hombres necesitan distracción, y a Alexis le hace falta algún público para que no tenga tiempo de pensar en otra cosa... Tenemos también al administrador, un alemán, persona formal que conoce a fondo su cometido, y del que Alexis hace mucho caso; el arquitecto; el médico, hombre joven y muy instruido, que no es precisamente nihilista, pero, en fin, que sabe comer con su cuchillo... *Bref, une petite cour*.

20

—Bueno, ya la tienes aquí, a esta Dolly que tanto deseabas ver —dijo Ana a la princesa Bárbara, que, instalada en la terraza, bordaba con la habilidad de una profesional un pañito para el respaldo del sillón, destinado al conde Alexis Kirilovich—. No quiere tomar nada antes de comer, pero haz que le sirvan alguna cosa de todas maneras, y mientras tanto iré a buscar a Alexis y a todos esos señores.

La princesa dispensó a Dolly una acogida amistosa, con aire li-

geramente protector. Lo primero que hizo fue explicarle por qué se
había instalado en casa de Ana. La razón era que habiendo sentido
por ella más cariño que su hermana Catalina Pavlovna, juzgaba un
deber ir en su ayuda durante aquel período transitorio, tan doloroso, tan atroz.

—Tan pronto como su marido haya consentido en el divorcio,
me retiraré a mi soledad; pero actualmente, por penoso que sea, me
quedo aquí y me guardaré muy bien de imitar a otras personas. Tú
has hecho bien en venir. Ya ves que hacen una pareja perfecta. Es a
Dios, y no a nosotros, a quien corresponde juzgarles. Biriouzovski y
la señora Aveniev, Vassiliev y la señora Mamonov, el mismo Nikan-
drov Lisa Neptounov... Todo el mundo ha acabado recibiéndoles...
Y después, en un hogar tan acogedor... Todo en él a la inglesa. Se
reúnen a la hora del almuerzo y luego cada uno por su lado. Cada
cual hace lo que quiere. Se come a las siete. Stiva ha hecho bien
mandándote aquí. El conde es persona muy influyente por parte de
su madre y su hermano. Y después, es muy generoso. ¿No te ha hablado de su hospital? Va a ser algo admirable; todo viene de París.

La conversación fue interrumpida por Ana, que volvía a la terraza seguida por los caballeros, a los que había encontrado en el salón
de billar. Faltaban aún dos horas para la comida; el tiempo era soberbio, las distracciones numerosas y de un género totalmente distinto al de Prokovskoie.

—¿Una partida de *lawn-tennis*? —propuso Veslovski, luciendo
su bella sonrisa—. ¿Quiere usted ser de nuevo mi compañera, Ana
Arkadievna?

—Hace demasiado calor —objetó Vronski—. Mejor es que demos una vuelta por el parque, e invitemos a Daría Alexandrovna a
pasear en barca para enseñarle el paisaje.

—Yo no tengo ninguna preferencia —dijo Sviajski.

—Pues bien —concluyó Ana—, primero el paseo y en seguida
la barca. ¿Te parece bien, Dolly?

Veslovski y Tuchkevich se fueron a preparar la barca mientras
que las dos señoras, Ana acompañada por Sviajski y Dolly por el
conde, caminaban por las alamedas del parque.

Decididamente, Dolly no se encontraba todo lo a gusto que ella
quisiera. En teoría, lejos de tirarle la piedra a Ana estaba siempre
dispuesta a aprobar su conducta. Y como suele suceder en esas mujeres irreprochables que alguna vez tienen un fallo en su vida moral,
había llegado hasta a envidiar un poco aquella existencia culpable,
pero vista con una perspectiva lejana. Ahora bien, una vez en con-

tacto con aquel ambiente desconocido, con aquella elegancia tan refinada, con aquel modo de vivir que le era totalmente ajeno, experimentaba un verdadero malestar. Además, excusando siempre a Ana, a la que quería sinceramente, le ofendía la presencia del hombre que la había apartado de sus deberes, y encontraba odioso el proceder de la princesa Bárbara, su *chaperonnage*, pasándolo todo por alto con tal de compartir el lujo en que vivía su sobrina. Vronski jamás le había parecido simpático. Le creía orgulloso, y para justificar su orgullo no le veía otra razón que la riqueza. Allí, en su casa, le imponía más que de ordinario, y al andar a su lado experimentaba la misma turbación que en presencia de la flamante camarera. Le repugnaba hacerle triviales cumplidos por la magnificencia de su instalación, pero no hallando otra cosa mejor que decirle ponderó la buena marcha de la casa y sus dependencias.

—Sí —respondió el conde—. Es un viejo caserón que conserva el buen estilo de antaño.

—El patio de honor me ha gustado mucho. Y dígame, ¿los ornamentos son de la misma antigüedad?

—¡Oh, no! ¡Si usted lo hubiera visto esta primavera!...

Y dejándose llevar por su entusiasmo, fue explicando a Dolly, poco a poco, los embellecimientos de los que había sido autor. Se le veía feliz de poder extenderse sobre un tema que le llegaba al corazón. Los elogios de su interlocutora le causaron visible placer.

—Si no está usted cansada, podremos ir hasta el hospital —dijo, mirando a Dolly, para cerciorarse de que aquella proposición no la molestaba—. ¿Quieres acompañarnos, Ana?

—Vamos con ellos, ¿verdad? —propuso Ana, volviéndose a Sviajski—. Pero no está bien dejar a Tuchkevich y al pobre Veslovski consumiéndose de impaciencia en la barca. Vamos a prevenirles... Es un monumento que levanta a su propia gloria —comentó, dirigiéndose a Dolly, con la misma sonrisa que ya había esbozado para hablarle de aquel hospital.

—Sí, es una fundación capital —aprobó Sviajski. Y en seguida, para no dar la apariencia de un adulador, añadió—: pero hay una cosa que me sorprende, conde, y es que usted se preocupa únicamente de la salud del pueblo, pero nada absolutamente de su instrucción.

—¡Bah, es una cosa tan vulgar eso de las escuelas! —respondió Vronski—. Y como ya he ido demasiado lejos en esto... Por aquí, si gusta... —dijo, indicando a Dolly una alameda lateral.

Las señoras abrieron sus sombrillas. A la salida del parque, sobre un altozano, se erguía la armazón de un gran edificio construido con ladrillos rojos, de arquitectura un tanto complicada. El techo, de hoja de hierro batido, no estaba pintado todavía por falta de tiempo, y brillaba al sol. No lejos de aquel sitio se estaba edificando una casa, rodeada todavía de andamios. Unos albañiles, cubiertos de amplios mandiles, extendían sobre el enladrillado una capa de mortero, que igualaban por medio de un cartabón.

—¡Con qué rapidez avanza la obra! —exclamó Sviajski—. La última vez que vine, aún no habían colocado el techo.

—Esto estará terminado en el otoño, porque el interior está casi concluido —dijo Ana.

—¿Y qué es esta nueva construcción?

—Un alojamiento para el médico y una farmacia —respondió Vronski.

Habiendo divisado un individuo vestido de paletó corto, que avanzaba a su encuentro, acudió a reunirse con él. Puso especial cuidado en apartarse de la fosa donde estaba depositada la cal viva. El individuo en cuestión era el arquitecto, con quien se puso a discutir.

—¿Qué ocurre? —preguntó Ana.

—El frontispicio no acaba de alcanzar la altura deseada.

—Había que elevar los cimientos, como ya había dicho.

—En efecto, Ana Arkadievna, hubiera sido preferible —aprobó el arquitecto—, pero en eso ya no cabe ni pensar siquiera.

Como Sviajski se mostrara sorprendido por los conocimientos de Ana en materia de arquitectura, ella respondió:

—Pues sí, es una cosa que me interesa mucho. El nuevo edificio debe armonizar con el hospital. Por desgracia, se ha comenzado a construir demasiado tarde y sin plan.

Tan pronto hubo Vronski terminado con el arquitecto invitó a los demás a pasar al hospital. La cornisa exterior no había recibido aún sus ornamentos; se estaba pintando el piso bajo, pero el primero apenas si estaba acabado. Se subía a él por una gran escalera metálica; inmensos ventanales derramaban su claridad sobre hermosas habitaciones, cuyas paredes estaban cubiertas de estuco; se iban colocando los últimos listones en el maderamen del suelo. Los carpinteros que los cepillaban saludaron a tan «distinguidos señores», levantando un poco las tiras de cuero que les sujetaban los cabellos.

—Éste es el cuarto de recibir —explicó Vronski—. Por todo mobiliario no tendrá más que un pupitre, una mesa y un armario.

—Por aquí, si gustan; no se acerquen a la ventana —dijo Ana, tocando el marco con un dedo—. Alexis —añadió—: ya está seca la pintura.

Pasaron al corredor, donde Vronski explicó el nuevo sistema de ventilación. Recorrieron todos los departamentos, el lavadero, el economato. Admiraron las camas con somier, las bañeras de mármol, las estufas de último modelo, las carretillas, con su mecanismo silencioso, perfeccionado. Sviajski apreciaba todo como persona entendida en la materia. Dolly no ocultaba su admirativa sorpresa, formulando numerosas preguntas que parecían encantar a Vronski.

—Éste va a ser, creo, el hospital mejor instalado de Rusia —declaró Sviajski.

—¿No montarán ustedes una sala de partos? —inquirió Dolly—. Es una cosa tan necesaria en nuestros campos... Lo he observado con frecuencia.

—No —replicó Vronski—. Esto no es una Maternidad sino un hospital donde se atenderán todas las enfermedades, salvo las contagiosas... Ahora, fíjese en esto —agregó, indicando a Dolly una silla de ruedas, en la que se instaló y que puso en marcha—: si un enfermo está débil de las piernas y no puede caminar para ir a tomar el aire que necesita, se le coloca aquí... y en marcha.

Dolly se interesaba por todo, y más todavía por el mismo Vronski, cuya animación sincera y natural le estaba conquistando. Sus prevenciones fueron por tierra.

«Es un muchacho encantador», se repetía, escrutando la fisonomía del joven. Entonces comprendió el amor que había inspirado a Ana.

21

Al salir del hospital, Ana propuso enseñar a Dolly el depósito de sementales, en el que Sviajski tenía interés por ver un ejemplar.

—La princesa tiene que estar cansada, y los caballos no son tema que le interese —objetó Vronski—. En cuanto a mí, acompañaré a la princesa a nuestra casa y, si me lo permite usted —añadió, dirigiéndose a Dolly—, charlaremos un poco durante el camino.

—Con mucho gusto, porque yo no entiendo nada de caballos —respondió la princesa Oblonski, un poco sorprendida.

Una mirada de soslayo al conde le bastó para sospechar que éste quería pedirle algún servicio. Efectivamente, una vez que se hubieron internado en el parque, y Vronski tuvo la seguridad de que Ana no les podía ver ni escuchar, dijo mirando a Dolly con ojos sonrientes:

—Usted habrá adivinado que yo deseaba hablarle de algo en particular, ¿no es cierto? Yo sé que usted es una amiga sincera de Ana.

Se quitó el sombrero para enjugar el sudor del cráneo, amenazado por la calvicie.

Dolly no le respondió más que con una mirada inquieta. El contraste entre la sonrisa del conde y la severa expresión de su rostro le había causado miedo. ¿Qué iba a pedirle? ¿Que se instalase en aquella casa con sus hijos? ¿Que buscase un círculo de amistades para cuando Ana fuese a Moscú? ¿O quizá quejarse de la actitud de Ana hacia Veslovski? ¿O acaso excusarse de su propia conducta con Kitty?... Ella se atenía a lo peor... y nada en absoluto a lo que le fue dado escuchar.

—Ana la quiere a usted mucho —continuó el conde—. Necesito valerme de la influencia que ejerce usted sobre ella.

Dolly interrogó con una ojeada tímida el semblante enérgico de Vronski, sobre el que temblaba a cada instante un rayo de sol, filtrado entre las ramas de los tilos. Hubo una pausa silenciosa.

—Si de todas las amigas de Ana —prosiguió él, al cabo de un momento— es usted la única que ha venido a verla (no cuento entre ellas a la princesa Bárbara), no es precisamente porque nuestra situación le parezca normal. Es porque usted quiere a Ana lo bastante para ir a buscarla, y ver la forma de hacerle más soportable su situación. ¿Tengo razón? —preguntó, escrutando las facciones de Dolly.

—Sí —respondió ésta, cerrando la sombrilla—, pero...

—No hay quien se resienta más que yo de la dolorosa situación de Ana —interrumpió Vronski, que, deteniéndose, obligó a Dolly a hacer lo mismo—. Y usted lo comprenderá más fácilmente si me hace el honor de creer lo que le digo. A mí no me falta corazón. Habiendo causado yo semejante estado de cosas, soy el más afectado por él.

—Desde luego —asintió Dolly, impresionada por la sinceridad con que acababa de hacerle esta confesión—. Pero ¿no le parece a usted que ve las cosas a través de un prisma demasiado oscuro? Puede suceder que en el mundo...

—¡En el mundo, en ese infierno! —prorrumpió él, en tono sombrío—. No puede darse usted una idea de las torturas morales que Ana ha sufrido en San Petersburgo, durante los quince días que hemos tenido que pasar allí.

—¿Y aquí, en cambio? Al fin y al cabo, ni ella ni usted sienten la necesidad de una vida mundana...

—¡Ah, desde luego! ¿Qué me importa a mí el mundo?

—Pasarán fácilmente sin él mientras conozcan la dicha y la tranquilidad. A juzgar por lo que Ana ha tenido tiempo de decirme, ella se siente perfectamente feliz.

Al hablar así se le ocurrió pensar a Dolly si la felicidad de Ana era verdaderamente una felicidad sin nubes. Vronski no parecía dudar de ello.

—Sí, sí —dijo—. Ha olvidado sus sufrimientos, se siente dichosa porque vive en el presente. Pero ¿y yo? Tengo miedo del porvenir... ¡Ah, perdone, quizás esté usted cansada!

Dolly se sentó en un banco, al final de una alameda. Él permaneció en pie, delante de ella.

—Yo la veo dichosa —insistió, confirmando con su insistencia las sospechas de Dolly—. Sin embargo, la vida que llevamos no se puede prolongar. Si hemos obrado bien o mal, no lo sé pero la suerte ya está echada. Estamos ligados para toda la vida —continuó, cambiando el ruso por el francés—. Nuestro amor ha dado ya un fruto sagrado, y aún es posible que nos vengan más hijos. Pero nuestra situación actual entraña mil complicaciones que Ana no puede ni quiere prever, porque, después de haber sufrido tanto tiene necesidad de algún respiro. Eso es lógico y natural. Mas yo, pobre de mí, veo esas complicaciones y no puedo evitarlo. Legalmente, mi hija no es hija mía, sino de Karenin. ¡Este absurdo es lo que a mí me subleva! —exclamó con gesto enérgico, escrutando a Dolly.

Como ésta le escuchaba en silencio, prosiguió:

—Figúrese que mañana me nace un hijo. Siempre será un Karenin, no heredará ni mi nombre ni mi fortuna. Podremos ser todo lo felices que se quiera, pero no habrá ningún vínculo legal entre mis hijos y yo. ¡Siempre serán Karenin! ¿Comprende usted lo odioso que me resulta este pensamiento? Pues bien, he intentado decirle unas palabras a Ana sobre esto. No quiere oírme. Se irrita y no puedo decírselo todo, como es natural.

»Pero vamos a enfocar las cosas desde otro ángulo. Si el amor de Ana es más que suficiente para hacerme feliz, no por eso voy a dejar llenar mi vida con alguna ocupación, cualquiera que sea. Pues bien, aquí he encontrado un objetivo para mis actividades del que me siento orgulloso, y que encuentro superior a los que persiguen mis antiguos compañeros de la Corte y del Ejército, por quienes no siento la menor envidia. ¡Tener algo en que ocuparse, estar satisfecho! Ésa es la primera condición de la felicidad. Sí, a mí me gusta esta clase de actividad. No es matar el tiempo sino todo lo contrario...

Se había hecho un embrollo, Dolly lo había notado; y aunque no acababa de comprender adónde iría a parar, intuyó que aquella digresión pertenecía a los pensamientos íntimos que no osaba revelar a Ana. Resuelto a tomar a Dolly por confidente, descargaba en ella el peso de sus interioridades.

—Quería decir —continuó, reanudando el hilo de sus ideas— que para dedicarse enteramente a una obra, hay que estar seguro de que esa obra no perecerá con nosotros. Ahora bien, ¡yo no puedo tener herederos! ¿Concibe usted los sentimientos de un hombre que sabe que sus hijos, y los de la mujer que adora, no le pertenecen, que tienen por padre a alguien que les odia y no querrá jamás conocerlos? ¿No le parece espantoso?

Callóse, presa de una viva emoción.

—Le comprendo —murmuró Daría Alexandrovna—. Pero ¿qué puede hacer Ana?

—Ha tocado usted el tema principal de nuestra conversación —dijo el conde, esforzándose en recuperar la calma—. Todo depende de Ana. Hasta para someter al emperador una solicitud de adopción, lo primero que se necesita es una sentencia firme de divorcio. Ana puede obtenerla. Su marido, señora, había hecho consentir en ello al señor Karenin, y yo sé que éste no se opondría. Ahora mismo aceptaría, si Ana se decidiese a escribirle. Esta condición es, evidentemente, una de esas crueldades farisaicas de las que sólo son capaces los seres sin corazón, ya que él ignora la tortura que impone. Pero ante razones tan graves, hay que pasar por alto todas esas sutilezas, porque en ello va envuelto el destino feliz de Ana y de sus hijos. No hablo ya de mí, por más que sufro, y sufro mucho...

Se traslucía en su voz una actitud amenazadora, sin que pudiera precisarse contra qué ni contra quién.

—Y he aquí por qué —concluyó diciendo— tengo que acercarme a usted, princesa, como a una áncora de salvación. Le suplico que haga lo posible por persuadirla, para que escriba a su marido y pida el divorcio.

—Con mucho gusto —contestó Dolly sin mucha convicción, pues recordaba su última entrevista con Alexis Alexandrovich—. Sí, con muchísimo gusto —afirmó en un tono más firme pensando en Ana.

—Confío en usted, porque no tengo valor para abordar este asunto con Ana.

—Entendido, pero ¿cómo es que ella no piensa en estas cosas de por sí?

Entonces le pareció ver una relación entre las preocupaciones de Ana y aquella manera suya de entornar los ojos que se había convertido en un hábito. «Diríase —pensó Dolly— que lo que quiere es apartar ciertas cosas de su campo visual.»

—Sí —repitió en voz alta, respondiendo a la mirada de reconocimiento de Vronski—, le prometo que hablaré con ella.

Y reemprendieron el camino de la casa.

22

Cuando Ana regresó a la mansión, intentó leer en los ojos de Dolly lo que habían hablado ella y Vronski, pero no le hizo ninguna pregunta.

—Van a servir la comida y apenas nos hemos visto —dijo—. Confío en que podremos reunirnos esta noche. Ahora hay que cambiar de *toilette*, porque nos hemos empolvado durante nuestra visita al hospital.

A Dolly le pareció una broma aquella observación. ¡No había traído más que un vestido! No obstante, para operar una transformación en su indumentaria, colocó una mantilla de encaje sobre sus cabellos, cambió el lazo y los puños de su corpiño, y se cepilló bien.

—Es todo lo que he podido hacer —confesó riendo cuando Ana vino a buscarla, después de haberse puesto el tercer traje, tan «sencillo» como los precedentes.

—Es que aquí somos muy amantes de la etiqueta —advirtió Ana para excusar su elegancia—. Alexis está entusiasmado con tu llegada; raras veces le he visto tan contento. ¡Debe de estar prendado de ti...! Espero que no estarás cansada.

En el salón se reunieron con la princesa Bárbara y los caballeros, estos últimos vestidos de levita; el arquitecto también había cambiado de traje. Vronski presentó a Daría Alexandrovna al médico y al administrador.

Un obeso *maître d'hotel*, cuya cara redonda y afeitada brillaba al unísono con su corbata blanca almidonada, vino a anunciar que «la mesa estaba servida». Vronski pidió a Sviajski que ofreciese su brazo a Ana, mientras que él tendía el suyo a Dolly. Veslovski se apresuró a acercarse a la princesa Bárbara, adelantándose a Tuchkevich, a quien no quedó más remedio que cerrar la marcha en compañía del médico, del arquitecto y del administrador.

El comedor, el servicio, el menú, los vinos, todo superaba en suntuosidad lo que Dolly había visto en el transcurso de la jornada. Ciertamente, no abrigaba ninguna esperanza de introducir semejantes lujos en su modesta mansión; pero no por eso dejaba de interesarse en todos los detalles y se preguntaba quién habría supervisado los preparativos. A los jefes de familia de la buena sociedad les gusta insinuar que todo se hace en su casa casi automáticamente. Esta inocente coquetería podía surtir efecto en algunas de sus amistades —Veslovski, su marido, el mismo Sviajski—, pero no en una administradora que conoce bien su oficio, como era Daría Alexandrovna. Si las cosas más insignificantes, como el caldo de los niños, por ejemplo, necesitaban en su casa cierto cuidado, un tren de vida tan complicado como aquél exigía, con mayor motivo, la presencia de una mente directriz. Y esta mente no podía ser más que la del conde. Dolly lo comprendió por la mirada con que abarcó la mesa, la señal que hizo con la cabeza al *maître d'hotel*, la manera como le ofreció a escoger entre un consomé y un potaje frío con pescado. Ana se contentaba con disfrutar, como los invitados, de las delicias de la mesa. En cambio, se había reservado el papel de dirigir la conversación, tarea difícil cuando se tienen convidados pertenecientes a esferas distintas, que ella supo desempeñar con su tacto habitual; y hasta le pareció a Dolly que experimentaba en ello cierto placer.

A propósito del paseo en barca que había hecho en compañía de Veslovski, Tuchkevich quiso extenderse sobre las últimas regatas del Yacht-Club, pero Ana aprovechó una pausa para hacer hablar al arquitecto.

—Nuestro amigo Nicolás Ivanovich encuentra muy avanzados los trabajos en el nuevo edificio, después de su última visita Yo misma estoy sorprendida de tanta rapidez.

—Las cosas que no son de palacio, no van despacio —respondió sonriente el arquitecto, personaje flemático en el que se juntaban la deferencia y la dignidad—. Más vale habérselas con un particular cualquiera que con las autoridades del distrito. Con ellas, habría tenido que gastar en informes una tonelada de papel, pero aquí, con tres frases nos hemos puesto de acuerdo.

—Estilo americano, ¿verdad? —insinuó Sviajski.

—Sí. Es que verdaderamente saben construir en Estados Unidos.

—Los abusos del poder son también frecuentes allí...

En seguida, Ana hizo cambiar el tema de la conversación. Se trataba ahora de hacer hablar al administrador.

—¿Conoces las nuevas máquinas de segar? —preguntó a Dolly—. Veníamos de ver funcionar la nuestra cuando te encontramos. No conocía aún este invento.

—¿Y cómo funcionan? —preguntó Dolly.

—Exactamente igual que unas tijeras. Es como una simple plancha con muchas tijeritas. Espera, vas a ver.

Con sus manos blancas, cubiertas de sortijas, Ana cogió su cuchillo y su tenedor, y se puso a hacer una demostración que nadie pareció comprender; ella se dio cuenta, pero no por eso la interrumpió, pues sabía que sus manos eran bonitas y su voz agradable.

—Eso parecen más bien cortaplumas —opinó con sorna Veslovski, que no apartaba los ojos de ella.

Ana esbozó una sonrisa, pero no contestó nada.

—¿Verdad, Carl Feodorovich, que esto es como unas tijeras? —preguntó al administrador.

—*O ja* —respondió en alemán—. *Es ist ein ganz einfaches Ding.* (Sí, es una cosa de lo más simple.)

Y se puso a explicar el dispositivo de la máquina.

—Lástima que no sea más que una segadora —hizo notar Sviajski—. En la exposición de Viena he visto máquinas que son también agavilladoras. Eso lo encuentro más ventajoso.

—*Es kommt drauf an... Der Preis vom Draht muss ausgerechnet werden... Das lässt sich ausrechnen, Erlaucht.* (Eso depende... El precio del alambre es un factor digno de tener en cuenta... Es fácil de calcular, excelencia) —expuso el alemán en un arranque de inspiración, dirigiéndose a Vronski.

Iba a sacar su lápiz y su bloc del bolsillo, cuando una mirada algo fría que le lanzó Vronski le recordó que estaba en la mesa, y dijo a guisa de conclusión:

—*Zu complicirt, macht zu viel Khlopot.* (Demasiado complicado. Esto causa muchos quebraderos de cabeza.)

—*Wünscht man Dochods, so hat man auch Khlopots.* (Cuando se quieren aumentar los ingresos, hay que soportar esos quebraderos) —insinuó Vassia Veslovski por llevar la contraria al administrador—. *J'adore l'allemand* —añadió mirando en dirección a Ana.

—Acabe usted —dijo ésta medio en broma, medio en serio—. Creíamos —manifestó al médico, individuo de aspecto achacoso— que le íbamos a encontrar a usted en el campo, Vassili Semionovich, ¿no estaba usted allí?

—Sí, por cierto, pero me he volatilizado —respondió en un tono que pretendía ser festivo, pero que sonó a lúgubre.

—En una palabra, que ha hecho usted un ejercicio excesivo.

—Exactamente.

—¿Y cómo va su anciana enferma? Confío que no tendrá la fiebre tifoidea.

—Eso precisamente no, pero el caso es que no ha mejorado nada en absoluto.

—¡La pobre...!

Después de esta concesión a las exigencias sociales, Ana se volvió a las gentes de su mundo.

—Hablando con franqueza, Ana Arkadievna —le dijo Sviajski riendo—, no sería cosa fácil hacer una máquina siguiendo sus explicaciones.

—¿Lo cree usted? —replicó ella, subrayando con una sonrisa que su demostración había tenido un aspecto encantador, del que Sviajski se había apercibido pronto y bien.

Aquel nuevo rasgo de coquetería sorprendió a Dolly.

—Pero en cambio —declaró Tuchkevich—, Ana Arkadievna posee unos conocimientos de arquitectura verdaderamente asombrosos.

—¡Y tanto! —exclamó Veslovski—. Ya la oí hablar ayer de plintos y frontispicios.

—¿Qué quiere usted cuando una oye pronunciar esas palabras todos los días? Y usted, ¿sabe al menos con qué materiales se levanta una casa?

Dolly observó que, al reprobar el tono bromista con que le hablaba Veslovski, Ana había adoptado la táctica de emplearlo a su vez.

Al contrario de Levin, Vronski no daba ninguna importancia a las peroraciones de Vassia; lejos de irritarse con sus bromas, le estimulaba a seguirlas.

—Vamos a ver, Veslovski, díganos cómo se colocan las piedras de un edificio.

—Con cemento.

—¡Bravo! Pero ¿qué es el cemento?

—Una especie de gachas... o mejor dicho, de masilla —respondió Velovski, provocando la hilaridad general.

A excepción del médico, del arquitecto y del administrador, que guardaban un silencio fúnebre, los convidados departieron animadamente en el curso de la comida, pasando de un tema a otro, deslizándose sobre éste, insistiendo sobre aquél, atacando a veces a tal o cual persona. Hasta Daría Alexandrovna, estimulada por el ambiente, se despabiló en una ocasión, se le tiñeron de carmín las mejillas y se desenvolvió con tal audacia que temió haber ido demasiado lejos en sus manifestaciones. A propósito de las máquinas agrícolas, Sviajski creyó conveniente indicar que Levin juzgaba una cosa nefasta su introducción en Rusia, y se pronunció contra tan rara opinión.

—Yo no tengo el honor de conocer a ese señor Levin —dijo Vronski, sonriendo—, pero supongo que no habrá visto las máquinas que critica, o al menos no ha visto más que las de fabricación rusa. De otra forma, no puedo explicarme su punto de vista.

—Es un hombre con puntos de vista turcos —ironizó Veslovski con una sonrisa, mirando en la dirección de Ana.

—No me incumbe a mí defender sus opiniones —declaró Daría Alexandrovna, aclarándose poco a poco—, pero lo que sí puedo afirmar es que Levin es un muchacho muy instruido; si estuviera aquí, sabría hacerles comprender su manera de ver las cosas.

—¡Oh, yo le tengo mucho afecto y somos excelentes amigos! —proclamó Sviajski en tono cordial—. Pero, perdóneme, *il est un petit peu toqué*. Por ejemplo, considera que el *zemstvo* y los juzgados de paz son instituciones completamente inútiles y se niega a formar parte de ellas.

—¡Ahí tenemos un ejemplo de lo que es la falta de preocupación de los rusos! —exclamó Vronski, después de apurar un vaso de agua helada—. No queremos comprender que los derechos que disfrutamos entrañan también ciertas obligaciones.

—No conozco ningún hombre que cumpla más rigurosamente sus deberes —dijo Daría Alexandrovna, irritada por aquel aire de superioridad.

—Por mi parte —continuó Vronski, mirando a Sviajski—, estoy muy agradecido a Nicolás Ivanovich por haberme hecho elegir juez de paz honorario. Juzgar algún que otro pequeño asunto entre campesinos, me parece un deber ciudadano tan importante como los demás. Y si me eligen diputado en el *zemstvo*, me sentiré orgulloso de serlo. Es la única manera de absolverme ante la sociedad, por los privilegios que estoy gozando como terrateniente. Todavía no se ha llegado a comprender bien el papel que en el Estado deben desempeñar los grandes propietarios.

Esta manera de aferrarse Vronski a sus propias opiniones, la comparó Dolly a la de Levin, defendiendo teorías diametralmente opuestas. Y el caso era que tal sensación de seguridad en sus respectivos asertos, les venía a ambos cuando estaban sentados a la mesa.

Pero como ella estimaba a su cuñado, le dio toda la razón *in petto*.

—Así pues, conde, ¿podremos contar con usted para las elecciones? —preguntó Sviajski—. Habrá que darse un poco deprisa para empezar, a más tardar el día ocho. Espero me hará el honor de bajar a mi casa.

—Pues yo —dijo Ana a Dolly— comparto la opinión de tu cuñado..., aunque por motivos diferentes —añadió sonriendo—. Me parece que los deberes públicos se están multiplicando con alguna exageración. En los seis meses que llevamos aquí, Alexis lleva ejerciendo ya cinco o seis funciones. Al paso que vamos, no le va a quedar ni un minuto libre. Y cuando las funciones se acumulan hasta ese extremo, mucho me temo que no pasen de ser una pura cuestión de forma. Vamos a ver, Nicolás Ivanovich, ¿cuántos cargos ejerce usted? Una veintena, sin duda.

Bajo esta apariencia de broma, Dolly creyó descubrir un asomo de irritación. Había observado que, durante aquella diatriba, las facciones de Vronski adquirían cierta expresión dura, y que la princesa Bárbara esperaba con impaciencia el fin de la misma para abordar el tema, tan prolijo, de sus amistades petersburguesas. Entonces recordó que durante su charla en el parque, Vronski se había extendido, sin venir a cuento, sobre su necesidad de una vida activa. Sospechó que los dos amantes debían discrepar en este punto.

La comida tuvo aquel carácter de lujo, pero también de riguroso formalismo e impersonalidad, propio de los banquetes de ceremonia. Aquella fastuosidad no cuadraba en una reunión íntima y Dolly se resintió mucho de ella por haber perdido la costumbre de estos actos.

Tras unos instantes de descanso en la terraza, se dio comienzo a una partida de *Lawn-tennis*. Sobre el campo apisonado y nivelado, los jugadores se repartieron en dos bandos y ocuparon sus puestos a ambos lados de una red sostenida por dos postes dorados. Dolly hubiera querido practicar este juego, pero no alcanzaba a comprender sus reglas. Cuando ya las tuvo bien aprendidas, había llegado al límite de sus fuerzas y prefirió hacer compañía a la princesa Bárbara. Su compañero, Tuchkevich, renunció igualmente, pero los demás continuaron el juego durante un buen rato. Sviajski y Vronski eran buenos jugadores. Muy dueños de sí mismos, seguían con mirada atenta el curso de la pelota que les enviaban, la recogían en el momento oportuno y la devolvían con golpe de raqueta rápido y seguro. Veslovski, al contrario, se acaloraba demasiado, pero sus risas, sus gritos, su alegría, excitaban a los otros jugadores.

Con permiso de las señoras se quitó la levita. Su busto atlético, su rostro encendido, sus gestos nerviosos, se grabaron de tal forma en la memoria de Dolly, que cuando volvió a su cuarto se le representaron en la imaginación durante un lapso considerable de tiempo, antes de conciliar el sueño.

El juego la aburría al principio. La familiaridad de Veslovski con Ana, de la que seguía haciendo alardes, cada vez le resultaba más inaguantable. Y, además, encontraba en todo aquel espectáculo una especie de afectación pueril, como de personas mayores que se entregan a un juego de niños, lo que les hacía extremadamente ridículos. No obstante, para no perturbar el buen humor general —y también distraerse— se unió en seguida a los jugadores, simulando que aquello le divertía.

Durante toda la jornada había tenido la impresión de que estaba representando una comedia con actores que la superaban, estropeando ella la buena marcha del conjunto.

En el transcurso de la partida, tomó la resolución de marcharse al día siguiente, aunque había venido con la secreta intención de quedarse un par de días si allí se encontraba a gusto. Un apasionado deseo de ver a sus hijos, de uncirse otra vez al yugo que tanto había maldecido aquella misma mañana, se iba apoderando de ella irresistiblemente.

De regreso en su cuarto, después del té y de un paseo en barca, se puso un peinador y con un suspiro de alivio se sentó al tocador. Experimentaba una sensación de verdadera delicia al encontrarse sola. Hubiera preferido no ver a Ana.

23

En el momento que iba a tenderse en el lecho, entró Ana en *déshabillé* de noche.

Varias veces, en el curso del día, cuando estaba a punto de abordar una cuestión íntima, Ana había tenido que interrumpirse: «Más tarde, cuando estemos solas; tengo tantas cosas que decirte...». Y ahora, sentada junto a la ventana, observaba a Dolly en silencio mientras rebuscaba vanamente en su memoria. Le parecía que ya se habían dicho todo cuanto tenían que decirse. Al fin, después de un profundo suspiro, preguntó con mirada contrita:

—¿Qué es de Kitty? Dime la verdad. ¿Tiene algo contra mí?

—¡Oh, no! —respondió Dolly, sonriendo.

—Sé que ella me odia, me desprecia.

—Tampoco; pero como tú sabes, hay cosas que no se pueden perdonar.

—Es verdad —murmuró Ana, dirigiendo su mirada a la ventana abierta—. Pero francamente, yo no soy culpable. Además, ¿a qué llaman ser culpable? ¿Podrían ir las cosas de otra manera? ¿Creerías tú posible no ser la esposa de Stiva?

—No sé mucho de eso. Pero dime, te lo ruego...

—En seguida, cuando hayamos terminado con lo de Kitty. ¿Es feliz? Su marido, al parecer, es una excelente persona.

—Es poco decir; no conozco un hombre mejor.

—No lo hay mejor —aseguró Ana, pensativa—. Entonces, más vale así.

Dolly sonrió.

—Anda, háblame de ti. Tengo mucho que decirte. He hablado con...

No sabía cómo nombrar a Vronski: ¿el conde? ¿Alexis Kirilovich? ¡Eran fórmulas demasiado solemnes!

—Con Alexis —acabó Ana—. Sí, ya lo sé... Dime con franqueza qué piensas de mí, de mi vida...

—¿Cómo quieres...? ¿Así de repente? No sabría.

—Pues, sí, sí... Sólo que, antes de juzgar, no olvides que nos encuentras rodeados de un pequeño mundo, mientras que en la primavera nos encontrábamos solos completamente. ¡Ésa sería la dicha suprema, vivir los dos solos! Pero temo que él no se acostumbre al aislamiento y, entonces, figúrate lo que sería para mí la soledad... ¡Oh, ya sé lo que vas a decirme! —añadió, yendo a sentarse junto a Dolly—. Ten la seguridad de que yo no le retendré por la fuerza. No pienso en ello. Es la temporada de las carreras, en ellas corren sus caballos, eso le divierte... Pero yo, ¿qué voy a hacer durante ese tiempo?... Pues, bien —repuso sonriendo—, vamos a lo que interesa: ¿de qué habéis estado hablando juntos?

—De un tema que yo habría abordado contigo sin que él me hablase, a saber, la posibilidad de hacer tu situación más... regular —concluyó, después de un momento de vacilación—. Tú conoces mi manera de pensar en ese respecto, pero, en fin, más valdría que os casarais.

—Es decir, ¿el divorcio?... ¿Sabes que la única mujer que se dignó ir a verme en San Petersburgo, Betsy Tverskoi —tú la conoces—, es en el fondo la mujer más depravada que existe? ¿Que ha engañado indignamente a su marido con Tuchkevich?... Pues, bien,

Betsy me ha dado a entender que le sería imposible volver a verme, en tanto no hubiera regularizado mi situación... No creas que establezco comparación entre vosotras. Es una mera y simple reminiscencia... Bueno, Dolly, ¿qué te ha dicho él?

—Que sufre por ti y por él; si es egoísmo, hay que reconocer que es un egoísmo noble. Querría legitimar a su hija, ser tu marido, tener derecho sobre ti.

—¿Qué mujer puede pertenecer a su marido más enteramente que yo a él? —interrumpió en tono lastimoso—. Soy su esclava... ¿Qué más?

—Y, sobre todo, no quisiera verte sufrir.

—Eso es imposible... ¿Y después?

—Después, un deseo muy legítimo, dar su nombre a vuestros hijos.

—¿Qué hijos? —preguntó Ana, cerrando a medias los ojos.

—Pues Annie y los que puedes tener todavía...

—¡Oh, ya puede estar tranquilo! Ya no los tendré...

—¿Cómo puedes responder de esa manera?

—Porque yo no quiero tener más.

A pesar de su emoción, Ana sonrió al ver una expresión de asombro, de inquieta curiosidad y de horror pintarse en el rostro de Dolly.

—Después de mi enfermedad —creyó deber explicarle—, el médico me ha dicho...

—¡Eso es imposible! —exclamó Dolly, abriendo desmesuradamente los ojos. Lo que acababa de oír confundía todas sus ideas, y las deducciones que de ello sacó aclararon súbitamente, y muy bien, ciertos puntos que hasta entonces habían permanecido en el mayor misterio para ella. Ahora comprendía por qué ciertas familias no tenían más que uno o dos hijos. ¿No había soñado ella en algo análogo durante su viaje? Espantada de aquella respuesta, demasiado simple, a una pregunta tan complicada, contemplaba a Ana con estupefacción.

—¿Y eso no es inmoral? —preguntó, tras un silencio.

—¿Por qué? No tengo más opción que ésta: o el embarazo con todos los sufrimientos y riesgos que lleva consigo, o la posibilidad de ser un camarada para mí... digamos, marido —respondió Ana, en un tono al que se esforzaba en dar comicidad.

—Sí, sí, sí —repitió Dolly, que reconocía sus propios argumentos, pero sin encontrarles la misma fuerza de convicción que por la mañana.

Ana pareció adivinar sus pensamientos.

—Si este punto puede discutirse en lo que a ti te afecta no puede serlo por lo que me toca a mí. Yo soy su mujer sólo en tanto que él me quiera. Y no es con esto —sus blancas manos trazaron un ademán alrededor de su talle— con lo que yo pienso conservar su amor.

Como sucede inevitablemente en todos los momentos de emoción, pensamientos y evocaciones acudían y se mezclaban atropelladamente en la mente de Dolly. «Yo no he podido tener a mi lado a Stiva —pensaba—, pero la que me lo ha quitado, ¿lo consiguió acaso? Ni su juventud ni su belleza han podido impedir que Stiva la abandone también. Y Ana, ¿podrá retener al conde por los medios que emplea? Por hermosos que sean esos brazos blancos, ese busto opulento, esa mirada animada, esos cabellos negros de mi cuñada; por irreprochables que sean sus *toilettes* y sus maneras, ¿es que por eso dejará de encontrar Vronski, cuando lo quiera, exactamente igual que mi querido y malaventurado esposo, una mujer aún más bella, más elegante, más seductora?»

A guisa de respuesta, suspiró profundamente. Comprendiendo que Dolly la desaprobaba, Ana tuvo que recurrir a argumentos que juzgaba irresistibles.

—Dices que eso es inmoral. Razonemos fríamente, si te parece. ¿Cómo puedo yo, en mi situación, desear hijos? No hablo ya de sufrimientos, que a mí nada me importan. Pero date cuenta de que mis hijos llevarán un nombre prestado, que se avergonzarán de sus padres, de las circunstancias en que vinieron al mundo.

—Ése es, precisamente, el motivo por el que tienes que solicitar el divorcio.

Ana no la escuchaba. Quería exponer hasta el fin una argumentación que tantas veces la había convencido a sí misma.

—Tengo una razón que me guía imperiosamente, y es que yo no tengo derecho a echar al mundo seres desgraciados.

Miró a Dolly pero, sin esperar respuesta, agregó:

—Si esos seres no existen, no pueden conocer la desgracia, pero si existen para sufrir, la responsabilidad siempre recaerá sobre mí.

Éstos eran los mismos argumentos a los que Dolly no había podido resistir por la mañana, y que ahora le parecían tan débiles. «¿Cómo puede alguien sentirse culpable por unas criaturas que no existen? ¿No habría sido verdaderamente mejor, para mi bien amado Gricha, no haber venido al mundo?» Aquella idea le pareció tan indecente, que sacudió la cabeza como para arrojar de ella aquel enjambre de absurdos que la asaltaban.

—Me parece, sin embargo, que eso está mal —concluyó diciendo, con expresión de disgusto.

Aunque realmente, Dolly no había objetado nada, o casi nada, a su argumentación, Ana sintió que su convicción descansaba sobre cimientos menos sólidos.

—Sí —dijo—, pero piensa en la diferencia que existe entre ambas. Para ti, se trata de saber si deseas todavía tener más hijos; para mí, únicamente, si me está permitido tenerlos.

Dolly comprendió en seguida el abismo que la separaba de Ana: había ciertas cuestiones sobre las cuales jamás llegarían a entenderse.

24

—Razón de más para regularizar tu situación si es posible.

—Sí, sí es posible —respondió Ana con un tono de tristeza resignada, muy diferente del que había adoptado hasta entonces.

—Me habían dicho que tu marido consentía en el divorcio.

—Vamos a dejar eso, te lo suplico.

—Como quieras —accedió Dolly, sorprendida por la expresión de sufrimiento que contraía las facciones de Ana—. Pero ¿no será que ves las cosas con demasiado pesimismo?

De ninguna manera, me siento muy alegre. Hasta estoy provocando pasiones. ¿No te has fijado en Veslovski?

—A decir verdad, su actitud no me ha gustado nada —dijo Dolly, dando otro giro a la conversación.

—¿Por qué? El amor propio de Alexis se siente lisonjeado con eso. Y en cuanto a mí, puedo hacer de ese niño lo que me dé la gana, como tú de Gricha... No, Dolly —exclamó de repente, volviendo al tema primitivo—, yo no veo las cosas con tanto pesimismo, prefiero mejor no ver nada... Tú no puedes comprenderme, ¡pero es algo horrible en demasía!

—Me parece que estás equivocada. Deberías hacer lo necesario.

—¿Qué puedo hacer? Nada... A tu entender, parece que soy yo quien no quiere casarse con Alexis... ¡Pero si supieras comprenderme, verías que no pienso en otra cosa! —exclamó levantándose, el semblante encendido, el pecho agitado. Se puso a andar a todo lo largo y todo lo ancho de la habitación, con breves interrupciones—. Sí, no hay día, ni hora, que no me asalte este pensamiento, y quisiera desprenderme de él para no perder el juicio... ¡Sí, perder el juicio! —repitió—. Y no consigo tranquilizarme más que con la morfina... Pero razonemos fríamente. En primer lugar, «él» no consentirá en el divorcio, porque está bajo la influencia de la condesa Lidia.

Dolly se había incorporado en su asiento y seguía a Ana con una mirada en la que se podía leer una simpatía dolorosa.

—De todos modos, podrías intentarlo —insinuó con dulzura.

—¡Intentar! Es decir, que voy a tener que rebajarme a suplicar a un hombre a quien odio, creyéndole capaz de esa generosidad, reconociéndome culpable respecto a él. Admitámoslo... ¿Y si recibo una respuesta ofensiva? Admitamos aún que consiente... ¿Y mi hijo? ¿Me lo devolverá?

Se había detenido al extremo de la habitación, crispándose sus manos en la cortina de una ventana. Evidentemente, estaba exponiendo una opinión madurada hacía tiempo.

—No, no me lo devolverá —continuó—. Crecerá en casa de ese padre que yo he abandonado, donde le enseñarán a despreciarme. ¿Concibes tú que yo ame casi por igual, y desde luego, más que a mí misma, a esos dos seres que se excluyen el uno al otro, Sergio y Alexis?

Había vuelto al centro del cuarto y se oprimía el pecho con las manos. El largo peinador blanco con el que estaba revestida la hacía parecer más alta. Se inclinó sobre la pobre y menuda Dolly, que, tocada con su cofia de dormir, temblorosa de emoción bajo su camisola remendada, hacía a su lado una figura ridícula, y le dirigió una mirada larga, humedecida por las lágrimas.

—No quiero en el mundo a nadie más que a ellos, y ya que me es imposible reunirlos, poco me importa lo demás. Esto debe terminar de una manera u otra, pero no puedo ni quiero abordar este asunto. No me hagas ningún reproche. Tú eres muy buena, muy pura, para poder comprender mis sufrimientos.

Se sentó al lado de su cuñada y le cogió la mano.

—¿Qué debes pensar de mí? No me desprecies, que no lo merezco, sino al contrario, compadéceme, porque no hay mujer tan desgraciada como yo.

Volvióse para llorar.

Poco después se marchó. Dolly rezó su oración y se acostó, muy sorprendida de no poder pensar en aquella mujer a la que, sin embargo, compadecía de todo corazón hacía unos instantes. Su imaginación la arrastraba imperiosamente hacia el hogar, hacia los hijos. Nunca como entonces había sentido tan vivamente lo caro y precioso que le era aquel pequeño mundo. Y estos recuerdos tan conmovedores la confirmaron en su resolución de partir al día siguiente.

Entretanto, Ana, en su cuarto de aseo, vertía en un vaso de agua varias gotas de una poción de morfina, que no tardó en devolverle la calma. Después de permanecer unos instantes en un sillón, ganó el dormitorio con el humor totalmente cambiado.

Vronski la miró con atención, buscando en su semblante medio dormido algún indicio de la conversación que había sostenido con Dolly, pero no descubrió más que aquella gracia tan seductora, cuyo encanto gozaba todos los días. Esperó a que ella hablase.

—Estoy contenta de que Dolly te haya gustado —fue todo lo que dijo ella.

—Pero si la conozco hace mucho tiempo... Es, creo, una mujer excelente, aunque excesivamente aferrada a sus opiniones. No estoy menos satisfecho que tú de su visita.

Tomó la mano de Ana y la interrogó con una mirada a la que ésta atribuyó un sentido muy diferente. Por toda respuesta sonrió.

A pesar de las súplicas de los dueños de la casa, Dolly hizo al día siguiente sus preparativos de marcha. El cochero Felipe, vestido con un viejo caftán y tocado con un sombrero que recordaba vagamente el de los postillones, detuvo el carruaje en el suelo arenoso y cubierto de guijarros del peristilo, con aire melancólico, pero resuelto. Era la misma calesa con sus arneses maltrechos y el guardabarros reparado.

Daría Alexandrovna se despidió fríamente de la princesa Bárbara y de los caballeros. La jornada transcurrida en común no les había acercado más a ella. Ana era la única que estaba triste. Sabía muy bien que nadie iría a despertar los sentimientos que Dolly había removido en su alma. Por dolorosos que fuesen, representaban lo que poseía de mejor, y muy pronto, por desgracia, la vida que llevaba borraría hasta los últimos vestigios.

Dolly no respiró profundamente hasta encontrarse en plena campiña. Curiosa por conocer las impresiones de sus compañeros de viaje, iba a interrogarles, cuando Felipe tomó por sí mismo la palabra. Volviéndose, comentó:

—Ricos lo son, desde luego. Eso no ha impedido que mis caballos se hayan tenido que contentar con tres medidas de avena. ¡Lo justo para no morirse de hambre! Los pobres animales se lo habían engullido todo antes del canto de los gallos. En los relevos, nadie cobra la avena a más de cuarenta y cinco kopeks. En nuestra casa, desde luego, no se tiene tanta tacañería como aquí.

—Sí, es una gente muy avara —confirmó el tenedor de libros.

—Pero ¡qué hermosos caballos tienen!

—Sí, no puede negarse que son unos animales muy hermosos. Y de comer, no está del todo mal... No sé si le habrá hecho a usted el mismo efecto, Daría Alexandrovna —añadió, volviendo hacia ella su apuesta figura, llena de dignidad—, pero yo, en casa de esa gente, me encontraba fuera de mí, en un ambiente enrarecido.

—Lo mismo me ha ocurrido a mí. ¿Crees que llegaremos esta noche?

—Se procurará.

Daría Alexandrovna encontró a sus hijos en buen estado de salud y más encantadores que nunca. Su pesadumbre se desvaneció como por arte de magia. Describió con animación los incidentes de su viaje, la acogida cordial que le habían dispensado, el gusto, el lujo, las diversiones de los Vronski, y no permitió a nadie la menor crítica a este respecto.

—Hay que verles en su propia casa para comprenderles bien —declaró—, y os aseguro que son algo verdaderamente conmovedor.

25

Vronski y Ana pasaron en el campo el fin del estío y una parte del otoño, sin dar ningún paso para regularizar su situación. Habían resuelto no moverse de Vozdvijenskoié pero, después de marcharse sus invitados, les pareció que su vida debía forzosamente sufrir alguna modificación.

En apariencia, no carecían de nada de lo que se necesita para ser felices: eran jóvenes, ricos, llenos de salud, tenían una criatura y varias ocupaciones con que llenar sus respectivas vidas. Ana continuaba dedicando los mayores cuidados a su persona. Habiéndose suscrito a varios periódicos extranjeros, ponía especial cuidado en adquirir las novelas y obras serias que éstos recomendaban, y las leía con la avidez propia de las personas que hacen vida solitaria. No le era indiferente ninguno de los temas susceptibles de apasionar a Vronski. Dotada de una excelente memoria, extraía de los manuales y revistas técnicas unos conocimientos que al principio causaron mucha sorpresa a su amante, pero después que ella le hubo mostrado sus referencias, no pudo menos de admirar su erudición y adoptó la costumbre de consultar con ella toda clase de asuntos: agronomía, arquitectura, cultura física o crianza de caballos. Se había interesado también vivamente por el funcionamiento del hospital, e hizo adoptar ciertas innovaciones cuya idea había partido de ella misma. El único fin de su vida era ser agradable a Vronski, ayudarle en todas las cosas, sustituirle en todo aquello que había abandonado por ella. Impresionado por esta entrega de sí misma, el conde la apreciaba en su justo valor. Sin embargo, aquella atmósfera de celosa ternura de que se veía rodeado se convirtió, con el tiempo, en una carga y entonces experimentó la necesidad de afirmar su independencia.

Su felicidad hubiera sido completa —al menos así le parecía— de no ser por las escenas lastimosas que señalaban cada una de sus salidas, ya fuera para las carreras de caballos, ya fuera para las visitas de inspección. Encontraba, en efecto, muy conforme a su gusto el papel de gran propietario, y descubría en él aptitudes muy serias para la administración de sus propios bienes. A pesar de las pingües cantidades destinadas a la construcción del hospital, la compra de máquinas, de vacas suizas e innumerables objetos de considerable valor, su fortuna seguía aumentando en vez de disminuir, porque se atenía a métodos de explotación, hijos de una buena experiencia, y hasta en las cosas más insignificantes, daba muestras de un gran sentido de prudencia y de economía. Ora se tratase de arrendar una tierra, ora de vender su madera, sus trigos, su lana..., siempre defendía sus intereses con temple duro cual una roca. Si se trataba de compras, escuchaba e interrogaba a su administrador alemán, hombre avispado para los negocios, no aceptando más que las más recientes innovaciones que por su naturaleza juzgaba susceptibles de causar sensación alrededor de él. En todo caso, nunca se decidía más que cuando había un excedente en caja y después de discutir con aspereza el precio de cada objeto. Con éstos o parecidos métodos, nunca vería su fortuna comprometida.

La nobleza de la provincia de Kachin, donde estaban situadas las tierras de Vronski, de Sviajski, de Kosnichev, de Oblonski y, en parte, las de Levin, debía proceder en el mes de octubre a la elección de sus delegados. Estas elecciones, a causa de ciertas personas influyentes que tomaban parte en ellas, atraían la atención general, y algunos elementos que hasta entonces se habían abstenido, se apresuraban a llegar a Moscú, de San Petersburgo y hasta del extranjero.

Poco antes de la reunión. Sviajski, inspector titular de Vozdvijenskoié, vino a recordar al conde su promesa de acompañarle a la capital de su distrito. La víspera de la partida, Vronski, dispuesto para una lucha de la que se había formado el propósito de salir vencedor, anunció a Ana en tono breve y frío que iba a ausentarse por unos días. Con gran sorpresa por su parte, ella recibió la noticia con mucha calma. Se contentó con preguntar la fecha exacta de su regreso, y sólo respondió con una sonrisa a la mirada escrutadora que él le dirigió. Esto dio lugar a que despertase la desconfianza de Vronski, porque, cuando Ana se encerraba completamente en sí misma, cabía suponer que estaba dispuesta a poner en práctica alguna decisión extrema. No obstante, para evitar una escena desagradable, puso cara de creer —o quizá lo creyó en parte— que Ana había adoptado una actitud más razonable.

—Espero que no te aburras —se limitó a decirle.

—¡Oh, no! He recibido una remesa de la librería Gautier. Eso me distraerá.

«Es una nueva táctica que adopta —se dijo Vronski—. Más vale así, porque ya estaba harto de la anterior.»

La dejó sin que hubiese mediado una explicación a fondo, cosa que no había ocurrido jamás. A pesar de sentir una vaga inquietud, Vronski esperaba que se arreglarían las cosas.

«Acabará por entrar en razón —pensaba—, ya que estoy dispuesto a sacrificarlo todo, todo, salvo mi independencia personal.»

26

Levin había vuelto a Moscú en septiembre, a fin de preparar lo necesario para cuando su mujer diera a luz, y llevaba un mes viviendo allí en forzada ociosidad. Sergio Ivanovich, que se apasionaba por las elecciones de Kachin, le recordó que sus tierras del distrito de Selezniev le daban derecho a hablar en la asamblea, y le invitó a acompañarle. Aunque tenía que resolver en ella, precisamente, asuntos que interesaban a su hermana, que vivía en el extranjero, Levin vacilaba en partir. Pero viendo lo aburrido que estaba en la capital, Kitty le estimuló a hacerlo y hasta encargó en secreto un uniforme de delegado de la nobleza. Este gasto de ochenta rublos acabó definitivamente con su indecisión.

Al cabo de seis días de viaje a Kachin, no había podido dar un paso en el arreglo de los asuntos de su hermana. El primero, una cuestión de tutela, no podía ser resuelto sin haber oído antes el parecer de los delegados, y estos señores no querían preocuparse de otra cosa que de las elecciones. El segundo, el ingreso en caja de la redención de los censos, chocaba igualmente con ciertas dificultades. Nadie hacía oposición al pago. En eso todos estaban de acuerdo, pero en medio de aquella confusión, y por muy complaciente que quisiera ser, el notario no podía extender un bono contra la Tesorería, por haberse tenido que ausentar el pagador —cuya firma era indispensable— debido a exigencias del servicio. El tiempo se pasaba en conversaciones con muchas personas, amables, dispuestas siempre a prestar un servicio al solicitante, pero impotentes para proporcionarle ayuda. Estas idas y venidas sin resultado se parecían mucho a los esfuerzos inútiles que se hacen en sueños. Tal era la comparación que acudía a la mente de Levin en el curso de sus frecuentes charlas con su agente de negocios.

—Intente esto o aquello —le decía aquel buen hombre, para añadir en seguida—: no conseguirá nada, pero no deje de probar.

Y Levin, siguiendo su consejo, se presentaba en casa del uno y del otro, que le recibían muy bien, pero sin que sus asuntos avanzaran ni un solo paso. ¡Y todavía si se tratase de una contrariedad perfectamente comprensible, como la de hacer cola en horas de afluencia ante la taquilla de una estación de ferrocarril...! Pero no, aquí se le presentaba un obstáculo secreto, cuya naturaleza no podía captar. ¿No era aquello para perder la cabeza? Por suerte, el matrimonio le había hecho más paciente y, en su ignorancia de los trámites administrativos, encontraba razón suficiente para suponer que las cosas seguían un curso completamente normal.

La misma paciencia aplicaba para comprender las maniobras electorales, que agitaban en torno de él tantas personas estimables, y hacía todo lo que estaba de su parte para profundizar en cosas que antes había tratado muy ligeramente... como tantas otras cuya importancia sólo había podido comprender después de su matrimonio. Sergio Ivanovich no regateó ningún esfuerzo para explicarle el sentido y la marcha de las nuevas elecciones. Snietkov, el delegado actual, era un hombre chapado a la antigua, honrado a su manera, que había gastado una fortuna inmensa, pero cuyas ideas retrógradas no cuadraban con las necesidades del momento. En su cargo disponía de sumas considerables y tenía una mano muy abierta para las instituciones de importancia capital, tales como las tutelas (¡Levin ya sabía algo de eso!), los establecimientos dedicados a la enseñanza (¡él, un oscurantista!), el *zemstvo* (¡que quería convertir en un instrumento de clase!). Se le quería sustituir por un hombre nuevo, activo, saturado de ideas modernas capaz de extraer del *zemstvo* todos los elementos del *selfgovernment* que pudiera proporcionar. Si sabían sacar partido de ellos, la rica provincia de Kachin podría servir una vez más de ejemplo al resto de Rusia. En el puesto de Snietkov pondrían a Sviajski o, mejor aún, a Neviedovski, anciano profesor, muy inteligente y amigo de Sergio Ivanovich.

La sesión se inauguró con un discurso del gobernador el cual exhortó a los señores gentileshombres a no tener presente en su elección más que la consagración de sus candidatos al bien público. Aquella sería la mejor manera de cumplir con su deber y de responder a la confianza que el augusto monarca había depositado en ellos.

Terminado su discurso, el gobernador abandonó la sala seguido de los señores gentileshombres, que le aclamaban ruidosamente y le acompañaron hasta el vestíbulo. Levin, que no quería perder ningún detalle, llegó con el tiempo justo para ver cómo se ponía el abrigo y oírle decir al delegado:

—Le ruego exprese a María Ivanovna el sentimiento de mi mujer. Tiene que hacer una visita al asilo.

Acto seguido, los señores gentileshombres se pusieron, a su vez, los abrigos y se trasladaron a la catedral, donde Levin, levantando la mano al mismo tiempo que sus colegas y repitiendo con ellos las palabras que pronunciaba el arcipreste, prestó un juramento cuyo tenor correspondía punto por punto a los votos formulados por el gobernador. Y como las ceremonias religiosas siempre impresionaban a Levin, no pudo menos que emocionarse al escuchar cómo aquella multitud de viejos y jóvenes proferían con él tan solemne fórmula.

Los dos días que siguieron se dedicaron al estudio del presupuesto y del colegio de niñas, asuntos que, en opinión de Sergio Ivanovich, no ofrecían ningún interés. Levin aprovechó estos días para dedicarse a sus propios asuntos. Al cuarto día se examinaron las cuentas de la Tesorería, que los comisarios nombrados al efecto declararon en regla. El delegado se levantó y agradeció, con los ojos bañados en lágrimas, la confianza de que le habían hecho honor los señores gentileshombres. Pero he aquí que uno de éstos, que compartía las opiniones de Sergio Ivanovich, afirmó haber oído que, por deferencia al delegado, los comisarios se habían abstenido de comprobar el efectivo existente en caja. Uno de los verificadores había cometido la imprudencia de confirmar esta falta de confianza. Entonces uno de los asistentes, hombre joven y quisquilloso, lamentó que la extrema delicadeza de los comisarios privase al delegado de esa satisfacción, tan natural, de hacer su rendición de cuentas. Habiendo los comisarios retirado su declaración, Sergio Ivanovich demostró, con largos argumentos, que sólo cabía proclamar una de estas dos cosas: o que se había comprobado la cantidad existente en caja, o que no se había comprobado. Le replicó un flamante orador del partido contrario. Luego llegó el turno a Sviajski, al que sucedió el señor quisquilloso. Se discutió largo tiempo para no llegar a ninguna conclusión, todo lo cual sorprendió mucho a Levin, y mucho más la respuesta que le dio su hermano cuando le preguntó si recaían sobre Snietkov sospechas de desfalco:

—¡Oh, no! Es un hombre muy honrado. Pero hay que poner fin a esa manera tan patriarcal de dirigir los asuntos.

Al quinto día se procedió a la elección de los delegados de distrito. Algunos de ellos obtuvieron sus actas después de una campaña borrascosa, pero para el distrito de Selezniev fue reelegido Sviajski por unanimidad. Con este motivo, ofreció aquella misma noche un suntuoso banquete.

27

Como la elección del delegado provincial no debía tener lugar hasta el sexto día, muchos gentileshombres sólo hicieron acto de presencia aquella mañana. Algunos, llegados de San Petersburgo, de Crimea, del extranjero, entre ellos antiguos amigos que hacía bastante tiempo no se habían visto, volvían a reunirse con satisfacción. Las dos salas, grande y pequeña, estaban atestadas de electores. Miradas hostiles, silencios bruscos, cuchicheos en los rincones y hasta en el pasillo, todo denotaba la existencia de dos campos antagónicos. A primera vista, Levin clasificaba en un campo a los viejos, y en otro a los jóvenes. Los primeros enfundados en uniformes civiles o militares pasados de moda, cortos de talla, abotonados hasta el cuello, estrechos de sisa, ajustados de hombros, enarbolaban con orgullo sus espaldas y vistosos sombreros adornados con plumas. Los segundos, por el contrario, se pavoneaban en sus trajes de anchas hombreras y largo talle, desabotonados sobre chalecos blancos. Algunos lucían las insignias de dignatarios de la Corte. Otros, las del Ministerio de justicia, esclavina negra adornada con hojas de laurel. Pero acercándose más, Levin pudo apreciar qué bastantes jóvenes sostenían las opiniones del partido antiguo, mientras que algunos pertenecientes a los más viejos mantenían animados conciliábulos con Sviajski.

En la sala pequeña, donde habían instalado el bufet, Levin se esforzaba en vano por comprender la táctica de un grupo de quien era el alma su hermano. Sviajski, con el beneplácito de Sergio Ivanovich, insistía cerca de Khlioustov —delegado de otro distrito ganado para su partido— para que fuese, en nombre de sus electores, a pedir a Snietkov que presentase su candidatura.

«¿Cómo diantres puede darse semejante paso tratándose precisamente de un hombre que se tiene la intención de eliminar?», se decía Levin.

Esteban Arkadievich, en traje de maestro de ceremonias, se aproximó al grupo. Venía de tomar un ligero desayuno y se secaba la boca con un perfumado pañuelo de batista.

—Estamos ocupando la posición, Sergio Ivanovich —dijo arreglándose las patillas.

Al ser consultado sobre el caso que se estaba debatiendo, dio la razón a Sviajski.

—Un solo distrito nos basta —dijo—. Y es el de Sviajski, que pertenece demasiado abiertamente a la oposición.

Todo el mundo comprendió, excepto Levin.

—Bueno, Kostia —continuó, cogiendo del brazo a su cuñado—, parece que te deleitas con nuestras pequeñas historias.

Nada mejor podía pedir Levin que deleitarse, pero necesitaba comprender algo y, en consecuencia, llevóse aparte a Oblonski para obtener las aclaraciones precisas.

—*Oh sancta simplicitas!* —exclamó Esteban Arkadievich.

Y en pocas palabras le puso al corriente del asunto.

En las últimas elecciones, habiendo presentado la candidatura de Snietkov los diez distritos de la provincia, éste resultó elegido por unanimidad. Pero en esta ocasión querían abstenerse dos distritos, lo que podría dar lugar a que Snietkov, desanimado, desistiese. En este caso, el partido antiguo elegiría quizás otro candidato más peligroso. Si por el contrario, el único distrito de Sviajski hacía banda aparte, Snietkov no podría sentirse rebajado. Ciertos elementos del bando contrario votarían también por él, a fin de que, derrotado por esta táctica, el partido antiguo estuviese en mejor disposición para recibir al candidato de la oposición cuando éste fuese proclamado.

Levin no comprendió más que a medias y habría seguido haciendo preguntas, de no ser que todo el mundo se puso a hablar al mismo tiempo y a emprender la marcha hacia el gran salón.

—¿Qué es eso?

—¿Qué pasa?

—¿Un apoderamiento falso?

—Pues no, es que no quieren admitir a Flerov.

—¿Por qué?

—Porque así lo han acordado en una encuesta.

—Pues así acabarán por no admitir a nadie. Es absurdo.

—No. Es lo que dispone la ley.

Arrastrado por la marejada de los electores, que temían perder tan curioso espectáculo, Levin llegó a la gran sala donde una viva discusión había agrupado, alrededor de la mesa de honor y bajo el retrato del zar, al delegado, a Sviajski y a otros personajes importantes.

28

A Levin le impedían oír sus vecinos: uno tenía la respiración fuerte mientras que al otro le chirriaban las botas. Sin embargo, podía distinguir la voz dulce del viejo delegado, la chillona del gentilhombre quisquilloso y, por último, la de Sviajski. Los tres discutían sobre la interpretación que había de darse a la expresión hacer objeto de una encuesta, así como a cierto artículo de la Ley.

La gente se apartó para dar paso a Sergio Ivanovich. Éste declaró en seguida que había que atenerse al sentido literal de la Ley. El artículo en cuestión precisaba que, en caso de divergencia de opinión, debía recurrirse a los votos para que éstos decidieran. Kosnichev lo sabía muy bien y, tan pronto como el secretario le hubo presentado el texto, hizo un amplio comentario del mismo. Entonces uno de los concurrentes, hombre alto y grueso, de bigote teñido y espalda ligeramente arqueada, embutido en un uniforme demasiado estrecho cuyo cuello servía de sostén a la nuca, dio varios golpes secos sobre la mesa con el revés de su sortija y gritó, con voz estentórea:

—¡A votar, a votar! ¡Basta de discusiones!

Varias personas que querían interponerse, hablando todas a la vez, fueron apartando al señor de la sortija, sin que nadie pudiera enterarse de lo que decía.

En el fondo, pedía lo mismo que Sergio Ivanovich, pero con tal tono de hostilidad hacia éste y la gente que le rodeaba, que más de uno estuvo tentado de lanzarle el guante, y lo habrían hecho si el delegado no hubiera alzado la voz reclamando silencio.

—¡A votar, votar!

—Todo gentilhombre me comprenderá...

—Hemos vertido nuestra sangre por la patria.

—El monarca nos ha honrado con su confianza.

—El delegado no es quién para darnos órdenes.

—¡Pero si no se trata de eso!

—¡Permítanme, permítanme! Es una infamia...

—¡A las urnas!

Clamores violentos, miradas iracundas, rostros contraídos por el odio. Levin no podía comprender que se pusiera tanta pasión en un asunto cuya importancia no le parecía mayor que lo que Sergio Ivanovich tuvo a bien explicarle. El bien público exigía la elección de un delegado. Para lograr esta elección, era necesaria la mayoría de los sufragios. Para obtener esta mayoría, hacía falta conceder el derecho a Flerov. Para reconocerle este derecho, había que interpretar en cierto sentido tal y cual párrafo de la Ley.

—Un solo voto puede desplazar a la mayoría —concluyó Sergio Ivanovich—. Que se te meta bien en la cabeza: para servir al interés público se necesita, más que nada, lógica y espíritu de obrar según ella.

A pesar de aquella lección, la odiosa irritación que dominaba a aquellos hombres a quienes tanto estimaba, produjo en Levin una impresión de lo más lamentable. Sin esperar el fin de los debates, se refugió en la sala pequeña, donde los camareros del bufet estaban poniendo la mesa. Con gran sorpresa por su parte, la cara de aquellas buenas gentes, de plácida expresión, le calmó instantáneamente. Le parecía respirar un aire más puro y se puso a pasear a grandes zancadas, divirtiéndose con los manejos de un viejo sirviente de grises patillas, el cual, indiferente a las bromas de sus jóvenes camaradas, les enseñaba con aire de soberano desprecio el arte de doblar bien las servilletas. Iba a dirigir la palabra a aquel buen hombre, cuando el secretario de la Oficina de Tutelas, un viejecillo que se sabía de memoria los nombres de pila de todos los gentileshombres de la provincia, vino a reclamarle de parte de Sergio Ivanovich.

—Su señor hermano le busca, Constantino Dimitrievich. Es el momento de votar.

Levin volvió a la gran sala, donde le entregaron una bola blanca, y siguió a su hermano hasta la mesa en la que Sviajski, con aire de superioridad, irónico y la barba en el puño, presidía la votación. Antes de emitir el sufragio, Levin, desconcertado, preguntó a Sergio Ivanovich, a media voz, esperando que sus vecinos, enzarzados en una animada conversación, no le oirían:

—¿Qué tengo que hacer?

Por desgracia, la conversación paró bruscamente, y la desafortunada pregunta la percibieron todos los presentes, algunos de los cuales sonrieron.

—Lo que te dicten tus convecinos —respondió Sergio Ivanovich, frunciendo el entrecejo.

Levin se puso colorado. Depositó la bola en el compartimiento de la derecha, después de haber ocultado bajo el paño la mano derecha sola. Al apercibirse de su inadvertencia, la agravó disimulando demasiado tarde la otra mano. Y completamente desorientado, inició una retirada rápida.

—¡Ciento veintiséis votos a favor! ¡Ochenta y ocho en contra! —proclamó el secretario.

Y como además se habían encontrado en la urna un botón y dos nueces, estalló una risotada general.

Flerov estaba admitido. Era obra del partido nuevo, pero el antiguo no se daba por vencido. Un grupo de gentileshombres rodeaba Snietkov y le suplicaba que se dejase representar en sus sufragios. Levin oyó algunas promesas con las que agradecía su adhesión: confianza, afecto, servicio a la nobleza, doce años de lealtad... Estas palabras le afluían sin cesar a los labios, hasta que una repentina crisis de lágrimas, provocada quizá por el afecto que profesaba a los señores gentileshombres o, más probablemente por la injusticia de su anterior proceder con ellos, le impidió continuar. Entonces la situación tomó un giro más favorable hacia él, y Levin sintió que le inspiraba un sincero afecto.

Cuando el delegado se disponía a marcharse, tropezó con Levin cerca de la puerta.

—Perdón, señor —le dijo.

Pero habiéndole reconocido, le sonrió tímidamente y pareció querer añadir algunas palabras, que su emoción no le permitió pronunciar.

La fuga desatinada de aquel hombre de pantalón blanco galoneado, cuyo uniforme estaba atestado de condecoraciones, la expresión de angustia que leyó en su cara, recordaron a Levin los últimos momentos de un venado acometido por los perros. Aún más le impresionó que habiendo estado a verle la víspera para el asunto de la tutela, tuvo ocasión de admirar la perfecta dignidad de su vida. Una mansión antigua, llena de muebles de otra época y viejos servidores de aspecto hosco, pero de maneras respetuosas, que no habían querido de ninguna manera cambiar de amo. Una opulenta señora, de porte excelente con su chal y gorro de encaje en actitud de acariciar a su preciosa nieta. Un joven estudiante, buen mozo, cuyo primer cuidado al entrar había sido besar la mano de su padre. Los ademanes afectuosos y la expresión digna del dueño de la casa, todo aquello había impresionado fuertemente a Levin. Notado que le invadía un sentimiento de piedad por aquel pobre viejo, quiso darle ánimos.

—Espero que continuará a nuestro lado —le dijo.

—Lo dudo —respondió el delegado, dirigiendo en torno suyo una mirada azorada—. Soy viejo y estoy cansado. Ya es tiempo de que otros más jóvenes ocupen mi puesto.

Y desapareció por una puerta lateral.

Se acercaba el minuto solemne. Los jefes de los dos clanes calculaban sus probabilidades. El incidente suscitado por el partido nuevo le había valido a éste, además del voto de Flerov, otros dos sufragios más. En efecto, ciertos partidarios de Snietkov habían hecho la jugada a sus adversarios de emborrachar a dos de sus miembros y de robar el uniforme a un tercero. Sviajski deshizo esta maniobra enviando, durante la votación preliminar, alguno de sus hombres para que equipasen bien o mal al pobre despojado y trajeran en un coche de alquiler a uno de los beodos.

—Le he echado sobre la cabeza un cubo de agua —dijo uno de los delegados a Sviajski—. Ya puede tenerse en pie.

—Con tal que no se caiga... —respondió Sviajski, moviendo la cabeza.

—No hay cuidado, a menos que le lleven al bufet. Pero ya he dado órdenes severas al encargado.

29

La sala larga y estrecha donde se encontraba el bufet estaba llena a más no poder, y la agitación iba en aumento, sobre todo entre los dirigentes, que sabían que por un solo voto podían perder la oportunidad sus candidatos respectivos. El grueso de aquel ejército se aprestaba a la lucha con un refrigerio. Otros fumaban o discurrían paseando por el local a grandes zancadas.

Levin no tenía hambre. Tampoco era fumador, ni quería juntarse a sus amigos, entre los cuales peroraba Vronski, en uniforme de guardia del zar. Le había visto ya la víspera y no deseaba encontrárselo a ningún precio. Se refugió al lado de una ventana, examinando los grupos que se formaban, prestando oído a todo lo que se decía en torno suyo. Experimentaba alguna tristeza al ver a todo el mundo lleno de entusiasmo, mientras que él, solo, salvo por la compañía de un oficial de marina muy viejo, desdentado y tartamudo, no sentía el menor interés por aquello que a sus ojos se estaba desarrollando.

—¡Ah, el muy bestia! ¡Y cuidado que le he venido amonestando! Pero como si no. Tres años no han bastado al caballerete para hacer sus preparativos —profirió en tono enérgico un noble venido a menos, de estatura mediana y un tanto encorvado, cuyos cabellos untados de pomada rozaban el cuello de su bordada casaca, y cuyos botines nuevos, comprados sin duda con vistas a aquel día tan señalado, crujían furiosamente. Lanzó sobre Levin una mirada poco amena y se volvió bruscamente, mientras que el hombrecillo al que se dirigía le contestaba con voz de fístula:

—Sí, tiene usted razón, ese asunto no está claro.

Levin vio en seguida cómo se acercaba un grupo de personajes ilustres, que rodeaban a un grueso general y que, evidentemente, huían de oídos indiscretos.

—¡Tiene la osadía de afirmar que yo he hecho que le roben los calzones! Tengan ustedes la seguridad de que los ha vendido para tener con qué pagar sus bebidas. Me hace reír eso de que sea príncipe. Es del peor gusto abrigar semejantes propósitos.

—Permítanme —decían en otro grupo—. La Ley es formal. La mujer debe estar inscrita en el registro de la nobleza.

—Me río de la Ley. O se es gentilhombre, o no se es. Y si yo lo soy, bien pueden creer en mi palabra, ¡qué diantre!

—¿Qué me dice de un vaso de *fine champagne*, excelencia?

Otro grupo observaba de cerca cómo un personaje, que no era otro que el borracho rescatado, gritaba y gesticulaba.

—Siempre he aconsejado a María Semionovna que arrendara sus tierras, y nunca acababa de hacer sus cuentas —decía un caballero de bigote gris, que ostentaba un antiguo uniforme de coronel de Estado Mayor.

Levin reconoció en seguida al viejo propietario que había encontrado en casa de Sviajski. Se cruzaron sus miradas.

—Encantado de verle —dijo el viejo, abandonando su grupo—. Si no me engaña la memoria, nos conocimos el año pasado en casa de Nicolás Ivanovich.

—¿Cómo van sus asuntos?

—De mal en peor —respondió el viejo, con tono reposado y

convencido, como si no pudieran ir de otra manera—. Pero ¿qué ha venido usted a hacer aquí, tan lejos de su casa? ¿Tomar parte en nuestro *coup d'Etat*?

El aire resuelto con que profirió estas palabras francesas compensó las dificultades de su pronunciación.

—Parece que se ha dado cita aquí toda Rusia; tenemos chambelanes, puede que hasta ministros —añadió, designando a Oblonski, que se paseaba en compañía de un general. Su presencia y su brillante uniforme causaban sensación.

—Hablando con franqueza —respondió Levin—, no alcanzo a comprender la importancia que tienen estas elecciones.

—¿Qué importancia quiere usted que tengan? Se trata de una institución en decadencia, cuya vida sólo se está prolongando por inercia. ¿Ve usted todos esos uniformes? Ya no quedan gentileshombres, caballero. No hay más que funcionarios.

—Y si es así, ¿qué viene usted a hacer en estas reuniones?

—La costumbre, caballero, la costumbre y el interés. Porque, prescindiendo de esa especie de obligación moral tengo necesidad de mantener ciertas relaciones. Como ve mi yerno no es rico, quiere situarse, necesita que le empujen... Pero lo que me sorprende, es ver aquí personajes como aquél —dijo señalando al señor cuyo tono quisquilloso había sorprendido a Levin, durante los debates que precedieron a la votación.

—Son nobles de los que ahora se estilan.

—Se estilarán ahora todo lo que usted quiera, pero ¿puede llamarse nobleza a esa gente que de tal manera atropella los fueros de la nobleza?

—Pero si, como usted mismo afirma, se trata de una institución que no es de este tiempo...

—De acuerdo, pero hay instituciones arcaicas que deben, por lo mismo, ser respetadas. Es que Snietkov... Nosotros, quizá, no valemos gran cosa, pero no es menos cierto que hemos perdurado mil años. No; por achacosa que esté la vieja encina, usted trazará sus alamedas y sus avenidas de forma que se pueda sacar el máximo provecho de este vetusto árbol. Plantaciones tan imponentes no crecen así en un año...

Había echado esta parrafada con cierta circunspección y, para cambiar de tema, preguntó a Levin:

—Bueno, ¿y sus asuntos cómo marchan?

—Nada bien. Los capitales no dan más del cinco por ciento.

—Sin tener en cuenta sus esfuerzos, que bien merecen una remuneración. Cuando yo estaba en servicio activo cobraba tres mil rublos de sueldo. Ahora, que me dedico a la agricultura, trabajo bastante más, sin ganar un ochavo. Ya me puedo dar por contento si saco, como usted, el cinco por ciento de mis terrenos.

—¿Y por qué se obstina usted?

—La costumbre, caballero, la costumbre... Tanto mejor —continuó, apoyándose de codos en el marco de la ventana, pues parecía seguir con gusto la conversación—. Tanto mejor. Así mi hijo, que yo sé que no tiene ninguna disposición para la agricultura, se dedicará más de lleno a la ciencia... Así y todo, acabo de plantar un vergel.

—Es cierto —continuó Levin—. Se diría que nos sentimos obligados a cumplir con un deber respecto a la tierra, pues por mi parte, no me hago ninguna ilusión respecto al rendimiento de mi trabajo.

—Yo tengo por vecino a un hombre de negocios. El otro día vino a visitarme y cuando se lo había enseñado todo, ¿sabe lo que me dijo? «Enhorabuena, Esteban Vassilievich, usted lleva muy bien el timón de su barco, pero yo, en su lugar, no vacilaré en echar abajo esos tilos con toda su savia y vigor. Lo menos tiene usted un millar. Pues bien, cada uno le daría lo bastante para hacer dos buenas vigas de isba, artículo que hoy día es objeto de una demanda considerable en todos los mercados.

—«Y con el dinero que obtuviese, compraría a precio muy alto un lote de ganado, o bien una parcela que arrendaría a los campesinos a un tipo bastante caro» —acabó Levin sonriendo, pues conocía de sobra aquella manera de razonar—. Así se haría una verdadera fortuna, mientras que ahora nos damos por muy felices si conservamos intacta nuestra tierra y la podemos legar a nuestros hijos.

—Me han dicho que se ha casado usted.

—Sí —respondió Levin con orgullosa satisfacción—. ¿No le sorprende que estemos tan ligados a la tierra como las vestales al fuego sagrado?

El viejo sonrió bajo su bigote gris.

—Algunos, como nuestro amigo Nicolás Ivanovich o como el conde Vronski, que acaban de instalarse en sus tierras, pretenden que se puede sacar partido de la industria agrícola, pero hasta ahora no les ha servido más que para consumir su capital.

—Pero ¿por qué no hacemos igual que el comerciante de que me hablaba? —repuso Levin, que se aferraba a esta idea—. ¿Por qué no abatimos nuestros árboles?

—Pues por esa manía nuestra de mantener el fuego sagrado, como usted dice. Y luego, ¿qué quiere usted? Vender árboles no es la ocupación adecuada para un gentilhombre. Tenemos un instinto de casta que dirige nuestros actos. Los campesinos tienen también el suyo: la mayoría de ellos se empeñan en adquirir en arriendo la mayor extensión de tierra posible. Sea buena o mala, la cultivan igual y a menudo con rapidez.

—Exactamente igual que nosotros —comentó Levin—. Celebro haber reanudado mis contactos con usted —añadió, viendo acercarse a Sviajski.

—No había vuelto a ver a este señor desde el año pasado —dijo el viejo, volviéndose al recién llegado—. Nos encontramos en su casa. Hemos estado hablando este amigo y yo con el corazón en la mano.

—¿Y hablando mal, supongo, del nuevo estado de cosas? —inquirió Sviajski, sonriendo.

—Si no le disgusta...

—Es preciso aligerarse algo el corazón; ¿no les parece?

30

Sviajski cogió del brazo a Levin y le condujo a su grupo. No hubo medio de eludir a Vronski, el cual les veía aproximarse, de pie entre Sergio Ivanovich y Esteban Arkadievich.

—Encantado —dijo, tendiendo la mano a Levin—. Si mal no recuerdo, nos hemos visto en casa de... la princesa Scherbazki.

—Sí, recuerdo perfectamente nuestro encuentro —respondió Levin, que se puso de color de púrpura y se volvió inmediatamente hacia su hermano para hablar con él.

Vronski esbozó una sonrisa y dirigió la palabra a Sviajski, sin demostrar ningún deseo de continuar su conversación con Levin, pero éste, aturdido por su descortesía, estaba buscando un medio de subsanarla.

—¿Cómo habéis quedado? —preguntó, mirando indistintamente a Vronski y a Sviajski.

—Todo depende ahora de Snietkov —respondió el segundo.

—¿Va a hacerse representar?

—Tiene aire de vacilar —opinó Vronski.

—Si se niega, ¿quién se presentará en su lugar?

—Todos los que quieran —dijo Sviajski.

—¿Alguno de ustedes, por ejemplo?

—¡Eso nunca! —exclamó Nicolás Ivanovich, que se turbó, lanzó una mirada inquieta sobre el vecino de Sergio Ivanovich, en quien Levin reconoció al señor del tono quisquilloso.

—Entonces, será Neviedovski —continuó Levin, notando que se estaba metiendo en un terreno peligroso.

—¡En ningún caso! —respondió el señor desagradable, que resultó ser Neviedovski en persona, y al que Sviajski se apresuró a presentar a Levin.

—¿Te vas apasionando ya con esto? —intervino Esteban Arkadievich, echando una ojeada a Vronski—. Es algo así como las carreras de caballos; deberían instituir apuestas mutuas.

—Sí que es apasionante, como todas las luchas —aprobó Vronski, con las cejas fruncidas y el mentón contraído.

—¡Qué espíritu práctico es ese Sviajski!

—Ciertamente —respondió Levin de un modo evasivo.

Siguió un silencio, durante el cual Vronski concedió a Levin una mirada distraída; al ver que éste tenía fijos en él sus ojos oscuros, le preguntó, por decir algo:

—¿Cómo se explica que, viviendo siempre en el campo, no haya sido nombrado usted juez de paz?

—Porque los juzgados de paz me parecen una institución absurda —dejó escapar Levin con voz débil y lúgubre.

—Yo había creído lo contrario —replicó Vronski, sin abandonar su calma.

—¿Para qué pueden servir? —le interrumpió Levin—. No he tenido más que un proceso en ocho años, y aun así lo resolvieron contrariamente al sentido común. Como el juez de paz vive a cuarenta verstas de mi casa, tengo que nombrar quien me represente en juicio, y por dos rublos de cuantía litigiosa, tendría que satisfacer quince rublos de costas.

Y se puso a relatar la historia de un molinero, procesado por calumnia a instancia de un labrador, el cual le había robado un saco de harina, y aún se atrevía a reclamarle por haberle afeado su acción. Al extenderse en estas menudencias, Levin se daba cuenta perfectamente de lo que éstas tenían de necias y faltas de oportunidad.

—¡Qué original! —exclamó Oblonski con la más untuosa de sus sonrisas—. Pero ¿qué os parece si fuésemos a ver lo que pasa? Me parece que están votando.

—No te comprendo —dijo Sergio Ivanovich cuando estuvieron

solos—. Raramente he visto una falta tan absoluta de tacto político. Un defecto muy ruso; por desgracia... Snietkov es nuestro adversario, y tú te muestras amable con él. El conde Vronski es nuestro aliado, y le tratas con altivez... A decir verdad, no es que me interese demasiado su amistad; precisamente acabo de declinar una invitación suya a comer, pero en fin, no hay por qué hacerle mala cara... Y luego, haces a Neviedovski preguntas indiscretas...

—Todo esto me aburre y además no tiene ninguna importancia —replicó Levin, cada vez más lúgubre.

—Es posible, pero cuando te metes, acabas por estropearlo todo.

Levin no respondió nada. Ambos ganaron la gran sala.

Aunque en el ambiente se mascaba la maniobra, el viejo diputado se había dejado, al fin, convencer. Se hizo un gran silencio y el secretario proclamó en voz alta y clara que Miguel Stephanovich Snietkov, capitán de la Guardia, presentaba su candidatura para el cargo de representante de la nobleza por la provincia de Kachin. Los delegados de distrito abandonaron sus mesas respectivas para instalarse, con las urnas, en la mesa de honor.

—¡A la derecha! —murmuró Esteban Arkadievich al oído de su cuñado cuando ambos se aproximaron a la mesa.

Pero Levin, que había olvidado las explicaciones tan complicadas de Sergio Ivanovich, creyó que Oblonski había cometido un error: ¿acaso no era Snietkov el adversario? Delante de la misma urna, hizo pasar la bola de su mano derecha a su mano izquierda, y votó de una manera tan ostensible por lo que la izquierda significaba, que hizo fruncir el entrecejo a un elector que le observaba: aquel señor poseía la rara habilidad de adivinar los votos, y su fina percepción tenía que sacar provecho de una maniobra tan mal disimulada.

Pronto se oyó ruido de las bolas que se contaban, y el secretario proclamó los resultados del escrutinio: Snietkov había sido elegido por fuerte mayoría. Todo el mundo se precipitó hacia la puerta para abrírsela al elegido y felicitarle.

—Entonces, ¿ya está todo acabado? —preguntó Levin a su hermano.

—Al contrario, ahora es cuando comienza —respondió por Kosnichev el solapado Sviajski—. El subdelegado puede obtener mayor número de votos.

Este pequeño detalle había pasado inadvertido a Levin, y le sumió en una especie de melancolía. Creyendo inútil su presencia, volvió a la sala pequeña y a la vista de los camareros recobró la serenidad. Habiéndose puesto a sus órdenes el viejo sirviente, le encargó unas croquetas con judías y le hizo hablar sobre sus maestros de otros tiempos. Después, como decididamente la sala grande le causaba repulsión, subió a las tribunas y las encontró llenas de damas *en gran toilette*. Apoyándose en la balaustrada, estaban atentas a lo que se decía en el salón. Las rodeaban pimpantes abogados, oficiales del Ejército, profesores de Universidad. No se hablaba más que de las elecciones. Alguno que otro destacaba el interés de los debates. Otros subrayaban la extremada fatiga del diputado, y Levin oyó cómo una señora decía a un abogado:

—¡Qué contenta estoy de haber oído a Kosnichev! Por oír un discurso como ése vale la pena aplazar la comida. ¡Qué voz más melosa, y qué partido sabe sacar de ella! En el tribunal sólo hay uno que sabe hablar, Mäidel, y aun así no tiene la misma elocuencia.

Levin encontró al fin una plaza libre; apoyóse en la balaustrada y miró cómo se desarrollaban abajo los acontecimientos. Los gentileshombres se habían agrupado por distritos; en medio de la sala, un personaje de uniforme preguntaba con voz de falsete:

—El capitán Eugenio Ivanovich Apoukhtine, ¿acepta la candidatura al cargo de subdelegado provincial?

Tras unos instantes de profundo silencio, una temblorosa vocecita de viejo chilló:

—¡Renuncia!

—El consejero de la corte Pedro Petrovich Bohl, ¿acepta la candidatura?

—¡Renuncia! —aulló una estridente voz juvenil.

Aquello duró una hora larga. Después de haberse esforzado vanamente en comprenderlo, presa de un mortal hastío y reviviendo en la mente la visión de tantos semblantes llenos de odio y pasión, Levin resolvió volver a su casa. A la entrada de la tribuna, chocó con un estudiante de ojos adormilados, que deambulaba con aire melancólico. Y, al descender por la escalera, se encontró con una dama que trepaba más que subía los peldaños, abatida de cansancio, y a la que acompañaba un flamante sustituto, de genio vivaracho y alegre.

—Ya le había dicho que llegaríamos a tiempo —dijo el sustituto, mientras Levin se esfumaba ante su compañera.

Una vez en el vestíbulo, mientras estaba sacando del bolsillo de su chaleco la ficha para el guardarropa, fue alcanzado por el secretario:

—¿Tiene la bondad, Constantino Dimitrievich? Están votando.

A pesar de sus recientes negativas, Neviedovski había aceptado la candidatura.

El secretario llamó a la puerta de la sala grande, que estaba cerrada, y se abrió para dejar paso a dos dirigentes cuyos ojos lanzaban chispas y cuyas mejillas estaban coloreadas de un rojo vivo.

—¡No podía aguantar más! —dijo uno de ellos.

Acudió el viejo diputado. Daba pena ver sus facciones alteradas.

—¡Te había prohibido que dejases salir a cualquier persona, fuese quien fuera! —gritó al portero.

—Pero no que dejase entrar, excelencia.

—¡Válgame Dios! —suspiró el diputado, reintegrándose a la mesa de honor, con la cabeza baja y arrastrando una pierna.

Tal y como habían previsto sus partidarios, Neviedovski obtuvo un número de votos superior al de Snietkov, y fue proclamado diputado provincial, cosa que alegró a unos, entristeció a otros y sumió a su predecesor en un estado de desesperación que no se tomó la molestia en disimular. Cuando el nuevo elegido abandonaba la sala, una entusiasta muchedumbre le acompañó a la salida con las mismas aclamaciones que había prodigado cinco días antes al gobernador, y sólo hacía unas horas, también a Snietkov.

31

Vronski ofreció un gran banquete al recién elegido y al partido que triunfaba con él.

El conde, al asistir a la sesión, había querido afirmar de este modo su independencia con respecto a Ana, hacerse simpático a Sviajski —que le había prestado muy buenos servicios cuando las elecciones para el *zemstvo*— y, sobre todo, cumplir los deberes que a sí mismo se había impuesto como terrateniente. No había sospechado el apasionado interés que se tomaría por aquel asunto, ni el éxito con que estaba llamado a desempeñar su papel. Al primer golpe había conquistado la simpatía general, y veía con satisfacción que ya se contaba para todo con él. Aquella súbita influencia era debida a su nombre y a su fortuna, a la bella mansión que ocupaba en la ciudad y que le había cedido su viejo amigo Chirkov, hombre metido en finanzas que había fundado en Kachin una banca muy próspera; al excelente cocinero que se había traído del campo; a su intimidad con el gobernador —uno de sus antiguos camaradas y protegidos—, pero, sobre todo, a sus modales sencillos y halagadores, que le abrían de par en par las puertas de todos los corazones a pesar de su fama de orgulloso. En una palabra —y con excepción de aquel tipo avinagrado que había tenido a bien casarse con Kitty Scherbazki, y que acababa de soltarle sin venir a cuento una retahíla de necedades—, todos los que le habían tratado durante la sesión parecían dispuestos a rendirle homenaje y atribuirle el triunfo de Neviedovski. Experimentaba cierto orgullo al figurarse que en tres años, si se casaba y si no le abandonaba la ilusión, haría triunfar su propia candidatura, lo mismo que en otro tiempo, después de haber aplaudido los éxitos de su *jockey*, estaba resuelto a montar personalmente sus propios caballos en las carreras.

Por el momento se celebraba el triunfo del *jockey*. Vronski presidía el acto; había colocado a su derecha al gobernador, joven general muy allegado a la persona de Su Majestad, a quien cortejaban mucho los gentileshombres, pero que para el conde no era más que un viejo camarada Maslov —Katka, como le llamaban familiarmente en el Cuerpo de cadetes— a quien hacía mucho tiempo se esforzaba en complacer. A su izquierda tenía a Neviedovski, reservado y socarrón, para quien guardaba las máximas consideraciones.

El banquete transcurrió en maravilloso espíritu de animación y cordialidad. Esteban Arkadievich, feliz al ver la satisfacción general, estaba francamente divertido. Sviajski había puesto a mal tiempo buena cara, y hasta dedicó un brindis a su afortunado rival, alrededor del cual —según dijo— debían agruparse todas las gentes honradas. Añadió que la nobleza no podía tener a su frente una persona más capacitada para defender sus principios, esos principios por cuya reivindicación debía luchar en adelante. Después, aludiendo a las lamentaciones de Snietkov, aconsejó de manera agradable a su excelencia que para la verificación de las cuentas de Tesorería recurriera a procedimientos más probatorios que las lágrimas. Otra mala lengua había hecho correr el rumor de que Snietkov, queriendo celebrar su reelección con un baile, había hecho venir cierto número de criados, todos ellos con calzón corto, los cuales quedaban ahora sin empleo y así estarían, a menos que su excelencia tuviera a bien ofrecer el baile en su lugar.

Tratando de «excelencia» a Neviedovski, todo el mundo experimentaba el mismo placer que en saludar a una joven recién casada con el título de señora. El nuevo diputado adoptaba un aire indiferente, conteniéndose el máximo para impedir que estallara una manifestación de entusiasmo poco adecuada al espíritu «liberal» que dominaba en la concurrencia.

Como se habían enviado varios mensajes en diferentes direcciones, a Oblonski le pareció oportuno expedir uno para Dolly, «a fin de complacer a todos», según dijo en tono confidencial a sus vecinos. «Neviedovski elegido mayoría veinte votos. Felicidades. Transmitidlas», decía aquel telegrama, que la pobre Dolly recibió suspirando. ¡Otro rublo tirado al agua! Adivinó que su marido había comido opíparamente. Era una de las debilidades de su marido: hacer funcionar el telégrafo después de una buena comida.

Ésta, verdaderamente, no dejaba nada que desear: trato exquisito, vinos de las mejores marcas extranjeras, los platos mejor condimentados, comensales escogidos al vuelo por Sviajski, propósitos espirituales y de buena compañía, brindis humorísticos en honor del nuevo diputado, del gobernador, del director de la banca y de «nuestro amable anfitrión». Jamás hubiera esperado Vronski encontrar un ambiente tan simpático en aquella provincia. No ocultaba su satisfacción.

Al final de la comida se redoblaron las manifestaciones de regocijo, y el gobernador suplicó a Vronski que asistiera a un concierto organizado por su mujer a beneficio de «nuestros hermanos eslavos». Ella tenía vivos deseos de conocer al conde.

—Después se bailará, y ya verás nuestra «belleza» local. Te aseguro que vale la pena.

—*Not in my line* —respondió sonriendo Vronski, que era muy aficionado a esta expresión inglesa. Prometió, sin embargo, asistir.

Se habían encendido los cigarros, y los asistentes se disponían a levantarse de la mesa, cuando el ayuda de cámara se aproximó a Vronski para entregarle una carta, depositada en una bandeja.

—De Vozdvijenskoié, por exprés —declaró, en tono solemne.

—Es asombroso su parecido con el sustituto Sventitski —dijo en francés uno de los convidados señalando al ayuda de cámara, en tanto que Vronski, con displicencia, abría el sobre.

Había prometido regresar el viernes; ahora bien, como se habían prolongado las elecciones, había llegado el sábado y aún estaba ausente de su casa. La víspera había escrito para explicar su retraso, pero habiéndose cruzado las dos cartas, la de Ana debería estar llena de reproches. El contenido de la misiva resultó aún más penoso de lo que creía:

Annie está gravemente enferma, el médico teme una inflamación. Pierdo la cabeza aquí tan sola. La princesa Bárbara no es más que un estorbo. Anteayer estuve esperando en vano, lo mismo ayer; desesperada por no saber la causa, te envío un mensajero a ver si al fin me entero qué ha sido de ti. Yo misma hubiera ido si no tuviera el temor de desagradarte. ¡Dame una respuesta, cualquiera que sea, a fin de que sepa a qué atenerme!

¡De modo que la niña estaba enferma de gravedad, y ella no hubiera tenido inconveniente en venir! ¡Su hija estaba sufriendo, y ella adoptaba hacia él aquel tono de protesta! El contraste entre la inocente alegría de las elecciones y la trágica pasión que le reclamaba imperiosamente, sorprendió de manera dolorosa a Vronski. Sin embargo, aquella misma noche partió en el primer tren.

32

Las escenas que Ana le hacía cada vez que se ausentaba, no podían menos de repugnar a su amante. Ella se daba perfecta cuenta de todo, y a la hora de la partida para las elecciones se había propuesto soportar estoicamente la separación. Pero la mirada fría y autoritaria con la cual le anunció él su decisión, la hirió en lo más vivo, y no se había marchado todavía cuando ya empezó a sentir los efectos de una cruel decepción, que era incapaz de contener.

Al quedarse sola, meditó acerca del alcance de aquella mirada, por la cual quería él significarle su afán de independencia personal, y la interpretó —como siempre— en un sentido humillante para ella.

«Es verdad, tiene derecho a ausentarse cuando le parezca..., y hasta abandonarme por completo. Desde luego, él tiene todos los derechos, mientras que yo no tengo ninguno. No es un rasgo generoso en él, haciéndomelo sentir... ¿Y cómo me lo ha hecho sentir? Con su mirada dura... Es una forma muy vaga, muy imprecisa, de agraviarme. Pero él no me miraba antes así, y eso demuestra que ahora se ha vuelto más frío.»

Por muy convencida que estuviera de aquel enfriamiento, no podía encontrarle otro remedio que ofrecer a Vronski un amor más ardiente y unos encantos personales totalmente renovados. Sólo la multiplicación de sus ocupaciones durante el día y las frecuentes dosis de morfina por la noche podían adormecer la pavorosa obsesión de que su amante dejaría de quererla. ¿Qué sería de ella entonces? A fuerza de reflexionar en estas cosas, acabó por comprender que todavía le quedaba un medio de salvación: el matrimonio y, en consecuencia, resolvió ceder a las primitivas argumentaciones en pro del divorcio que le habían hecho Stiva y Vronski.

Cinco días transcurrieron en esta angustiosa situación. Para engañar su tristeza se dedicaba a pasear, a sostener largas conversaciones con la princesa, a hacer visitas al hospital, a leer sin cesar. Pero el sexto día, viendo que el cochero volvía solo de la estación, sintió que le faltaban las fuerzas. Entretanto, su hijita cayó enferma, pero muy ligeramente para que la inquietud pudiera distraerla; por lo demás, y a pesar de sí misma, no podía fingir por aquella niña unos sentimientos que no experimentaba en modo alguno. Llegada la noche se duplicaron sus temores. Se imaginaba que había sobrevenido a Vronski alguna desgracia. Quiso reunirse con él pero se contuvo y le envió en su lugar una nota incoherente, que no tuvo el valor de repasar. A la mañana siguiente, la llegada de la carta de Vronski le hizo lamentar aquel impulso, pues, ¿cómo soportaría ella la severa mirada que había de lanzarle al saber que Annie no había estado enferma de gravedad? De todas maneras, su regreso le causaba una gran alegría; quizás él sentiría su libertad perdida y encontraría pesada su cadena, pero al menos le tendría allí, le vería y no le perdería de vista.

Sentada bajo el quinqué, estaba leyendo el último libro de Taine, escuchando en el exterior las ráfagas de viento y aguzando el oído al menor rumor. Después de haberse equivocado varias veces, oyó distintamente la voz del cochero y la trepidación del coche bajo el pestillo. La princesa Bárbara, que estaba jugando un solitario, también lo oyó. Ana se puso de pie; no se atrevía a bajar como lo había hecho dos veces. Arrebolada, confusa, inquieta por la acogida de que iba a ser objeto, se quedó parada. Se habían desvanecido todas sus susceptibilidades; lo único que temía era el descontento de Vronski, y recordando de pronto que la niña estaba bastante mejor que la víspera, pensó que la única salida era suponer que la pequeña se había restablecido al expedir ella la carta. El caso es que, pensando que iba a verle de nuevo, a «él», en carne y hueso, este pensamiento eliminó a todos los demás, y cuando llegó a sus oídos el sonido de su voz, sintióse arrebatada de júbilo y corrió presurosa al encuentro de su amante.

—¿Cómo está Annie? —preguntó Vronski con inquietud al pie de la escalera, mientras un criado le sacaba las botas, guarnecidas de piel.

—Mejor.

—¿Y tú? —interrogó él, sacudiendo los copos de nieve que se le habían adherido a la pelliza.

Ella le presionó una mano entre las suyas y le atrajo hacia sí, sin dejar de mirarle.

—Vengo muy satisfecho —declaró Vronski, sin dignarse dirigir más que una mirada distraída a su *toilette*, que sabía la había adoptado expresamente para recibirle.

Estas atenciones le agradaban, ciertamente, pero le agradaban muy de tarde en tarde. Su rostro adquirió aquella expresión de inmóvil severidad que tanto temía Ana.

—Vengo muy satisfecho. Pero tú, ¿cómo estás tú? —volvió a decir mientras le besaba la mano, después de haberse limpiado la boca con el pañuelo.

«Tanto peor —se dijo Ana—. ¡Lo que importa es que él esté aquí! Mientras yo esté en su compañía, se verá obligado a quererme.»

La noche transcurrió alegremente en compañía de la princesa, quien se quejaba de que Ana hubiese tomado morfina.

—No lo puedo remediar. Mis pensamientos no me dejan dormir. Cuando él está aquí, casi nunca la tomo.

Vronski relató las incidencias de las elecciones, y Ana después de interrogarle hábilmente para hacerle hablar de su éxito personal, le contó a su vez los pequeños acontecimientos domésticos que creyó pudieran interesarle.

Cuando se quedaron solos, Ana, creyendo haberle reconquistado totalmente, quiso borrar la impresión desagradable producida por su carta.

—Confiesa —le dijo— que te ha disgustado mi nota, y que no has creído nada de lo que decía en ella.

—Sí —respondió él, pero a pesar de la ternura que le demostraba, Ana comprendió que no la quería perdonar—. ¡Tu carta era tan rara! Por un lado te inquietaba la salud de Annie, y por otro, querías dejarla para venir a verme.

—Tan cierto era lo uno como lo otro.

—No lo dudo.

—Sí que lo dudas; ya veo que estás enfadado.

—Nada en absoluto; lo que me contraría es que no quieras admitir el cumplimiento de mis deberes...

—¿Qué clase de deberes? ¿El de asistir a un concierto?

—No hablemos más de esto.

—¿Por qué no hablar más?

—Quiero decir que uno puede encontrarse con deberes imperiosos... Así, por ejemplo, pronto tendré que irme a Moscú para ciertos asuntos... Vamos a ver, Ana, ¿por qué te irritas de ese modo, si sabes que no puedo vivir sin ti?

—Si es así —dijo Ana cambiando súbitamente de tono—, si tú

llegas un día para volver a marcharte al siguiente, si estás cansado de esta vida...

—Ana, no seas cruel. Tú sabes que estoy dispuesto a sacrificarlo todo...

Ella no escuchaba nada.

—Cuando vayas a Moscú, te acompañaré... Yo sola aquí no me quedo. Vivamos juntos o separémonos.

—Yo no pido más que vivir contigo, pero para eso es necesario...

—¿El divorcio? Sea. Le escribiré. No puedo seguir viviendo así... Pero te seguiré a Moscú.

—Lo dices en tono de amenaza, pero tú no sabes que es eso lo que deseo —repuso Vronski sonriendo. Mas su mirada seguía teniendo una expresión glacial y aviesa, como la de un hombre exasperado por la persecución.

Ella comprendió el sentido de aquella mirada, y la impresión que le causó jamás había de borrarse de su memoria.

Ana escribió a su marido para pedirle el divorcio y, a finales de noviembre, después de haberse despedido de la princesa Bárbara, cuyos asuntos la reclamaban en San Petersburgo, se trasladó a Moscú para instalarse allí con Vronski.

Séptima parte

1

Los Levin estaban en Moscú hacía dos meses, y el término fijado por las autoridades competentes para el alumbramiento de Kitty había transcurrido sin que nada hiciera prever un desenlace inmediato. Todos los que la rodeaban empezaban a preocuparse: el médico, la comadrona, la princesa Dolly, y sobre todo, Levin, que veía con horror aproximarse el momento fatal. Kitty, por el contrario, conservaba íntegra la calma. Aquel niño que esperaba era como si existiese ya para ella, y hasta manifestaba su independencia haciéndola sufrir a veces, pero aquel dolor extraño y desconocido no hacía más que provocar una sonrisa en sus labios, sentía nacer en ella un amor nuevo. Y como jamás se había visto tan mimada, tan regalada de todos los suyos, ¿a qué hacer votos porque terminase una situación que, al fin y al cabo, tan dulce resultaba para ella?

Había, sin embargo, un nubarrón que ensombrecía el paisaje: Encontraba a su marido inquieto, receloso, inactivo, agitado sin motivo aparente. ¿Era el mismo hombre a quien tanto había admirado ella, en el campo, por su actividad práctica, su dignidad tranquila, su cordial hospitalidad? Aquel cambio tan brusco le inspiraba una especie de conmiseración, que no experimentaba ninguno de los que se hallaban en torno a ella: sus celos, bruscamente despertados, la hacían reconocer que en el ambiente de la gran urbe, la bella prestancia de su marido, sus ademanes corteses aunque un poco anticuados, su fisonomía expresiva sobre todo, tenían que producir un determinado efecto forzosamente. Pero como ella estaba acostumbrada a leer en el alma de Levin, se daba cuenta perfectamente de que éste se encontraba desorientado, y en el fondo de su alma le censuraba no haber sabido acomodarse a la vida de la ciudad, aun estando de acuerdo con él en que Moscú tenía muy pocos recursos que ofrecerle. Y en efecto, ¿qué ocupación podía buscarse? No le gustaban los naipes, ni los casinos, ni la compañía de calaveras como Vronski de lo que daba gracias al cielo, pues ya sabía que esta clase de gente gozaba embriagándose y frecuentando ciertos lugares en los que no podía pensar sin estremecerse. ¿El mundo? Para disfrutar de él había que buscar la compañía de las mujeres, y esta perspectiva no tenía nada de halagadora para Kitty. ¿La familia? ¿No acabaría haciéndose demasiado monótona para él tanta palabrería inútil entre las dos hermanas, aquella «Aline-Nadine» como pintorescamente las denominaba el viejo príncipe? ¿Su libro? Levin se había formado el propósito de acabarlo y estaba haciendo investigaciones en la biblioteca pública, pero confesó a Kitty que él mismo mataba su propio interés por este trabajo cada vez que hablaban de eso, y que además, cuantas más ocasiones se le presentaban, menos tiempo veía para dedicarse seriamente a dicha tarea.

Las condiciones particulares de su vida en Moscú tuvieron una compensación, un resultado que no esperaban: el de hacer que cesaran sus disputas. El miedo que ambos tenían a hacer revivir escenas de celos, acabó por desvanecerse, incluso a raíz de un incidente imprevisto: la reaparición de Vronski.

El estado de Kitty no le permitía salir a la calle. No obstante, hizo una excepción por deferencia a su madrina, la vieja princesa María Borissovna, que siempre la había querido mucho, y se dejó conducir por su padre a la casa de ésta. Allí fue donde se volvió a encontrar —esta vez en traje de paisano— al hombre que antes le había sido tan querido. Al principio sintió su corazón latir hasta causarle dolor, y su semblante adquirió un tono purpúreo, mas esta emoción no duró sino un instante. El viejo príncipe se apresuró a dirigir la palabra a Vronski. Apenas entablada la conversación, Kitty ya habría podido sostenerla sin que su sonrisa o su voz se hubiesen prestado a las críticas de su marido, a pesar de su invisible vigilancia, que ella presentía. Cambió algunas palabras con Vronski y se sonrió cuando éste llamó a la Asamblea de Kachin «nuestro Parlamento», para demostrar que comprendía el chiste, y ya no se ocupó más de él hasta el momento de la despedida, en que correspondió a su saludo.

El viejo príncipe no hizo al salir la menor alusión a este encuentro, pero Kitty comprendió, por una expresión particular de ternura que le demostró en el curso de su paseo habitual, que estaba contento de ella, y le agradeció su silencio. Ella también estaba satisfecha —y muy sorprendida— de haber podido vencer la fuerza de sus recuerdos, hasta el punto de ver de nuevo a Vronski con indiferencia.

—He sentido tu ausencia —dijo a su marido al contarle aquella entrevista—, o al menos, hubiera querido que pudieses verme por el ojo de la cerradura, porque delante de ti quizá no habría podido conservar mi sangre fría. Mira qué colorada me pongo ahora. ¡Mucho más que antes, te lo aseguro!

Levin, que al principio se puso más encarnado que ella, escuchándola con aire sombrío, se calmó ante la mirada llena de sinceridad de su esposa, y le hizo algunas preguntas que permitieron a Kitty justificar su actitud. Habiéndose serenado completamente, Levin declaró que en lo sucesivo no se comportaría tan neciamente como lo hizo en las elecciones, y daría pruebas a Vronski de una perfecta amabilidad.

—¡Es tan penoso temer la presencia de un hombre y considerarle como un enemigo! —confesó.

2

—No olvides hacer una visita a los Bohl —recordó Kitty a su marido, cuando antes de marcharse entró en su habitación cerca de las once de la mañana—. Ya sé que vas a comer en el casino con papá, pero ¿qué te propones hacer antes?

—Pues nada, iré a casa de Katavassov.

—¿Por qué tan pronto?

—Me ha prometido presentarme a Metrov, un gran sabio de San Petersburgo, con quien quiero discutir sobre mi libro.

—¡Ah, sí! Ya me acuerdo. Nos has hecho muchos elogios de sus artículos. ¿Y después?

—Quizá pase por el juzgado para el asunto de mi hermana.

—¿No irás al concierto?

—¿Y qué quieres que haga allí solo?

—Pues sí, pues sí, debes ir. Van a interpretar esas dos nuevas composiciones que tenías interés en escuchar. Si pudiese, te acompañaría.

—En todo caso, vendré antes de la comida para saber de ti.

—Ponte el frac para ir a ver a los Bohl.

—¿De veras es necesario que vaya?

—Ciertamente, pues el conde nos hizo él primero la visita. Cinco minutos de conversación sobre la lluvia y el buen tiempo no son, verdaderamente, una misión penosa de cumplir.

—Es que, como puedes ver, he perdido la costumbre de las visitas. ¡Costumbre muy fastidiosa, verdaderamente! Llegas a casa de esa gente sin previo aviso, no tienes nada que contarles, posiblemente les trastornas sus planes, en su interior se quejarán de tu importunidad..., ¡y buenas noches, señoras y señores!

Kitty se echó a reír.

—Pues tú hacías bastantes visitas cuando eras soltero.

—Es verdad, pero mi turbación era la misma. Palabra de honor que antes de hacer una visita de ésas prefería quedarme dos días en ayunas. ¿Estás segura de que a éstos no les va a molestar?

—¡Claro que estoy segura, y bien segura! —afirmó Kitty divertidísima—. Bueno, hasta luego —añadió, cogiéndole la mano—. Y no olvides tu visita.

Ya iba a salir Levin, después de besar la mano de su mujer, cuando ésta le detuvo.

—Kostia, ¿sabes que no me quedan más que cincuenta rublos?

—Muy bien, pasaré por el banco. ¿Cuánto necesitas?

—Atiéndeme —dijo ella al ver que se nublaba el rostro de su marido, al mismo tiempo que le sujetaba por el brazo—. Esta cuestión me tiene preocupada. A mí me parece que no hago gastos inútiles, y, sin embargo, el dinero se va tan deprisa, que algo debe ir mal en nuestro modo de vivir.

—De ningún modo —respondió Levin, con la mirada baja y una tosecilla que ella sabía que expresaba cierta contrariedad. En efecto, aunque a él no le parecían exagerados los gastos, lamentaba que ella le recordase una dificultad en la que no quería pensar más—. He escrito a Sekolov encargándole que venda el trigo y que cobre anticipadamente el alquiler del molino. Dinero no nos hará falta.

—Creo verdaderamente que estamos gastando demasiado.

—Nada de eso, nada de eso. Hasta la vista, querida.

—A veces me apena haber seguido el consejo de mamá. Os estoy cansando a todos, estamos derrochando locamente el dinero... ¿Por qué no nos habremos quedado en el campo?

—Que no, que no. Yo no me arrepiento de nada de lo que he hecho después de casarnos...

—¿De veras? —inquirió ella, mirándole fijamente.

Él había pronunciado aquella frase sólo para reanimar a Kitty, pero emocionado por aquella mirada franca y límpida, la repitió con todo su corazón.

«Todo lo olvido cuando la veo», pensó él. Y recordando el feliz acontecimiento que esperaban, preguntó a Kitty, cogiéndole las dos manos:

—¿Cómo te sientes? ¿Será pronto eso?

—Me he equivocado tantas veces en mis cuentas, que no quiero pensar más en ello.

—¿No tienes miedo?

—Ni el más mínimo —respondió ella, con altiva sonrisa.

—Si te pasa algo, haz que me avisen en casa de Katavassov.

—¡Bah, bah! No te inquietes. Te espero antes de comer. De aquí a entonces, daremos una vuelta con papá y entraremos en casa de Dolly... A propósito: ¿sabes que su posición es insostenible? La infeliz está abrumada de deudas y no tiene un ochavo para salir del apuro. De eso estuvimos hablando ayer con mamá y Arsenio (el marido de su hermana Natalia), y hemos quedado de acuerdo en que debéis hacer recapacitar seriamente a Stiva, puesto que papá no querrá intervenir.

—¿Crees que nos escuchará?

—Habla de todo eso con Arsenio.

—Conforme. Iré a su casa y quizás entonces me decida a acudir al concierto con Natalia. Bueno hasta pronto.

En el vestíbulo, el viejo criado Kusma que ejercía en la ciudad las funciones de mayordomo, detuvo a su amo.

—Ayer volvieron a herrar a *Jolicoeur*, el timonel de la izquierda, pero sigue cojeando. ¿Qué se ha de hacer? —preguntó.

Levin se había traído caballos del campo para su coche, pero no tardó en darse cuenta de que les resultaban más caros que los caballos de plaza, y, además, tenía que recurrir a menudo a los de alquiler.

—Haz venir al veterinario, quizá tenga una magulladura.

—¿Y para Catalina Alexandrovna? —insistió Kusma—. ¿Qué caballos elijo?

Durante los primeros tiempos de su estancia en Moscú, Levin no acertaba a comprender que, para hacer una visita a diez minutos de su casa, tuviese necesidad de enganchar dos vigorosos caballos a un pesado coche, dejar que se helasen en la nieve durante cuatro horas, y pagar cinco rublos por este mediocre placer. Ahora, en cambio, le parecía aquello lo más natural del mundo.

—Toma dos caballos en alquiler.

—Bien, señor.

Zanjada así, en pocas palabras, una dificultad que en el campo le habría costado prolongadas reflexiones, Levin salió a la calle, llamó de lejos un coche de punto y se hizo conducir a la calle de San Niceto, no pensando más que en el placer de hablar de sus trabajos con un célebre sociólogo.

Levin había tomado muy a la ligera una resolución sobre aquellos gastos indispensables, cuyas cifras absurdas llenaban de estupor a los provincianos que venían a establecerse en Moscú. Le pasó lo que les pasa a los borrachos para quienes —según afirma un viejo refrán—, la primera botella es la que más cuesta. Cuando tuvo necesidad de cambiar su primer billete de cien rublos, para proporcionar al portero y al ayuda de cámara unas libreas que —contrariamente a su mujer y a su suegra— le parecían totalmente inútiles, no pudo menos de reflexionar que aquellos oropeles representaban los jornales de dos campesinos durante un año, trabajando desde la salida hasta la puesta del sol, entre el Domingo de Resurrección y el Carnaval, o sea, muy cerca de trescientos días..., y le pareció una píldora muy mala de tragar. Pero ya le pareció menos amarga a partir del segundo billete, con el que satisfizo una factura de veintiocho rublos, importe de un festín familiar, no sin haber calculado que por aquel precio se podía adquirir un centenar de celemines de avena, que muchos hombres habían tenido que segar, hacer gavillas, trillar, aventar, tamizar y poner en unos sacos con el sudor de sus frentes. En lo sucesivo, los billetes tomaron su vuelo como pájaros. Levin ya no se preguntaba si el placer pagado con aquel dinero guardaba proporción con las fatigas que costaba ganarlo. Olvidó, al ceder su avena a cincuenta kopeks por debajo del precio corriente, las normas que se había impuesto a sí mismo de vender los cereales al precio más alto posible. Tampoco se detuvo a meditar en que, al paso que iba, no tardaría en llenarse de deudas. Tener dinero en el banco con que subvenir a las necesidades diarias de la casa, fue de aquí en adelante su único objetivo. Hasta entonces, nunca había estado en apuros, pero la nueva pregunta de Kitty, ciertamente, le habría inducido a unas reflexiones muy amargas, si no fuera por la prisa que tenía en responder a la llamada de Katavassov.

3

Levin estaba ahora en relaciones más estrechas con su antiguo camarada de Universidad, al que no había vuelto a ver desde su matrimonio. Katavassov tenía un concepto del mundo muy claro y muy simple, lo cual atribuía Levin a su falta de carácter. Por su parte, el profesor imputaba la incoherencia de ideas de Levin a una falta de disciplina del entendimiento. Debido sin duda a estas cualidades opuestas —claridad de ideas un poco árida en uno, y riqueza indisciplinada en otro—, ambos amigos encontraban el mayor placer en verse y discutir prolongadamente. Katavassov, en cierta ocasión, obligó a Levin a leerle algunos capítulos de su obra, y hallándolos interesantes, habló de ello a Metrov, eminente sabio que estaba de paso en Moscú, y cuyos trabajos apreciaba mucho Levin. La noche de la víspera, en el curso de una conferencia, había prevenido a su amigo de que Metrov tenía interés en conocerle. Se había concertado una entrevista para el día siguiente por la mañana, a las once, en casa de Katavassov.

—Decididamente, amigo mío, es usted de lo más puntual —dijo el profesor al recibir a Levin en su saloncito—. Celebro tanto... ¿Qué me dice usted de los montenegrinos? Una estirpe de guerreros, ¿verdad?

—¿Hay alguna novedad? —interrogó Levin.

Katavassov le resumió las últimas noticias, y haciéndolo pasar a su gabinete de trabajo, le presentó a un personaje de estatura mediana, pero de muy buena presencia. Era Metrov. La política exterior constituyó el primer tema de la conversación. Metrov citó unas palabras muy significativas pronunciadas por el zar, cuyo conocimiento le había llegado de buena fuente, las cuales refutó Katavassov con otras de un sentido diametralmente opuesto y de fuente también autorizada. Levin quedó en libertad de escoger entre las dos versiones.

—Mi amigo está dando los últimos toques a una obra sobre economía rural —dijo entonces Katavassov—. No es ése mi punto flaco, pero como naturalista me agrada la idea fundamental de este trabajo. Tiene en cuenta el medio en que el hombre vive y se desenvuelve. No examina a éste al margen de las leyes zoológicas, sino que lo estudia en sus relaciones con la Naturaleza.

—Resulta muy interesante —observó Metrov.

—Mi objeto era simplemente escribir un libro de Agronomía —dijo Levin, poniéndose colorado—. Pero, a pesar mío, al estudiar el elemento principal que es el campesino, he llegado a las conclusiones más imprevistas.

Y Levin desarrolló sus ideas con un poco de prudencia porque, conocedor de que Metrov era adversario de las doctrinas económicas clásicas, ignoraba hasta qué punto podía simpatizar con las suyas aquel sabio de cara inteligente, pero hermética.

—¿Pues en qué se diferencia, según su criterio, el obrero ruso de los demás? —preguntó Metrov—. ¿Es desde el punto de vista que usted califica de zoológico, o bien de las condiciones materiales en que se encuentra?

Aquella manera de plantear la cuestión demostró a Levin que existía una divergencia absoluta de ideas. No obstante continuó exponiendo su tesis, a saber: que el pueblo ruso enfocaba el problema agrario de una manera muy distinta de los otros pueblos, y todo por la razón principal de que su instinto le hace sentirse predestinado a colonizar inmensos espacios todavía incultos.

—Nunca es tan fácil equivocarse como cuando se quiere asignar a un pueblo tal o cual misión —objetó Metrov—. La situación del obrero dependerá siempre de sus relaciones con la tierra y el capital.

Y sin dar tiempo para que Levin le replicara, se puso a explicarle en qué se distinguían sus propias opiniones de las que estaban entonces en boga. Levin no comprendió nada ni se esforzó en comprender.

A pesar de su famoso artículo, Metrov, como todos los economistas, no estudiaba la situación del pueblo ruso más que con relación a la renta, al salario y al capital, estando de acuerdo en que la renta, en las provincias del Este —las cuales constituían la mayor parte del país— era nula; que para las nueve décimas partes de una población de ochenta millones de almas, el salario consistía sólo en lo justo para no perecer de inanición y en fin, que el capital no estaba representado más que por un utillaje primitivo.

Metrov no se diferenciaba de otros autores de la misma escuela más que en una teoría nueva sobre el salario, cuyo contenido desarrolló extensamente.

Después de haber intentado interrumpirle para exponer su propio punto de vista, el cual —según creía— hacía inútil toda discusión posterior, Levin acabó por reconocer que ambas teorías eran irreconciliables. Dejó, pues, hablar a Metrov, halagado en el fondo al ver que un hombre tan sabio le tomaba por confidente suyo y le hacía objeto de sus diferencias. Y es que ignoraba que el eminente profesor, habiendo abordado el asunto con su habitual familiaridad, disfrutaba exponiendo al primero que veía unos conceptos que, además, aún no habían madurado en su mente ni se imponían a su espíritu con una evidencia irrefutable.

—Se nos va a hacer tarde —intervino, al fin Katavassov, después de mirar su reloj—. Hoy tenemos una sesión extraordinaria en la Sociedad de Amigos de la Ciencia Rusa, con ocasión del cincuentenario de Svintitch —añadió, dirigiéndose a Levin—. He prometido leer un informe sobre sus investigaciones zoológicas. Venga con nosotros, será interesante.

—Sí, venga —corroboró Metrov—. Y después de la sesión hará el favor de acompañarme a casa para leerme su obra. La escucharé muy complacido.

—¡Bah! No es más que un esbozo que no merece la pena publicarse, pero les acompañaré a la sesión con mucho gusto.

—Ya sabrán ustedes que he firmado el memorándum —advirtió Katavassov, que se mudaba de traje en la habitación contigua.

Hacía alusión a un asunto que aquel invierno había apasionado a los moscovitas. En una sesión del Consejo de la Universidad, habiendo discrepado tres antiguos profesores de otros colegas más jóvenes, éstos expusieron su modo de ver en un memorándum, cuyo contenido pareció a unos muy justo, y a otros sencillamente abominable. Los profesores quedaron divididos en dos bandos, uno de los cuales tachaba de cobardía la manera de obrar de los conservadores, y el otro calificaba de granujería el acto de sus rivales.

Aunque no tenía nada que ver con la Universidad, Levin ya había oído hablar mucho de aquel incidente, a propósito del cual había formado su propia opinión. Pudo, por consiguiente, tomar parte en la conversación de aquellos señores, que recayó exclusivamente sobre tan grave cuestión hasta que llegaron frente al vetusto edificio de la Universidad. La sesión había comenzado. Seis personas, a las que se agregaron Metrov y Katavassov, habían tomado asiento ante una mesa cubierta con un tapete, y uno de ellos estaba leyendo con la nariz pegada a un manuscrito. Levin se instaló junto a un estudiante, a quien preguntó en voz baja qué era aquello que estaban leyendo.

—La biografía —respondió el otro, con sequedad.

Levin escuchó maquinalmente la lectura, y se enteró de algunos detalles interesantes, relacionados con la vida del ilustre sabio.

Terminado que hubo el orador, el presidente dio las gracias y acto seguido recitó unas estrofas mandadas por el poeta Mant, al que dedicó también algunas palabras de gratitud.

A continuación, Katavassov leyó con voz potente su informe acerca de los trabajos de Svintitch.

Levin, viendo que se acercaba la hora del concierto comprendió que no tendría tiempo de leer su obra a Metrov. Además, se le hacía cada vez más evidente que era inútil estrechar los contactos con aquel economista. Si uno y otro estaban destinados a trabajar con fruto, no podía ser más que continuando separadamente sus estudios.

Al final de la sesión fue en busca de Metrov, quien le presentó al presidente. Habiendo recaído la conversación sobre política, Metrov y Levin repitieron las frases intercambiadas en casa de Katavassov, con la diferencia de que Levin expresó una o dos ideas nuevas que acababan de ocurrírsele. Después, como volvió a ponerse sobre el tapete la famosa controversia de los profesores, Levin —que ya estaba bastante aburrido de ella—, presentó sus excusas a Metrov, y dándose toda la prisa posible, trasladóse a casa de los Lvov.

4

Arsenio Lvov, el marido de Natalia, había vivido siempre donde le reclamaban sus funciones de diplomático: ora en las capitales rusas, ora en el extranjero. Hacía unos meses que había abandonado la carrera, y no porque en ella hubiera sufrido contrariedades —siendo, como era, uno de los temperamentos más flexibles del mundo—, sino sencillamente por vigilar más de cerca la educación de sus dos hijos. Se había domiciliado en Moscú, en cuya Corte estaba desempeñando un alto cargo.

A pesar de su notoria diferencia de edad, y de tener opiniones y costumbres muy dispares, los dos cuñados habían trabado una sincera amistad en el transcurso del invierno.

Cómodamente instalado en una butaca, Lvov, en bata y calzando zapatillas de gamuza, se dedicaba a la lectura con ayuda de un binóculo de cristales azules, fumando un cigarro a medio consumir, que su mano delicada mantenía a distancia respetuosa del libro, colocado delante de él en un pupitre bajo. Su rostro fino, de expresión todavía juvenil y al que daban cierto aire aristocrático sus cabellos rizosos y plateados, se iluminó con una sonrisa al ver entrar a Levin, que no se había hecho anunciar.

—Ya iba a mandar que me trajesen noticias de Kitty. ¿Qué tal está? Póngase aquí, que estará mejor —dijo con ligero acento francés, empujando una mecedora—. ¿Ha leído usted el último editorial del *Diario de San Petersburgo*? Lo encuentro bastante bien.

Levin le informó de los rumores captados por Katavassov, y agotado el tema político, pasó a contarle su entrevista con Metrov y la sesión de la Universidad.

—¡Cuánto le envidio sus relaciones con el mundo científico! —exclamó Lvov, después de escucharle complacido—. Claro que yo no podría sacarle el mismo provecho que usted por falta de tiempo, y debo también confesarlo, falta de instrucción suficiente.

—Permítame dudar sobre este último extremo —respondió Levin, sonriendo, pues le impresionaba mucho la modestia de su cuñado, porque sabía que era sincera.

—Usted no podría creer hasta qué punto me doy cuenta de ello, ahora que me ocupo en la educación de mis hijos. No sólo se trata de refrescarme la memoria, sino también de rehacer mis estudios... Yo estimo, en efecto, que al lado de los niños no basta que estén los maestros. Hace falta también una especie de inspector general, cuyo papel equivaldría al que desempeña el capataz cerca de sus obreros... Y veo que a Micha le hacen aprender cosas excesivamente difíciles —declaró, señalando la gramática de Bouslaiev, que descansaba sobre el pupitre—. ¿Podría usted, por ejemplo, explicarme este pasaje?

Levin objetó que aquellas materias se debían aprender sin tomarse la molestia de profundizar en ellas.

Lvov no se dejó convencer.

—Puede que le parezca a usted ridículo —indicó.

—Muy al contrario, usted me sirve de ejemplo para el porvenir —aseguró Levin.

—¡Oh, el ejemplo no tiene nada de particular!

—Sí, por cierto, porque nunca he visto niños tan bien educados como los suyos.

Lvov no pudo disimular una sonrisa de satisfacción.

—Lo único que deseo es que ellos se formen mejor que yo. Su instrucción se ha descuidado bastante y no puede imaginarse la serie de dificultades que hemos de afrontar.

—Están bastante bien dotados y recobrarán pronto el tiempo perdido. Por otra parte, su educación no deja nada que desear.

—¡Si supiera el trabajo que me cuesta!... Apenas vencida una mala inclinación, se manifiesta otra. Como ya le he dicho, sin el auxilio de la religión ningún padre podría llegar al término de su tarea.

La bella Natalia Alexandrovna, en traje de paseo, interrumpió esta charla, cuyo tema la apasionaba bastante menos que a Levin.

—No sabía que estuviera aquí —dijo a su amado—. ¿Cómo está Kitty? Supongo que le habrá dicho que voy a comer con ella... A propósito, Arsenio, tienes que tomar el coche...

Lvov debía ir a la estación al encuentro de una alta personalidad, y Natalia al concierto y a una sesión pública del Comité de Eslavos del Sur. Tras larga discusión, decidióse que Levin acompañaría a su cuñada y mandaría el coche a Arsenio, quien acudiría a recoger a su esposa para conducirla a casa de Kitty. Si algún asunto le retenía en casa, mandaría el vehículo a Levin con el encargo de que cumpliría él aquella misión.

Aclarada esta cuestión, Lvov dijo a su mujer:

—Levin me desconcierta. Afirma que nuestros hijos son perfectos. ¡Y yo que encuentro en ellos tal cantidad de defectos...!

—Siempre te pasas de un extremo al otro. La perfección es una utopía. Pero papá tiene mucha razón. En otro tiempo los padres habitaban el primer piso y los hijos no salían del entresuelo. Hoy día, los niños han conquistado el primer piso y han relegado a los padres a la buhardilla. Los padres no tienen derecho a vivir más que para sus hijos.

—¡Qué importa eso, si nos dan tantas satisfacciones! —replicó Lvov, cogiéndola de la mano y luciendo su hermosa sonrisa—. Si no te conocieran, creerían oír hablar a una suegra.

—No. El exceso en todo es un defecto —concluyó Natalia, que cuidadosamente puso en el lugar adecuado el cortapapeles de su marido.

—Muy bien. Acercaos, hijos modelos —dijo Lvov a dos guapos mozos que aparecieron en el umbral.

Después de haber saludado a su tío, los chicos se acercaron a su papá con la intención evidente de hacerle varias preguntas. Levin habría participado de buena gana en la conversación, pero se le interpuso Natalia, y en aquel intervalo se presentó en uniforme de corte el colega de Lvov, Makhotine, que debía acompañarle a la estación. Siguió el consabido e incesante cambio de opiniones sobre Herzegovina, la princesa Korsunski, el concejo municipal y la súbita muerte de la señora Apraxine.

Levin no se acordó del asunto que allí le había traído hasta que llegó a la antecámara.

—A propósito —dijo a Lvov, que le acompañaba—. Kitty me ha pedido que me ponga de acuerdo con usted sobre lo que conviene hacer en el asunto de Oblonski.

—Sí, ya sé. «Mamá» quiere que nosotros, los «cuñados» le demos una lección de moral, pero yo, ¿qué tengo que ver con todo eso?

—Bueno, yo me encargo de eso, pero vámonos —intervino Natalia, que enfundada en su capa de piel de zorro blanco, esperaba un poco impaciente el fin de la conversación.

5

Se estrenaban aquel día dos partituras: una *Fantasía sobre el Rey Lear de la Estepa*, y un *Cuarteto* dedicado a la memoria de Bach. Levin deseaba ardientemente formar su propia y exclusiva opinión acerca de estas obras compuestas según las nuevas ideas, y para no sufrir influencias extrañas fue a apoyarse en una aislada columna, después de haber instalado convenientemente a su cuñada, y resuelto a escuchar atenta y concienzudamente hasta el fin. Evitó que le distrajeran los gestos del director de la orquesta, su corbata blanca, los sombreros de las señoras, cuyos lazos les taponaban herméticamente las orejas, la visión de todas aquellas fisonomías aburridas, de personas ociosas venidas al concierto por cualquier cosa menos por la música. Evitó especialmente las pedanterías de los *dilettantes*, y con la mirada perdida en el espacio, quedó sumido en una profunda atención.

Pero cuanto más escuchaba la *Fantasía*, más le costaba formarse una idea clara y precisa de la misma. La frase musical, insistentemente y según se iba desarrollando, se fundía en otra frase o se desvanecía según el capricho del compositor dejando como única huella una penosa búsqueda de instrumentación. Los mejores pasajes no encajaban como correspondía en el conjunto, y la alegría, la tristeza, la desesperación, la ternura, el triunfo, se sucedían con esa incoherencia propia de las impresiones de un loco, para desaparecer seguidamente de la misma manera.

Al terminar bruscamente la partitura, Levin se sorprendió de la fatiga que aquella tensión de espíritu le había causado tan inútilmente. Le hacía el efecto de un sordo que mira cómo bailan otros, y al oír los aplausos entusiastas del auditorio, quiso comparar sus impresiones con las de los más entendidos. La gente se levantaba por todas partes, se formaban corros, y Levin pudo reunirse con Pestzov, que conversaba con uno de los más famosos aficionados.

—¡Es asombroso! —exclamó Pestzov, con su voz potente—. ¡Ah! Buenos días, Constantino Dimitrievich... El pasaje más rico en color, el más escultural diría yo, es aquél en que se adivina la proximidad de Cordelia, donde la mujer, *das ewig Weibliche* (el eterno femenino) entra en lucha con la fatalidad. ¿No es cierto?

—Permítame. ¿Qué tiene que ver Cordelia con todo esto? —se atrevió a preguntar Levin, olvidando que se trataba del *Rey Lear*.

—Aquí aparece Cordelia. No tiene más que verlo —replicó Pestzov, golpeando con los dedos un programa satinado que entregó a Levin.

Fue entonces cuando éste se acordó del titulo de la *Fantasía*, y se apresuró a leer los versos de Shakespeare impresos en una traducción rusa al dorso del programa.

—No se debe seguir la música sin ayuda del programa —insistió Pestzov, que, viéndose abandonado por el *dilettante*, tuvo que recurrir a aquel mezquino interlocutor que para él era Levin.

Entre ambos se entabló una discusión sobre los méritos y defectos de la música wagneriana. Levin acusaba a Wagner y sus seguidores de haber invadido los dominios de otro arte. Ni la poesía ni la música lograrían trazar los rasgos de una cara, misión encomendada a la pintura. En apoyo de su aserto, Levin citó el caso reciente de un escultor, que había agrupado alrededor de la estatua de un poeta las pretendidas sombras de sus inspiraciones.

—Esas figuras se asemejan tan poco a unas sombras, que tienen necesidad de apoyarse en una escalera —concluyó, satisfecho de su frase.

Pero apenas la había pronunciado, creyó recordar vagamente que ya se la había soltado a alguien, tal vez al mismo Pestzov, lo cual le hizo perder sus bríos.

Pestzov estimaba, por el contrario, que el arte es «uno». Para que alcance la suprema grandeza, es necesario que sus diversas manifestaciones se reúnan en un solo haz.

El *Cuarteto* se perdió totalmente para Levin. De pie, a su lado, Pestzov no cesaba de divagar. La afectada sencillez de aquella pieza le recordaba la falsa naturalidad de los pintores prerrafaelistas.

Inmediatamente después del concierto, Levin se reunió con su cuñada. Al salir, después de haberse encontrado a distintas personas conocidas, con las cuales cambió impresiones sobre la política, la música y las amistades comunes, divisó de lejos al conde Bohl, y le vino a la mente la visita que le tenía que hacer.

—Vaya pronto —recomendó Natalia, a quien confió sus inquietudes—. Quizá la condesa no reciba hoy. Venga en seguida a verme a la sesión del Comité.

6

—¿La condesa no recibe hoy, quizá? —preguntó Levin al penetrar en el vestíbulo de los Bohl.

—Sí, por cierto. Tenga la bondad de pasar —respondió el portero, despojándole de la pelliza con aire resuelto.

«¡Qué fastidio! —pensó Levin—. ¿Y que le voy a decir? ¿Qué he venido a hacer en esta casa?»

Lanzó un suspiro. Se quitó un guante, puso en debida forma su sombrero flexible y se introdujo en el primer salón. Allí se encontró con la condesa, que con acento severo daba órdenes a un criado. Sonrió al ver al visitante y le invitó a entrar en un *boudoir*, donde sus dos hijas departían con un coronel que conocía a Levin. Después de los cumplidos de rigor, éste tomó asiento al lado del canapé, con el sombrero sobre las rodillas.

—¿Cómo está su esposa? ¿Viene usted del concierto? Nosotras no hemos podido ir. Mamá tenía que asistir al *requiem*.

—Sí... ¡Qué muerte tan repentina!

Apareció la condesa, se sentó en el canapé, informóse, a su vez, de la salud de Kitty y del éxito del concierto. Levin, por su parte, lamentó una vez más la muerte repentina de la señora Apraxine.

—Por lo demás, siempre tuvo una salud muy precaria.

—¿Estuvo ayer en la Ópera?

—Sí.

—La Lucca estaba soberbia.

—Ciertamente.

Y como la opinión de aquella gente le importaba poco, se explayó sobre el talento de aquella diva con una serie de trivialidades que la condesa fingía escuchar. Cuando creyó haber hablado bastante, el coronel, hasta entonces silencioso, se extendió, a su vez, sobre la Ópera, sobre el nuevo sistema de alumbrado y sobre la *folle journée* que darían muy pronto los Tiourine. Acto seguido se levantó aparatosamente y se despidió. Levin hubiera querido hacer otro tanto, pero una mirada sorprendida de la condesa le dejó clavado en su sitio. No era aquél el momento oportuno. Volvió a sentarse atormentado por el necio papel que estaba desempeñando, y sintiéndose cada vez más incapaz de encontrar un tema de conversación.

—¿Irá usted a la sesión del Comite? —preguntó la condesa—. Dicen que va a ser interesante.

—Sí. He prometido a mi cuñada ir a buscarla allí.

Nuevo silencio, durante el cual las tres damas cambiaron una mirada.

«Esta vez creo que es tiempo de partir», pensó Levin levantándose de nuevo. Las damas ya no le retuvieron más. Le estrecharon la mano y le encargaron «tantas cosas» para su mujer.

Al colocarle la pelliza, el portero le pidió su dirección, y la anotó gravemente en un libro-registro soberbiamente encuadernado.

«En el fondo me río yo de todo esto, pero, ¡Dios mío! ¡Esto de tener que hacer el memo! ¡Y qué ridículo resulta todo!», pensaba Levin, mientras se dirigía al lugar de la sesión en favor de los Eslavos del Sur.

Llegó con tiempo suficiente para escuchar la lectura de una Memoria, la cual encontró una acogida muy favorable en el numeroso auditorio.

Parecía que se había dado cita en aquel sitio toda la buena sociedad de Moscú. Levin se encontró a Sviajski —quien le insistió en que no faltara aquella misma noche a una conferencia de las más interesantes en la Sociedad Agronómica—, a Oblonski, que volvía de las carreras, y a otros muchos amigos más, con los cuales no tuvo más remedio que extenderse en consideraciones sobre la sesión que se celebraba, sobre una pieza que se acababa de estrenar y sobre un proceso que había apasionado a todos los espíritus, y con ocasión del cual, su cansada atención le hizo cometer un error, del que luego se tuvo que arrepentir: un extranjero, culpable de un delito en Rusia, había sido sancionado con un decreto de expulsión, lo cual parecía a todo el mundo un castigo excesivamente blando.

—Sí —comentó Levin—. Es como querer castigar a una anguila echándola otra vez al río.

Demasiado tarde se acordó de que aquella ocurrencia, que había emitido como suya, se la había contado un amigo la víspera. Este señor lo había leído antes en un folletín, cuyo autor a su vez lo había plagiado al fabuloso Krylov.

Después de llevar a su casa a Natalia y ver que Kitty se encontraba en perfecto estado de salud como la dejó, se hizo conducir al Casino, llegando en el momento mismo en que se reunía todo el mundo, socios e invitados del club.

7

Levin no había puesto los pies en el Casino desde aquellos tiempos en que, terminados sus estudios, fijó su residencia en Moscú y frecuentó la alta sociedad. Sus recuerdos, adormecidos, despertáronse ante la gran escalinata que aparecía al fondo del vasto patio semicircular, y aun más cuando vio al conserje de librea abrirle silenciosamente la puerta principal e invitarle a que dejara el abrigo de pieles y otras prendas antes de subir al primer piso. Y cuando, precedido de un misterioso toque de aviso, puso su planta en lo alto de la lujosa escalera y divisó la estatua que adornaba aquel vestíbulo —en tanto que un segundo conserje, veterano en el oficio, le aguardaba paseando lenta y ceremoniosamente ante la puerta de las salas—, experimentó nuevamente la impresión de buen gusto y bienestar que le había producido siempre aquella mansión, atendida con tanto esmero.

—Su sombrero, si me hace el favor —dijo el conserje a Levin, que había olvidado dejarlo en el vestíbulo, quebrantando el reglamento de la entidad.

Aquel hombre conocía, no sólo a Levin, sino a toda su parentela. Él también le recordó en seguida.

—Hace mucho que no hemos tenido el placer de verle. El príncipe le inscribió ayer. Esteban Arkadievich no ha llegado todavía.

Después de atravesar la antecámara de biombos y la pequeña estancia con su cuadro del mercader de frutas, Levin penetró en el comedor, adelantándose a un señor anciano que marchaba a pasos muy cortos. Al entrar se encontró con las mesas ocupadas casi en su totalidad. Entre los comensales reconoció al viejo príncipe, Sviajski, Scherbazki, Neviedovski, Sergio Ivanovich, Vronski.

—Al fin te vemos por aquí —le dijo su suegro, tendiéndole la mano por encima del hombro—. ¿Cómo está Kitty? —añadió introduciendo un pico de su servilleta en un ojal del chaleco.

—Está bien, y va a comer con sus dos hermanas.

—¡Ah! ¡Ah! Están haciendo «Aline-Nadine». Bueno, tanto mejor. Pues nada, muchacho, ve en seguida a sentarte ante aquella mesa, que aquí todo está tomado —dijo el príncipe, que empezaba a comer la sopa.

—¡Por aquí, Levin! —gritó una voz jovial a algunos pasos.

Era Turovtsine, que se hallaba sentado junto a un joven oficial, frente a dos sillas reservadas. Después de una mañana tan agobiante, la presencia de aquel amigo de genio alegre, por quien siempre había tenido debilidad, resultó singularmente grata a Levin. Le recordó la tarde de sus esponsales.

—Tome asiento —le invitó Turovtsine, después de haberle presentado a su vecino, un petersburgués de risueña mirada y esbelto talle, que respondía al nombre de Gaguine—. No nos falta más que Oblonski... Pero no, aquí está precisamente.

—Acabas de llegar, ¿verdad? —preguntó Oblonski, acercándose—. Pues bien, vamos a beber un vaso de aguardiente.

Levin se dejó arrastrar ante una gran mesa atestada de botellas y de una veintena de entremeses. Había para satisfacer los gustos más diferentes. Así y todo, Esteban Arkadievich echó en seguida de menos cierto manjar de su predilección, que un criado de librea se apresuró a proporcionarle.

Como desde que sirvieron la sopa, Gaguine había hecho traer

champán, Levin pidió una segunda botella. Comió y bebió a gusto, y tomó parte con placer no menos visible en las conversaciones, un poco picantes, de sus compañeros de mesa. Gaguine relató la última anécdota petersburguesa tan grosera como estúpida, lo que no impidió que Levin riera con gana, hasta el punto que hizo volverse a los comensales de las mesas vecinas.

—Esto entra de lleno en el genero aquél de la canción *Lo que no puedo sufrir* —declaró Esteban Arkadievich—. ¿La conoces? ¡Mozo, una botella más!

—De parte de Pedro Ilitch Vinovski —anunció un viejo sirviente, colocando ante Levin y su cuñado dos copas de espumoso champán.

Esteban Arkadievich levantó la suya en dirección a un señor de tez rojiza, calvo y bigotudo, al que hizo una señal amistosa con la cabeza.

—¿Quién es? —preguntó Levin.

—Un hombre encantador. ¿No te acuerdas de haberle visto en mi casa?

Levin imitó el gesto de su cuñado, y éste pudo entonces referir su historieta, no menos escabrosa que la de Gaguine. Después que Levin hubo contado la suya, que pasó por muy divertida, se habló de caballos y concursos hípicos. Mereció especial mención el corredor de Vronski, *Afelpado*, que acababa de ganar un premio.

—Y aquí tenemos al feliz propietario en persona —dijo Esteban Arkadievich, retrepándose en su silla para tender la mano a Vronski a quien acompañaba un coronel de la Guardia Imperial, de gigantesca estatura. Vronski, que parecía también de excelente humor, apoyó los codos en la silla de Oblonski, murmuró unas palabras a su oído y con amable sonrisa alargó la mano a Levin.

—Encantado de verle otra vez —dijo—. Le estuve buscando por la villa después de las elecciones. Había desaparecido.

—Es verdad, me largué aquel mismo día... Estábamos hablando de su pura sangre. Mi enhorabuena.

—¿No se dedica usted también a la cría de caballos de carreras?

—Yo no, pero mi padre tenía una caballeriza. Entiendo algo sólo por tradición.

—¿Dónde has almorzado? —preguntó Oblonski.

—En la segunda mesa, justo detrás de las columnas —repuso Vronski.

—Le han colmado de felicitaciones —dijo el gigantesco coronel—. No está mal. ¡Ay, si yo pudiese tener la misma suerte en el juego! Pero pierdo un tiempo precioso...

Y con paso decidido, se dirigió a la «cámara infernal».

—Ése es Iachvin —respondió Vronski a una pregunta de Turovtsine.

Tomó asiento cerca de ellos, aceptó una copa de champán y encargó otra botella. Bajo la influencia del vino y de la atmósfera sociable del Casino, Levin entabló con él una cordial discusión sobre los méritos respectivos de las diferentes razas bovinas. Satisfecho de no sentir ya ninguna aversión contra su antiguo rival, hasta hizo una alusión al encuentro que había tenido lugar en casa de la princesa María Borissovna.

—¿María Borissovna? —exclamó Esteban Arkadievich—. ¡Es verdaderamente deliciosa!

Y contó sobre la vieja dama una anécdota, que promovió nuevamente la alegre risa de todos. Las carcajadas de Vronski parecieron a Levin tan francas y cordiales, que se sintió reconciliado definitivamente con él.

—Bueno, señores —dijo Oblonski, levantándose, con una sonrisa en los labios—. Si hemos terminado, vamos a salir.

8

Levin dejó el comedor con una sensación de singular ligereza en los movimientos. Cuando conducido por Gaguine se dirigía a la sala de billar, se encontró en el gran salón con su padre político.

—¿Qué me dices de este templo de la indolencia? —preguntó el viejo príncipe, cogiéndole del brazo—. Vente a dar una vuelta.

—No deseo otra cosa, porque esto me interesa mucho.

—A mí también, pero de una manera distinta. Cuando tú ves hombres bonachones como éste —dijo enseñándole un viejo señor encorvado, de labio inferior colgante y que caminaba penosamente, calzado con zapatillas de terciopelo—, creerás de buena gana que han nacido tan desquiciados como ahora y te hacen sonreír. Yo, en cambio, los miro y me digo: «Dentro de poco yo también arrastraré la pezuña como ellos». ¿Conoces al príncipe Tchetchenzki? —preguntó en un tono que hacía prever una jocosa historieta.

—A fe mía que no.

—¡Cómo! ¿No conoces a nuestro famoso jugador de billar? En fin, poco importa.. Hace de esto tres años. Todavía fanfarroneaba, y trataba a los otros de viejos imbéciles. Pues, bien, cierto día, Basilio, nuestro conserje... ¿No le recuerdas? Sí, hombre... Verás, un tipo muy grueso, que siempre encuentra un motivo para hacer reír...

Pues a éste, un día, el príncipe le preguntó al venir: «¿A quiénes voy a encontrar arriba, Basilio?». «A éste y al otro.» «¿Y de esos imbéciles, ha venido alguno?» «Usted es el tercero, señor príncipe», le respondió el otro, cara a cara. ¡Imagínate el resto!

Sin dejar de ver y saludar amigos en su trayecto, ambos atravesaron el gran salón, donde se celebraban las habituales tertulias. El «salón de los canapés», lugar de cita de los ajedrecistas, en el que Sergio Ivanovich conversaba con un desconocido; la sala de billar, donde en un rincón cercano al diván, Gaguine había congregado un grupo de jugadores en torno a una botella de champán. Echaron un vistazo a la «sala infernal». Iachvin, rodeado de «puntos», ya se había instalado en ella. Penetraron con sigilo en la sala de lectura, una estancia sombría que iluminaban débilmente unas lámparas de pantallas verdes. En ella, un joven de mala cara hojeaba un montón de revistas al lado de un general calvo, con la nariz pegada a un libraco. Por último, se introdujeron en una habitación, que el príncipe había denominado «salón de los intelectuales», y se encontraron allí tres caballeros discutiendo de política.

—Le están esperando, príncipe —vino a anunciarle uno de sus compañeros de juego, que había estado buscándole por todas partes.

Habiéndose quedado solo, Levin permaneció un rato escuchando a los tres caballeros. Después, recordando todas las conversaciones de aquel género oídas por la mañana, sintió un aburrimiento tan profundo que se eclipsó para ir en busca de Turovtsine y Oblonski, con los cuales al menos tenía alguna distracción.

Les encontró en la sala de billar: Turovtsine, en el grupo de los bebedores; Oblonski, de pie al lado de la puerta, en compañía de Vronski.

—No es que esté aburrida, pero esa indecisión la enerva —oyó decir Levin, que quiso pasar de largo, pero se sintió cogido por el brazo.

—No te vayas, Levin —le suplicó Esteban Arkadievich, con los ojos húmedos, como los tenía siempre después de haber bebido, y en sus momentos de ternura, y aquella tarde coincidían ambas cosas—. Éste es, yo creo, mi mejor amigo —prosiguió, volviéndose a Vronski—, y como tú también me eres por lo menos tan querido y tan allegado, quisiera que os hicieseis amigos. Sois dignos de serlo.

—Después de esto, no nos queda más que abrazarnos —respondió Vronski complacido, ofreciendo a Levin su mano.

—Encantado, encantado —declaró.

—¡Camarero, champán! —gritó Oblonski.

—Yo lo estoy igualmente —repuso Vronski.

Pero a pesar de aquella mutua satisfacción, no encontraron nada que decirse.

—Tú sabes que él no conoce a Ana —le hizo notar Oblonski— y quiero aprovechar esta oportunidad para presentársela.

—De lo cual se alegrará mucho ella —respondió Vronski—. De buena gana me iría ahora, pero este Iachvin me tiene inquieto. Tengo que vigilarle.

—¡Lleva las de perder!

—Como siempre. No tiene a nadie más que a mí para hacerle entrar en razón.

—Entonces, ¿qué me decís de una partidita de billar, mientras tanto? ¿Tú eres de los nuestros, Levin? Perfectamente... ¡Una pirámide! —gritó al tanteador.

—¡Vaya juego que les espera! —respondió el personaje, que empleaba sus ratos de ocio en hacer rodar la bola encarnada.

—Ea, pues.

Terminada la partida, Vronski y Levin se instalaron en la mesa de Gaguine, y por consejo de Oblonski, Levin apostó en los ases. Una turba de amigos asediaba sin cesar a Vronski, que se aproximaba de cuando en cuando para amonestar a Iachvin. Feliz de su reconciliación definitiva con su antiguo rival, Levin experimentaba una creciente sensación de alivio físico y moral.

Cuando la partida hubo llegado a su fin, Esteban Arkadievich le cogió por el brazo.

—¿De modo que me acompañarás a casa de Ana? Hace mucho tiempo que le he prometido llevarte. ¿Tienes algo a la vista para esta tarde?

—Nada de particular. Había prometido a Sviajski asistir a una sesión de la Sociedad Agronómica, pero eso no tiene importancia. Vamos allá, si quieres.

—Perfectamente... Ve a ver si está mi coche —ordenó Esteban Arkadievich a un lacayo.

Después de recuperar los cuarenta rublos que había perdido a las cartas, Levin pagó sus gastos a un viejo *maître* apoyado en el quicio de una puerta, y que conocía —sabe Dios cómo— el total, importe de los mismos sin más ayuda que la de su memoria. Luego, accionando con energía los brazos, atravesó la serie de salones del Casino y ganó la salida.

9

—¡El coche del príncipe Oblonski! —gritó el portero con potente voz.

Avanzó el coche, subieron los dos cuñados, y muy pronto las sacudidas del vehículo, los gritos de un auriga, el letrero rojo de un cabaret visto a través de la portezuela disiparon aquella atmósfera de placidez que había rodeado a Levin desde que se introdujo en el Casino. Vuelto bruscamente a la realidad, se preguntó si tenía alguna razón para ir a casa de Ana. ¿Qué diría Kitty? Pero como si hubiera adivinado lo que pasaba por su mente, Esteban Arkadievich cortó de raíz estas meditaciones.

—¡Cuánto me alegro de hacértela conocer! ¿No sabes que Dolly lo deseaba hace mucho tiempo? También va Lvov. Aunque me esté mal el decirlo por ser mi hermana, puedo afirmar que es una mujer superior. Lástima que su situación sea ahora más triste que nunca.

—¿Y eso por qué?

—Estamos tramitando el divorcio. Su marido consiente en él, pero han surgido dificultades a causa del niño, y al cabo de tres meses el problema sigue estancado. Tan pronto se pronuncie la sentencia de divorcio, se casará con Vronski... Dicho sea entre nosotros, ¡qué cosa más tonta es esa ceremonia tan anticuada, a la que ya nadie concede ninguna importancia, y que para nada se necesita, en cuanto a la felicidad de la gente!... Y cuando todo esté terminado, su posición será tan regular como la tuya y la mía.

—¿En qué consisten esas dificultades?

—Sería demasiado largo de explicar. Sea lo que quiera, ahí la tienes desde hace tres meses en Moscú, donde todo el mundo la conoce, pero no ve a ninguna mujer más que a Dolly, porque no consiente que le hagan visitas de caridad. ¿Quieres creer que esa necia de princesa Bárbara le ha dado a entender que tiene que dejarla «por conveniencias»? Otra mujer que no fuese Ana estaría irremisiblemente perdida, pero tú mismo te convencerás de cómo, al contrario, se ha organizado una vida digna y con una misión que cumplir... ¡A la derecha, frente a la iglesia! —gritó al cochero, asomándose por la portezuela—. ¡Dios mío, qué calor hace! —se quejó echando hacia atrás su abrigo, a pesar de los doce grados bajo cero.

—Pero ella tiene una hija que debe ocuparle mucho tiempo.

—Por lo visto, tú no consideras a la mujer más que como un ser reproductor, una gallina clueca... Pues sí, se ocupa de su hija, y la sabe educar muy bien, pero no se detiene en esa niña. Sus ocupaciones más importantes son de orden intelectual: se dedica a escribir. Ya te veo sonreír, y haces mal. Lo que escribe está destinado a la juventud. No habla de eso a nadie más que a mí, que he enseñado el manuscrito a Varkouiev... Ya sabes, el editor. Como él también es escritor, sabe apreciarlo. Pues bien, en su opinión, es una cosa notable... No te vayas a figurar, ni mucho menos, que ha optado por una misión exclusivamente intelectual. Ana es, ante todo, una mujer de corazón. Se ha encargado de una inglesita y de su familia.

—Por filantropía, sin duda.

—No, por simple bondad del alma. Tú ves el ridículo por todas partes. Esa familia es la de un picador de caballos muy hábil en su oficio, que Vronski tiene empleado. El desdichado, entregado a la bebida, poseído del *delirium tremens*, ha abandonado a su mujer y a sus hijos. Ana se ha interesado por esta pobre gente, pero no solamente dándole dinero. Enseña el ruso a los niños a fin de que puedan ingresar en un colegio, y tiene a la niña recogida en su casa. Además, vas a ver...

El coche entró en el patio y se situó al lado de un trineo. La puerta se abrió a una fuerte llamada de Esteban Arkadievich, quien sin preguntar si recibía o no, desprendióse de su abrigo en el vestíbulo. Levin, cada vez más preocupado sobre la procedencia o no del paso que daba imitó, sin embargo, su ejemplo. Al mirarse en el espejo se encontró muy encendido de color, pero seguro de que la bebida no le había alterado en lo más esencial, subió la escalera detrás de Oblonski. En el primer piso les recibió un criado, e interrogado éste familiarmente por Esteban Arkadievich, respondió que la señora estaba en el *boudoir* acompañada del señor Varkouiev.

Atravesaron un pequeño comedor con las paredes revestidas de madera y entraron en un aposento débilmente iluminado por una lámpara de gran pantalla oscura, en tanto que un reflector proyectaba una luz muy suave sobre el retrato de una mujer de hombros opulentos, cabellos negros rizados, sonrisa pensativa y mirada impresionante. Era el retrato de Ana hecho en Italia por Mikhailov. Levin se quedó fascinado. ¿Era posible que una criatura tan bella pudiera existir en carne y hueso?

—Estoy encantada... —dijo una voz que se dirigía evidentemente al recién llegado.

Era Ana, que disimulada tras una cortina de plantas trepadoras, se levantaba para recibir a sus visitantes. Y en la semioscuridad de la

estancia, Levin reconoció el original del retrato, de una belleza realmente soberana, aunque menos brillante, y que ganaba en encanto
lo que perdía en resplandor.

10

Ana se adelantó a él sin disimular el placer que su visita le causaba. Con la desenvoltura y la sencillez de una dama de la mejor sociedad, cosa que Levin supo apreciar en seguida, le tendió su pequeña
mano resueltamente, le presentó a Varkouiev y le mostró como su
pupila a una jovencita que estaba trabajando, sentada junto a la mesa.

—Estoy encantada. Sí, encantada de verdad —repitió, y estas
palabras triviales, pronunciadas por ella, adquirían un sentido particular—. Hace tiempo que le conozco y estimo gracias a las referencias de Stiva y de Kitty. Yo no la he visto más que una o dos veces, pero me ha dejado una impresión deliciosa: es una flor, una flor
exquisita. He sabido que pronto va a ser madre.

Hablaba sin dificultades ni apresuramientos, mirando alternativamente a su hermano y a Levin, quien dándose cuenta de que le
gustaba, no tardó en sentirse a sus anchas, como si se hubieran conocido desde niños.

Oblonski preguntó si se podía fumar.

—Por eso precisamente es por lo que Ivan Petrovich y yo nos
hemos refugiado en el gabinete de Alexis —respondió Ana, alargando a Levin una pitillera de concha, después de haber sacado de
ella un «pajito».

—¿Cómo te encuentras? —le preguntó su hermano.

—No mal del todo. Un poco nerviosa, como siempre.

—¿Verdad que es hermoso? —sugirió Esteban Arkadievich, observando la admiración de Levin por el retrato.

—No he visto nada más perfecto.

—Ni más parecido —añadió Varkouiev.

El semblante de Ana se iluminó con un destello muy especial
cuando, para comparar el retrato con el original, Levin se la quedó
mirando fijamente, sintiendo que la sangre se le agolpaba en las mejillas. Para calmar su turbación, quiso preguntarle cuándo había visto a Dolly, pero Ana tomó la palabra:

—Hemos estado hablando con Iván Petrovich de los últimos
cuadros de Vastchenko. ¿Los ha visto usted?

—Sí —respondió Levin.

—Pero me parece que iba usted a decir algo. Perdone la interrupción.

Levin formuló su pregunta, y ella contestó:

—A Dolly la vi ayer muy indignada contra el profesor de latín de Gricha. Le acusa de injusto.

—Sí —repuso Levin, volviendo al tema que ella había abordado—. He visto los cuadros de Vastchenko y debo confesar que me han gustado mucho.

La conversación recayó sobre las nuevas escuelas de pintura. Ana charlaba animadamente, pero sin afectación. Se reprimía con gusto para no restar brillo a las intervenciones de los otros, y lo hacía tan bien que Levin lo encontraba todo fácil y agradable, lo mismo hablar que escuchar, muy diferente de la tortura que había tenido que padecer todo el día.

Tratando de las ilustraciones que había hecho de la Biblia un pintor francés, Varkouiev se pronunció contra el verismo exagerado de este artista. Levin objetó que este verismo era una reacción saludable contra los excesos del convencionalismo, que en ningún país había ejercido tanta presión como en Francia.

—Ahora, el verismo lo han llevado en Francia hasta a la poesía: el arte de no mentir —añadió, y se sintió satisfecho al ver que Ana reía con gesto aprobatorio.

Ninguna de sus salidas le había hecho tanta gracia como aquélla.

—Me río como a la vista de un retrato muy fiel —declaró ella—. Su ocurrencia caracteriza maravillosamente todo el arte francés de hoy, la literatura lo mismo que la pintura. Pongo por ejemplo a Zola, a Daudet... Parece que siempre pasa lo mismo: empiezan por crear tipos convencionales, pero una vez agotadas todas sus *combinaisons* se resignan a hacer ensayos del natural.

—Exactamente —aprobó Varkouiev.

—¿De modo que venís del Casino? —dijo Ana, volviéndose a su hermano para hablar en voz baja con él.

«Es toda una mujer», pensaba Levin, absorto en la contemplación de aquella fisonomía móvil, en la que, sucesivamente, había visto dibujarse la curiosidad, la cólera y el orgullo. La emoción de Ana fue, por lo demás, de corta duración. Entornó los ojos como para concentrarse en sus recuerdos, y dirigiéndose a la inglesita, ordenó:

—*Please, order the tea in the drawing-room.* (Por favor di que sirvan el té en el salón.)

La niña se levantó y salió de la estancia.

—¿Cómo ha ido el examen? —se interesó Esteban Arkadievich.

—Perfectamente. Tiene facultades y un carácter encantador.

—Acabarás prefiriéndola a tu propia hija.

—¡Vaya conclusiones que sacas! ¿Se pueden comparar estos dos afectos? Yo quiero a mi hija de una manera y a esta niña de otra.

—¡Ah! —declaró Varkouiev—. Si Ana Arkadievna quisiera gastar en beneficio de niños rusos la centésima parte de lo que dedica a la inglesita esta, qué gran servicio nos prestaría... ¡Y con esa entereza de carácter, tan suya! No me canso de pedírselo.

—¿Qué quiere usted? Son sentimientos en los que no se puede mandar. Cuando vivíamos en el campo el conde Alexis Kirilovich —al pronunciar este nombre lanzó una tímida mirada a Levin, que correspondió con otra de respeto y aprobación— me instó con empeño a visitar las escuelas. He querido, pero no he podido jamás interesarme por ellas. ¿Habla usted de energía? Ésta ha de tener por fundamento el amor, y el amor no se da a voluntad. ¿Por qué me intereso yo tanto por esta inglesita? Me causaría mucha pena decírselo.

Tuvo para Levin otra mirada y otra sonrisa. Una y otra daban a entender que hablaba con toda intención para él, teniendo de antemano la seguridad de que ambos se comprendían mutuamente.

—Tiene usted toda la razón —aprobó Levin—. Nadie pone nunca su corazón en esas instituciones filantrópicas, y por eso es por lo que dan tan mezquinos resultados.

—Sí —repuso Ana, después de una pausa—. Yo no tengo el corazón tan grande como para abarcar con su amor todo un taller de jovencitas del pueblo. Y, sin embargo, ¡cuántas mujeres han consolidado de esta forma su «posición social»! Pero yo no puedo, no... ni siquiera en esta época de mi vida, que tanta necesidad tengo de ocuparme en algo —añadió con acento triste, deseando que la oyera Levin, aunque pareciera hablar con su hermano. Después, arrugando el entrecejo como para censurarse esta semiconfianza, cambió de conversación—. A usted le tienen por un mal ciudadano —dijo a Levin—, pero yo he tomado siempre su defensa.

—¿De qué manera?

—Eso depende de los ataques. Pero vamos, que el té nos espera.

Levantóse y cogió de la mesa un cuaderno forrado de cuero.

—Démelo, Ana Arkadievna —requirió Varkouiev, mostrando el cuaderno—. Vale la pena imprimirlo.

—No, no está todavía a punto.

—Yo le he hablado de eso —dijo Esteban Arkadievich, señalando a Levin.

—Has hecho mal. Mis escritos se parecen a esos pequeños trabajos hechos por los presos, que antes me vendía Lisa Markalova. Una amiga que se ocupaba de obras benéficas —explicó a Levin—. Esos infortunados también hacen obras de arte con más paciencia que ingenio.

Este rasgo de carácter sorprendió a Levin, tan seducido ya por aquella mujer extraordinaria. Al humor, a la gracia, a la belleza, se añadía la sinceridad. Ella no buscaba en modo alguno un medio de disimular la amargura de su situación. Dejó escapar un suspiro, su rostro adquirió una expresión grave, como petrificada, en completa oposición a la felicidad radiante que tan exactamente había captado Mikhailov, y que no obstante la hacía parecer más bella. Mientras Ana cogía del brazo a su hermano, Levin dirigió una última mirada al maravilloso retrato, sorprendiéndose al sentir por el original una fuerte inclinación de piedad y ternura.

Ana hizo pasar al salón a Levin y Varkouiev, y se quedó rezagada para hablar con su hermano.

«¿De qué le estará hablando? —se preguntó Levin—. ¿De un divorcio, de Vronski, de mí tal vez?»

Tan emocionado estaba que apenas escuchó a Varkouiev ponderar los méritos del libro para niños escrito por Ana.

Reanudóse la conversación en torno a la mesa. No se agotaban los temas interesantes, y los cuatro reunidos parecían rebosar de ideas. Gracias a la atención que Ana les dispensaba, a las finas observaciones que iba intercalando, todo lo que decía tomaba para Levin un interés especial. Pensaba sin cesar en aquella mujer, admiraba su inteligencia, su mente tan bien cultivada, su tacto, su naturalidad, intentaba penetrar en sus sentimientos y hasta en las particularidades de su vida íntima. Por más que era pronto para juzgarla, él ya excusaba su falta, y la idea de que Vronski no pudiera comprenderla le oprimía el corazón. Eran más de las once cuando Esteban Arkadievich se levantó para marcharse. Varkouiev ya les había dejado. Levin se levantó también, muy a pesar suyo. Le parecía que sólo hacía un momento que estaba allí.

—Adiós —le dijo Ana, reteniendo la mano que él le tendía y clavando su mirada en la suya—. Estoy contenta de que «se haya roto el hielo».

Y soltándole la mano, agregó con un guiño de ojos:

—Dígale a su mujer que la quiero como antes, y que si ella no puede perdonar mi situación, le deseo que jamás tenga necesidad de comprenderla. Para perdonar es necesario haber pasado por todos los sufrimientos que yo he soportado. ¡Dios la libre de ellos!

—Se lo diré, esté segura —respondió Levin, sonrojándose.

11

«¡Pobre y encantadora mujer!», pensó Levin, cuando al salir le azotó la cara el viento helado de la noche.

—¿Qué te había dicho? —le preguntó Esteban Arkadievich, viéndole cautivado.

—Sí —respondió Levin, con aire pensativo—. Es una mujer notable por todo concepto. La seducción que ejerce no proviene sólo de su carácter. Se ve que tiene corazón. ¡Me ha dado pena!

—Gracias a Dios, todo se va a arreglar pronto, según espero. Pero, en lo sucesivo, desconfía de los juicios temerarios —dijo Oblonski, abriendo la portezuela de su coche—. Hasta la vista, puesto que vamos en direcciones diferentes.

A todo lo largo del camino, Levin evocaba hasta las menores frases de Ana, las más sutiles mutaciones de su fisonomía. La apreciaba y la compadecía cada vez más.

Al abrirle la puerta, Kusma manifestó a su señor que Catalina Alexandrovna se encontraba bien, y que hacía un minuto se habían marchado sus hermanas. Al mismo tiempo le entregó dos cartas que Levin se apresuró a leer por encima. Una era de Sokolov, su administrador, que no encontraba comprador para el trigo más que al precio irrisorio de cinco rublos con cincuenta, y no veía por el momento ningún ingreso apreciable. La otra, de su hermana, que le censuraba no haberse tomado interés por el asunto de la tutela.

Bueno, pues venderemos a cinco rublos con cincuenta puesto que no nos dan más —se dijo, zanjando con ligereza la primera cuestión—. En cuanto a mi hermana, tiene razón al reprenderme, pero el tiempo pasa tan rápido que hoy no he encontrado medio de ir al juzgado, aunque ésa era mi intención.

Se propuso ir al día siguiente, y encaminándose a la habitación de su mujer, echó sobre su jornada un vistazo retrospectivo. ¿Qué había hecho sino charlar, charlar y más charlar? Ninguno de los asuntos abordados le habría interesado en el campo, no tenían importancia más que en aquella ciudad. No es que tuviera mal recuerdo de ellos, aparte de aquella frase tan fastidiosa sobre la anguila. ¿Y no tenía algo de reprensible aquel sentimiento de ternura por Ana?

Encontró a Kitty triste y meditabunda. La comida de las tres hermanas había sido muy alegre, pero como Levin tardaba en volver, las horas se le habían hecho demasiado largas.

—¿Qué ha sido de ti? —le preguntó al observar un brillo sospechoso en sus ojos, pero guardándose mucho de hacérselo notar, para no contener su efusividad.

Muy al contrario, le escuchó con una sonrisa en los labios.

—Me encontré a Vronski en el Casino, de lo cual me he alegrado mucho. De hoy en adelante no habrá sombra alguna entre nosotros, aun cuando no sea mi propósito buscar su compañía.

Al decir estas palabras se ruborizó, pues en el acto recordó que «por no buscar su compañía» había ido a casa de Ana al salir del Casino.

—Nos lamentamos de las tendencias del pueblo a la embriaguez, pero me parece que la gente de alta sociedad bebe bastante más, y no se contenta con alegrarse los días de fiesta...

Kitty se interesaba mucho menos por aquel estudio comparativo de la embriaguez, que por la súbita turbación de su marido. Con este motivo insistió en sus preguntas.

—¿Qué has hecho después de comer?

—Stiva me ha estado importunando para que le acompañase a casa de Ana Arkadievna —respondió sonrojándose cada vez más, porque ahora se apercibía claramente y sin ninguna duda de la inconveniencia de aquella visita.

Los ojos de Kitty despedían centellas, pero se contuvo y dijo simplemente:

—¡Ah!

—¿Estás enfadada? Stiva me lo ha pedido con mucha insistencia, y yo sabía que Dolly lo deseaba también.

—¡Oh, no! —respondió ella, con una mirada que no predecía nada bueno.

—Es una mujer encantadora, a la que hay que compadecer mucho —repuso Levin.

Y después de haber contado la vida que llevaba Ana, transmitió sus recuerdos a Kitty.

—Sí, hay para compadecerla —dijo secamente Kitty cuando hubo terminado—. ¿De quién has recibido carta?

Se lo dijo, y engañado por aquella calma aparente, pasó al cuarto de aseo. Cuando volvió, Kitty no se había movido aún. Al verle que se aproximaba, estalló en sollozos.

—¿Qué pasa? —preguntó él, aunque sabía de sobra la causa.

—Te has prendado de esa horrible mujer, te ha embrujado, lo he leído en tus ojos. ¿Adónde iremos a parar? Has estado en el Casino, has bebido demasiado... ¿Adónde podías tú ir desde allí, más que a casa de una mujer como ella? No, esto no puede seguir así. Mañana mismo nos volveremos.

Levin tuvo que esforzarse mucho para apaciguar a su mujer. No lo consiguió hasta hacerle la promesa de no volver a casa de Ana, cuya perniciosa influencia, unida a un exceso de champán, había perturbado su razón. Lo que confesó con más sinceridad fue que aquella vida ociosa dedicada a beber, comer y charlar, le estaba volviendo estúpido. Estuvieron dialogando hasta horas muy avanzadas, y no lograron dormirse hasta las tres de la madrugada, bastante reconciliados ya para conciliar el sueño.

12

Después de despedir a sus visitantes, Ana se puso a recorrer de un extremo a otro la habitación, con pasos agitados. Hacía algún tiempo que sus relaciones con los hombres estaban caracterizadas por una nota de coquetería casi involuntaria. Ella había hecho lo posible para trastornar la cabeza a Levin, y estaba convencida de que este objetivo lo había logrado, al menos en la medida compatible con la honestidad de un joven recién casado. Aquel hombre le agradó, y a pesar de ciertos contrastes exteriores, su tacto femenino le había permitido descubrir aquella relación secreta entre Levin y Vronski, gracias a la cual se había prendado Kitty de ambos. Y, no obstante, tan pronto se despidió, ya lo había olvidado. Un solo y mismo pensamiento la acosaba, obsesionante.

«¿Cómo se explica que, ejerciendo una atracción tan sensible sobre un hombre casado, enamorado de su mujer, no pueda tener ninguna para "él"? ¿Por qué se muestra tan frío? Frío no es la palabra exacta, porque me ama todavía, yo lo sé. Pero hay algo que nos separa. ¿Cómo es que no ha vuelto todavía? Por conducto de Stiva me ha dicho que tenía que vigilar a Iachvin. ¿Es que Iachvin es un niño? Sin embargo, no miente, pero aprovecha la ocasión para hacerme ver que sabe arreglárselas para mantener su independencia. Yo no se lo discuto, pero ¿qué necesidad tiene de afirmarlo tan crudamente? ¿Es que no puede comprender el horror de la vida que llevo? ¿Puede llamarse vivir a esta prolongada espera de una solución que se retrasa días y días? ¡Nunca llega la contestación! Y Stiva no se decide a hacer alguna gestión más cerca de Alexis Alexandrovich. Yo no sabría, sin embargo, escribirle por segunda vez. ¿Qué puedo hacer? ¿Qué gano con esperar? Nada, sino refrenarme y buscarme distracciones. ¿Y qué son esos ingleses, esas lecturas, ese libro, sino otras tantas tentativas para aturdirme, como la morfina que tomo por la noche? Debería *compadecerse* de mí.»

Le brotaron de los ojos unas lágrimas de compasión por su propia suerte, pero de pronto resonó el campanillazo brusco de Vronski. Al instante, Ana se enjugó los ojos, fingió la mayor calma y se sentó cerca de la lámpara con un libro en las manos. Quería demostrar su descontento, no su dolor. No quería ser objeto de lástima para Vronski, pero con esto provocaba la misma lucha cuyo comienzo quería reprocharle a él.

—¿Te has aburrido mucho? —preguntó Vronski, con desenfado—. ¡Qué terrible pasión la del juego!

—¡Oh, no, hace tiempo que he perdido la costumbre de aburrirme! He recibido la visita de Stiva y Levin.

—Lo sabía. ¿Te gusta Levin? —preguntó, sentándose cerca de ella.

—Mucho. Acaban de marcharse. ¿Qué ha sido de Iachvin?

—Había ganado diecisiete mil rublos y estaba a punto de llevármelo cuando se me escapó. En este momento está volviendo a perderlo todo.

—Entonces, ¿por qué vigilarle? —replicó Ana, levantando bruscamente la cabeza—. Después de haber dicho a Stiva que te quedabas para llevarte a Iachvin, has acabado por abandonarle.

Se cruzaron las miradas, llenas de glacial animosidad.

—En primer lugar, yo no he encargado a Stiva de ninguna comisión. En segundo, yo no tengo la costumbre de mentir, y en fin, he hecho lo que me convenía hacer —declaró él, malhumorado—. Ana, Ana, ¿a qué vienen esas recriminaciones? —añadió tras un minuto de silencio, alargándole su mano abierta con la esperanza de que ella pondría allí la suya.

Un orgullo mal entendido le impidió responder a esta llamada a la ternura.

—Ciertamente, has hecho lo que entendías que era tu derecho, nadie lo niega, pero ¿por qué hacérmelo sentir tanto? —objetó ella, mientras Vronski retiraba la mano con aire más resuelto todavía.

Ana no apartaba la vista de aquel rostro, cuya expresión obstinada había llegado a irritarla.

—Es una cuestión de testarudez, sí, de testarudez por tu parte —recalcó ella, satisfecha de haber hallado esta frase—. Quieres saber a toda costa cuál de nosotros dos ha de ganar. En el fondo, sin embargo, se trata de otra cosa muy distinta. Si tú supieras, cuando yo te veo tan hostil... Si ésa es la palabra, hostil..., me siento al borde de un abismo... ¡Tengo miedo, miedo de mí misma!

Y presa de un acceso de aflicción, volvió la cabeza para ocultar el llanto.

—Pero ¿a qué viene todo esto? —preguntó Vronski, temiendo desesperarse e inclinándose ante ella para besarle la mano—. ¿Vas a censurarme porque he salido a distraerme un poco? ¿No rehúyo, acaso, la compañía de las mujeres?

—¡No faltaba más que eso!

—Vamos a ver, dime qué debo hacer para tranquilizarte. Estoy dispuesto a todo para evitarte el menor dolor —aseguró él, emocionadísimo al verla tan desgraciada.

—No es nada... La soledad, los nervios... No hablemos más de eso... Cuéntame lo que ha pasado en las carreras que todavía no me has dicho nada —dijo ella, procurando disimular su triunfo.

Vronski pidió de cenar, y mientras comía le relató los incidentes de las carreras, pero por el tono de su voz y su mirada cada vez más fría, Ana comprendió que se mantenía firme en sus opiniones y que no le perdonaba el haberle hecho claudicar, siquiera por un instante. Al recordar las palabras que le habían dado la victoria —tengo miedo de mí misma, me siento al borde de un abismo—, comprendió que aquello era un arma peligrosa de la que no debía hacer uso, un arma que se alzaba sobre ellos como un espíritu de lucha. Ella lo sabía pero no estaba en su mano dominarla, como tampoco en la de Vronski.

13

Tres meses antes, Levin no habría creído posible dormir apaciblemente después de una jornada como la que acababa de vivir. Pero a todo se acostumbra uno, y más aún cuando ve que otros hacen lo mismo. Dormía, pues, tranquilo sin que le preocupasen sus gastos exagerados, ni su borrachera en el Casino (para llamar las cosas por su nombre), ni sus contactos absurdos con un hombre del que Kitty había estado enamorada, ni aquella visita, más absurda todavía, a una persona que al fin y al cabo, era una mujer perdida que además le había trastornado el seso, con el consabido disgusto de su querida esposa. Hacia las cinco de la madrugada le despertó sobresaltado el ruido de una puerta que se abría. Kitty no estaba su lado, pero oyó sus pasos en el cuarto de aseo, donde temblaba una luz.

—¿Qué hay? ¿Qué hay? —balbució, todavía medio dormido.

—No es nada —dijo Kitty, que apareciendo con una vela en la mano, le dirigió una sonrisa particularmente tierna y significativa—. Me siento un poco indispuesta.

—¿Cómo? ¿Ya ha comenzado eso? —exclamó él, asustado, buscando la ropa para vestirse con la máxima rapidez—. Hay que enviar por la comadrona.

—No, no. Te lo aseguro. No es nada. Ya ha pasado —dijo ella, deteniéndole.

Apagó la vela y se acostó de nuevo.

Por sospechosas que le parecieran su respiración angustiosa y su respuesta palpitante de emoción, Levin estaba tan cansado que se volvió a dormir. Sólo más tarde imaginó los pensamientos que debían agitar aquella alma tan querida, cuando tendida inmóvil a su lado, Kitty esperaba pacientemente el momento más solemne que puede marcar la vida de una mujer.

Hacia las siete, indecisa ante el temor de despertarle y el deseo de hablar con él, acabó por tocarle el hombro.

—Kostia, no tengas miedo, no es nada, pero creo que convendría avisar a Isabel Petrovna.

Había vuelto a encender la vela y reanudado su labor de punto, que la tenía ocupada varios días.

—No te asustes, te lo suplico, no tengo nada de miedo —prosiguió al ver el aspecto aterrorizado de su marido, a quien cogió la mano para llevarla a su corazón y a sus labios.

Levin saltó del lecho sin apartar los ojos de su mujer, agarró el batín y se quedó quieto de pronto, sin poderse sustraer a aquella contemplación. Aquel rostro tan querido, cuyos ojos brillaban con una luminosa y expectante expresión bajo la cofia de dormir, debajo de la cual asomaban sus sedosos cabellos. Aquel rostro del que creía conocer hasta el más insignificante de los gestos, se le aparecía ahora bajo un aspecto totalmente nuevo. Aquella almita ingenua, transparente, se revelaba hasta en lo más íntimo de su ser. Levin se puso colorado de vergüenza, recordando la escena de la víspera.

Kitty también le miraba sonriente, pero de pronto temblaron sus párpados, alzó la cabeza y atrayendo hacia sí a su marido le estrechó contra su corazón, como a impulsos de un vivo dolor. A la vista de este sufrimiento mudo, la primera reacción de Levin fue creerse todavía culpable, pero la mirada llena de ternura de Kitty le tranquilizó. Lejos de acusarle, parecía amarle más.

«¿De quién puede ser la falta sino mía?», se preguntaba él, buscando en vano, para castigarle, al autor de aquel tormento, que ella, sin embargo, soportaba con la orgullosa satisfacción del triunfo. Le parecía que había llegado a una altura de sentimientos para él incomprensible.

—Ya he mandado que avisen a mamá —dijo ella—. Y tú ve en seguida a buscar a Isabel Petrovna... ¡Kostia!... No, ya ha pasado.

Le soltó para llamar, mediante el timbre, a la doncella.

—Bueno, ve en seguida, ya me siento mejor. Aquí viene Pacha.

Con gran sorpresa, Levin vio que reanudaba su labor. Mientras salía por una puerta, Pacha entraba por la otra. Oyó cómo Kitty le daba instrucciones ayudándola a deshacer la cama.

Se vistió con premura, y en tanto que enganchaban el coche, porque a aquellas horas de la mañana se arriesgaba a no encontrarlo de alquiler, se aventuró a acercarse de puntillas al dormitorio, en el que trabajaban afanosamente dos sirvientas atentas a las órdenes de su señora que, sin dejar la labor paseaba nerviosamente de un lado a otro del aposento.

—Voy a casa del médico. He hecho prevenir a la comadrona y yo mismo pasaré por allí. ¿Falta algo? ¡Ah, sí, Dolly!

Ella le miraba sin escucharle.

—Sí, eso es, date prisa —apremió, haciéndole un gesto de despedida.

Cuando atravesaba el salón, Levin creyó oír una queja reprimida. Al principio no llegó a comprenderlo del todo pero luego murmuró:

—¡Sí, es ella que gime!

Y llevándose las manos a la cabeza, echó a correr.

—¡Señor, tened piedad de nosotros, perdonadnos, ayudadnos!

Aquellas palabras que brotaron espontáneamente de sus labios, las fue confirmando en el fondo de su corazón. Y él, el «incrédulo», no conociendo ya el escepticismo ni la duda, invocó a Aquel que tenía en su poder su alma y su amor.

El caballo no estaba enganchado todavía. Para no perder tiempo ni distraer su atención, partió a pie después de haber dado orden a Kusma de seguirle. En la esquina de la calle divisó un pequeño trineo que, arrastrado al trote por una escuálida caballería, traía a Isabel Petrovna. La comadrona cubría su cabeza con un chal y se abrigaba con un manto velludo.

—¡Gracias a Dios! —murmuró él, al reconocer el rostro rubicundo de la joven, que le pareció más serio que nunca.

Y sin hacer parar el trineo, deshizo camino corriendo al lado del vehículo.

—¿No más de dos horas, dice usted? Bien. Seguro que encontrará en su casa a Pedro Dimitrievich, pero es inútil darle prisa. No olvide comprar opio en la farmacia.

—Entonces, ¿cree usted que todo saldrá bien? ¡Que Dios la ayude!

Y viendo llegar a Kusma, saltó al coche y se hizo conducir a casa del médico.

14

El médico dormía aún y un criado, absorto en la limpieza de las lámparas, declaró que su señor, como se acostó tarde, había prohibido que le despertaran, pero no tardaría en levantarse. El cuidado que aquel hombre ponía en los vidrios de la lámpara, y su profunda indiferencia hacia lo que sucedía en el exterior, indignaron al principio a Levin, pero al reflexionar se dijo que, al fin y al cabo, nadie estaba obligado a conocer los sentimientos que a él le agitaban. Para romper aquella muralla de frialdad, le hacía falta obrar con ánimo tranquilo y resuelto.

«No precipitarme y no omitir nada, tal debe ser mi lema», decidió, satisfecho al ver que toda su atención y todas sus fuerzas físicas se concentraban en la tarea que se había impuesto a sí mismo.

Después de desechar varios planes, se atuvo al siguiente: Kusma llevaría una nota a otro médico. En cuanto a él, pasaría por la farmacia y luego volvería a casa de Pedro Dimitrievich. Si éste no se había levantado todavía, procuraría sobornar al doméstico, o, en caso de negativa, invadiría la alcoba por la fuerza.

En la farmacia había un cochero esperando que le despacharan unos polvos, que un ayudante del boticario introducía en unas cápsulas con la misma parsimonia que el criado del médico limpiaba los vidrios de las lámparas.

Al principio, el probo dependiente se negó a entregar el opio a Levin, quien, armándose de paciencia, dio el nombre del médico y de la comadrona que le enviaban, y explicó el uso que pensaba hacer de aquella droga. Con el parecer favorable del boticario, atrincherado detrás de un tabique, y del que había recabado y obtenido permiso en lengua alemana, el ayudante tomó un tarro. Con ayuda de un embudo vertió algunas gotas de su contenido en un frasco y pegó a éste una etiqueta y un sello, a pesar de la insistencia con que le apremiaba Levin, y ya iba a envolverlo cuando su cliente, exasperado, se lo arrancó de las manos y emprendió la fuga.

El médico seguía durmiendo y su criado estaba ahora ocupado en extender las alfombras. Resuelto a conservar su sangre fría, Levin sacó de la cartera un billete de diez rublos y lo deslizó en la mano del inflexible sirviente, a quien aseguró, poniendo énfasis en sus palabras, que Pedro Dimitrievich no se molestaría, puesto que ya le había prometido acudir a su casa a cualquier hora de la mañana o de la noche. ¡En qué personaje más importante se había convertido, a los ojos de Levin, aquel Pedro Dimitrievich, tan insignificante de ordinario!

Convencido por sus argumentos, el criado abrió la sala de espera y pronto oyó Levin en la habitación vecina el carraspeo del médico, seguido del ruido de las abluciones. Al cabo de tres minutos, no pudiendo aguantar más, Levin entreabrió la puerta de comunicación.

—Dispénseme, Pedro Dimitrievich —murmuró, con voz suplicante—. Recíbame usted tal como está. Hace más de dos horas que ella está sufriendo.

—Ya voy, ya voy —respondió el médico, en tono zumbón.

—¡Dos palabras nada más, se lo suplico!

—Un momentito.

Aún necesitó el galeno dos minutos para calzarse, y otros dos para vestirse y peinarse.

«¡Esta gente no tiene corazón! —pensaba Levin.—. ¿Cómo puede estar peinándose cuando se trata de un caso de vida o muerte?»

Iba a repetir sus ruegos, cuando apareció el médico correctamente vestido.

—Buenos días —saludó con acento reposado, como si quisiera provocar a Levin—. ¿Qué hay?

Levin dio comienzo en el acto a una larga exposición del asunto, acompañada de una gran profusión de detalles inútiles, interrumpiéndose a cada instante para suplicar al médico que partiese.

—No corre prisa. Ya se ve que usted no entiende de estas cosas. Iré, puesto que lo he prometido, pero créame, mi presencia va a ser superflua, sin duda. Entretanto, nunca viene mal una taza de café.

Levin no podía dar crédito a sus oídos. ¿Se estaba burlando de él? La cara del facultativo no dejaba traslucir semejante intención.

—Le comprendo —repuso Pedro Dimitrievich, sonriendo—,

pero ¿qué quiere usted? Nosotros, los maridos, tenemos un papel muy triste que desempeñar en estos casos. El marido de una de mis clientes suele refugiarse en la cuadra.

—Pero ¿cree usted que todo irá bien.

—Tengo motivos para creerlo.

—¿Va usted a venir, sí o no? —insistió Levin, fulminando con la mirada al criado, que traía el café.

—Dentro de una horita.

—¡En nombre del cielo, doctor...!

—¡Bueno! Déjeme al menos tomar el café y voy con usted.

Siguió un silencio.

—Me da la sensación de que los turcos acaban de recibir una buena paliza —volvió a hablar el médico, con la boca llena—. ¿Ha leído usted el último comunicado?

Levin ya no pudo contenerse.

—Yo me voy —declaró, saltando de la silla—. Júreme que vendrá a mi casa dentro de un cuarto de hora.

—Concédame media hora.

—¿Palabra de honor?

Al volver a casa se encontró con su madre política, que llegaba y que le abrazó, con lágrimas en los ojos y temblándole las manos. Ambos se dirigieron al dormitorio.

—¿Qué tal, buena mujer? —preguntó la princesa, cogiendo del brazo a la comadrona, que salió a su encuentro con cara radiante, aunque preocupada.

—Todo va bien, pero ella haría mejor acostándose. Hágala usted entrar en razón.

Desde que al despertar se dio cuenta de la situación, Levin había formado el propósito de mantener alto el espíritu de su mujer. Habíase prometido no pensar en nada, guardar sus impresiones y contener a toda costa los impulsos de su corazón durante cinco horas por los menos, duración normal de la prueba si había que dar crédito a personas competentes. Pero cuando pasada una hora halló a Kitty en el mismo estado, le invadió el temor de no poder resistir el espectáculo de aquella tortura, y se multiplicaron sus invocaciones al cielo para que no le dejara desfallecer.

Pasó otra hora, una tercera, una cuarta, y, en fin la que se había fijado como límite. Y seguía teniendo paciencia, porque no podía hacer otra cosa, convencido a cada minuto de que había llegado al extremo de lo posible y que su corazón iba a estallar. Pero seguían pasando las horas y no cesaba de aumentar el terror. Poco a poco desaparecieron las condiciones habituales de la vida. La noción del tiempo dejó de existir. Había minutos —aquéllos en que su mujer lo llamaba a su lado, que él tenía su mano húmeda prendida entre las suyas, aquella mano que lo mismo se agarraba a él que, por el contrario, le rechazaba rabiosamente— que le parecían horas. En cambio, había horas que volaban como los minutos, y cuando la comadrona le pidió que encendiera la luz detrás del biombo, se quedó atónito al comprobar que había cerrado la noche. Prevenido y todo como estaba, no sólo diez horas del día sino cinco horas de la noche, había transcurrido con la misma sorpresa al final. ¿Qué había hecho en el curso de aquel tiempo? Le habría costado muchos apuros contestar a tal pregunta. Volvía a ver a Kitty agitada y quejumbrosa. Luego tranquila, sonriente, intentando reanimarle. La princesa, roja de emoción, con sus bucles grises despeinados, devorando sus lágrimas; Dolly; el médico fumando gruesos cigarros; la comadrona con su cara seria, pero con gesto tranquilizador; el viejo príncipe midiendo a largos pasos el gran salón, con aire sombrío. Pero las entradas y las salidas se confundían en su mente; la princesa y el doctor se encontraban en la alcoba, después en su despacho, donde aparecía una mesa servida; y al instante, la princesa era sustituida por Dolly. Recordó que le habían hecho diversos encargos. Lo mismo mudaba de sitio un diván y una mesa, misión que ejecutaba a conciencia creyéndola útil para Kitty —aunque en realidad lo que hacía era preparar su propia cama— que le mandaban a pedir algo a casa del médico, y éste respondía y le entretenía con fastidiosas observaciones acerca del desorden y mal funcionamiento del concejo municipal. Luego se trasladaba a casa de su suegra para descolgar de su habitación un icono con revestimiento de plata dorada dándose tan mala maña que rompió el velador: la anciana sirvienta le consolaba por este accidente y le infundía ánimos con respecto a Kitty. Al fin se hacía con el icono, lo llevaba y lo colocaba meticulosamente a la cabecera del lecho, donde descansaba su esposa, detrás de las almohadas. Pero ¿cuándo y cómo había pasado todo esto? Misterio. ¿Por qué la princesa le cogía la mano con aire compasivo? ¿Por qué procuraba Dolly hacerle comer con fuertes razonamientos? ¿Por qué el mismo médico le ofrecía una poción calmante, mirándole con gravedad?

Una sola cosa se le aparecía clara: el suceso aquel era de la misma naturaleza que la agonía de su hermano Nicolás, el año anterior, en aquella inmunda fonda provincial. La tristeza cedía paso a la alegría, pero en el panorama normal de la existencia, alegría y tristeza proyectaban perspectivas sobre el más allá. Y la contemplación de este panorama elevaba su alma a cumbres vertiginosas, donde se negaba a seguirle la razón.

—¡Señor, perdonadnos! Señor, venid en mi ayuda —repetía sin cesar, satisfecho de haber recobrado, a despecho de su prolongado alejamiento de las cosas santas, la misma confianza natural en Dios que en los días de su infancia.

Durante aquellas largas horas, Levin conoció alternativamente dos estados de ánimo diametralmente opuestos. Con Dolly, con el príncipe, con el médico que fumaba cigarrillo tras cigarrillo y los apagaba en el borde de un cenicero atestado de colillas, discutía de cosas indiferentes, como la política, la cocina o la enfermedad de María Petrovna, y olvidaba por un instante lo que pasaba en la habitación vecina. Tan pronto se hallaba en ella, se le desgarraba el corazón y su alma elevaba a Dios una plegaria incesante. Cada vez que un gemido le apartaba de aquel olvido bienhechor, la angustia de una culpabilidad imaginaria le oprimía en el primer minuto. Obligado por la necesidad de justificarse, corría al lado de su mujer; en el camino se preguntaba qué podía hacer, y se obstinaba en ayudarla, pero la visión de la paciente le hacía sentir toda su impotencia: No le quedaba más que multiplicar su invocación: «¡Señor, tened piedad!».

A medida que avanzaba el tiempo, se acentuaba el contraste entre estos dos estados de ánimo, y se hacía más doloroso. Enojado por las continuas llamadas de Kitty, estaba a punto de prorrumpir en recriminaciones contra la infeliz, cuando se apercibió de su rostro sonriente y sumiso, y oyó que le decía:

—¡Qué tormentos te estoy causando, pobre amigo mío!

Y desde entonces, recurría al mismo Dios para pedirle también su perdón y su misericordia.

15

Las velas terminaban de arder en sus candeleros. Levin atravesaba una fase de olvido. Sentado junto al médico, al que Dolly acababa de invitar a que se tomara algún descanso, contemplaba la ceniza de su cigarrillo, mientras le escuchaba quejarse del charlatanismo de un magnetizador. De pronto resonó un grito que no tenía nada de humano. Petrificado por el espanto, Levin interrogó con la mirada al médico, quien aguzó el oído y sonrió con aire de aprobación. Levin ya se había acostumbrado a no asombrarse por nada.

«No podrá ser de otro modo», se dijo.

Sin embargo, queriendo explicarse el porqué de aquel grito, se dirigió de puntillas a la alcoba, para ocupar otra vez su puesto a la cabecera de la enferma. Era evidente que pasaba algo nuevo, algo que no podía ni quería comprender pero que dejaba traslucir el semblante pálido y serio de Isabel Petrovna, a quien le temblaban las mandíbulas, sin que apartara los ojos de la cara entumecida de Kitty, a la que se había pegado un mechón de cabellos. La paciente cogió con sus manos húmedas las manos heladas de su marido y las apretó contra sus febriles mejillas.

—Descansa, descansa, que no tengo miedo —dijo con voz alterada—. Mamá, quíteme esos bucles de las orejas que me estorban... ¿Tienes miedo tú? Esto acabará pronto, ¿verdad, Isabel Petrovna?

Iba a sonreír, pero de repente se le desfiguró el rostro, y volviéndose a su marido exclamó:

—¡Vete, vete! ¡Estoy sufriendo mucho... me voy a morir!

Y se repitió el pavoroso quejido. Levin, con las manos en la cabeza, huyó sin querer escuchar a Dolly, que le gritaba:

—¡No es nada! ¡Todo va bien!

Creía que todo estaba perdido. Refugiado en la estancia vecina, la frente apoyada en el marco de la puerta escuchaba los clamores monstruosos lanzados por aquella cosa informe que para él era Kitty. Pensaba con horror en la criatura que venía. Ahora no pedía a Dios que le conservara a su esposa, sino que pusiera término a sufrimientos tan atroces.

—Doctor, ¿qué significa eso? —dijo cogiendo el brazo del médico, que entraba.

—Es el fin —respondió éste en tono serio. Levin creyó que había querido referirse a la muerte. Loco de dolor se precipitó en la alcoba, donde la primera cara que vio fue la de la comadrona, cada vez más ceñuda. En cuanto a Kitty, no la reconocía bajo aquella forma gemebunda y contorsionada. Sintiendo su corazón a punto de estallar, apoyó la cabeza en el borde del lecho. Y de pronto, cuando parecía que los gritos habían alcanzado el colmo del horror, cesaron bruscamente. Levin no daba crédito a sus oídos, pero tuvo que rendirse a la evidencia: el silencio era un hecho, sólo se percibían suspiros entrecortados, cuchicheos, idas y venidas discretas, y la voz de su mujer murmurando con indecible expresión de dicha:

—¡Se acabó!

Levantó la cabeza. Ella le estaba mirando, con las manos desplomadas sobre la colcha, intentando sonreírle, bella, con una belleza lánguida y soberana.

Abandonando súbitamente la esfera misteriosa y terrible donde había estado agitándose durante veintidós horas, Levin volvió a poner pie en el mundo real, un mundo real resplandeciente con tal luz de alegría, que no la podía soportar. Las cuerdas, demasiado tensas, se rompieron; sus ojos se le inundaron de lágrimas y le cortaron las palabras unos sollozos que estaba muy lejos de prever.

Arrodillado junto a la cama, apoyaba sus labios en la mano de Kitty, que le respondía con una ligera presión de dedos. Entretanto, en las manos expertas de la comadrona, se agitaba, parecida al brillo vacilante de una lamparilla, la débil llama de la vida de aquel ser que un segundo antes no existía, pero que pronto haría valer sus derechos a la felicidad, y que a su vez engendraría a otros seres semejantes a él.

—Vive, vive, no tema nada. Es un niño —oyó Levin, mientras Isabel Petrovna frotaba el torso del recién nacido con mano temblorosa.

—Mamá, ¿es verdad eso? —preguntó Kitty.

La princesa no pudo responder más que con sollozos.

Como para quitar a la madre el último vestigio de duda, un sonido muy diferente de todas aquellas voces contenidas, se elevó en medio del silencio: era un grito osado, insolente, temerario, lanzado por aquel nuevo ser que acababa de surgir, Dios sabe de dónde.

Unos momentos antes, habría sido fácil hacer creer a Levin que su mujer había muerto, que él la había seguido a la tumba, que sus hijos eran ángeles, que se encontraba en presencia de Dios. Ahora que había vuelto a la realidad, tuvo que hacer un esfuerzo prodigioso para admitir que su mujer vivía, que estaba bien, que aquel pequeño llorón era su hijo. Sentía una dicha inmensa sabiendo que Kitty estaba a salvo, pero ¿y aquel niño? ¿Quién era? ¿De dónde venía? Aquella idea le pareció difícil de aceptar; no se pudo hacer a ella más que lentamente.

16

A eso de las diez, el viejo príncipe, Sergio Ivanovich y Esteban Arkadievich se hallaban reunidos en casa de Levin, para enterarse de los pormenores del parto. A Levin le parecía que habían transcurrido cien años desde la víspera. Oía hablar a los otros y hacía esfuerzos para descender hasta ellos desde la alturas donde planeaba. Aunque hablando de cosas indiferentes, pensaba en la salud de su mujer, en aquel hijo cuya existencia le parecía siempre un enigma. El papel de la mujer en la vida, cuya importancia había comprendido antes del matrimonio, rebasaba ahora todas sus previsiones. Mientras sus visitantes discurrían sobre una comida que había tenido lugar la víspera en el Casino, se decía:

«¿Qué estará haciendo ella? ¿En qué pensará? ¿Se habrá dormido? ¿Y mi hijo Demetrio, llorará todavía?»

Cortando una frase por la mitad, saltó de su asiento para ir a ver lo que pasaba en la habitación de Kitty.

—Si puedo entrar, dímelo —pidió el príncipe.

—En seguida —respondió Levin sin detenerse.

Su esposa no dormía. Tocada con una cofia de cintas azules, convenientemente instalada en el lecho y con las manos descansando en la colcha, hablaba en voz baja con su madre, formando ya planes para la próxima ceremonia bautismal. Su mirada, que había recobrado el brillo habitual, se animó más al ver aproximarse a su marido. Su semblante reflejaba la paz soberana que se lee en las facciones de los muertos, sólo que aquí era un signo de bienvenida, y no de adiós a la existencia. Le cogió la mano y le preguntó si había dormido un poco. Fue tan viva la emoción de Levin, que le hizo volver la cabeza.

—Figúrate, Kostia. Me he amodorrado y ahora me siento muy bien.

La expresión de su cara cambió bruscamente al oír el lloro del niño.

—Démelo, Isabel Petrovna, para que se lo enseñe a su padre.

—Un momento, ya nos presentaremos apenas hayamos concluido nuestra *toilette* —respondió la comadrona depositando al pie de la cama una forma extraña, sonrosada y temblorosa, que se puso a desfajar, a empolvar y a fajar de nuevo, haciéndola variar de posición con un solo dedo.

Levin observaba al pequeño esforzándose vanamente para cerciorarse de sus sentimientos paternales. Pero cuando aparecieron aquellos bracitos, aquellos piececitos de color azafrán y los vio replegarse como resortes bajo el dedo de la comadrona, que envolvía al bebé en unos pañales, le invadió un sentimiento de lástima e hizo un gesto para contenerla.

—Puede estar tranquilo —dijo ella riendo— que no le haré ningún daño.

Cuando hubo arreglado a su manera a aquel niño rollizo, Isabel Petrovna le hizo saltar de un brazo al otro y, muy orgullosa de su trabajo, se apartó para que Levin pudiera admirar a su hijo en la plenitud de su hermosura.

—Démelo —insistió Kitty, que no había dejado de seguir con el rabillo del ojo los movimientos de la comadrona, e hizo ademán de levantarse.

—Haga el favor de estar tranquila, Catalina Alexandrovna. Ahora mismo se lo paso. Espere a que nos presentemos a papá.

Y con un solo brazo —con la otra mano sostenía solamente la nuca vacilante— levantó para que lo viera Levin aquel ser extraño y rojizo, que escondía la cabeza entre los bordes de la mantilla. A decir verdad, se distinguían unos ojos vivarachos, una nariz y unos labios babeantes.

—Es un niño soberbio —declaró la comadrona.

Levin suspiró. Aquel «niño soberbio» no le inspiraba más que lástima y disgusto. Él se había imaginado otra cosa.

Mientras que Isabel Petrovna depositaba al pequeño en brazos de su madre, Levin se volvió, pero la risa de Kitty le hizo mirar atrás: el niño se había agarrado al pecho.

—Ya basta —repuso la comadrona al cabo de un instante. Pero Kitty no quiso soltar a su hijo, que se durmió a su lado.

—Mírale ahora —dijo ella, volviendo el niño hacia su padre, en el momento en que la carita adquiría una expresión de vieja para estornudar.

Levin estuvo a punto de llorar de ternura; besó a su mujer y salió del cuarto.

Pero ¡qué diferentes eran los sentimientos que le inspiraba aquel pequeño ser de los que él se había imaginado! En lugar de la alegría prevista, no experimentaba más que una angustiosa piedad. De allí en adelante habría en su vida un nuevo punto vulnerable. Y el temor de ver sufrir aquella pequeña criatura sin defensa, le impidió notar el movimiento de necio orgullo que se le había escapado al oírle estornudar.

17

Los asuntos de Esteban Arkadievich atravesaban una fase crítica. Había gastado ya las dos terceras partes del precio ajustado por la venta de la madera, y el comprador, que le había adelantado al diez por ciento una parte del último tercio, se negaba a hacer más anticipos. De otra parte, Daría Alexandrovna, afirmando por primera vez los derechos a su fortuna personal, se negaba a otorgar su firma. Los gastos de la administración y algunas deudas menudas absorbían la totalidad del sueldo.

La situación se hacía fastidiosa, pero Esteban Arkadievich no lo achacaba más que a la modestia de sus ingresos. La plaza que él creía buena cinco o seis años antes, ya no valía nada para él, decididamente. Petrov, que dirigía un banco, cobraba doce mil rublos; Mitin, que había fundado otro, cincuenta mil.

—Verdaderamente —se dijo Oblonski—, lo que sucede es que yo me duermo, y me tienen olvidado.

Se puso, pues, a la búsqueda de alguna función bien retribuida, y a finales del invierno le pareció haberla encontrado. Después de haber movilizado a su favor en Moscú a sus tíos, sus tías y sus amigos, se decidió a hacer en primera el viaje a San Petersburgo, donde tenía que resolverse el asunto. Era uno de esos empleos que tanto se encuentran hoy día, que varían de mil a cincuenta mil rublos según los casos, y valen aún más que las antiguas y bien dotadas plazas escogidas para los paniaguados. El empleo al que aspiraba era de los que exigen, eso sí, aptitudes variadas, una actividad tan extraordinaria, que a falta de encontrar hombres lo suficientemente idóneos para cubrirlos, hay que contentarse con darlos a un hombre «por lo menos honrado». Honrado, Esteban Arkadievich lo era en toda la extensión de la palabra y según el sentido que a ésta se le da en Moscú, donde la honradez consiste tanto en saber comportarse con cierta habilidad en las funciones gubernativas, como en ingeniárselas para que el prójimo no se vea excesivamente frustrado. Y como él frecuentaba precisamente los medios donde se había lanzado esta palabra, estimó que estaba en mejores condiciones que nadie para optar al empleo. Lo podía acumular a sus funciones actuales y conseguir un aumento de haberes de siete a diez mil rublos. Pero todo dependía de la buena voluntad de dos ministros, de una dama y de dos israelitas, a quienes se propuso formular la solicitud en persona, después de haber hecho a sus protectores que sondearan el terreno. Aprovecharía la ocasión para obtener de Karenin una respuesta definitiva respecto al divorcio de Ana. Con machaconería insistió para que Dolly le entregase cincuenta rublos y partió en dirección a San Petersburgo.

Recibido por Karenin, no tuvo más remedio que aguantarle la exposición de un plan de reforma financiera en Rusia, antes que pudiera abordar los asuntos que allí le habían llevado.

—Eso es muy justo —dijo tan pronto como Alexis Alexandrovich, parando su lectura, se quitó los lentes sin los cuales no podía leer, para interrogar a su cuñado con la mirada—. Es muy justo en sus detalles, pero el principio dirigente de nuestra época, ¿no es, en definitiva, la libertad?

—El principio nuevo que yo expongo abarca asimismo el de la libertad —replicó Alexis Alexandrovich subrayando la palabra «abarca», y colocándose de nuevo los lentes recalcó un pasaje de su elegante manuscrito que concluía con estas palabras—: «Si yo reclamo el sistema proteccionista, no es en beneficio de un número pequeño de ciudadanos, sino para el bien de todos, lo mismo de las clases altas que de las bajas»... Eso es precisamente lo que una minoría se obstina en no comprender —añadió mirando a Oblonski por encima de los lentes—, porque no ven más allá de sus intereses personales y se quedan satisfechos con cuatro frases huecas.

Esteban Arkadievich sabía que Karenin estaba tocando al fin de sus manifestaciones, cosa que ocurría cuando interpelaba a los que, rechazando sus proyectos, causaban así el malestar y la desgracia de Rusia. Por tanto, ya no se esforzó más por salvar el principio de la libertad. El caso es que Alexis Alexandrovich guardó silencio en seguida y se puso a hojear el manuscrito con aire pensativo.

—A propósito —pudo decir entonces Oblonski—: ¿sería oportuno, pedirte en esta ocasión, que hablaras unas palabras con Pomorski de mí? Quisiera ser nombrado miembro de la Comisión de Agencias Reunidas del Crédito Mutuo y de los Ferrocarriles del Mediodía.

Esteban Arkadievich se había aprendido de memoria el título, un poco complicado, del empleo al que aspiraba; lo soltó pues, sin la menor vacilación. Alexis Alexandrovich no pidió más detalles. Los fines que perseguía aquella comisión, ¿no vendrían a chocar con sus planes de reforma? El funcionamiento de la misma era tan complicado y los proyectos de Karenin tan vastos, que a primera vista no podía darse cuenta.

—Evidentemente —dijo, dejando caer sus lentes—, me será fácil decirle unas palabras acerca de eso, pero no alcanzo a comprender para qué quieres ese puesto.

—Es que el sueldo es alrededor de nueve mil rublos, y mis medios...

—¡Nueve mil rublos! —repitió Karenin, a quien de pronto se le arrugó el entrecejo. La futura actividad de su cuñado contradecía la idea dominante en sus proyectos, que preconizaban la economía sobre todo. Aquellos nombramientos le parecían una cosa exagerada—. Precisamente estos honorarios tan abusivos son, como demuestro en mi Memoria una prueba más de nuestra impericia económica.

—Pues un director de banco viene a cobrar diez mil rublos, y un ingeniero hasta veinte mil. ¡Y no se trata precisamente de sinecuras!

—En mi opinión, como el sueldo no es otra cosa que el precio de una mercancía, debe estar sometido a la ley de la oferta y de la demanda. Pues bien, si yo veo que dos ingenieros, tan capaz el uno como el otro, salidos de la misma escuela, reciben el uno cuarenta mil rublos y el otro diez mil con los que tiene que contentarse, y si de otra parte veo un húsar o un picapleitos, que no poseen ningún conocimiento especial, convertirse en directores de banco con sueldazos fenomenales, he de llegar a la conclusión de que en nuestro sistema económico existe un defecto grave, cuya influencia en la administración del Estado puede traer consecuencias desastrosas. Por lo menos, y así lo estimo.

—De acuerdo, pero se trata de una nueva institución de utilidad indiscutible, y que se va a procurar sea dirigida por personas «honradas» —interrumpió Esteban Arkadievich subrayando la última palabra.

—Ése es un mérito negativo —respondió Alexis Alexandrovich, insensible a la significación moscovita de aquel término.

—De todos modos, hazme el favor de hablar con Pomorski.

—Como quieras, pero en este caso la recomendación de Bolgarinov debe ser la más influyente.

—Bolgarinov está completamente de acuerdo —declaró Esteban Arkadievich, que no pudo menos de sonrojarse al recuerdo de la visita que, aquella misma mañana, había tenido que hacer a aquel personaje.

¿Experimentaba tal vez algún remordimiento, por romper una tradición ancestral abandonando el servicio del Estado para dedicarse a una empresa muy útil, muy honesta pero, al fin y al cabo, de carácter particular? ¿Se resentía del desaire que le habían hecho a él, nada menos que el príncipe Oblonski, descendiente de Rurik, obligándole a esperar dos horas hasta que un «perro judío» se dignara recibirle. El caso es que, presa de una repentina enfermedad moral, había querido sobreponerse a ella, paseando a grandes zancadas con aire altanero mientras hacía antesala, bromeando con los solicitantes, buscando el chiste que mejor se adaptara a la situación. Pero como no acertaba con las palabras, se iba sintiendo cada vez más abatido. Y por último, Bolgarinov le había recibido, sí, con refinada cortesía, pero también con evidentes muestras de satisfacción por su triunfo, orgulloso de verse solicitado por un príncipe. Y por si fuera poco, no le dejó entrever ninguna esperanza respecto al éxito de su gestión.

Cuando estuvo en la calle, Esteban Arkadievich hubo de hacer un gran esfuerzo para olvidar aquella vejación, que ahora le hacía enrojecer.

—Todavía me queda una cosa que pedirte —anunció Oblonski, desechando aquel desagradable recuerdo—. Ya adivinaras cuál, Ana...

El rostro de Karenin, hasta ahora tan animado, tomó al oír este nombre una expresión de rigidez cadavérica.

—¿Qué se exige de mí todavía? —inquirió, revolviéndose en la poltrona y quitándose los lentes.

—Una decisión cualquiera, Alexis Alexandrovich; yo me dirijo a ti, no como... —y ya iba a decir al marido engañado, pero se detuvo para corregirse— al hombre de Estado, sino como al cristiano, hombre de corazón. Ten compasión de ella.

—¿De qué modo? —preguntó en voz baja Karenin.

—Te daría lástima si la vieras. Créeme: he venido observándola todo el invierno. Su situación es verdaderamente terrible.

—Yo creía —dijo Karenin, agudizando de repente la voz— que Ana Arkadievna había obtenido todo lo que deseaba.

—No más recriminaciones, Alexis Alexandrovich. Lo pasado, pasado. Lo que ella espera ahora es el divorcio.

—Había creído comprender que en caso de que yo me quedara con mi hijo, Ana Arkadievna renunciaría al divorcio. Pues bien, ya he dado una respuesta en ese sentido y considero esta cuestión como zanjada —determinó, agudizando cada vez más el tono de la voz.

—No nos acaloremos, te lo ruego —exhortó Esteban Arkadievich tocando a su cuñado en la rodilla—. Más bien recapitulemos. En el momento de vuestra separación, con una generosidad inaudita, tú le dejabas el hijo y aceptabas el divorcio. Este gesto tan bello la impresionó profundamente. Sí, sí, puedes creerme... Luego ella se sintió demasiado culpable respecto a ti para aceptar; pero el porvenir le ha demostrado que con eso, se había creado una situación intolerable.

—La situación de Ana Arkadievna no me interesa en absoluto —desdeñó Karenin arqueando las cejas.

—Permíteme que no te crea —objetó suavemente Oblonski—. Me dirás que ella tiene merecidos sus sufrimientos. Ella no lo niega, estima incluso que no tiene derecho a dirigirte ninguna súplica. Pero todos los que la queremos te rogamos que tengas compasión de ella. ¿A quién pueden aprovechar sus padecimientos?

—¡La verdad, oyéndote se diría que es a mí a quien vosotros acusáis!

—Nada de eso, nada de eso —repuso Esteban Arkadievich, tocando esta vez el brazo de su cuñado, como si esperase suavizarlo con sus ademanes—. Sólo quiero hacerte ver que no perderás nada cuando se regularice su situación. Déjalo todo en mis manos; tú no tienes que ocuparte de nada. Tú le habías prometido, desde luego...

—Mi consentimiento ya lo di en otra ocasión, pero entretanto ha surgido la cuestión del niño, y yo esperaba que Ana Arkadievna tendría la generosidad...

Se detuvo. Se había puesto pálido. De sus labios temblorosos salían las palabras con dificultad.

—Ella no pide ya el niño; recurre a tu buen corazón, te suplica le concedas el medio de salir del estancamiento en que ahora se encuentra. El divorcio se ha convertido para ella en una cuestión de vida o muerte. Tal vez se habría resignado, no se habría movido del campo, de no haber tenido fe en tu palabra. Fiada en tu promesa, te ha escrito, ha venido a vivir en Moscú, desde hace seis meses la consume la fiebre de la espera, donde cada encuentro es para ella como una puñalada. Su situación es como la de un condenado a muerte que hace meses tiene la soga en el cuello, y no sabe si debe esperar el indulto o el momento final. Ten piedad de ella; yo me encargo de arreglarlo todo. Tus escrúpulos...

—No se trata de eso —interrumpió Karenin—, pero es posible que prometiera más de lo que tenía derecho a dar.

—¿Entonces retiras tu palabra?

—Pido simplemente tiempo para reflexionar. ¿Podía yo hacer una promesa semejante?

—¿Qué estás diciendo, Alexis Alexandrovich? —exclamó Oblonski saltando de su asiento—. Ella se siente lo más desgraciada que puede sentirse una mujer. Tú no podrías negarte...

—¿Podía yo hacer una promesa semejante? —repitió—. Tú haces gala de ser librepensador, pero yo, que soy creyente, no podría, en una cuestión tan grave, oponerme a los principios de la doctrina cristiana.

—Pero todas las sociedades cristianas, y nuestra misma Iglesia, admiten el divorcio.

—En algunos casos, pero no en éste.

—No te reconozco, Alexis Alexandrovich —dijo Oblonski, después de un intervalo de silencio—. ¿Eres tú el mismo que antes, inspirado precisamente en lo más puro de la doctrina cristiana, causabas la admiración de todos nosotros concediendo un perdón magnánimo? ¿No eras tú el que decía: «Después de la manta, hay que dar el vestido?».

—Te agradecería mucho que..., ¡que cortáramos de una vez esta conversación! —aulló de pronto Alexis Alexandrovich, que se levantó estirando el cuerpo, lívido y temblándole la mandíbula.

—Perdóname si te he afligido —murmuró Esteban Arkadievich con una sonrisa confusa—, pero tenía que cumplir la misión encomendada.

Tendió la mano a su cuñado, que se la estrechó, y declaró tras un instante de reflexión:

—Tengo que orientarme. Pasado mañana tendréis mi respuesta definitiva.

18

Esteban Arkadievich se disponía a salir de allí, cuando Kornei anunció:

—Sergio Alexievich.

—¿Quién es? —preguntó Oblonski—. ¡Ah, sí! ¡El pequeño Sergio. —Reconoció, pasmándose de su inadvertencia—.¡Y yo que esperaba al director de algún departamento ministerial!

Recordó que su madre le había encargado verle, así como el aire triste y pensativo con que le había dicho: «Tú lo verás, podrás saber lo que hace, quién cuida de él... Y hasta si fuera posible...». Había adivinado su ardiente deseo de obtener la custodia del niño. Después del diálogo sostenido se daba cuenta, desgraciadamente, de que ni siquiera podía plantearse aquella cuestión. Pero no por eso se alegró de ver a su sobrino, por más que Karenin le hubiese prevenido que al niño nunca se le hablaba de su madre, suplicándole, por consiguiente, se abstuviera de hacer alusiones a aquella persona, mientras él estuviera delante.

—Ha estado gravemente enfermo desde su última entrevista; hubo un momento en que temimos por su vida —concluyó—. Un tratamiento juicioso, seguido de baños de mar durante el verano, le han restablecido felizmente. Por consejo del médico le he enviado al colegio. La compañía de niños de su edad ejerce sobre él una influencia saludable. Es muy aplicado y se encuentra allí de maravilla.

—¡Pero si ya es un hombrecito! Ahora comprendo que le anuncien como Sergio Alexievich —exclamó Oblonski, al ver entrar a un guapo mozo, robusto, vestido de marinera azul y pantalón largo, que sin ninguna timidez acudió corriendo al lado de su padre.

Sergio saludó a su tío como a un extraño; después, al reconocerle, se ruborizó, adoptó un aire como irritado, casi le volvió la espalda cual si estuviera ofendido, y entregó su cuaderno de notas a Karenin.

—No está del todo mal —comentó éste—. Puedes irte a jugar.

—Ha crecido, ha adelgazado y ha perdido su aspecto infantil pero sigue gustándome —dijo Esteban Arkadievich—. ¿Te acuerdas de mí?

El niño alzó los ojos al padre, y después al tío.

—Sí, tío —respondió, bajando de nuevo la mirada.

Esteban Arkadievich le dijo que se acercara y le cogió por el brazo.

—Bueno, ¿y qué es de tu vida? —le preguntó.

El niño se sonrojó y no contestó nada. Buscaba la manera de librar el brazo de la mano de su tío, y tan pronto lo consiguió, alejóse con el ímpetu de un pájaro puesto en libertad.

Al cabo de un año transcurrido desde que vio por última vez a su madre, los recuerdos de Sergio se habían ido borrando poco a poco, y bajo la influencia de la vida colegial, los rechazaba como indignos de un hombre. Sabía que entre sus padres había una desavenencia, que su suerte estaba unida a la de su padre e intentaba hacerse a esta idea. La presencia de su tío, tan parecido a su mamá, le molestaba. Algunas palabras llegadas a él en la antecámara y sobre todo, las caras largas de aquellos dos hombres le hicieron comprender que estaban tratando de su madre. Y por no tener que juzgar al hombre de quien dependía, por no recaer en sus ensueños, que había aprendido a despreciar, le pareció mejor rehuir la mirada de su tío que venía inoportunamente a recordarle lo que se había propuesto olvidar.

Pero cuando al dejar el despacho de Karenin, Esteban Arkadievich le encontró jugando en la escalera y le interrogó sobre su juego, Sergio, que ya no temía la presencia de su padre, se mostró más comunicativo.

—Pues ahora estamos jugando al ferrocarril. Dos de nosotros se sientan en un banco: son los viajeros. Otro se pone delante de ellos en pie; los demás se enganchan al banco y tiran de él al galope por las habitaciones. No es fácil hacer de conductor.

—El conductor es aquel que está allí de pie, ¿no? —preguntó Oblonski, sonriendo.

—Sí, hay que sostenerse bien y tener mucho cuidado de no caerse, sobre todo cuando los que tiran se paran de repente.

—¡Sí, menuda papeleta! —dijo Esteban Arkadievich, observando con tristeza aquellos ojos tan brillantes, que ya no tenían el candor de la infancia y tanto se parecían a los de Ana. Olvidando la promesa hecha a Karenin, no pudo resistir el deseo de preguntarle:

—¿Te acuerdas de tu madre?

—No —le respondió el muchacho, que enrojeció de nuevo.

Esteban Arkadievich ya no pudo sacar de él ni una palabra.

Cuando, media hora más tarde, el preceptor encontró a Sergio, no pudo saber si lloraba o estaba enfadado.

—Seguramente que se ha hecho daño al caerse. Con razón le había dicho que eso era un juego peligroso. Tendré que hablar al director.

—Si me hubiese hecho daño, nadie lo sospecharía. Créame.

—¿Qué tiene usted, pues?

—¡Nada, déjeme en paz!... ¿Qué le importa a nadie si yo me acuerdo o no? ¿Y por qué tengo que acordarme?... ¡Déjeme en paz! —repitió, y al decirlo, parecía que quería desafiar al mundo entero.

19

Como siempre, Esteban Arkadievich empleó muy bien su tiempo en la capital, donde además de sus asuntos, le atraía la necesidad de remorzarse. De dar crédito a su opinión, el aire de Moscú estaba enrarecido. A pesar de sus tranvías y de sus «cafés cantantes», aquella pobre ciudad venía a ser como un pantano en el que uno se pudría moralmente. Al cabo de algunos meses, Oblonski tomaba a pecho las recriminaciones de su mujer, la salud y la educación de sus hijos, los detalles menudos del servicio, y —¿quién lo hubiera creído?— hasta sus mismas deudas le inquietaban.

Pero tan pronto como sentaba la planta en San Petersburgo y volvía a encontrarse en el mundo de los vivos —en Moscú no hacía más que vegetar— se derretían sus preocupaciones como la cera al fuego. ¡Allí se atendían de una manera tan distinta los deberes con la familia! El príncipe Tchetchenski, ¿no había llegado a contarle, del modo más natural del mundo, que teniendo «dos familias», había encontrado muy conveniente introducir al mayor de sus hijos legítimos en la otra familia apócrifa, con el fin de avisparlo un poco? ¿Se podía comprender eso en Moscú? Aquí no se preocupaban por los hijos a la manera de Lvov: se les metía en un internado; no se trastrocaban los papeles dándoles una preponderancia exagerada en la familia; se comprendía que todo hombre bien educado tiene el derecho y el deber de vivir, antes que nada, para sí mismo. Y luego, al contrario que en Moscú, donde el servir al Estado no ofrecía interés ni porvenir, ¿a qué brillante carrera no podía uno aspirar en una ciudad donde el amigo Briantsev era ya alguien de importancia? Para eso bastaba un encuentro feliz, un servicio prestado, una buena palabra o un juego de fisonomía bien estudiado. En fin —y esto sobre todo disipaba los escrúpulos de Oblonski—, ¡qué poco inquietaba la cuestión del dinero! Aquella víspera, Bortnianski, que vivía a un promedio de cincuenta mil rublos, le había dicho a este propósito unas palabras edificantes, cuando iban a sentarse a la mesa.

—Vas a tener la amabilidad —le había insinuado Esteban Arkadievich— de hablar de mí a Mordvinski. Soy candidato a la plaza de miembro...

—Poco importa el título. Además, lo olvidaría de todos modos. Pero ¿cómo has tenido la idea de relacionarte con esos judíos?

—Es que necesito dinero —declaró Oblonski con franqueza, juzgando inútil ir al sesgo con su amigo—. No tengo un céntimo.

—¿Acaso vives menos por eso?

—Sí, vivo pero lleno de deudas.

—¿Tienes muchas? —preguntó Bortnianski con simpatía.

—¡Oh, sí! Unos veinte mil rublos.

—¡Feliz mortal! —exclamó el otro, echándose a reír—. Yo tengo millón y medio de deudas, sin un kopek en la cartera, y como puedes ver, no vivo tan mal.

Aquel ejemplo estaba confirmado por muchos otros. Arruinado, entrampado en trescientos mil rublos, Jivakov llevaba una vida fastuosa; después de estar mucho tiempo a la cuarta pregunta, el conde Krivtsov se permitía el lujo de mantener dos queridas; habiendo cometido un desfalco de cinco millones, Petrovski dirigía una empresa financiera con una asignación de veinte mil rublos.

¡Y cómo rejuvenecía la gente en una ciudad como San Petersburgo! En Moscú, Esteban Arkadievich notaba con melancolía cómo blanqueaban sus cabellos, se dormía después de las comidas, bostezaba, subía difícilmente las escaleras, se aburría en compañía de las jóvenes, no bailaba en ninguna reunión. En San Petersburgo se sentía diez años más joven. Experimentaba la misma sensación que su tío Pedro en el extranjero.

—Aquí no sabemos vivir —le dijo aquel hombre, joven en sus sesenta años, que volvía de París—. Créeme, si quieres. En Baden, donde he pasado el verano, la visita de una mujer bonita me sugería muchas cosas; una buena comida rociada con buen vino me devolvía el aplomo. ¡Quince días en Rusia con mi noble esposa, en plena campiña, y ya no era más que un viejo! ¿Qué fue de mis jóvenes beldades? No me quitaba la bata y tenía que estar pendiente de mi salud... Menos mal que París me ha repuesto.

Al día siguiente de su entrevista con Karenin, Esteban Arkadievich fue a ver a Betsy Tverskoi, con la cual mantenía relaciones un poco raras. Solía cortejarla en broma, y le dirigía unas frases demasiado libres que sabía que eran de su agrado. Aquel día, bajo la influencia del clima petersburgués, se fue de la lengua y casi se sintió feliz al ver a la princesa Miagki venir a interrumpir un coloquio que comenzaba a inquietarle, pues en el fondo no sentía la menor inclinación por Betsy.

—¡Ah, está usted aquí! —le dijo la obesa princesa al verle—. ¿Y qué hace ahora su pobre hermana?... ¿Le extraña que me interese por ella?... Es que, mire usted, desde que todo el mundo le hace el vacío, comenzando por mujeres que son cien veces peor que ella, yo me inclino a absolverla por completo. ¿Cómo es que Vronski no me ha avisado de su paso por San Petersburgo? Habría ido a verla y la habría acompañado a todas partes. Déle recuerdos míos y, entretanto, hábleme de ella.

—Su situación es bastante penosa... —comenzó Esteban Arkadievich, cediendo gustosamente a la petición de la buena señora.

Mas ésta, que seguía en su idea, le interrumpió:

—Ha hecho lo que hacen todas las mujeres, menos yo, y ha tenido la lealtad de obrar abiertamente. Le doy la razón por haber plantado a aquel imbécil —usted me dispensará como cuñado— que siempre ha querido pasar por un águila. Yo sola he protestado siempre, y ahora todos son de mi opinión desde el momento en que se ha liado con la condesa Lidia y con ese Landau. Casi me da rabia ser de la misma opinión que los demás.

—Usted podrá quizás explicarme un enigma. Ayer, hablando del divorcio, mi cuñado me dijo que no podía darme respuesta antes de haber reflexionado, y esta mañana recibo una nota de la condesa Lidia, invitándome a su velada. ¿Puede haber alguna relación entre el divorcio y esta invitación?

—¡De seguro! —afirmó la princesa, encantada—. Van a consultar a Landau.

—¿Landau? ¿Quién es ése?

—¡Cómo! ¿No conoce usted al famoso Jules Landau, el clarividente? Ya ve lo que se gana con vivir en provincias. Está un poco tocado también, pero la suerte de su hermana está en sus manos. Landau era dependiente de una botica en París; un día acudió a consultar a un médico, se durmió en el salón de espera, y durante el sueño dio a los asistentes unos consejos de lo más chocante. La mujer de Yuri Meledinski le llamó a la cabecera de su marido enfermo; a mi entender, no le ha hecho nada bueno, pero ambos se han entusiasmado con Landau y lo han traído a Rusia. Aquí todo el mundo se ha lanzado sobre él. Ha curado a la princesa Bezzoubov, quien, por gratitud, le ha adoptado.

—¿Cómo ha dicho?

—Como oye: adoptado. Ya no se llama Landau, sino el conde Bezzoubov. Pero poco importa. Pues bien, esa loca de Lidia, a quien por otra parte quiero mucho, se ha enamorado de Landau. Nada de lo que ella y Karenin tengan entre manos se decide sin haberle consultado antes. He ahí por qué, se lo repito, la suerte de su hermana está en las manos de Landau, conde de Bezzoubov.

20

Después de una excelente comida en casa de Bortnianski, seguida de numerosos vasos de coñac, Esteban Arkadievich llegó con un poco de retraso a casa de la condesa Lidia.

—¿Quién está ahí? ¿El francés? —preguntó al portero, al observar junto al gabán tan conocido de Karenin una extraña capa con alamares.

—Alexis Alexandrovich Karenin y el conde Bezzoubov —respondió muy serio el portero.

«La princesa Miagki ha dado en el clavo —se dijo Oblonski mientras subía la escalera—. Hay que cultivar la amistad de esta mujer, tiene una gran influencia. Una palabra de ella a Pomorski y mi asunto caería en saco roto.»

Aunque todavía había luz diurna, las cortinas del saloncito ya estaban echadas y se habían encendido las lámparas. Sentados cerca de un velador, la condesa y Karenin charlaban en voz baja, en tanto que un hombre seco, pequeño, muy pálido, con bellos y relucientes ojos, tipo afeminado, piernas delgadas y largos cabellos que caían sobre el cuello de su levita, permanecía de pie al otro lado de la estancia, examinando los retratos suspendidos de las paredes. Después de haber presentado sus respetos a la condesa y de saludar a su cuñado, Oblonski se volvió involuntariamente hacia aquel personaje tan singular.

—Monsieur Landau —dijo la condesa en voz baja, y con una deferencia que sorprendió a Esteban Arkadievich.

Landau se aproximó, sonrió, puso su mano inerte y húmeda en la de Oblonski, a quien presentó la condesa, y ocupó de nuevo su puesto junto a los retratos. Lidia Ivanovna y Karenin cambiaron una mirada significativa.

—Estoy muy contenta de verle, y particularmente hoy —dijo la condesa a Oblonski, indicándole un asiento junto a su cuñado—. Se lo he presentado con el nombre de Landau —continuó tras una mirada al francés—, pero ya sabrá usted, sin duda, que se llama conde Bezzoubov. A él no le gusta este título.

—Sí, ya he oído decir que había curado completamente a la condesa Bezzoubov.

—Exactamente. Ella ha venido hoy a verme, pero en un estado tal que da compasión. La separación ha sido para ella un golpe terrible.

—¿Está decidida, pues, su marcha? —preguntó Karenin.

—Sí, se va a París. Una voz misteriosa se lo ha impuesto —dijo Lidia Ivanovna, mirando a Oblonski.

—¿Una voz, verdaderamente? —interrogó éste, comprendiendo que era necesario usar una gran prudencia, en una sociedad donde ocurrían misterios de los que no poseía la clave.

Tras unos instantes de silencio, la condesa creyó llegado el momento de acometer los asuntos serios, y dijo a Oblonski con sutil sonrisa:

—Yo le conozco hace mucho tiempo. *Les amis de nos amis sont nos amis*. Pero para ser verdaderamente amigos, hay que darse cuenta de lo que pasa en el alma de los que se ama, y yo me temo que usted no está en esa posición con respecto a Alexis Alexandrovich. ¿Comprende lo que quiero decir? —preguntó, levantando sus bellos ojos soñadores hacia Esteban Arkadievich.

—Comprendo, en parte, que la posición de Alexis Alexandrovich... —respondió Oblonski, que no sabiendo dónde iba ella a parar, prefería quedar en las generalidades.

—¡Oh! Yo no hablo de cambios externos —dijo gravemente la condesa siguiendo con amorosa mirada a Karenin, que se había levantado para reunirse con Landau—. Es su corazón el que ha cambiado, y mucho me temo que usted no haya reflexionado bastante, a la vista de esa transformación.

—Puedo figurármela a grandes rasgos. Siempre hemos estado en excelentes relaciones, y ahora todavía... —comenzó Oblonski, que creyó conveniente dar a su mirada una pincelada de ternura.

Sabía que Lidia Ivanovna contaba entre sus amistades a dos ministros, y se preguntaba cerca de cuál podría servirle más eficazmente.

—Esa transformación no altera lo más mínimo su amor por el prójimo. Al contrario, lo eleva, lo purifica. Pero creo que usted no me comprende... ¿Una taza de té? —propuso señalando en dirección de un criado que traía una bandeja.

—No del todo, condesa. Es evidente que su desgracia...

—Su desgracia se ha convertido en su dicha, pues su corazón ha despertado en Él —recitó la condesa, cuya mirada se hacía cada vez más lánguida.

«Se le puede pedir que hable con los dos, yo creo», pensó entonces Oblonski.

—Ciertamente —prosiguió en voz alta—, pero ésa es una de las cuestiones íntimas que nadie se atreve a tratar, condesa.

—Al contrario, es así como debemos ayudarnos.

—Sin duda, pero a veces existen tales divergencias de opinión... —insinuó Oblonski, con untuosa sonrisa.

—No puede haber divergencias cuando se trata de la santa verdad.

—Sin duda, sin duda —repitió Oblonski, que, viendo entrar en juego la religión prefirió zafarse.

Entretanto, se había acercado Karenin.

—Creo que va a dormirse —anunció en voz baja.

Esteban Arkadievich se volvió. Landau se había sentado cerca de la ventana, el brazo apoyado en un sillón y la cabeza baja. La levantó al ver que todas las miradas convergían en él, y sonrió con expresión infantil.

—No le preste atención —recomendó Lidia Ivanovna acercando un asiento a Karenin—. Lo he notado...

En aquel momento entró un criado para entregarle una misiva, la cual leyó en un santiamén y contestó rápidamente, después de excusarse ante sus invitados.

—Me he fijado —prosiguió— en que los moscovitas, los hombres sobre todo, son la gente del mundo más indiferente en materia de religión.

—Yo hubiera creído lo contrario, condesa, a juzgar por la reputación que tienen.

—Pues usted mismo me parece pertenecer a la categoría de los indiferentes —dijo Alexis Alexandrovich.

—¿Será posible? —exclamó Lidia Ivanovna.

—Yo estoy más bien a la espera —respondió Oblonski con sonrisa más conciliadora—. Mi hora no ha llegado aún.

Karenin y la condesa se miraron.

—Nosotros no podemos nunca conocer nuestra hora, ni saber si estamos preparados o no —declaró gravemente Alexis Alexandrovich—. La gracia no obedece a consideraciones humanas. A veces se aparta de quienes la buscan para descender sobre los que no están preparados para recibirla. Por ejemplo, San Pablo, antes de su conversión.

—Todavía no se ha dormido —comentó la condesa, que seguía con los ojos los movimientos del francés.

Landau se levantó y se acercó al grupo.

—¿Me permiten ustedes que atienda? —pidió.

—Desde luego que sí, yo no quería incomodarle. Tome asiento —invitó la condesa cariñosamente.

—Lo esencial es no cerrar los ojos a la luz —continuó Alexis Alexandrovich.

—¡Y si usted conociera la dicha que es sentir la presencia de Él en nuestras almas, constantemente! —declaró Lidia Ivanovna, con una sonrisa estática.

—Por desgracia, hay quienes son incapaces de alcanzar semejantes alturas —objetó Esteban Arkadievich, no sin hipocresía, pues, ¿cómo iba a indisponerse con una persona que, con una sola palabra a Pomorski, podía conseguirle la plaza que tanto codiciaba?

—¿Quiere decir que el pecado no nos lo permite? Pues ésa es una falsa idea. El pecado ya no existe para el que cree... *Pardon* —suplicó al ver que el criado le traía una segunda misiva, que recorrió con la vista—. Contéstele que mañana estaré en casa de la gran duquesa... Pues como le decía, no, para el creyente ya no existe el pecado —repitió.

—Sí, pero ¿acaso la fe sin obras no es una fe muerta? —arguyó Esteban Arkadievich, recordando aquella frase del catecismo, y no defendiendo su independencia más que con una sonrisa.

—¡He ahí ese famoso pasaje de Santiago que ha hecho tanto

mal! —exclamó Karenin, mirando a la condesa, como recordándole frecuentes discusiones sobre esta materia—. ¡Cuántas almas, desorientadas por la falsa interpretación que suele dársele, se habrán alejado de la fe! Y sin embargo, el sentido del texto es exactamente lo contrario.

—Son nuestros monjes los que pretenden salvarse por medio de las obras, los ayunos, las mortificaciones —dijo la condesa, con aire de soberano desprecio—. Pero eso no está escrito en ninguna parte. Créame, uno logra su salvación mucho más fácilmente —añadió, dedicando a Oblonski una de aquellas miradas con las que estimulaba los primeros pasos en la Corte de las jóvenes damas de honor.

Karenin aprobó con un gesto.

—Cristo nos ha salvado muriendo por nosotros. Es la fe lo que nos basta y nada más —declaró.

—*Vous comprenez l'anglais?* —preguntó Lidia Ivanovna y correspondiendo a un signo afirmativo, dirigióse a una estantería—. Voy a leerle *Safe and happy*, o bien *Under the wing* —anunció, interrogando a Karenin con la mirada—. Es muy corto —añadió, volviendo a sentarse—. Verá usted cómo se adquiere la fe y la felicidad sobrenatural que inunda el alma de los creyentes. Sin conocer la soledad, el hombre es feliz. No sabría cómo ser desgraciado.

Iba a comenzar la lectura, cuando vino de nuevo el criado a interrumpirla.

—¿La señora Borozdine? Mañana a las dos... A propósito —repuso, lanzando un suspiro y marcando con un dedo la página que quería leer—. ¿Quiere ver usted cómo opera la verdadera fe? ¿Conoce a María Sanine? ¿Sabe usted su desgracia? Ha perdido a su hijo único. Pues bien, después que ha encontrado su camino, su desesperación se ha trocado en consuelo y hasta da gracias a Dios por la muerte de su hijo. Tal es la felicidad que da la fe.

—Evidentemente, esto es muy... —murmuró Esteban Arkadievich, feliz de poder callarse durante la lectura.

«Decididamente —se dijo—, haré mejor en no pedir nada por hoy y marcharme lo antes posible, porque de lo contrario podría fracasar en mi intento.»

—Esto le va a aburrir —dijo la condesa a Landau—, porque usted no sabe inglés, pero no me ocupará mucho tiempo.

—¡Oh, ya comprendo! —respondió el otro, sonriendo siempre.

La condesa y Karenin cambiaron una tierna mirada, y dio comienzo la lectura.

21

Las extrañas palabras que acababan de oír habían sumido en la mayor estupefacción a Esteban Arkadievich. Cierto que la complejidad de la vida petersburguesa le excitaba, sacándole de la monotonía moscovita, pero no lo era menos que aquel ambiente insólito se apartaba demasiado de lo que en él era habitual. Escuchando a la condesa y sintiendo el influjo de aquellos ojos —¿ingenuos o bribones?, no sabría decirlo— de Landau, clavados en él, experimentaba cierta pesadez en la cabeza. En su mente se apretujaban las ideas más variadas.

«María Sanine es feliz por haber perdido a su hijo... ¡Ah, si pudiese fumar! Para salvarse basta creer. Los monjes no entienden nada, pero la condesa sí... ¿Por qué me dolerá la cabeza? ¿Es a causa del coñac o de la extravagancia que me rodea? Yo no he hecho todavía nada que sea incongruente, pero decididamente, prefiero no solicitar nada hoy. Se afirma que esa clase de gente os obliga a recitar plegarias. Eso sería demasiado ridículo. ¿Qué necedades está leyendo ella? Hay que reconocer que pronuncia bien el inglés. Landau-Bezzoubov, ¿por qué Bezzoubov?»

Y al llegar a este punto sintió en las mandíbulas cierta tendencia a abrirse en forma de bostezo. Le hubiera gustado sacudirse, tirarse de las patillas, pero el sueño le iba dominando irresistiblemente. Quizás habría lanzado algún ronquido, pero se dio cuenta a tiempo y se estremeció con una sensación de culpabilidad, al oír a la condesa:

—Ya está dormido.

Afortunadamente, aquellas palabras se referían a Landau, que se había adormilado junto a él. Pero así como el sueño de Oblonski hubiera sido indudablemente una ofensa para Lidia Ivanovna y Karenin —¿era aquello muy seguro en un mundo tan anormal?—, el de Landau, en cambio, fue un motivo de regocijo para todos, especialmente para la condesa.

—*Mon ami* —dijo, llamando así a Karenin por el entusiasmo del momento, y recogiendo con discreción los pliegues de su vestido de seda—, *donnez moi la main: vous voyez?* ¡Silencio! No recibo a nadie —cuchicheó al criado, que hacía una tercera aparición.

El francés dormía o fingía dormir, con la cabeza apoyada en el respaldo de la butaca, mientras que, descansando en la rodilla, su mano húmeda imitaba el ademán de atrapar alguna cosa.

Alexis Alexandrovich se aproximó a él, no sin haber tropezado con el velador, a pesar de sus precauciones, y puso su mano en la suya. Esteban Arkadievich se había levantado también. Abriendo desmesuradamente los ojos para convencerse de no estar dormido aún, miraba tanto al uno como al otro, y sentía que sus ideas se le embrollaban más y más.

—*Que la persone qui est arrivée la dernière, celle qui demande, qu'elle sorte..., qu'elle sorte!* —murmuró el francés, sin abrir los ojos.

—Excúseme, Stiva, pero ya ve usted... —dijo la condesa—. Vuelva hacia las diez, o mejor aún, mañana...

—*Qu'elle sorte!* —repitió el francés, con impaciencia.

—Así que soy yo el que sobra, ¿eh? —inquirió Oblonski.

Y sin preguntar más, salió de puntillas y se refugió en la calle, como si huyera de una casa infectada por la peste. Para recobrar el equilibrio, se esforzó en bromear con el cochero del carruaje que le conducía al teatro francés. Llegó al tercer acto y volvió a hallarse en su elemento, lo mismo que en el restaurante, donde algunas copas de champán le devolvieron la alegría de ánimo, aunque sin disipar por completo su malestar.

Al regresar a casa de su tío Pedro, encontró una tarjeta de Betsy, invitándole a su casa para el día siguiente, a fin de reanudar la charla interrumpida, lo que le hizo torcer el gesto. Un ruido de pasos lentos, como de gente que llevara un fardo, le atrajo a la escalera. Allí vio a su tío, tan rejuvenecido gracias a su viaje por el extranjero, que le tenían que subir completamente ebrio. Aunque apenas podía tenerse en pie, el buen hombre se agarró a su sobrino y le siguió hasta su cuarto, donde se durmió sentado en una silla, después de haber intentado en vano contarle sus proezas.

En cambio, Oblonski no pudo conciliar el sueño. Contra su costumbre, se sentía muy deprimido, y no podía recordar sin vergüenza los sucesos de aquel día, en particular la velada en casa de la condesa.

Al día siguiente, Karenin le avisó que se negaba terminantemente al divorcio. Oblonski comprendió que aquella decisión le había sido inspirada por el francés en el curso de aquel sueño, verdadero o fingido.

22

En el seno de un matrimonio sólo se toma una decisión en caso de un acuerdo perfecto o de completo desacuerdo. Cuando las relaciones conyugales fluctúan entre esos dos extremos, ninguno de los dos se atreve a tomar la iniciativa, y se ha visto demorar la solución años enteros, precisamente en cuestiones tan fastidiosas para el uno como para el otro.

Tal era el caso de Ana y Vronski. Los árboles de los bulevares habían tenido tiempo de cubrirse de hojas, y las hojas de marchitarse, pero a pesar del calor y del polvo, la pareja seguía en Moscú, donde tan odiosa resultaba la estancia para los dos.

Un persistente malentendido les tenía separados, y cualquier tentativa de explicación no hacía más que agravar la posición de ambos. Ana encontraba a su amante más frío que nunca. Vronski culpaba a su querida de hacer aún más penosa, con sus recriminaciones, la falsa situación en que se había colocado a causa de ella. Siempre disimulando con el mayor cuidado las verdaderas causas de su irritación, cada uno de ellos hacía responsable al otro, y aprovechaba la primera ocasión para echárselo en cara.

Conociendo a fondo a Vronski, sus gustos, sus pensamientos, sus deseos, sus particularidades físicas y morales, Ana le juzgaba un hombre hecho para el amor, y nada más que para el amor. Si él, pues, se mostraba frío con ella, era porque amaba a otra. Y en la ceguera de sus celos abarcaba sin distinción a todas las mujeres. Lo mismo desconfiaba de las de vida airada, accesibles a aquel hombre célibe, que de las damas de alta sociedad, o maldecía a tal o cual jovencita por quien quizá la abandonaría el día menos pensado.

Este último recelo era mucho más doloroso que los otros, habiéndose suscitado por una confidencia del propio Alexis. Cierto día se había quejado de su madre, por habérsele metido en la cabeza desposarle con la joven princesa Sorokin.

Los celos impulsaban a Ana a acumular las acusaciones más variadas contra aquel a quien, en el fondo de su corazón, adoraba: la soledad en que vivía, las vacilaciones de Alexis Alexandrovich, la separación (acaso eterna) de su hijo, la estancia prolongada en Moscú... Si él la quería verdaderamente, ¿no podría prescindir de la sociedad y recluirse con ella en la mansión campestre, como en un claustro? Si sobrevenía algún raro momento de ternura, Ana no gustaba de ninguna satisfacción, pues en las caricias de aquel amante estudiadamente apasionado, demasiado dueño de sí mismo, sólo veía la afirmación ofensiva de un derecho.

Declinaba el día. Vronski asistía a una cena de hombres solos, y Ana se había refugiado en el gabinete de trabajo, donde el ruido de la calle le incomodaba menos en su larga espera. Caminaba de un lado a otro por la estancia y revivía en su memoria los detalles de una escena penosa, el día de la víspera, en que tuvieron un altercado. Remontándose a las causas de la disensión, se sorprendió al ver lo insignificantes que eran. Hablando de Hannah, la inglesita que ella protegía, Vronski había puesto en ridículo los liceos donde se educaban los jóvenes, afirmando que las ciencias físicas serían de escasa utilidad para aquella niña. Creyendo ver en ello una alusión a sus propias ocupaciones, había replicado con aire ofendido:

—Ya sabía que no podía esperar un gesto simpático por parte de usted, pero al menos creía tener derecho a contar con su delicadeza.

Herido en lo más vivo, Vronski se había sonrojado, y después de una o dos réplicas de las que no se acordaba, se había permitido decir, para acabar de ofenderla:

—Confieso que no alcanzo a comprender el entusiasmo que usted siente por esa chiquilla. No veo en ello más que afectación.

El reproche era tan duro como injusto, y hería los laboriosos esfuerzos de Ana para crearse una ocupación que la ayudase a soportar su aislamiento. Esto la hizo estallar de indignación.

—Es muy deplorable que los sentimientos groseros y materiales sean los únicos accesibles para usted —había respondido al salir de la habitación.

Por la noche, en la alcoba, no habían hecho ninguna alusión a aquella escena, aunque ambos se daban perfecta cuenta de que no la habían olvidado.

Un día entero pasado en la soledad había hecho reflexionar a Ana. Ávida de reconciliarse con su amante, estaba dispuesta a perdonar, que era tanto decir como acusarse a sí misma.

«La falta ha sido mía. Mis absurdos celos me hacen irritable en demasía... ¡Es necesario volver al campo! Allí recobraré la calma... Comprendo que al acusarme de afectación en mi cariño por una extranjera, lo que me censura es no amar a mi hija. Pero ¿qué sabe él del amor que puede inspirar un niño? ¿Se da cuenta de lo que he sacrificado por él al renunciar a Sergio? ¿Por qué ese empeño en herirme? ¿No será una prueba de que está enamorado de otra?»

E intentando calmarse, había regresado al trágico punto de partida.

«¿Y qué? —se dijo a sí misma, enloquecida—. ¿Es que no puedo verdaderamente reconocerme culpable? Vamos a ver. Él es justo y honrado, él me ama. Yo le amo también, y mi divorcio no es más que cuestión de días. ¿Qué más puedo desear? Tranquilidad, confianza... Sí. Tan pronto como vuelva, yo me confesaré culpable, aunque no lo sea... Y nos iremos lo más pronto posible.»

Y para desechar sus sombríos pensamientos, dio orden de que le llevasen las maletas.

Vronski volvió a casa aquella noche a las diez.

23

—¿Ha estado bien la cena? —preguntó ella al recibirle con acento contrito.

—Como de costumbre —respondió él, notando en seguida aquel cambio de humor, de lo que se puso contento, puesto que él mismo se encontraba bastante alegre—. ¿Qué veo? ¿Conque están embalando? ¡Mira qué bonito!

—Sí, con el paseo que he dado hace poco, me han entrado ganas de volver al campo. A ti ya no te retiene nada, ¿verdad?

—No deseo otra cosa que partir. Haz servir el té mientras me cambio de ropa. Vengo al instante.

El aire de superioridad que afectaba le pareció a Ana mortificante. «Mira qué bonito.» ¿No era en aquel tono como se excusaban los caprichos de un niño malcriado? No tardó en despertársele otra vez la necesidad de luchar. ¿Por qué se ponía humilde ante aquella arrogancia? Se contuvo, sin embargo, y cuando volvió le expuso sus proyectos de partida, usando frases ya preparadas de antemano.

—Creo que ha sido una inspiración —concluyó ella—. Al menos cortaré de raíz esta eterna expectativa. ¿De qué sirve tanto esperar? Quiero desentenderme de la cuestión del divorcio. ¿No piensas igual?

—Ciertamente —respondió él, un poco inquieto al ver la agitación de Ana.

—Ahora cuéntame tú todo lo que ha pasado en vuestro banquete —dijo ésta tras un momento de silencio.

—El menú era muy bueno —respondió Vronski, y le nombró los convidados—. Después hemos tenido unas regatas, pero como en Moscú se encuentra siempre el medio de hacer el ridículo, nos han organizado una exhibición natatoria, a cargo de una dama, profesora de natación de la reina de Suecia.

—¡Cómo! ¿Ha estado nadando delante de vosotros? —preguntó Ana, poniéndose seria.

—Sí, con un bañador rojo. Es una vieja feísima... Bueno, ¿cuándo nos vamos?

—¿Cabe imaginar algo más necio? ¿Es que tiene algo de particular su manera de nadar? —preguntó ella, sin abandonar su idea.

—Nada en absoluto. Era una cosa ridícula, te lo aseguro. ¿De modo que has fijado el día de la partida?

Ana sacudió la cabeza como para librarse de una obsesión.

—Cuanto antes mejor. No podremos tenerlo todo preparado para mañana, pero para pasado mañana, sí.

—Entendido... Es decir, no. Pasado mañana, domingo, tengo que ir a casa de mamá.

Apenas pronunciada esta última palabra se turbó, al sentir sobre sí el peso de una mirada sospechosa. Su turbación hizo aumentar la desconfianza de Ana. Ésta olvidó a la profesora de natación, para no inquietarse más que por la princesa Sorokin, que solía pasar el verano en casa de la anciana condesa. Se apartó de él con las mejillas coloreadas.

—¿Y no puedes ir mañana?

—Es imposible. Ni los poderes ni el dinero que ha de entregarme pueden estar preparados para mañana.

—Entonces, no partiremos ya.

—¿Por qué no?

—El domingo o nunca.

—¡Pero eso es absurdo, no tiene sentido! —exclamó Vronski.

—Para ti, porque en tu egoísmo no quieres comprender lo que sufro. Un solo ser me retenía aquí, Hannah, y tú has hallado un pretexto para tachar de hipocresía mi conducta con ella. En tu opinión, yo no quiero a mi hija, y estoy fingiendo por esa inglesita sentimientos que no tienen nada de naturales. Quisiera saber qué puede haber de natural en una vida como la que llevo.

Notó con horror que estaba olvidando sus buenas resoluciones, pero a pesar de advertir su extravío, no resistió a la tentación de echarle en cara sus faltas.

—Yo no he dicho eso —replicó él—. Sencillamente, te he dicho que me disgustaba aquella ternura tan repentina hacia ella.

—Eso no es verdad, y para uno que se jacta de franqueza...

—No tengo costumbre de jactarme ni de mentir —dijo él lentamente, reprimiendo la cólera que hervía en su interior—. Y siento que no sepas respetar...

—El respeto ha sido inventado para disimular la ausencia de amor. Si ya no me amas, lo más noble sería confesármelo.

—¡Esto se está haciendo absolutamente intolerable! —exclamó Vronski que se levantó bruscamente y se puso delante de ella—. Mi paciencia tiene un límite, ¿por qué la pones a prueba?

Pronunciaba sus palabras lentamente, como si impidiera la salida de otras más amargas que tenía a flor de labio.

—¿Qué quiere usted decir con eso? —gritó ella, espantada de la mirada con que él la estaba fulminando, y de la expresión de odio que descomponía su semblante.

—Quiero decir que... Pero no, soy yo quien debe preguntar lo que usted pretende de mí.

—¿Qué puedo pretender más que una cosa? Lo que quiero es no verme abandonada como es su intención. Por lo demás, la cuestión es secundaria. Quiero ser amada, y si no me ama usted, todo ha concluido.

Y se encaminó a la puerta.

—¡Espera, espera! —exclamó Vronski, sujetándola por el brazo, pero con las cejas unidas en un pliegue inquietante—. Pongamos las cosas en su lugar. Yo he pedido el no marchar antes de tres días, y tú me has contestado que miento y que soy un mal educado.

—Sí, y lo repito. Un hombre que me echa en cara los sacrificios que ha hecho por mí (y con esto aludía a las disputas anteriores), no es solamente un mal educado, sino un hombre sin corazón.

—¡Mi paciencia se ha acabado! —exclamó Vronski, soltándole el brazo.

«Me odia, es cierto —pensó ella, y sin volverse, salió de la habitación con paso inseguro—. Quiere a otra, eso es todavía más cierto —se dijo al entrar en su cuarto. Y se repitió mentalmente las palabras que acababa de pronunciar—. Quiero ser amada y si él no me ama, todo ha concluido... Sí, hay que concluir, pero ¿cómo?», se preguntó, dejándose caer en un sillón, delante del espejo.

Se sintió asaltada por los pensamientos más diversos. ¿Dónde refugiarse? ¿En casa de su tía, que la había criado? ¿Con Dolly? ¿Acaso en el extranjero? ¿Qué estaría haciendo él en su gabinete? ¿Sería definitiva aquella ruptura? ¿Qué dirían Alexis Alexandrovich y sus antiguos amigos de San Petersburgo? En su mente surgía nuevamente una idea sin que pudiera llegar a formularla. Se acordó de unas palabras dichas por ella a su marido después de dar a luz: «¿Por qué no me habré muerto?». Muy pronto, aquellas palabras despertaron el sentimiento que antes habían expresado.

«Morir, sí, es la única manera de acabar. Mi vergüenza, el deshonor de Alexis Alexandrovich, el de Sergio, todo se borra con mi muerte. Una vez muerta, él se arrepentirá de su conducta, me llorará, me amará.»

Asomó a sus labios una sonrisa de ternura, en tanto se quitaba y se ponía maquinalmente los anillos.

Unos pasos que se acercaban —¡los suyos!— la sacaron de sus meditaciones, sin que hiciera ademán de prevenirse. Sintió que él la cogía de la mano, diciendo dulcemente:

—Ana, estoy dispuesto a todo. Vámonos pasado mañana.

Como ella no respondiera nada, insistió:

—Bueno, ¿qué contestas?

—Haz lo que quieras.

Incapaz de dominarse, Ana rompió a llorar.

—Déjame, déjame —murmuró entre sollozos—. Me iré mañana mismo. Y aún haré más... ¿Qué soy yo? Una mujer perdida, una piedra suspendida a tu cuello. No quiero atormentarte más. Tú no me quieres, quieres a otra. Te libraré de mí.

Vronski le suplicó que se calmase, afirmó que sus celos carecían de fundamento, juró que la quería más que nunca.

—Ana, ¿por qué atormentarnos así? —le preguntó, apartándole las manos del rostro.

Ana creyó notar algunas lágrimas en sus ojos y angustia en su voz. Pasando en seguida de los celos más sombríos a la más ardiente de las pasiones, cubrió de besos la cabeza, el cuello y las manos de su amante.

24

La reconciliación fue completa. Ana no sabía bien si saldrían el lunes o el martes, pues cada uno de ellos había querido ceder al otro en este punto, pero poco importaba ya, y, a partir del día siguiente por la mañana, Ana activó los preparativos. Estaba retirando varios objetos de una maleta cuando entró Vronski. Se había arreglado más deprisa que de costumbre.

—Voy ahora mismo a casa de mamá. Le diré que me envíe el dinero por mediación de Iegorov, y en ese caso podemos salir mañana.

Esta alusión turbó las buenas disposiciones de Ana.

«Así pues —se dijo ella—, era posible arreglar las cosas como yo quería...»

—¡No! —replicó, alzando la voz—. No cambies en nada tus proyectos, porque yo misma no estaré preparada. Vete a desayunar. Estaré contigo al momento, cuando acabe de arreglar estas cosas.

Y se puso a amontonar trapos de todas clases en los brazos de Annuchka.

Cuando entró en el comedor, Vronski estaba comiéndose un bistec. Sentóse a su lado para tomar el café.

—Este piso amueblado se me está haciendo odioso —declaró ella—. ¿Hay algo más abominable que las *chambres garnies*? Estos relojes de pared, estos cortinajes, estos papeles que cubren la pared, sobre todo, se han convertido en una verdadera pesadilla para mí, mientras que el campo se me aparece como una tierra de promisión. A partir de ahora, supongo que dejarás de traer caballos.

—No, ya nos los mandarán. ¿Tienes propósito de salir hoy?

—Puede que pase por casa de mistress Wilson, para llevarle un traje... Entonces, ¿de acuerdo en que mañana...? —preguntó alegremente.

Pero pronto cambió de expresión.

En aquel momento entró el ayuda de cámara a pedir el recibo de un telegrama, a lo que Vronski respondió secamente que lo encontraría en la mesa de su despacho. Y para distraer la atención de Ana, se puso a responder:

—Ciertamente todo estará terminado mañana.

Pero Ana había cambiado ya de expresión.

—¿De quién es el telegrama? —inquirió sin escucharle.

—De Stiva —respondió él, sin apresurarse.

—¿Por qué no me lo has enseñado? ¿Qué secreto puede haber entre mi hermano y tú?

Vronski ordenó al ayuda de cámara que trajese el telegrama.

—Yo no quería dejártelo ver, porque Stiva tiene la manía del telégrafo. ¿Qué necesidad tenía de avisarme telegráficamente que aún no se ha decidido nada?

—¿Del divorcio?

—Sí. Dice que no puede obtener ninguna respuesta afirmativa. Toma, léelo tú misma.

Ana cogió el telegrama con mano temblorosa. El final estaba concebido en estos términos:

Pocas esperanzas, pero haré lo posible y lo imposible.

—¿No te había dicho que esto me era indiferente? —protestó ella, enrojeciendo—. Pues no había por qué ocultarme nada.

Pensó que usaría el mismo medio para su correspondencia con otras mujeres.

—A propósito, es posible que Iachvin venga esta mañana con

Voitov. Figúrate que ha ganado cerca de sesenta mil rublos a Pievt-sov, que se va a ver negro para pagárselos.

Aquella manera tan sinuosa de hacerle comprender, otra vez, que estaba pisando un terreno peligroso, la irritó todavía más.

—Perdón —insistió—. ¿Por qué has creído conveniente ocultarme esa noticia? Te repito que esa cuestión me es indiferente, y desearía que tú también permanecieras indiferente en este asunto.

—Si me intereso por él, es porque me gustan las cosas claras.

—¿Qué importan las formas cuando el amor existe? —gritó ella, cada vez más contrariada por aquel tono de fría superioridad—. ¿Qué vas a hacer tú si obtengo el divorcio?

«Siempre el amor», pensó Vronski, haciendo una mueca.

Manifestó:

—Bien sabes que, si yo lo deseo, es por ti y por nuestros futuros hijos.

—No habrá más hijos.

—Tanto peor, lo siento.

—No piensas más que en los hijos, en mí no —se quejó ella, olvidando que él había dicho «por ti y por nuestros hijos».

Este deseo de tener hijos era, hacía tiempo, un motivo de discordia entre ambos. A ella le molestaba como una prueba de indiferencia hacia su hermosura.

—Al contrario, en quien más pienso es en ti —aseguró él, mientras se le arrugaban las cejas como si sufriera neuralgia—. La irritabilidad de tu carácter obedece principalmente, estoy convencido, a la falsedad de tu posición.

«Ha cesado de fingir y ya aparece en su integridad el odio que me tiene», pensó ella sin prestar atención a sus palabras.

Parecía como si un juez implacable la estuviese condenando a través de los ojos de Vronski.

—No, mi posición no puede ser la causa de eso que te gusta llamar mi irritabilidad —subrayó ella—. La veo muy clara: ¿no estoy yo, absolutamente, en tu poder?

—Lamento que no quieras comprenderme —interrumpió él bruscamente, pues su propósito era aprovechar la ocasión para descubrirle el fondo de su pensamiento—. Es tu falsa posición la que te induce a desconfiar de mí.

—¡Oh, en cuanto a eso, puedes estar tranquilo! —replicó ella, desviando la mirada.

Bebió unos sorbos de café. El ruido de sus labios y el gesto de su mano, que sostenía la taza con el dedo meñique levantado, molestaban evidentemente a Vronski. Se apercibió de ello mirándole a hurtadillas.

—Poco me importa la opinión de tu madre y los proyectos de matrimonio que está formando para ti —le espetó dejando la taza en el plato con mano temblorosa.

—Ahora no se trata de eso.

—Claro que sí, y puedes creerme: Una mujer sin corazón, aunque fuese tu madre, no podría interesarme jamás.

—¡Ana te ruego que respetes a mi madre!

—Una mujer que no comprende dónde reside la felicidad de su hijo, que le excita a un atentado contra el honor, esa mujer no tiene corazón.

—Una vez más te pido que no hables de mi madre en ese tono —dijo él, elevando la voz.

Y le clavó una mirada severa que Ana soportó denodadamente. Se fijó ella, en aquellos labios y aquellas manos que la víspera, después de la reconciliación, le habían prodigado tantas caricias.

«¡Caricias vulgares que ha dispensado y que dispensara todavía a otras muchas mujeres!», pensaba.

—Tú no quieres a tu madre —acusó al fin, los ojos cargados de odio—. No haces más que frasear.

—En tal caso, será necesario...

—Será necesario tomar una determinación, y en cuanto a mí, ya sé lo que me queda por hacer.

Iba a retirarse cuando entró Iachvin. Se detuvo para darle los buenos días. ¿Por qué, en una coyuntura tan grave de su existencia, disimulaba delante de un extraño que tarde o temprano se enteraría de todo? No habría podido explicárselo, pero volvió a tomar asiento, y, sobreponiéndose a la tempestad que asolaba su corazón, se puso a hablar con Iachvin de las cosas más triviales.

—¿Le han pagado la deuda? —preguntó Ana.

—Sólo en parte, y debo ponerme en camino el miércoles, sin falta —respondió él, aventurándose a echar una ojeada hacia Vronski. Sin duda sospechaba que su venida había interrumpido una escena—. ¿Y ustedes, cuándo se marchan?

—Pasado mañana, creo —dijo Vronski.

—¿Por fin han tomado una decisión?

—Sí, y definitiva —respondió Ana, cuya dura mirada rechazaba por anticipado toda tentativa de reconciliación—. ¿No le da pena ese pobre Pievtsov?

—¿Pena? Es una cuestión que yo jamás me he planteado, Ana

Arkadievna. Yo llevo mi fortuna conmigo —dijo mostrando el bol-sillo—, pero rico como soy en este momento, es posible que esta noche salga del Casino sin un kopek. El que se enfrente conmigo en el juego, me quitaría con mucho gusto hasta la camisa. En la lucha consiste la emoción del juego.

—Pero si usted estuviera casado, ¿qué diría su mujer?

—Por eso no me he casado, ni he tenido jamás la intención de casarme —repuso Iachvin, a quien la anterior suposición había di-vertido mucho.

—Te olvidas de Helsingfors —insinuó Vronski, arriesgándose a echar un vistazo a Ana, cuya sonrisa se extinguió en seguida.

El semblante de ella parecía decirle: «No, amigo mío, nada ha cambiado». Así lo demostraban sus facciones rígidas.

—¿No ha estado enamorado nunca? —preguntó Ana a Iachvin.

—¡Oh, Señor! ¡Cuántas veces! Pero, lo mismo que otros se las arreglan para que el juego no les haga faltar a la cita, yo siempre la he concertado de modo que me quedase tiempo para una partida.

—Yo no hablo de esa clase de amor, sino del verdadero.

Quería interrogarle sobre Helsingfors, pero se abstuvo de repetir una palabra que había pronunciado Vronski.

Entretanto, se había presentado Voitov para tratar de la compra de un semental. Ana se retiró.

Antes de salir, Vronski entró en la habitación de Ana. Ésta, desde el principio, fingió estar absorbida en la búsqueda de algo, pero avergonzada de este disimulo, clavó en él su mirada, siempre glacial.

—¿Qué necesita usted? —preguntó en francés.

—El certificado de origen de *Gambett*, que acabo de vender —respondió él en un tono que quería claramente decir: «No puedo perder el tiempo en explicaciones ociosas».

Sin embargo, al salir de la habitación, le pareció que ella le llama-ba y se sintió súbitamente dominado por un sentimiento de lástima.

—¿Qué hay, Ana? —preguntó.

—Nada —respondió ésta, fríamente.

«Entonces, decididamente, tanto peor», se dijo él, una vez más, tornando rápidamente a su actitud de indiferencia.

Al pasar delante de un espejo, vio reflejado en él un rostro tan desfigurado que pensó en consolar a aquella infeliz, pero demasiado tarde. Ya estaba lejos. Se pasó todo el día fuera, y cuando volvió la doncella le hizo saber que Ana Arkadievna tenía jaqueca y suplicaba que no la molestasen.

25

Nunca hasta entonces, en caso de disentimiento, había transcurrido el día sin llegar a una reconciliación. Pero esta vez la querella se asemejaba bastante a una ruptura. Para anonadarla con una mirada tan glacial, para alejarse de la manera que lo había hecho su amante, a pesar del estado de desesperación al que le había reducido, forzosamente tenía que odiarla a ella y amar a otra. Las palabras crueles pronunciadas por los labios de Vronski volvían a la memoria de Ana, y en su mente se agravaban con frases groseras forjadas en su imaginación, pues él era incapaz de decirlas. Sin embargo, se las atribuía para dar acicate a su dolor.

Según ella, Alexis le diría: «Yo no la quiero retener a usted. Puede marcharse, desde el momento que no procura el divorcio, lo cual significa que quiere reunirse con su marido. Si necesita dinero, no tiene más que decirlo. ¿Cuánto quiere usted?».

«¡Pero si ayer mismo me juraba que no amaba a nadie más que a mí! —se decía ella, un momento después—. Es un hombre honrado y sincero. ¿No me he desesperado inútilmente bastantes veces?»

Con excepción de una visita de dos horas a mistress Wilson, pasó todo el día en alternativas de duda y esperanza. ¿Debía partir al instante, o intentar verle una vez más? Cansada de esperarle toda la noche, acabó por entrar en su cuarto, recomendando a Annuchka le dijese que estaba indispuesta.

«Si viene, a pesar de todo, es que me ama todavía —decidió ella—. Si no, todo ha concluido y ya sé lo que me queda por hacer.»

Oyó el ruido del coche por el empedrado cuando regresó el conde. Después reconoció su manera de tocar el timbre, luego oyó el vago rumor de un diálogo con Annuchka. Sintió que sus pasos se alejaban y que entraba en su gabinete. Ana comprendió que su suerte estaba echada.

La muerte le pareció entonces el único medio de castigar a Vronski, de triunfar sobre él y reconquistar su amor, de vencer en la lucha desencadenada por el espíritu maligno que aquel hombre alojaba en su corazón. La partida, el divorcio, le parecían cosas indiferentes. Lo esencial era el castigo.

Tomó la ampolla del opio y vertió su acostumbrada dosis en un vaso. ¡Tomándolo todo, sería tan fácil morir...! Acostada, con los ojos abiertos, contemplaba, a la luz vacilante de la bujía, las molduras de la cornisa y la sombra que en ella proyectaba el biombo, y se abandonaba a aquel lúgubre ensueño. ¿Qué pensaría él cuando hubiera desaparecido? ¿Qué remordimientos serían los suyos? Él se diría: «¿Cómo he podido hablarle tan duramente, abandonarla sin una palabra de afecto? ¡Y he aquí que ella no existe ya, que me ha abandonado para siempre!». De pronto, la sombra del biombo pareció vacilar e invadir todo el techo, otras sombras acudieron a su encuentro, retrocedieron para volver a precipitarse con nuevo ímpetu, y todas se confundieron en una oscuridad completa.

«¡Es la muerte!», se dijo, y se apoderó de todo su ser un terror tan profundo, que necesitó algún tiempo para ordenar sus ideas, sin saber dónde se hallaba. Tras vanos esfuerzos, pudo, al fin, con mano temblorosa, encender una vela con la que sustituir la que acababa de apagarse. Lágrimas de alegría inundaron su rostro cuando se dio cuenta de que aún vivía.

—¡No, no, todo antes que morir! Le amo, él me ama también, hemos conocido ya escenas parecidas y todo se ha arreglado.

Y para ahuyentar sus temores, se refugió en el gabinete de Vronski.

Dormía éste con sueño tranquilo. Se acercó a él, levantó la palmatoria y le contempló un buen rato con lágrimas de ternura, pero se guardó muy bien de despertarle. Temía que volviese a mirarla con aquella expresión glacial, poseído de sí mismo. Y el primer impulso de ella hubiera sido demostrarle la gravedad de sus faltas. Regresó, pues, a su cuarto, ingirió una segunda dosis de opio y se durmió con sueño pesado, un sueño que no la libró de la sensación de sufrir.

Al amanecer la volvió a angustiar la horrorosa pesadilla que más de una vez le había oprimido antes de su convivencia con Vronski: un hombrecillo de barba desgreñada estaba martilleando sobre una plancha de acero, pronunciando frases entrecortadas en un francés ininteligible para ella Y como siempre, lo que más la aterrorizaba era ver que aquel hombre hacía su faena «por encima de ella», sin dar señales de haberlo advertido.

Al levantarse le volvieron a la memoria, confusamente, los acontecimientos de la víspera.

«¿Qué ha habido entre nosotros para estar tan desesperada? ¿Una querella? No es la primera. He pretextado dolor de cabeza y no ha querido molestarme. Mañana partimos. Necesito verle, hablarle y apresurar la marcha.»

Se dirigió al gabinete de Vronski, pero al atravesar la sala, el ruido de un coche que paraba a la puerta le hizo asomarse por la ventana. Era un carruaje de dos plazas. Una joven con sombrero color malva, apoyada en la portezuela, daba órdenes a un lacayo. Éste llamó a la puerta, oyóse un diálogo en el vestíbulo, alguien subió después y Ana oyó a Vronski bajando a toda prisa las escaleras. Le vio salir sin sombrero, aproximarse al coche, coger un paquete de manos de la joven y hablar sonriente con ella. El carruaje se alejó y Vronski se apresuró a volver.

Esta breve escena disipó de improviso el adormecimiento de Ana, y las impresiones de la víspera le desgarraron el corazón más dolorosamente que nunca. ¿Cómo podía rebajarse hasta el punto de permanecer, después de semejante escena, un día entero bajo el mismo techo, con aquel hombre?

Resuelta a declararle la determinación que había adoptado, entró en el gabinete.

—La princesa Sorokin y su hija me han traído el dinero y los documentos de mi madre que no pude obtener ayer —dijo Vronski tranquilamente, sin hacer ningún caso de la trágica fisonomía de Ana—. ¿Cómo te encuentras esta mañana?

De pie en medio del cuarto, ella le miraba fijamente mientras él continuaba la lectura de una carta, con la frente arrugada, después de haberle echado una rápida ojeada.

Sin pronunciar palabra, Ana giró lentamente sobre sí misma y se encaminó a la puerta. Él no hizo nada para retenerla. El ruido del papel estrujado fue lo único que se oyó en la estancia.

—A propósito —se le ocurrió a él, en el momento que ella atravesaba el umbral—. ¿Nos vamos mañana definitivamente?

—Usted sí; yo no —respondió ella, volviéndose.

—Ana, así no se puede vivir.

—Usted sí, yo no —repitió ella.

—Esto ya no se puede tolerar.

—Usted..., usted se arrepentirá —advirtió ella, y salió.

Asustado del acento desesperado con que había pronunciado las últimas palabras, Vronski saltó de su asiento, quiso correr detrás de ella, pero de pronto se contuvo. Aquella amenaza, que él juzgaba una impertinencia, le exasperaba.

—He probado todos los medios —murmuró, apretando los dientes—. No me queda más que la indiferencia.

Se dispuso a salir. Le faltaba aún hacer algunas gestiones y presentar un acta de poderes a la firma de su madre.

Ana le oyó salir de su despacho, atravesar el comedor y detenerse en la antecámara, no por verla, sino para dar orden de llevarle a Voitov al semental. Sintió avanzar la calesa, abrir la puerta de entrada. Alguien subió precipitadamente la escalera. Corrió a la ventana y vio a

Vronski recibir, de manos de su ayuda de cámara, un par de guantes que había olvidado, después de tocar la espalda al cochero, decirle algunas palabras, y sin levantar los ojos de la ventana, acomodarse en su postura habitual al fondo del vehículo, cruzar una pierna sobre la otra, mientras se calzaba un guante, y desaparecer, por último, a la vuelta de la esquina.

26

—¡Se fue, todo ha terminado! —Se dijo ella.

De pronto, le invadió de nuevo la angustia que le entró la pasada noche, cuando se apagó la vela y le estremecieron los horrores de aquella pesadilla.

—¡No, no es posible! —exclamó.

Atravesando toda la habitación, hizo sonar con fuerza el timbre de llamada, pero dominada por el terror no pudo esperar la llegada del criado, y salió a su encuentro.

—Infórmese del lugar a donde ha ido el coche —le ordenó.

—A las caballerizas —respondió el criado—. La calesa va a volver y en seguida estará a disposición de la señora.

—Está bien. Voy a escribir una nota y usted encargará a Miguel que la lleve inmediatamente a las caballerizas.

Sentóse y escribió:

«He caído en falta, pero, en nombre del cielo, vuelve y nos entenderemos. Tengo miedo.»

Selló la carta, entregó ésta al criado y, por temor a quedarse sola, se fue al lado de la niña.

«¡No la reconozco ya! ¿Qué ha sido de sus ojitos azules y de su bonita sonrisa tímida?», pensó al ver a la hermosa niña perfumada, de sonrosadas mejillas y cabello oscuro rizado, en vez de Sergio, a quien en su confusión esperaba encontrarse.

Sentada al lado de una mesa, la niña daba golpes a tontas y a locas con una tapadera. Sus ojos, de un color negro azabache, fijaban en su madre una mirada estúpida. El aya inglesa se interesó por la salud de Ana. Ésta le aseguró que se encontraba bastante bien, y le previno que al día siguiente salían para el campo. Sentóse después al lado de la pequeña, le cogió la tapadera y la hizo girar como una peonza. Pero el movimiento de las cejas y la risa sonora de la niña le recordaban tan vivamente a Vronski, que no se pudo contener. Se levantó bruscamente y se alejó.

«¿Será posible que todo haya cambiado? No, él volverá —se dijo—. Pero ¿cómo me explicará él su animación, su sonrisa, cuando le hable? Y naturalmente, tendré que creer todo lo que me diga... Si no, no veo más que un remedio, y no lo quiero.»

Echó una mirada al reloj. Habían pasado doce minutos.

«Ha recibido mi carta y va a volver dentro de diez minutos. Pero ¿y si no vuelve? Eso es imposible. No debe encontrarme con los ojos enrojecidos. Voy a asearme. Pero, vamos a ver, ¿me he peinado hoy? Sí —y se llevó las manos a la cabeza para comprobarlo—, pero ¿cuándo? No recuerdo.»

Acercóse a un espejo para convencerse de que estaba bien peinada sin haberse dado cuenta de ello, pero retrocedió al descubrir un semblante descompuesto y unos ojos de brillo extraño que la contemplaban llenos de pavor.

«¿Qué es esto? —se preguntó—. ¡Pero si soy yo!», comprendió de repente.

Y mientras examinaba hasta los últimos detalles de su personalidad, creía sentir en su hombro los besos recientes de su amante. Se estremeció y se llevó una mano a los labios.

«¿Me habré vuelto loca?», se preguntó con un escalofrío y acudió a refugiarse al cuarto donde Annuchka estaba ordenando las cosas.

—Annuchka... —comenzó a decir, sin poder continuar parándose ante aquella mujer tan complaciente, que pareció entenderla.

—Debería usted visitar a Daría Alexandrovna —le dijo.

—Es verdad, voy a ir allí.

Un cuarto de hora para ir, un cuarto de hora para volver. ¡Y él podía regresar de un momento a otro! Miró su reloj.

«Pero ¿cómo ha podido dejarme así? ¿Cómo puede vivir sin haberse reconciliado conmigo?»

Se aproximó a la ventana. Escrutó la calle. ¡Nadie! Temiendo haber cometido un error de cálculo, se puso a contar los minutos que siguieron a su partida.

En el momento que iba a consultar el reloj del salón, se detuvo un carruaje a la puerta. Por la ventana reconoció que era la calesa, pero nadie subía por la escalera. Al oír voces en el vestíbulo, bajó y vio al mensajero que había mandado, Miguel, un mozo alegre y de buen porte.

—El señor conde se había marchado ya hacia la estación de Nijni —dijo el ayuda de cámara.

—¿Qué quieres? ¿Qué te ocurre ahora? —dijo ella a Miguel, viendo que quería devolverle la nota.

«¡Ah, sí, es verdad! —pensó—. No la ha recibido.»

—Pues bien —prosiguió—, lleva en seguida esta carta al conde, al campo, en casa de su madre, y trae la respuesta.

«Y yo —dijo para sí—, ¿qué va a ser de mí esperándole? Vamos de todas maneras a casa de Dolly. ¡Ah! Todavía me queda el recurso de telegrafiar.»

Y escribió el siguiente telegrama, expidiéndolo en el acto:

«Tengo absoluta necesidad de hablarle. Vuelva usted inmediatamente.»

Se vistió y, ya a punto de salir, se detuvo ante Annuchka, que con su aire de placidez habitual, daba muestras de viva compasión a través de sus pequeños ojos grises.

—Annuchka, querida mía, ¿qué va a pasar? —murmuró, dejándose caer en un sillón.

—¿Por qué se apura usted, Ana Arkadievna? Eso le pasa a todo el mundo. Vaya a dar una vuelta, que le distraerá.

—Sí, voy a salir. Si en mi ausencia trajesen un telegrama, envíalo a casa de Daría Alexandrovna —indicó, procurando dominarse—. Mejor dicho, no, estaré pronto de vuelta.

Al salir se decía, escuchando aterrada los latidos precipitados de su corazón:

«Debo abstenerme de toda reflexión, ocuparme en cualquier cosa, dejar esta casa sobre todo.»

Se apresuró a montar en la calesa.

—¿Adónde hay que conducir a la señora? —preguntó Pedro, el lacayo.

—Calle de la Aparición, casa de los Oblonski.

27

El tiempo estaba sereno. Una lluvia caída por la mañana hacía aún brillar al sol de mayo los tejados de las casas, las losas de las aceras, el pavimento de las calzadas, las ruedas de los coches, los cueros y los metales de los arneses. Eran las tres, el momento más animado del día.

Dulcemente mecida por el coche que arrastraban velozmente dos alazanes, Ana empezó a juzgar las cosas bajo un aspecto distinto, pasando revista a los sucesos de los últimos días a plena luz y en medio del estrépito continuo de las ruedas. La idea de la muerte la asustaba menos, y al mismo tiempo, no le parecía ya tan inevitable. Se reprobó vivamente la humillación a que había descendido.

«¿Por qué haberme acusado e implorado su perdón? ¿Acaso no puedo vivir sin él?»

Y dejando aquella pregunta sin respuesta, se puso a leer maquinalmente los letreros de las tiendas: «Oficinas y almacenes. Dentista...».

«Sí, voy a confesárselo todo a Dolly. Ella no quiere a Vronski. Será duro decírselo todo, pero lo haré. Ella me quiere, seguiré su consejo. No dejaré que me traten como a una niña "Philippov, fabricante de pastas". Dicen que es él quien envía las pastas a San Petersburgo. El agua de Moscú. Aquí están los mejores manantiales, los de Mytistchy.»

Se acordó de haber pasado una vez por aquella localidad, a la que fue en peregrinación con su tía al convento de la Trinidad y San Jorge.

«En aquel tiempo se iba en coche. ¿Era yo verdaderamente aquella pequeñuela de manos rojas? ¡Cuántas cosas que entonces me parecían sueños de felicidad irrealizables me parecen hoy fruslerías! Y, sin embargo, ni el paso de los siglos podría devolverme la inocencia de entonces. ¿Quién había de decirme que iba a caer tan bajo? La nota que le he mandado le habrá valido un triunfo, pero yo abatiré mi orgullo... ¡Dios mío, qué mal sienta esa pintura! ¿A qué se deberá esa obsesión de construir y pintar?... "Modas y confecciones"...»

Un transeúnte la saludó. Era el marido de Annuchka.

«"Nuestros parásitos", como dice Vronski. ¿Por qué los nuestros? ¡Ay, quién pudiera arrancar el pasado, raíces y todo! No es posible, por desgracia, pero al menos podemos fingir que lo hemos olvidado.»

Recordó de pronto su pasado con Alexis Alexandrovich, comprobó lo fácilmente que se le había esfumado de la memoria.

«Dolly no me dará la razón, puesto que es el segundo a quien abandono. Pero ¿tengo la pretensión de que me la den? (Sintió que empezaban a dominarle las lágrimas.) ¿De qué pueden estar hablando esas dos jóvenes que sonríen? ¿De sus amores? No conocen la tristeza ni la ignominia... El bulevar con sus niñas...

»Tres nenes que juegan a los caballos... Sergio, mi pequeño Sergio, lo voy a perder todo y no te voy a recobrar por eso... Sí, como no vuelva, todo está perdido. ¿Y si hubiera perdido el tren y lo encontrase en casa? ¡Vaya, otra vez me voy a humillar! No, se lo voy a contar todo a Dolly. Soy desgraciada, estoy sufriendo, lo he merecido, pero ven en mi ayuda... ¡Oh, me da horror servirme de esta calesa y estos caballos que le pertenecen! Pronto dejaré de verlos.»

Atormentándose de este modo, llegó a casa de Dolly y subió la escalera.

—¿Hay alguien? —preguntó en la antecámara.

—Catalina Alexandrovna Levin —respondió la criada.

«¡Kitty, aquella Kitty de la que Vronski estuvo enamorado! —se dijo Ana—. ¡La que siente no haber hecho su esposa mientras maldice el día en que me conoció!»

Dolly daba consejos a su hermana sobre la mejor manera de criar al niño cuando le anunciaron la visita de Ana. Acudió ella sola a recibirla.

—¿Conque no te has ido todavía? Precisamente quería ir ahora mismo a tu casa. He recibido esta mañana una carta de Stiva.

—Y nosotros un telegrama —respondió Ana, intentando ver a Kitty.

—Me ha escrito que no comprende nada de los caprichos de Alexis Alexandrovich, pero que no partirá sin haber obtenido una respuesta definitiva.

—Tienes gente en casa, creo. ¿Puedes enseñarme la carta de Stiva?

—Sí, tengo a Kitty —respondió Dolly, turbada—. Está en el cuarto de los niños. ¿Sabes que está convaleciente?

—Lo sé. ¿Puedes enseñarme la carta?

—Claro que sí, voy a buscarla... Alexis Alexandrovich no se niega. Stiva tiene esperanzas —dijo Dolly, deteniéndose en el umbral.

—Yo no espero ni deseo nada.

Ana se quedó sola, preguntándose si Kitty, al verla, iba a sentirse ofendida en su dignidad.

«Quizá tenga razón —pensó—, pero no es a ella, que ha estado prendada de Vronski, a quien incumbe darme la lección. Yo sé bien que una mujer decente no puede recibirme. Todo lo he sacrificado a ese hombre, y ahí está mi recompensa. ¡Ah, cuánto le odio! ¿Y para qué he venido aquí? Me encuentro todavía peor que en mi casa. (Oyó las voces de las dos hermanas en la habitación vecina.) ¿Y cómo he de hablarle ahora a Dolly? ¿Voy a darle un alegrón a Kitty con el espectáculo de mi desdicha, a adoptar una postura suplicante, encomendándome a su buena voluntad? No, y, además, Dolly misma no sabría comprenderme. Más vale callarme. Pero me gustaría ver a Kitty para demostrarle que desprecio a todo el mundo y que todo me es ya indiferente.»

Dolly volvió con la carta. Ana la leyó y se la entregó de nuevo.

—Ya lo sabía —dijo—. Y no me preocupo más.

—¿Por qué? Mi impresión es buena —objetó Dolly, examinando a Ana con atención. Nunca la había visto de un humor tan raro—. ¿Qué día te vas?

Ana no respondió nada. Con los ojos entornados miraba fijamente ante sí.

—¿Y Kitty, tiene miedo de mí? —preguntó pasado un momento, echando una ojeada en dirección a la puerta.

—¡Qué ocurrencia! Pero ahora está dando de mamar al niño y no le prueba muy bien. Le estaba dando consejos... Está encantada, al contrario, y va a venir al momento —respondió Dolly, que se sentía molesta de decir una mentira—. Mira, aquí está.

Al saber la llegada de Ana, Kitty no quiso en principio aparecer, pero Dolly logró persuadirla. Hizo, pues, un esfuerzo, y, sonrojándose, se aproximó a Ana para ofrecerle la mano.

—Muy feliz de volverla a ver —profirió, con voz emocionada.

La hostilidad y la indulgencia luchaban todavía en su corazón, pero a la vista del rostro bello y simpático de Ana se desvanecieron sus prevenciones contra «aquella mujer mala».

—Yo hubiera encontrado muy natural su negativa a verme —dijo Ana—. Estoy hecha a todo. Ya sé que ha estado usted delicada. En efecto, encuentro que ha cambiado.

Kitty atribuyó el tono seco de Ana á la molestia que causaba a aquella mujer, antes tan por encima de ella, la falsedad de su posición.

La conversación versó sobre la convalecencia de Kitty, su hijo, Stiva... Pero el espíritu de Ana estaba ausente.

—He venido a decirte adiós —dijo a Dolly, levantándose.

—¿Cuándo os vais?

Sin responder, Ana se volvió a Kitty con una sonrisa.

—Me alegro mucho de haberla vuelto a ver. ¡Había oído hablar tanto de usted, incluso a su marido...! ¿Sabe que fue a verme? Pues me ha gustado mucho —añadió, poniendo en sus palabras la peor intención—. ¿Dónde está?

—En el campo —respondió Kitty, ruborizada.

—Salúdele de mi parte, no lo olvide.

—No lo olvidaré, de seguro —contestó ingenuamente Kitty, con una mirada de compasión.

—Adiós, Dolly —dijo Ana.

La besó, estrechó la mano de Kitty y salió precipitadamente.

—¡Ella siempre tan seductora! —hizo notar Kitty a su hermana, cuando ésta volvió, después de acompañar a Ana a la puerta—. ¡Qué guapa es! Pero hay algo en ella que me inspira una piedad inmensa.

—Hoy no la he encontrado en su estado normal. Creí que iba a prorrumpir en llanto en la antesala.

28

Otra vez en la calesa, Ana se sintió más desgraciada que nunca. Su entrevista con Kitty despertaba dolorosamente en ella el sentimiento de su fracaso sentimental.

—¿La señora vuelve a casa? —preguntó Pedro.

—Sí —repuso ella, sin fijarse demasiado en lo que decía.

Y pensó:

«Me han estado mirando como a un ser extraño, espantoso, incomprensible... ¿De qué estará hablando esa gente? —preguntóse al ver charlar animadamente a unos transeúntes—. ¿Tendrán la pretensión de comunicarme lo que sienten? ¡Y yo que quería confesarme a Dolly! He tenido razón callándome. En el fondo le habría alegrado mi desgracia, aunque no lo hubiera exteriorizado. Le parecía muy justo verme expiar unos placeres que ella me ha envidiado. Y Kitty se hubiera puesto más contenta aún. Me parece leer en su corazón que me odia, porque me he mostrado con su marido más amable de lo que ella hubiera deseado. Tiene celos de mí, me detesta, me desprecia. A sus ojos soy una perdida. ¡Ah, si yo hubiera sido lo que piensa! ¡Con qué facilidad habría trastornado la cabeza a su marido! La idea me asaltó, eso es cierto... ¡He ahí un hombre encantado de su persona!», se dijo, a la vista de un señor grueso de tez sonrosada, cuyo coche se cruzó con el suyo y que, tomándola por otra, descubrió al saludarla una calva tan reluciente como su sombrero de copa.

«Cree que me conoce, pero ya nadie me conoce. Ni yo misma. Yo sólo conozco mis *appetits*, como dicen los franceses. Esos chicos que veo están convencidos de la mala calidad de los helados que van a comprar —comentó, a la vista de dos niños parados delante de un vendedor, que depositaba en el suelo una heladora y se enjugaba la frente con el pico de un paño—. Pero ellos y nosotros estamos ávidos de golosinas, y a falta de bombones se contentan con esos abominables helados, como Kitty, que no habiendo podido casarse con Vronski, se ha tenido que resignar con Levin. Me tiene envidia, me detesta. Todos nos detestamos los unos a los otros. Yo la aborrezco, ella me aborrece. Así va el mundo. «Tioutkin, peluqueros»... *Je me fais coiffer par Tioutkin*. Haría reír a todos si dijera que me peina

Tioutkin. Pero en adelante no tendré a nadie a quien hacer reír. Tocan a vísperas. Pues aquel tendero, ¡con qué aire tan circunspecto hace la señal de la cruz! ¿Tendrá miedo de que algo se tambalee? ¿Para qué esas iglesias, esos campanarios, esas mentiras? Para disimular que nos odiamos los unos a los otros, como esos cocheros que se insultan. Iachvin, tiene razón al decir: "Éste quiere mi camisa y yo la suya."»

Absorbida por estas reflexiones, olvidó un momento su dolor y quedó sorprendida al pararse la calesa. La presencia del portero le hizo acordarse de su carta y de su telegrama.

—¿Ha habido alguna respuesta? —preguntó.

—Voy a informarme —dijo el portero, y volvió al momento con un telegrama.

Ana lo abrió y leyó:

«No puedo volver antes de las diez. Vronski.»

—¿Y el mensajero?

—No ha vuelto todavía.

En el alma de Ana se encendió una vaga ansiedad de venganza. Subió la escalera corriendo.

Puesto que él es así, ya sé lo que me queda por hacer. Iré yo misma a buscarle antes de partir para siempre. Le diré todas las verdades. «¡Jamás he odiado a nadie tanto como a ese hombre!»

Al ver el sombrero de Vronski en la antesala se estremeció de terror. No reflexionó que el telegrama era una respuesta al suyo, y no al mensaje que Vronski no podía haber recibido aún. Se lo imaginaba charlando alegremente con su madre y la princesa Sorokin, ¡ignorando desde lejos los padecimientos que le infligía!

«Sí, es necesario partir en seguida», se dijo, sin saber bien todavía adónde debía dirigirse. Tenía prisa en huir de los horribles pensamientos que la asaltaban en aquella casa, donde todo —los objetos lo mismo que las personas—, se le hacía odioso, y cuyas paredes parecía que se desplomaban encima de ella con su peso abrumador.

«Voy a ir a la estación, y si no le encuentro seguiré hasta el campo y allí le sorprenderé», decidió.

Consultó en el periódico el horario de trenes. Había uno a las ocho y diez.

«Llegaré a tiempo.»

Hizo enganchar dos caballos frescos a la calesa y en un maletín de viaje preparó los objetos indispensables para una ausencia de varios días. Resuelta a no volver, maquinaba en su mente mil proyectos confusos. Uno de ellos consistía, después de la escena que provocaría en la estación o en casa de la condesa, en continuar su ruta por el ferrocarril de Nijni para detenerse en la primera ciudad del trayecto.

La comida estaba servida, pero el solo olor de los alimentos le causaba repugnancia. Se fue directamente a la calesa. La casa proyectaba ya su sombra a través de toda la calle, pero aún calentaba el sol. La noche se anunciaba bella y clara. Annuchka, que le llevaba la maleta, Pedro, que se la introdujo en el coche, el cochero, que parecía malhumorado, todos la molestaban, la irritaban.

—No tengo necesidad de ti, Pedro.

—¿Pues quién le sacará el billete, señora?

—Bueno, si quieres venir, ven, poco importa —respondió ella, contrariada.

Pedro saltó al pescante, se acomodó en el asiento y dio orden al cochero de conducir a la señora a la estación de Nijni.

29

«¡Se van aclarando mis ideas! —se dijo Ana cuando montó en el coche, que rodaba por un empedrado irregular—. ¿En qué estaba pensando últimamente? ¿En el peluquero Tioutkin? No... ¡Ah, ya caigo! Era en las reflexiones de Iachvin sobre la lucha por la vida y sobre el odio, único sentimiento que une a los hombres. ¿Adónde vais tan deprisa? No podréis huir de vosotros mismos, y el perro que lleváis tampoco escapará a su destino», pensó, interpelando mentalmente a un alegre grupo que ocupaba un coche de cuatro caballos y que, evidentemente, iba a pasar el día en el campo.

Siguiendo la mirada de Pedro, que se había vuelto sobre el asiento, vio a un obrero borracho conducido por un agente de la autoridad.

«Éste ha sabido hacerlo mejor que nosotros. También el conde Vronski y yo hemos buscado el placer, pero el placer no es la felicidad a que aspirábamos.»

Por primera vez, Ana había enfocado sus relaciones con Vronski desde un punto de vista crudo y real, que le hacía entrever el fondo de todas las cosas.

«¿Qué ha buscado en mí? La satisfacción de la vanidad más que la del amor.»

Y las palabras del conde, la expresión de perro sumiso que adquiría su rostro en los primeros tiempos de relación, acudían a su memoria para confirmar aquel pensamiento.

«Sí. Todo indicaba en él un orgullo de triunfo. Cierto que me amaba, pero ante todo estaba orgulloso de haberme conquistado. Y ahora que ha sacado de mí todo lo que podía sacarme, le causo vergüenza y pesar. No se preocupa más que de guardar las apariencias. Él mismo se delató ayer: Si quiere casarse conmigo, es por tomar esa determinación extrema ante la sociedad. Es posible que aún me quiera un poco, pero ¿cómo? *The zest is gone* (el juego desapareció)... He ahí uno que caracolea... (Este paréntesis aludía a un jinete orondo y de tez encendida, que hacía equilibrios sobre un penco en el que se estaba ejercitando.) No, yo no le gusto como antes. En el fondo de su corazón, se alegrará mucho al verse libre de mi presencia.»

Aquello no era una suposición gratuita, sino una verdad cuya viva luz —que le descubría los secretos de la vida y de las relaciones humanas— le ponía al descubierto la cruda realidad.

«Mientras mi amor se hace cada día más egoísta y apasionado, el suyo se va apagando poco a poco. Por esa razón no nos entendemos. Y no existe ningún remedio para esta situación. Él lo es todo para mí, quiero que se entregue a mí totalmente, pero no hace más que rehuirme. Hasta el momento de nuestra unión, íbamos uno al lado del otro. Ahora caminamos en sentido inverso. Él me acusa de ser ridículamente celosa. Yo me he hecho también este reproche, pero sin ninguna razón. La verdad es que mi amor ya no se siente satisfecho. Pero...»

Aquel descubrimiento la turbó de tal manera, que cambió de lugar en la calesa, moviendo involuntariamente los labios como si fuera a hablar.

«Si pudiera, trataría de ser para él una amiga razonable y no una amante apasionada cuyo ardor le repugna mientras ella padece con su frialdad. Pero yo no quiero ni puedo transformarme. Él no me engaña, estoy segura. Él no piensa hoy en la princesa Sorokin más que antes en Kitty. Pero ¿qué me importa? Si él ha dejado de amarme, si no se muestra bueno y cariñoso más que por obligación, eso será un infierno. Prefiero que me odie. Y es a eso a lo que hemos llegado. Hace mucho tiempo que no me ama, y allí donde acaba el amor empieza el disgusto... ¿Qué barrio es éste tan desconocido? Calles empinadas, que no se les ve el fin, y casas, siempre casas, habitadas por personas que se odian recíprocamente... Vamos a ver: ¿Qué podría sucederme que pudiera darme la felicidad? Supongamos que Alexis Alexandrovich consiente en el divorcio, que me devuelve a Sergio, que me caso con Vronski...»

Al evocar a Karenin, Ana le vio surgir ante ella con su mirada apagada, sus manos blancas cruzadas de venas azules, sus dedos que crujían, su tono de voz tan particular, y el recuerdo de sus relaciones, en las que en otro tiempo existió ternura y comprensión, la hizo estremecerse de horror.

«Admitamos que me case: ¿Es que por eso me va a mirar Kitty con menos condescendencia? ¿No se preguntará Sergio por qué tengo yo dos maridos? ¿Podrán establecerse entre Vronski y yo relaciones que no me pongan a prueba de torturas? No —se respondió ella, sin vacilar—. La escisión entre nosotros es demasiado profunda. Yo soy la causante de su desgracia, él lo es de la mía, no cambiaremos jamás... ¿Y esa mendiga, que se imagina inspirar compasión porque lleva una criatura? ¿No nos han echado a este mundo para aborrecernos y atormentarnos los unos a los otros? ¿Y esos colegiales que se divierten? ¡Mi pequeño Sergio! También a él he creído amarle, mi afecto por él me enternecía a mí misma. Y, sin embargo, me he acostumbrado a vivir sin él, he cambiado el amor que le tenía por otra pasión, y mientras ésta se ha visto satisfecha, no se me ha ocurrido quejarme del cambio...»

Lo que llamaba «otra pasión» se le apareció bajo los más horribles colores, pero ella gozaba con el amargo placer de repasar sus propios sentimientos y compararlos con los del prójimo.

«Todos nos encontramos en el mismo caso, aunque con problemas diferentes: yo, Pedro, el cochero Teodoro, y ese vendedor que pasa y toda la gente que habita las fértiles orillas del Volga, las cuales nos invitan a visitar esos carteles», se dijo en el momento en que el coche paraba ante la fachada de la estación de Nijni. Un enjambre de maleteros se precipitó a su encuentro.

—Es a Obiralovka para donde debo sacar el billete, ¿verdad, señora?

Le costó trabajo comprender esta pregunta. Sus pensamientos estaban demasiado lejos y había olvidado lo que había venido a hacer a aquel sitio.

—Sí —contestó al fin, alargándole el portamonedas.

Y bajó del coche con el maletín rojo en la mano.

Mientras se abría paso entre la multitud para ganar la sala de espera, le volvieron a la memoria los detalles de su situación, así como las alternativas que ésta le presentaba. De nuevo fluctuaba entre la esperanza y el desánimo, de nuevo se abrieron sus llagas y le empezó a latir el corazón. Sentada en un inmenso canapé mientras aguardaba la llegada del tren, lanzaba miradas de aversión a los que iban y venían, pues todos le parecían odiosos. Tan pronto se imaginaba el momento de llegar a Obiralovka, la nota que escribía a Vronski, lo que diría al entrar en el salón de la anciana condesa, las quejas que formularía él por las amarguras de la vida sin querer comprender los sufrimientos de ella, como pensaba que podría conocer aún días felices. ¡Qué duro tener que amar y aborrecer al mismo tiempo! Sobre todo, ¡cómo le latía el corazón que parecía querer saltar en pedazos!

30

Sonó un toque de campana. Algunos jóvenes presumidos, grotescos, pero con ganas de causar impresión, se adelantaron a los andenes. Pedro, enfundado en su librea y sus botas, atravesó la salida con aire estúpido y se puso al lado de Ana dispuesto a escoltarla hasta el vagón. Los hombres que charlaban a la entrada callaron al verla pasar, y uno de ellos murmuró al oído de su vecino unas palabras, sin duda alguna frase atrevida.

Ana escaló el estribo y se acomodó en un compartimiento vacío. El maletín, al colocarlo a su lado, rebotó sobre el asiento de muelles, cuyo forro deshilachado debió ser blanco algún día. Con su idiota sonrisa, Pedro levantó su sombrero galoneado a guisa de despedida. Un empleado mal encarado cerró la puerta violentamente. Una señora deforme, ridículamente ataviada, a quien Ana desnudó mentalmente para tener el placer de asustarse con su fealdad, corría a lo largo del andén seguida de una niña que reía con afectación.

—¡Catalina Andreievna lo tiene todo a un lado, tía! —gritó la pequeña:

«Esta niña ya es amanerada y presumida», se dijo Ana, y para no ver a nadie fue a sentarse al otro extremo del asiento. Un hombrecillo sucio y feo, tocado con un gorro bajo el cual asomaban sus desgreñados cabellos, andaba paralelamente a la vía, inclinándose sin cesar sobre las ruedas.

«Esta vil figura no me es desconocida», se dijo Ana. De pronto se acordó de su pesadilla, y estremeciéndose de espanto, retrocedió hasta la otra puerta, que el revisor abría para dejar subir a un caballero y una dama.

—¿Quiere usted bajar? —le preguntó aquel hombre.

Ana no respondió, y nadie pudo observar bajo su velo el terror que la tenía helada. Volvió al rincón de antes. La pareja ocupó el lado opuesto del compartimiento y se puso a examinar con discreta curiosidad los detalles de su *toilette*. Aquellos dos seres le inspiraron también una repulsión profunda. Deseando entablar conversación, el marido le pidió permiso para encender un cigarrillo. Habiéndolo obtenido, se puso a hablar con su mujer de cosas intrascendentes. En realidad, no tenía más ganas de hablar que de fumar, pero quería atraer la atención de su vecina a toda costa. Ana vio claramente que estaban hartos el uno del otro, que se detestaban cordialmente. ¿Podían, acaso, vivir sin odiarse dos tipos semejantes?

El ruido, el transporte de equipajes, los gritos, las risas que siguieron a la segunda campanada, incomodaron a Ana de tal modo que le entraron deseos de taparse los oídos. ¿Qué motivos había para aquellas risas? Por fin, sonó la tercera campanada, luego el toque de silbato del jefe de estación, al que respondió el de la locomotora, arrancó el tren y el caballero hizo la señal de la cruz.

«Tengo curiosidad por saber qué significación atribuye a ese gesto», se preguntó Ana, dirigiéndole una mirada malévola, que trasladó, sobre la cabeza de la señora, a las personas que habían acudido a acompañar a los viajeros y que ahora parecían retroceder en el andén. El vagón avanzaba lentamente, traqueteando a intervalos regulares al pasar sobre las junturas de los rieles. Dejó atrás el andén, una pared, un disco, una hilera de vagones de otro convoy... Se aceleró el movimiento. Los rayos del sol poniente tiñeron de púrpura la portezuela. Una brisa juguetona agitó las cortinas. Mecida por la marcha del tren, Ana olvidó lo que había visto, respiró el aire fresco y reanudó el curso de sus reflexiones.

«¿En qué estaba pensando? En que mi vida, como quiera que me la represente, no puede ser más que dolor. Todos estamos llamados a sufrir, lo sabemos y queremos disimularlo de una manera o de otra. Pero cuando nos clava sus ojos la verdad, ¿qué nos queda por hacer?»

—La razón se ha dado al hombre para librarse del tedio —dijo la señora en francés, muy orgullosa de haber encontrado esta frase.

Sus palabras parecieron hallar eco en el pensamiento de Ana.

«¡Librarse del tedio!», repitió ésta, mentalmente. Una ojeada lanzada sobre aquel caballero, subido de color, y su cara y escuálida mitad, le hizo comprender que ésta debía considerarse como una criatura incomprendida: su marido, que sin duda la engañaba, no se tomaba la molestia de combatir aquella opinión. Ana creía adivinar todos los detalles de su historia, penetraba hasta los lugares más recónditos de sus corazones, pero aquello carecía de interés y se puso otra vez a reflexionar.

«Pues sí, yo también estoy sufriendo gravemente del tedio, y puesto que lo exige la razón, mi deber es librarme de él. ¿Por qué no apagar la luz cuando no hay nada que ver, cuando el espectáculo se pone odioso...? Pero ese empleado, ¿por qué corre por el estribo? ¿Qué necesidad tienen esos jóvenes del compartimiento vecino de gritar y de reír? ¡Si todo son males e injusticias, mentira y fraude...!»

Al descender del tren, Ana, evitando el contacto de los otros viajeros como si fuesen apestados, quedóse rezagada en el andén para preguntarse qué debía hacer. Todo le parecía ahora de una ejecución difícil. En medio de aquella ruidosa muchedumbre, coordinaba mal sus ideas. Los maleteros le ofrecían sus servicios, los jóvenes mequetrefes la atravesaban con sus miradas, hablando en voz alta y haciendo sonar sus tacones.

Recordando de pronto su propósito de continuar la ruta si no encontraba respuesta en la estación, preguntó a un empleado si no había visto, por casualidad, algún cochero que llevase una carta al conde Vronski.

—¿Vronski? Hace poco han venido de su casa a recoger a la princesa Sorokin y su hija. ¿Qué aspecto tiene ese cochero?

En aquel momento vio Ana adelantarse a su mensajero, el cochero Miguel: colorado, alegre, su hermoso uniforme azul atravesado por una cadena de reloj, parecía orgulloso de la misión que había cumplido. Entregó a su señora un sobre que ésta abrió, con el corazón angustiado.

Vronski escribía con mano negligente:

«Lo siento mucho, pero su nota no me encontró en Moscú. Volveré a las diez.»

—Lo que me esperaba —comentó ella, con sonrisa sardónica.

Con voz apenas perceptible, porque las palpitaciones de su corazón no la dejaban respirar, se dirigió a Miguel:

—Gracias, ya puedes volver.

Sumida de nuevo en sus pensamientos, prosiguió:

«¡No, ya no te permitiré que me hagas sufrir así!»

Esta amenaza no se la dirigía a sí misma, sino al causante de su tortura.

Se puso a pasear a lo largo del andén. Dos mujeres que también deambulaban para matar el tiempo, se volvieron para examinar su atuendo.

—Son de verdad —dijo una de ellas en voz alta, indicando los encajes de Ana.

Los jóvenes lechuguinos la divisaron de nuevo, y con voz afectada cambiaron ruidosas impresiones. El jefe de estación le preguntó si subía otra vez al tren. Un vendedor ambulante de *kvas* no apartaba los ojos de ella.

«¿Dónde huir, Dios mío?», se decía sin dejar de andar.

Casi al final del andén, unas señoras y unos niños charlaban riendo con un señor de gafas que habían venido a recibir. Al aproximarse Ana, el grupo se calló para contemplarla. Apresuró el paso y se detuvo junto a la escalera que de la bomba descendía a los rieles. Se acercaba un tren de mercancías que hacía retemblar el andén. Se creyó de nuevo dentro de un tren en marcha. De pronto, se acordó del hombre aplastado el mismo día de su encuentro con Vronski, y comprendió lo que tenía que hacer. Con paso ligero y resuelto, descendió los escalones y, colocándose cerca de la vía, escrutó la estructura baja del tren que pasaba casi rozándola, procurando medir a simple vista la distancia que separaba las ruedas de delante de las de atrás.

—Ahí —musitó, clavando los ojos en aquel hueco oscuro donde sobresalían los travesaños llenos de arena y polvo—. Ahí en medio, sí, es donde él será castigado y yo me libraré de mí misma y de todos.

El maletín rojo, del que le costó trabajo desprenderse la hizo perder el momento de arrojarse bajo el primer vagón. Forzoso le fue esperar al segundo. Se apoderó de ella una sensación análoga a la que experimentaba en otro tiempo, antes de hacer una inmersión en el río, e hizo la señal de la cruz. Este gesto familiar despertó en su alma multitud de recuerdos de la infancia y de la juventud. Los minutos más felices de su vida centellearon un instante a través de las tinieblas que la envolvían. Pero no quitaba los ojos del vagón, y cuando apareció el espacio entre las dos ruedas, arrojó el maletín, hundió la cabeza en los hombros y adelantando las manos se echó de rodillas bajo el vagón, como si se dispusiera a levantarse otra vez. Tuvo tiempo de sentir miedo.

«¿Dónde estoy? ¿Qué hago? ¿Por qué?», musitó, haciendo un esfuerzo para echarse hacia atrás. Pero una masa enorme, inflexible, la golpeó en la cabeza y la arrastró por la espalda.

«¡Señor, perdonadme!», balbució ella.

Un hombrecillo con barba murmuraba algo ininteligible, a la vez que daba golpes en el hierro por encima de ella. Y la luz que para la infortunada había iluminado el libro de la vida, con sus tormentos, sus traiciones y sus dolores brilló de pronto con esplendor más vivo, iluminó las páginas relegadas hasta ahora en la sombra, crepitó, vaciló y se extinguió para siempre.

Octava parte

Habían transcurrido cerca de dos meses. A pesar de los fuertes calores, Sergio Ivanovich no se había marchado aún de Moscú, donde le retenía un acontecimiento importante para él: la publicación de su *Ensayo sobre las bases y las formas gubernamentales en Europa y en Rusia*, fruto de una labor de seis años. Había leído a un círculo selecto fragmentos escogidos de esta obra, consiguió que publicaran en varias revistas la introducción y algunos capítulos, y aun cuando su trabajo no tuviera el atractivo de la novedad, Sergio Ivanovich confiaba en que causaría alguna sensación.

Adoptando una fingida indiferencia y sin querer tampoco informarse de la venta en las librerías, Kosnichev esperaba con febril impaciencia los primeros impactos de la enorme impresión que su libro no podría menos de producir, tanto en la sociedad en general como entre los intelectuales, pero pasaron semanas enteras sin que ninguna emoción viniera a conmover el mundo literario.

Algunos amigos, hombres cultos, le hicieron corteses elogios, pero el público en general estaba preocupado por cuestiones muy diferentes para prestar la menor atención a una obra de este género.

En cuanto a la prensa, guardó silencio durante más de dos meses. Sólo una publicación satírica, *El Grillo del Norte*, en un artículo dedicado al cantor Brabanti, que había perdido la voz, citó de paso el libro de Kosnichev como una obra que era el hazmerreír de todos.

Por fin, en el curso del tercer mes, una revista seria publicó la crítica detallada firmada por un joven enfermizo y poco instruido, que adolecía de carácter tímido, aunque dotado de muy ágil pluma. Sergio Ivanovich, que lo había conocido en casa de su editor, Goloubtsov, apenas reparó en el personaje. Así y todo, concedió a su artículo el máximo respeto posible, aunque sintió una viva mortificación. La crítica daba una interpretación inexacta del libro, pero a juzgar por unas citas hábilmente escogidas, acompañadas de numerosos signos de interrogación, dejaba entrever a quien no lo había leído —es decir, a la inmensa mayoría del público— que aquella obra era un puro tejido de frases pomposas e incoherentes. Aquellas flechas las había disparado con un brío que Sergio Ivanovich no pudo menos que admirar. Él mismo no lo habría hecho mejor. Para descargar su conciencia fue a comprobar la justicia de las observaciones hechas en aquella crítica, pero prefirió atribuir a una venganza personal la hiel que destilaban. Evocó también las circunstancias en que se conocieron, y acabó por recordar que, en efecto, había puesto de relieve, en aquella ocasión, un error garrafal de su joven colega.

Después siguió un silencio absoluto. A la decepción de ver pasar inadvertida una obra con la que se sentía tan encariñado, y que le había costado seis años de trabajo, se unía una especie de desaliento motivado por la ociosidad. Ya no le quedaba a aquel hombre culto, espiritual, de buen porte, ávido de actividades, más que el acicate de los salones, de las tribunas, de los comités. Pero al contrario de su hermano, él, como buen ciudadano, no tenía ningún reparo en dedicar una buena parte de su tiempo a la política cada vez que visitaba Moscú.

Por suerte para él, precisamente en aquel momento crítico, todas las cuestiones que estaban a la orden del día —las sectas disidentes, las amistades americanas, la penuria de Samara, la Exposición, el espiritismo— cedían bruscamente su puesto a otra, la de los Balcanes, que hasta entonces se había relegado al olvido y de la que él había sido, hacía mucho tiempo, uno de los más entusiastas animadores.

No se hablaba en torno de él más que de la guerra de Servia, y las turbas ociosas no pensaban más que en los «hermanos eslavos»... Todo el mundo, después de los bailes, los conciertos, los festines, no hablaba de otra cosa, y hasta en las cajas de cerillas, las botellas de cerveza y los aderezos femeninos se prodigaban signos demostradores de esta simpatía. Muchos de estos objetos en boga disgustaban a Sergio Ivanovich. Para mucha gente, aquello no era más que una moda pasajera. Para otros, un medio de prosperar o de hacerse ricos. En pugna con sus colegas, los periódicos lanzaban informaciones a cual más tendenciosa, y nadie gritaba tan desaforadamente como los fracasados de todas las profesiones y categorías: generales sin mando, ministros sin cartera, periodistas sin periódicos, dirigentes sin partidarios. De todos modos, aun lamentando estos aspectos pueriles de la cuestión, forzoso le era reconocer que el tema había provocado un entusiasmo indescriptible en todas las esferas sociales... Los sufrimientos y el heroísmo de servios y montenegrinos, hermanos de raza y de religión, habían engendrado el deseo unánime de acudir en su ayuda, y no solamente con discursos. Aquella manifestación de la opinión pública colmaba de gozo a Sergio Ivanovich.

«Por fin, el sentimiento nacional se ha revelado a la plena luz del día», decía.

Y mientras más observaba este movimiento, más grandiosas proporciones le descubría, dignas de marcar época en la historia de Rusia. Olvidó, pues, su libro y sus decepciones para dedicarse en cuerpo y alma a aquella gran obra. Ésta le absorbió de tal modo, que no pudo concederse más que quince días de vacaciones el mes de julio. Tenía necesidad de reposo, y deseaba al mismo tiempo ser testigo, en el fragor de aquellas campañas, de los primeros síntomas del despertar nacional, en el que todas las grandes ciudades del Imperio creían firmemente. Katavassov aprovechó la ocasión para cumplir la promesa que había hecho a Levin de ir a verle.

2

En el momento en que los dos amigos, apeándose de la calesa ante la estación de Kursk, confiaban sus equipajes a un criado que les acompañaba, llegaban cuatro coches de alquiler ocupados por voluntarios. Unas damas provistas de ramos de flores recibieron a los héroes del día, y seguidas de una gran multitud, les acompañaron al interior de la estación. Otra de ellas, que conocía a Sergio Ivanovich, le preguntó en francés si él también escoltaba a los voluntarios.

—No, princesa, salgo para el campo a casa de mi hermano. Tengo necesidad de descanso. Pero usted —añadió, esbozando una sonrisa—, supongo que seguirá firme en su puesto.

—Buena falta hace. Dígame, ¿es verdad que ya hemos expedido ochocientos? Malvinski dice que no.

—Si contamos los que no han partido directamente de Moscú, hemos expedido ya más de mil.

—¡Ya lo decía yo! —exclamó la dama, encantada—. ¿Y los donativos? ¿Verdad que han sobrepasado el millón?

—Efectivamente, princesa.

—¿Ha leído usted las noticias de hoy? Otra derrota de los turcos.

—Sí, las he leído —respondió Sergio Ivanovich.

De dar crédito a los despachos resultaba que los turcos batidos durante tres días en todo el frente, habían emprendido la fuga. Para el día siguiente se aguardaba la batalla decisiva.

—A propósito, tengo que pedirle un servicio —indicó la princesa—. ¿No podría usted apoyar la petición de un excelente joven, a quien oponen no se qué dificultades? Yo le conozco, me ha sido recomendado por la condesa Lidia.

Después de averiguar los detalles pertinentes, Sergio Ivanovich pasó a la sala de espera de lujo, a fin de escribir allí una carta a quien correspondía.

—¿Sabe usted quién parte hoy? —le preguntó la princesa, cuando logró encontrarla entre la muchedumbre para entregarle la carta—. Pues el conde Vronski, el famoso... —dijo con aire de triunfo y significativa sonrisa.

—Ya oí decir que se había alistado. Lo que no sabía es que partía hoy.

—Acabo de verle. Su madre es la única persona que le acompaña. Entre nosotros: creo que es lo mejor que podía hacer.

—Evidentemente.

Entretanto, la multitud les arrastraba hacia el bufet, donde un caballero, vaso en mano, proponía un brindis a la salud de los voluntarios.

—Vais a defender nuestra fe, a nuestros hermanos, a la humanidad —decía, alzando cada vez más la voz—. Moscú la ciudad madre, os bendice. «¡Jivio!» —concluyó con voz tonante y emocionada.

—«¡Jivio!» —repitió la muchedumbre, que aumentaba sin cesar y que en una de sus oleadas estuvo a punto de derribar a la princesa.

—¿Qué tal, princesa, qué me dice? —exclamó de pronto la voz de Esteban Arkadievich, quien, con expansivo ademán, se abría camino entre aquel mar humano—. Eso es lo que se dice hablar, algo que partía del corazón... ¡Bravo! ¡Ah, conque está usted aquí, Sergio Ivanovich! Debía usted dirigirles algunas palabras de aprobación, ya que se entienden tan bien —añadió con una sonrisa encantadora, aunque con aire circunspecto.

Y ya se preparaba para empujar a Sergio Ivanovich, cuando éste objetó:

—No, que me aguarda el tren.

—¿Se va usted? ¿Adónde?

—A casa de mi hermano.

—Entonces verá usted a mi mujer. Acabo de escribirle, pero usted llegará antes que mi carta. Hágame el favor de decirle que me ha visto y que todo va *all right*, ya lo comprenderá... O más bien, dígale que me han nombrado miembro de la Comisión de las Agencias Reunidas... Ya lo comprenderá. Discúlpeme, princesa, ya lo ve, son *les petites miseres de la vie humaine* —añadió volviéndose a la dama—. A propósito, ¿sabe usted que la princesa Miagki, no Lisa sino Bibiche, envía mil fusiles y doce enfermeras?

—Lo he oído decir —respondió fríamente Kosnichev.

—¡Lástima que usted se vaya! Mañana ofrecemos un banquete de despedida a dos voluntarios: Dimer-Bortnianski, de San Petersburgo, y nuestro Vassia Veslovski, que, apenas casado, parte ya. Todo esto es muy bello, ¿verdad, princesa?

A guisa de respuesta, la dama cambió una mirada con Kosnichev. Sin notar este gesto de impaciencia, Esteban Arkadievich continuaba charlando. Tan pronto tenía fija la mirada en el sombrero de plumas de la princesa, como la hacía vagar a su alrededor, cual si estuviese buscando algo. Al fin, habiendo visto una postulante, le hizo señal de que se acercara y depositó un billete de cinco rublos en la hucha.

—Es algo superior a mis fuerzas —declaró—. Mientras yo tenga dinero en mi bolsillo, no podré ver una postulante sin darle alguna cantidad. Pero hablemos un poco de las noticias de hoy. ¡Qué gesto más gallardo el de esos montenegrinos! ¡No es posible! —exclamó, cuando le informó la princesa que Vronski formaba parte del convoy.

Su rostro adquirió un tinte de tristeza, pero cuando pasados unos instantes penetró enderezándose las patillas en el cuarto del reservado donde esperaba el conde, ya no pensaba en las lágrimas que había vertido sobre el cuerpo inanimado de su hermana, y no veía en Vronski más que un héroe y un antiguo amigo.

—Hay que hacerle justicia —dijo la princesa, una vez que Oblonski se hubo alejado—. A pesar de sus defectos, es un temperamento muy ruso, muy eslavo. Temo, sin embargo, que el conde no tenga ningún gusto en verle. Digan lo que digan, me apena la suerte de ese desgraciado. Trate, pues, de hablar con él durante el viaje.

—Sí, si tengo ocasión.

—No me ha gustado nunca, pero lo que hace ahora le redime de todas sus culpas. ¿Sabe que lleva consigo un escuadrón a sus expensas?

—Lo he oído decir.

Sonó la campana. Todo el mundo se precipitó a las puertas.

—Aquí está —dijo la princesa, señalando a Vronski, que se presentó vestido con un largo gabán y cubierto con un sombrero de anchas alas.

Dando el brazo a su madre, avanzaba con la mirada fija y escuchando con aire distraído las frases animadas de Oblonski, pero una palabra de éste le hizo volverse hacia donde se encontraban la princesa y Kosnichev, y levantó el sombrero sin pronunciar palabra. Su rostro envejecido y descompuesto por el dolor parecía petrificado. Tan pronto llegó al andén subió al vagón, después de haber cedido el paso a su madre, y se encerró en su compartimiento.

El himno nacional, cantado en coro, fue seguido de interminables hurras y del «jivio» servio. Un voluntario muy joven, alto de estatura, pero hundido de pecho, respondía al público con ostentación, blandiendo sobre su cabeza el gorro de fieltro y un ramo de flores. Detrás de él aparecían dos oficiales, así como un hombre anciano y barbudo que agitaba una gorra mugrienta.

3

Kosnichev, después de despedirse de la princesa, montó en un vagón atestado de gente en compañía de Katavassov, que había venido a reunirse con él.

En la primera estación, la de Tsaritsine, los voluntarios fueron recibidos por un grupo de jóvenes con el canto de *Gloria a nuestro zar*. Se renovaron las ovaciones y las frases de gratitud. El tipo del voluntario era demasiado familiar a Sergio Ivanovich para que mostrase la menor curiosidad. Katavassov, por el contrario, como sus estudios no le habían permitido vivir en aquel ambiente, se interesaba al ver aquellas escenas y hacía frecuentes preguntas a su compañero. Sergio Ivanovich le aconsejó que los estudiase en su vagón, en la estación siguiente, y Katavassov siguió su consejo.

Encontró a los cuatro héroes sentados en un rincón del coche hablando muy alto, puesto que se sentían objeto de la atención general. Bajo la influencia de excesivas libaciones, el joven alto y encorvado hablaba más alto que los demás, contando una anécdota. Sentado frente a él, un oficial de edad madura, con uniforme de húsar de la guardia, de factura austríaca, le escuchaba sonriendo y le interrumpía de cuando en cuando. El tercer voluntario, en uniforme de artillero, estaba sentado junto a ellos sobre un maletín de reglamento, y el cuarto se había echado a dormir.

Katavassov entabló conversación con el flamante orador. Apenas cumplidos los veintidós años, aquel joven comerciante había consumido ya una fortuna considerable y ahora creía realizar una hazaña sin paralelo. Afeminado, enfermizo y charlatán, defraudó francamente a Katavassov, no menos que su interlocutor, el oficial retirado. Éste había ensayado todos los oficios, sirviendo en los ferrocarriles, administrando propiedades, incluso montando un taller. Hablaba de todas las cosas con aire de suficiencia, empleando sin ton ni son un lenguaje pedantesco.

El artillero, por el contrario, causaba buena impresión. Era un muchacho tímido y tranquilo. Deslumbrado, sin duda, por los conocimientos del oficial de la guardia y por el heroísmo del comerciante, guardaba absoluta reserva. Habiéndole preguntado Katavassov a qué móvil obedecía el haberse enrolado, contestó con modestia:

—Pues hago lo que todo el mundo. Como los pobres servios tienen tanta necesidad de ayuda...

—Sí, y sobre todo de artilleros como usted, que les serán muy útiles.

—¡Oh! Yo he servido muy poco en Artillería... Es posible que me den un puesto en Infantería o Caballería.

—¿Y eso por qué, si son los artilleros los que hacen más falta? —objetó Katavassov, atribuyendo al voluntario un grado en relación con su edad.

—¡Oh, he servido tan poco! No soy más que un cadete.

Y se puso a contarle por qué razones había fracasado en los exámenes.

En la estación siguiente los voluntarios descendieron para tomar un refrigerio, y Katavassov, poco edificado con lo que había visto y oído, se volvió a un viejo militar, que había estado escuchando en silencio la conversación.

—Me parece que mandan allá mucha gente de medio pelo —dijo al viejo, para hacerle expresar su opinión dejándole adivinar la suya.

Como había tomado parte en dos campañas, el veterano oficial no podía tomar en serio a unos héroes, cuyo valor militar no se podía apreciar, como no fuera por la bravura con que asaltaban las cantinas del trayecto para abastecerse sus cantimploras. A este propósito relató que en el pueblo donde vivía se había alistado como voluntario un soldado, que estaba allí en uso de un permiso ilimitado. Se trataba de un individuo borracho, ladrón y holgazán perpetuo. Pero el oficial, sabiendo por experiencia que en aquellos momentos de sobreexcitación de los espíritus, nadie podía expresar libremente su opinión sin exponerse a algo malo, limitóse a responder con ojos sonrientes y a interrogar, también con la mirada a Katavassov:

—¿Qué quiere usted? Hacen falta hombres.

Después pasaron a comentar el famoso «boletín de la victoria», sin que tampoco se atrevieran a plantear mutuamente una pregunta que les bullía en la mente: puesto que los turcos, abatidos en todo el frente, habían emprendido la fuga, ¿contra quién diablos se iba a librar al día siguiente la batalla decisiva?

Al volver al lado de Sergio Ivanovich, Katavassov no mostró ningún interés en cambiar impresiones con su amigo sobre los voluntarios, tenía bastante con las observaciones realizadas.

En la primera capital del distrito donde paró el tren, volvieron a encontrarse con los coros, los vivas, los ramilletes, las postulantes y los brindis en el bufet, pero con menos demostraciones de entusiasmo.

4

Durante aquella parada, Sergio Ivanovich se paseó por el andén, y al detenerse ante el compartimiento de Vronski vio que estaban echadas las cortinas. A la segunda vuelta vio cerca de la portezuela a la anciana condesa, que le llamó.

—Como puede ver —le dijo la condesa—, acompaño a mi hijo hasta Kursk.

—Me lo habían dicho —respondió Kosnichev, echando una mirada al interior del vagón.

Al notar la ausencia de Vronski, añadió:

—Su hijo cumple una bella misión.

—¡Pues qué otra cosa podía hacer después de su desgracia!

—¡Qué suceso más horroroso!

—¡Dios mío, lo que he pasado! Pero venga usted a sentarse a mi lado. ¡Si usted supiera lo que he sufrido! Durante cerca de seis semanas, mi hijo no ha abierto la boca, y sólo mis súplicas le decidían a comer. No había medio de dejarle solo un instante. Temíamos que atentara contra su vida. Nos habíamos ido a vivir al entresuelo.

Tuvimos ·necesidad de quitar de allí todos los objetos peligrosos, pero ¿se puede prever todo?... Ya sabe usted que en una ocasión se había disparado un tiro por ella —añadió la anciana, cuyo rostro se ensombreció a este recuerdo—. Esa mujer ha muerto como había vivido: vil y miserablemente.

—No nos toca a nosotros juzgarla, condesa —manifestó Sergio Ivanovich, suspirando—. Pero comprendo lo que le ha hecho sufrir.

—¡Ah, no me hable usted! Estaba pasando el verano en mi finca, y mi hijo había ido a verme cuando le trajeron una carta a la cual dio respuesta inmediatamente. Nadie podía suponer que ella estuviera en la estación. Por la noche, acababa de entrar en mi cuarto cuando Mary, la doncella, me informó que una señora se había arrojado debajo de un tren. Pareció que se me helaba la sangre en las venas. En seguida lo comprendí y mis primeras palabras fueron: «¡Que no se entere el conde!»... Pero su cochero, que estaba en la estación en el momento de la desgracia, ya se lo había comunicado. Corrí a ver a mi hijo. Estaba como loco. Salió sin pronunciar una palabra. No sé lo que pasaría allá abajo, pero cuando me lo trajeron parecía un muerto. No le habría reconocido. Después vinieron las crisis de furor... ¡En qué tiempo vivimos!... No, por mucho que usted me diga, aquella mujer era mala. ¿Comprende usted una pasión de ese género? ¿Qué ha querido ella probar con su muerte? Se ha perdido ella misma y ha destrozado la vida de dos hombres de mérito: su marido y mi desventurado hijo.

—¿Y el marido?

—Se ha hecho cargo de la pequeña. En el primer momento, Alexis consintió en todo. Ahora se arrepiente con amargura de haber abandonado su hija a un extraño, pero por nada del mundo faltaría a la palabra dada. Karenin asistió al entierro, pero evitamos un encuentro entre Alexis y él. Para el marido, esta muerte es en el fondo la liberación; pero mi pobre hijo, que había sacrificado todo a esa mujer: su nombre, su posición, a mí misma..., ¿había derecho a asestarle un golpe semejante? Ella no ha tenido la menor compasión con él... No, por mucho que usted diga, ése es el fin de una criatura sin religión. Que Dios me perdone, pero al pensar en el mal que ha hecho a mi hijo, no puedo menos que maldecir su memoria.

—¿Cómo va él ahora?

—Esta guerra nos ha salvado. Yo soy vieja y no entiendo nada de política, pero ahí veo la voluntad de Dios. Como madre, eso me espanta, y, además, dicen que no está bien visto en San Petersburgo. No doy menos gracias al Cielo por eso. Era lo único capaz de reanimarle. Su amigo Iachvin, después de perder todo en el juego, resolvió partir para Servia, y le exhortó a seguir su ejemplo. Alexis se ha dejado convencer, y los preparativos del viaje le han distraído algo. Hable con él, se lo ruego. ¡Está tan triste! Y para colmo de males, está rabiando de las muelas. Pero se alegrará mucho de verle. Está paseándose por el otro andén.

Sergio Ivanovich aseguró que también a él le encantaría hablar con el conde, y descendió al andén opuesto.

5

En medio de los fardos de mercancías amontonados en el andén, que proyectaban una sombra oblicua, Vronski se paseaba como una fiera en su jaula, volviéndose bruscamente cada veinte pasos. El sombrero caído sobre los ojos, las manos hundidas en los bolsillos de su largo gabán, pasó ante Sergio Ivanovich sin que pareciera reconocerle, pero éste se encontraba por encima de toda susceptibilidad. Según él, Vronski estaba cumpliendo una gran misión, y merecía ser sostenido y animado.

Kosnichev, pues, se acercó. El conde se detuvo, se apercibió de él y, al reconocerle, le estrechó cordialmente la mano.

—¿Preferiría usted no haberme visto, quizás? —inquirió Sergio Ivanovich—. Perdone mi insistencia, pero quería ofrecerle mis servicios.

—Es usted la persona que menos me disgusta ver —respondió Vronski—. Dispénseme, pero ya comprenderá lo mucho que me pesa la vida.

—Ya me hago cargo. Sin embargo, una carta de recomendación para Ristitch o el príncipe Milán, quizá le sería útil, ¿no? —continuó Sergio Ivanovich, sorprendido del profundo dolor que reflejaba el semblante de Vronski.

—¡Oh, no! —respondió éste haciendo un esfuerzo por comprender—. ¿Quiere usted que caminemos un poco? ¡Se asfixia uno dentro de esos vagones!... ¿Una carta? No, gracias. ¿Se necesita acaso para hacerse matar? Si acaso fuera para los turcos —añadió con un esbozo de sonrisa sin que de su mirada se borrara la expresión de amargura.

—Sin embargo, esa carta le facilitaría unas relaciones que usted no podrá evitar. Por lo demás, haga usted como mejor le parezca. Yo lo que quería decirle es cuánto celebro conocer su decisión. Usted enaltecerá ante la opinión pública a estos voluntarios tan menospreciados.

—Mi único mérito —respondió Vronski— consiste en no dar importancia a la vida. Aún me quedan bastantes energías para hacer frente a una formación enemiga, o dejarme matar en mi puesto. Y me siento satisfecho de sacrificar a una causa justa esta existencia, que me resultaba una carga odiosa.

El dolor de muelas, que le impedía dar a sus frases la expresión deseada, le arrancó un gesto de impaciencia.

—Va usted a renacer a una nueva vida. Permítame que se lo diga —declaró Sergio Ivanovich, sintiéndose emocionado—. Salvar a unos hermanos oprimidos es una causa para la cual es tan digno vivir como morir. ¡Que Dios le conceda un éxito completo a su empresa, y dé a su alma la paz que necesita!

—Como simple instrumento, todavía puedo servir para algo, pero como hombre no soy más que una ruina —murmuró el conde lentamente, estrechando la mano que le tendía Kosnichev.

Guardó silencio, vencido por el dolor persistente que le impedía hablar, y sus ojos se fijaron de un modo maquinal en las ruedas de un ténder, que avanzaba deslizándose lentamente por los rieles. A la vista de aquello cesó de improviso su dolor físico, anonadado por la tortura de un cruel recuerdo que despertaba en él la presencia de aquel hombre, al que no había visto después de su desgracia.

«Ella» se le apareció súbitamente, o al menos lo que había quedado de ella, cuando entrando como un loco en la barraca donde la habían trasladado, encontró su cuerpo ensangrentado, tendido sin ningún pudor a los ojos de todos; la cabeza intacta, con las gruesas trenzas y los ligeros rizos alrededor de las sienes. Estaba colocada en posición supina. En su bello rostro se dibujaba una expresión extraña, con los ojos todavía desmesuradamente abiertos por el espanto, mientras los labios parecían moverse para proferir una vez más su terrible amenaza, para decirle —lo mismo que durante aquella fatal discusión— que «se arrepentiría».

Se esforzó por alejar aquella imagen, por «verla» tal como se le había aparecido la primera vez —también en una estación—, bella, con una belleza misteriosa, ansiosa de amar y ser amada. ¡Vano intento! Aquellos minutos felices ya estaban emponzoñados para siempre, y el rostro que surgía ante él no reflejaba más que los espasmos de la cólera o el fúnebre triunfo de la venganza, saciada a sus propias expensas. Un sollozo contrajo sus facciones; para reponerse dio un par de vueltas a lo largo de los bultos y volviendo junto a Sergio Ivanovich, consiguió preguntarle con voz natural, dueño de sí mismo:

—¿Tiene usted noticias recientes? Ahí están los turcos batidos por tercera vez, pero se espera para mañana una batalla decisiva.

Cambiaron algunas palabras acerca del manifiesto de Milán, que acababa de proclamarse rey, y las incalculables consecuencias que podría acarrear este acto. Después, como la campana había dado la señal de partida, ambos subieron otra vez a sus vagones respectivos.

6

No sabiendo con exactitud cuándo podría partir, Sergio Ivanovich no había querido telegrafiar a su hermano para que enviase unos caballos a la estación. Cuando, negros de polvo, mal instalados en un tílburi de dos asientos, Katavassov y él llegaron a Prokoskoie, era ya mediodía y Levin estaba ausente. Pero desde el balcón donde estaba sentada entre su padre y su hermana, Kitty reconoció a su cuñado y corrió a recibirle.

—Debería avergonzarse de no habernos prevenido —dijo al presentar su frente a Sergio Ivanovich.

—Nada de eso, nada de eso —dijo el recién llegado—. Ya ve que hemos llegado a buen puerto sin necesidad de molestarles. Perdóneme, estoy bastante sucio, no me atrevo a tocarla... Por otra parte, desesperaba de verme libre, me arrastraba la corriente —añadió sonriendo—, mientras que ustedes continúan hilando la felicidad perfecta en este oasis... Y aquí tiene usted a nuestro amigo Katavassov, que al fin se ha decidido a venir a verles.

—No debe usted confundirme con un negro —dijo riendo el profesor, cuya blanca dentadura destacaba en un rostro polvoriento—. En cuanto me lave, ya verá usted que tengo figura humana.

Tendió la mano a Kitty.

—Kostia se va a poner muy contento —declaró ella—. Está en la granja, pero no tardará en venir.

—¡Ah, ah! ¡Este oasis...! En la ciudad, ya lo ve usted, no pensamos más que en la guerra de Servia. Tengo curiosidad por conocer la opinión de mi amigo a este respecto: es evidente que él no pensará igual que todo el mundo.

—Pues yo creo que sí —replicó Kitty, confusa, escrutando con la mirada a su cuñado—. Voy a hacer que le busquen... Aquí tengo a papá, que viene del extranjero.

Y la joven, disfrutando con la libertad de movimientos que tanto añoró cuando estuvo privada de ella durante tanto tiempo, se apresuró a introducir a sus huéspedes, uno en el gabinete de trabajo y otro en el antiguo cuarto de Dolly, para que pudieran asearse. Después se ocupó de encargar sendos desayunos, de mandar que llamasen a su marido y de correr al lado de su padre, sentado en el balcón.

—¡Es Sergio Ivanovich, que nos trae al profesor Katavassov!

—¡Oh, con este calor se nos va a hacer más pesado!

—Eso no, papá, que es muy amable y Kostia le quiere mucho —replicó Kitty con una sonrisa persuasiva y casi suplicante, ya que las facciones del príncipe empezaban a adquirir una expresión burlona.

—¡Está bien, está bien! No he dicho nada.

Kitty se volvió a su hermana.

—Tú les entretendrás, ¿verdad, querida? Stiva se encuentra bien, le han visto en la estación. Tengo que ir corriendo al lado del pequeño. Las cosas se están presentando tan de repente... No le he dado de mamar desde esta mañana; debe de estar impaciente.

El lazo que unía a la madre con el hijo seguía siendo tan íntimo, que la sola afluencia de leche a los senos le hacía comprender que su hijo tenía hambre. Salió presurosa, persuadida de que Mitia lloraba sin haber oído todavía sus gritos, pero de pronto se hicieron oír éstos con un vigor que denotaba su creciente impaciencia. Apresuró el paso.

—¿Hace mucho que llora? —preguntó a la niñera, desabrochándose—. Bueno, démelo pronto —apremió a Ágata Mikhailovna—; ya tendrá tiempo suficiente después de arreglarle el gorrito.

El niño se exasperaba.

—No, no, señora, hay que vestirle convenientemente —dijo Ágata Mikhailovna, que no soltaba al pequeño—. «Ta, ta, ta» —le cantó, sin hacer caso del nerviosismo de su madre.

Por fin, la niñera llevó al bebé a su mamá. Ágata Mikhailovna la siguió con rostro radiante.

—Me ha reconocido, Catalina Alexandrovna, tan cierto como hay Dios, ¡me ha reconocido! —declaró, gritando más fuerte que Mitia.

Kitty no le prestaba la menor atención; su impaciencia iba en aumento paralelamente a la del lactante. Por fin, después de un último grito desesperado de Mitia, que en el ansia de mamar no sabía adónde agarrarse, la madre y el hijo se calmaron y pudieron respirar.

—El pobrecito está todo mojado —murmuró Kitty, palpando el cuerpecillo y contemplando aquellas mejillas que se inflaban, aquellas manitas sonrosadas que se movían, aquellos ojos que bajo el gorro le lanzaban miradas que a ella le parecían de pícaro.

—¿Dice usted que la reconoce, Ágata Mikhailovna? No lo creo. Si fuera verdad me reconocería a mí también.

Sin embargo, sonrió, y su sonrisa quería decir que en el fondo de su alma sabía muy bien —a pesar de aquella denegación—, que Mitia comprendía montones de cosas ignoradas para el resto del mundo, y que incluso se las había revelado. Para Ágata Mikhailovna, para su niñera, para su abuelo, para su mismo padre, Mitia era una pequeña criatura humana, a la que no hacían falta más que cuidados físicos: para su madre era un ser dotado de facultades morales, y habría sido muy largo de contar lo que pasaba entre aquellos corazones.

—Ya verá usted cuando se despierte. No tengo más que hacerle marionetas y cantarle: «Ta, ta, ta». En seguida se le alegra la carita.

—Bueno, ya lo veremos, pero por el momento déjele dormir.

7

Mientras que Ágata Mikhailovna se alejaba de puntillas, la niñera bajó la cortina, después, provista de un ramito de abedul, abatió un moscardón que se revolvía contra el cristal y espantó las moscas escondidas bajo el mosquitero de la cuna. Por último se sentó al lado de su señora sin dejar de agitar el matamoscas.

—¡Qué calor! ¡No se puede soportar! —exclamó—. Si al menos Dios, en su bondad, nos enviase un poco de agua...

—Sí, sí, pero calla —murmuró Kitty, balanceándose ligeramente y apretando contra su corazón el brazo regordete que Mitia, con los ojos medio cerrados, movía aún débilmente, y que de buena gana le hubiera besado, si no fuera por temor a despertar al nene. Al fin, el brazo quedó inmóvil y, sin dejar de mamar, el bebé tardaba cada vez más en alzar sus largas cejas curvadas, para fijar en su madre aquellos ojos húmedos que el mediodía hacía parecer negros. El aya estaba soñolienta. Por encima de su cabeza, Kitty oía la voz estridente del viejo príncipe y la risa sonora de Katavassov.

«¡Bueno! —se dijo—. Ya se están entreteniendo sin mí. ¡Qué lástima que no esté también Kostia con ellos! Se conoce que está atareado con las colmenas. No me gusta que vaya allí tan a menudo, pero debo reconocer que eso le distrae, y ahora está más alegre que en la primavera. ¡Qué atormentado estaba, Dios mío! ¡Sus aires lúgubres me daban miedo!...»

Levin sufría por falta de fe. Kitty no lo ignoraba, y aunque segura de que no hay salvación para el incrédulo, el escepticismo de aquel cuya alma le era tan querida no le inspiró más que una sonrisa.

«¿Por qué lee todos esos libros de filosofía donde no encuentra nada? Puesto que desea la fe, ¿por qué no la busca? Es que reflexiona demasiado, se abandona a meditaciones solitarias, y si lo hace es porque nosotros no estamos a su altura. La visita de Katavassov le causará alegría; le gustará discutir con él...»

Acto seguido, los pensamientos de la joven se concentraron en la instalación de sus huéspedes: ¿habría de separarlos, o cederles una habitación común? Un temor súbito la hizo temblar hasta el punto de perturbar el sueño de Mitia, que la miró con expresión de enojo.

«La lavandera no ha traído la ropa... Con tal que Ágata Mikhailovna no vaya a dar a Sergio Ivanovich ropas que ya estén usadas...»

Al pensarlo le afluyó la sangre a las mejillas.

«Tendré que asegurarme yo misma —decidió, remontando el curso de sus pensamientos—. Sí, Kostia es incrédulo... Bueno, yo le amo más así que si se pareciese a madame Stahl o a la persona que yo quería ser durante mi cura en Soden. Él nunca será un hipócrita.»

Un reciente rasgo de bondad de su marido acudió repentinamente a su memoria. Quince días antes, Esteban Arkadievich había escrito una carta de arrepentimiento a su hermana Dolly suplicándole que salvara su honor vendiendo las tierras de Ierguchovo para pagar sus deudas. Después de haber maldecido a su esposo y pensar en el divorcio, Dolly tuvo al fin compasión y ya se disponía a complacerle en su petición, cuando Levin habló con Kitty y le propuso, un poco apurado y con muchos circunloquios —cuyo recuerdo hacía asomar una sonrisa de ternura a los labios de su joven esposa— un medio en el que no había pensado ella, para acudir en auxilio de Dolly sin ofenderla. Consistía en cederles la parte que le correspondía de aquella propiedad.

«¿Se puede ser incrédulo con un corazón como el suyo tan cándido como el de un niño? Siempre con el temor de ofender o dañar, no piensa más que en los otros. Por eso Sergio Ivanovich ve como una cosa natural considerarle su administrador, y su hermana igual. Dolly y sus hijos no tienen más apoyo que él. A todos esos labradores que vienen sin cesar a consultarle, cree un deber sacrificarles sus ratos libres... Sí, lo mejor que puedes hacer es parecerte a tu padre», concluyó tocando con sus labios las mejillas de su hijo, antes de ponerle otra vez en manos del aya.

8

Pasado el momento en que, junto a su hermano moribundo, Levin pudo entrever el problema de la vida y de la muerte a la luz de las nuevas convicciones, como él las llamaba —las cuales habían sustituido las creencias de su infancia entre los veinte y los treinta y cuatro años—, la vida se le había aparecido más terrible aún que la muerte. ¿De dónde venía, qué significaba, por qué nos ha sido otorgada? El organismo y su destrucción, la indestructibilidad de la materia, la ley de conservación de la energía, la evolución, todas estas palabras y los conceptos que expresaban serían, sin duda, interesantes desde el punto de vista intelectual, pero ¿qué utilidad podían reportar en el curso de la existencia? Y Levin, semejante al hombre que en un invierno crudo hubiera cambiado una prenda de abrigo por un traje de muselina, sentía —no por razonamiento sino por intuición— que estaba casi desnudo y condenado a perecer irremisiblemente.

Desde entonces, sin tener casi conciencia de ello y sin cambiar en lo más mínimo su vida exterior, Levin no cesó de experimentar el temor de su ignorancia. Tenía, por otra parte, la vaga idea de que aquellas supuestas convicciones lejos de disipar sus tinieblas, no hacían más que espesarlas.

El matrimonio, las satisfacciones y los deberes que traía consigo, absorbieron por un instante sus pensamientos, pero mientras vivía en Moscú con motivo del embarazo de su mujer, en medio de aquella vida desocupada, volvieron a su mente con mayor persistencia que nunca.

«Si yo no acepto —se decía— las explicaciones que me ofrece el cristianismo sobre el problema de mi existencia, ¿dónde encontraré otras?»

Por más que analizaba sus convicciones científicas, no encontraba ninguna contestación a aquella pregunta; era como si hubiera buscado en una tienda de juguetes o en un bazar de armas para encontrar comestibles.

Involuntaria e inconscientemente buscaba en sus lecturas, en sus conversaciones y hasta en las personas que le rodeaban una relación cualquiera con el problema que le estaba acuciando. Había un punto que le atormentaba particularmente: ¿por qué los hombres de su edad y de su clase que, en su mayor parte, habían sustituido como él la fe por la ciencia, no aparentaban por este hecho ningún padecimiento moral? ¿No eran sinceros, o acaso comprendían mejor que él las respuestas que la ciencia ofrece a preguntas tan inquietantes? Lleno de curiosidad, empezó a estudiar a estos hombres y los libros que pudieran contener las tan deseadas soluciones.

Descubrió entonces que, compartiendo el mismo error de sus camaradas universitarios, había llegado a imaginar que a la religión se le había pasado su tiempo. Las personas a las que más quería —el viejo príncipe, Lvov, Sergio Ivanovich, Kitty— conservaban la fe de su infancia, aquella fe de la que él mismo había sido partícipe una vez. Las mujeres en general creían, así como el noventa y nueve por ciento de aquellas gentes a quienes dispensaba su estimación.

A fuerza de leer, llegó a la conclusión de que la gente cuyas opiniones compartía no daba a éstas ningún sentido particular: lejos de explicar las cuestiones que él juzgaba primordiales, las dejaban de lado para afanarse en la solución de otras que a él, en cambio, le dejaban indiferente, tales como la evolución de los seres, la significación del alma, etc.

Por otra parte, durante la enfermedad de su mujer, experimentó por primera vez una sensación extraña: él, incrédulo, había rogado y vuelto a rogar con fe sincera. No llegaba a conciliar aquel estado del alma con su habitual disposición de espíritu. ¿Se le había aparecido, tal vez, la verdad? Mucho lo dudaba, pues desde el momento en que se ponía a analizarlo fríamente, caía por tierra aquel anhelo del alma hacia Dios. ¿Se había, entonces, equivocado? Admitirlo hubiera sido profanar un recuerdo sagrado y muy entrañable... Aquella lucha interior le pesaba dolorosamente, y con todas las fuerzas de su ser procuraba ponerle fin.

9

Hostigado sin cesar por estos pensamientos, leía y meditaba, pero el fin perseguido se alejaba más y más.

Convencido de que los materialistas no le proporcionarían ninguna respuesta, había releído últimamente, durante su estancia en Moscú y después de su vuelta al campo, las teorías de Platón y Spinoza, Kant y Schelling, Hegel y Schopenhauer. Estos filósofos le daban la satisfacción en tanto se contentaban con refutar las doctrinas materialistas, con argumentos a los que él oponía otros nuevos, pero cada vez que abordaba —ora por la lectura de sus obras, ora por los razonamientos que le inspiraban— la solución del famoso problema, iba siempre a desembocar en la misma duda: términos imprecisos, tales como «espíritu, voluntad, libertad, sustancia», presentaban cierto sentido a su inteligencia siempre y cuando estuviera dispuesto a dejarse prender en las mallas sutiles de aquellas especulaciones filosóficas; pero cuando, después de una escapada a la vida real regresaba a aquel edificio que había creído sólido, éste se desmoronaba como un castillo de naipes y le era forzoso reconocer que estaba estancado en medio de una perpetua transposición de los mismos vocablos, sin recurrir a ese «algo» que en la vida práctica importa más que la razón.

Schopenhauer le dio dos o tres días de calma por la sustitución que hizo en sí mismo de la palabra *amor* por lo que este filósofo llamaba *voluntad*, pero cuando lo examinó desde el punto de vista práctico, aquel nuevo sistema se fue a pique igual que los otros.

Habiéndole recomendado Sergio Ivanovich los escritos teológicos de Khomiakov, acometió la lectura del segundo volumen. Aunque desanimado al principio por el estilo polémico y afectado de aquel autor, su teoría de la Iglesia no pudo menos de sorprenderle. De dar crédito a Khomiakov el conocimiento de las verdades divinas, negado al hombre como individuo aislado, se otorga a una congregación de personas que comulgan en un mismo amor, es decir, la Iglesia. Esta teoría reanimó a Levin. La Iglesia, en principio, como institución viva de carácter universal, que tiene por cabeza a Cristo, es, por consiguiente, santa e infalible. Aceptar sus enseñanzas sobre Dios, la creación, la caída, la redención, le parecía mucho más fácil que comenzar de buenas a primeras por la idea misma de Dios, al que veía como un ser lejano y misterioso, para seguir después con la creación, etc.

Durante toda la primavera no fue ya el mismo hombre y pasó horas crueles.

«Yo no puedo vivir sin saber lo que soy y con qué fines he sido puesto en el mundo —se decía—. Y como nunca podré obtener este conocimiento, se me hace imposible la vida. En la infinidad del tiempo, de la materia, del espacio, se forma una célula orgánica, se sostiene un momento, después estalla... Esa célula soy yo.»

Este sofisma doloroso era el único, el supremo resultado del humano razonamiento durante siglos, era la creencia final que se hallaba en la base de casi todas las ramas de la actividad científica, era la convicción reinante y, sin duda porque le parecía la más clara, Levin había profundizado involuntariamente en ella. Pero aquella conclusión le parecía más que un sofisma, veía en ella la obra cruelmente irrisoria de una fuerza enemiga, a la cual le interesaba sustraerse. El medio de hacerlo estaba en poder de cada uno... Y la tentación del suicidio acosaba tan frecuentemente a aquel hombre de bien, a aquel venturoso padre de familia, que se veía obligado a poner cualquier soga fuera del alcance de su mano, y no se atrevía a salir con la escopeta.

Pero lejos de ahorcarse o de saltarse la tapa de los sesos dejó, simplemente, que la vida siguiera su curso natural.

10

Así pues, Levin perdía la esperanza de resolver el problema de su existencia en el ámbito de la especulación; en la vida práctica, por el contrario, jamás había obrado con tanta firmeza y decisión.

De regreso en el campo desde los primeros días de junio, los cuidados de su hacienda, la gestión de los bienes de su hermano y su hermana, los deberes familiares, las relaciones con sus vecinos y labradores, la cría de las abejas especialmente, por la cual le había entrado una gran pasión, no le daban punto de reposo.

El rumbo que habían tomado sus pensamientos, la multitud de sus ocupaciones, lo infructuoso de anteriores experiencias en este terreno, no le permitían analizar su actividad en favor del bien general; creía, sencillamente, cumplir con su deber.

Antes, casi desde la infancia, la idea de hacer una obra útil a los habitantes del pueblo, a Rusia, a la humanidad, le causaba una alegría, pero la obra en sí misma no satisfacía jamás sus esperanzas, y pronto empezó a dudar del valor de sus iniciativas. Ahora, al contrario, se ponía manos a la obra sin esa previa alegría, pero pronto adquiría el convencimiento de que tal obra era necesaria y que daba resultados más y más satisfactorios. Inconscientemente, hacía su obra y profundizaba en ella lo mismo que un arado en la tierra.

En lugar de discutir ciertas condiciones de la existencia, las aceptaba como cosas indispensables, igual que el alimento de cada día. Vivir a ejemplo de sus antepasados, dar a sus hijos una educación análoga a la suya, transmitirles intacto un patrimonio y merecer de ellos la misma gratitud que él testimoniaba a la memoria de sus mayores, lo consideraba un deber tan indiscutible como el de pagar sus deudas. Era necesario, pues, que aquella hacienda prosperase, y para conseguirlo, en lugar de arrendar sus tierras se ocupaba personalmente de ellas. Él mismo las puso en explotación cultivando la tierra, criando ganado, plantando árboles. Creía un deber prestar ayuda y protección —como a niños cuya custodia le hubiesen confiado— a su hermano, a su hermana, a los numerosos campesinos que habían adquirido la costumbre de consultarle. Su mujer y su hijo, Dolly y su prole, tenían también derecho a sus cuidados y a sus desvelos. Todo esto llenaba de forma absoluta su existencia, cuyo sentido no comprendía cuando le daba por reflexionar.

Y no solamente su deber le parecía bien definido, sino que no dudaba de la manera de cumplirlo en cada caso particular. Por eso no vacilaba en contratar sus jornaleros lo más barato que podía, aunque siempre ponía especial cuidado en que sus salarios no quedaran por debajo del precio normal. Si los campesinos carecían de forraje, juzgaba lícito venderles la paja, aunque su penuria le inspirase compasión; por el contrario, los ingresos que otros obtenían de los cabarets le parecían inmorales: tales establecimientos deberían ser suprimidos. Castigaba severamente los robos de la leña, pero se negaba —pese a las protestas de los guardas por esta aparente falta de energía— a confiscar el ganado de un campesino sorprendido en flagrante delito de invasión de sus prados para el pasto. Prestaba dinero a un pobre diablo para sacarle de las garras de un usurero, pero no perdonaba nunca ni daba moratoria a los campesinos por sus débitos retrasados. Jamás había perdonado a su administrador por haber descuidado la siega de un palmo de terreno, pero se abstenía de tocar un terreno de ochenta hectáreas donde se hubieran hecho plantaciones. Muy a pesar suyo, cuando un obrero se veía obligado a abandonar el trabajo en plena recolección por alguna desgracia familiar, le retenía el jornal por los días que durase su ausencia. En cambio, alimentaba y subvenía a todas las necesidades de viejos sirvientes, inutilizados para el trabajo por la edad. Si, al entrar en su casa, hallaba campesinos que llevaban tres horas aguardándole, su primer impulso era correr a abrazar a su mujer sin sentir ningún escrúpulo; pero si iban a importunarle al colmenar, sacrificaba en su obsequio el placer de instalar un enjambre de abejas. Lejos de profundizar en este código personal, temía las discusiones y hasta las reflexiones que hubieran podido engendrar dudas o enturbiar la clara y precisa percepción de sus deberes. Cuando por alguna causa estaba descontento, encontraba en su propia conciencia un tribunal infalible, que rectificaba inmediatamente sus errores de apreciación.

Así pues, impotente de sondear el misterio de la existencia y obsesionado por una idea suicida, no por eso dejaba Levin de buscar en la vida el camino que se sentía llevado a recorrer, y abrirse paso a través de él con mano experta y pie firme y seguro.

11

El día de la llegada de Sergio Ivanovich a Prokovskoie había sido de grandes emociones para Levin.

Era la época más laboriosa del año, la que exige a los agricultores un mayor esfuerzo en el trabajo y un espíritu de sacrificio desconocidos en otras profesiones, y que no se aprecian como es debido por el hecho de que se renuevan todos los años y los resultados que ofrecen son muy simples. Segar, trillar, recoger los granos, arar, sembrar, son trabajos que no asombran a nadie, pero para poder realizarlos durante las tres o cuatro semanas concedidas por la naturaleza, es necesario que todos, del más pequeño al más grande, se entreguen de lleno a la obra, contentarse con pan, cebollas y un trago de *kvas*, no dormir más que dos o tres horas, por estar toda la noche dedicada al transporte de gavillas y al apaleo del trigo. Y este mismo fenómeno se reproduce todos los años en Rusia entera.

Como había pasado la mayor parte de su vida en el campo, en estrecha relación con la gente del pueblo, Levin compartía siempre la agitación que se apoderaba de ella en esta época.

Aquel día había madrugado para ir en coche a presenciar la siembra del centeno, y almacenar avena en los molinos. Habiendo llegado a la hora del desayuno, que tomó en compañía de su mujer y de su cuñada, partió de nuevo a pie con dirección a la granja, donde iba a ponerse en funcionamiento una máquina de moler.

Y durante todo el día, mientras charlaba, ya fuera con el administrador o los labriegos, ya fuera con su mujer, su cuñada, sus sobrinos o su suegro, la misma pregunta le acosaba: «¿Quién soy yo, dónde estoy, para qué existo?».

Permaneció algún tiempo en la granja, que acababa de ser recubierta; la techumbre de avellano, fijada sobre vigas de álamo, exhalaba un agradable olor de savia; en aquel sitio fresco, donde se arremolinaba un polvillo color ocre, los obreros se agrupaban diligentemente alrededor de la trilladora, mientras unas chillonas golondrinas se deslizaban bajo los huecos que les servían de nido, y sacudiendo las alas, acudían a posarse en el marco del gran portal abierto. A cierta distancia se divisaba la hierba de la era reluciendo bajo un sol de fuego, así como montones de hierba fresca sacada del granero. Levin contemplaba aquel espectáculo abandonándose totalmente a pensamientos lúgubres.

«¿Por qué todo esto? ¿Por qué estoy aquí vigilando a estos hombres? Y ellos, ¿por qué dan esas muestras de celo delante de mí? ¿Qué necesidad tiene de afanarse tanto mi vieja amiga Madrona? —se preguntaba, al ver una mujer alta y delgada que, para impeler mejor el grano con su rastrillo, apoyaba pesadamente sus pies desnudos y curtidos sobre el áspero suelo—. Yo la curé de una quemadura cuando ocurrió aquel incendio en el que se le cayó encima una viga. Sí, la curé, pero mañana o dentro de diez años habrá que darle sepultura; lo mismo sucederá con ese ostentoso joven vestido de rojo, que con gesto tan dócil está trillando la paja y empacándola; lo mismo a ese pobre caballo pío de vientre hinchado y respiración entrecortada tan duro de manejar; lo mismo a Feodor, el engranador, con su barba rizada y llena de polvo de la paja y su blusa agujereada por los hombros, a quien veo dispuesto a desliar las gavillas y reajustar la correa del aspa. Manda con mucha autoridad a las mujeres, pero pronto, ¿qué será de él? Nada. Ni de mí, por supuesto, y esto es lo más triste. ¿Por qué, por qué?»

Entregado a estas meditaciones, ni siquiera había consultado el reloj para comprobar la tarea de los obreros, según el número de gavillas que se habían estado trillando durante la primera hora. Como ésta se terminaba, comprobó que se acometía la tarea solamente en la tercera rueda del molino. Se acercó al engranador y, alzando la voz para dominar el ruido de la máquina le dijo:

—Estás engranando demasiado de una sola vez, Feodor. Eso hace formarse mucha borra y así no adelantáis nada. Nivela algo más...

Feodor, con la cara ennegrecida de un sudor polvoriento, gritó algunas palabras de respuesta, pero no pareció comprender la observación de Levin, quien, apartándole del cilindro, se puso él mismo a engranar.

Habiendo llegado la hora de comer, Levin salió con el engranador y, parándose junto a una hermosa gavilla de trigo que se guardaba para simiente, entabló conversación con aquel hombre. Feodor vivía en una población alejada, donde en otro tiempo, Levin había hecho un ensayo de explotación en común de una tierra, arrendada últimamente a un tal Kirillov. Levin deseaba arrendarla para el año siguiente a otro agricultor, hombre de bien, acomodado, que respondía al nombre de Platón. Interrogó a Feodor a este respecto.

—El precio es muy elevado, Constantino Dimitrievich; Platón no hará ningún buen negocio con eso —respondió el obrero, mientras se quitaba los trozos de paja pegados a su pecho sudoroso.

—¿Pues cómo se las arregla Kirillov?

—¿Kirillov? —repitió el engranador en tono de soberano desprecio—. Pues verá usted, Constantino Dimitrievich. Este individuo se dedica a sacar el jugo a los obreros, mientras que el padrecito Platón es capaz de subarrendar la tierra a crédito y no reclamar el pago de lo convenido.

—¿Y eso por qué?

—No todos somos iguales, Constantino Dimitrievich. Hay unos que no viven más que para llenar la panza, y otros que piensan en Dios y en su alma.

—¿Qué entiendes tú por eso?

—Pues vivir para Dios, observar su ley. No todos los hombres son iguales. Así usted, por ejemplo, tampoco sería capaz de hacer daño a los pobres.

—Sí, sí... Hasta la vista —balbució Levin, jadeando de emoción. Y volviéndose para recoger el bastón, se dirigió a largos pasos hacia la casa.

«Vivir para su alma, para Dios.» Aquellas palabras del campesino habían hallado eco en su corazón, y unos pensamientos confusos, pero que sentía fecundos, se escapaban de algún rincón de su ser para resplandecer con una claridad nueva.

12

Levin caminaba a buen paso por la carretera, y sin acabar de comprender vagas ideas que se agitaban en su interior, entregábase a las emociones de un estado anímico totalmente nuevo. Las palabras del engranador habían producido el efecto de una chispa eléctrica, y el enjambre de conceptos difuminados y sin relación alguna entre sí, que no había dejado de asediarle, iba adquiriendo densidad para colmar su corazón de un gozo inexplicable.

«No más vivir para mí, sino para Dios. ¿Para qué Dios? ¿No parece una insensatez pretender que no debemos vivir para nosotros mismos, es decir, para lo que comprendemos, lo que nos agrada y nos atrae, sino para ese Dios que nadie comprende ni sabe definir? Pero por insensatas que parezcan esas palabras, las he comprendido, no he dudado de su inexactitud, no las he encontrado falsas ni oscuras... Les he dado el mismo sentido que el campesino ese, y es posible que jamás haya comprendido con tal claridad. Es el sentido de toda mi vida, y también de la vida de todo el mundo. ¡Y yo, que buscaba un milagro para convencerme! He ahí el milagro, el único posible, que no he notado a pesar de que me rodea por completo.

»Cuando Feodor afirma que Kirillov sólo vive para su panza, comprendo lo que quiere decir. Es perfectamente razonable. Los seres racionales no sabrían vivir de otra forma. Pero en seguida afirma que hay que vivir, no para la propia panza, sino para Dios... ¡Y lo he comprendido desde el principio! ¡Yo y millones de hombres, en el pasado y en el presente, tanto los pobres de espíritu como los doctos que han escrutado estas cosas y han hecho oír a este respecto sus voces confusas, estamos de acuerdo en un punto: hay que vivir para el bien! El solo conocimiento claro, indubitable, absoluto que tenemos es ése, y no hemos llegado a él por el simple razonamiento, pues la razón lo excluye porque no tiene causa ni efecto. El bien, si tuviese una causa, dejaría de ser bien, como si tuviese una sanción, una recompensa. Esto lo sé yo, lo sabemos todos. ¿Cabe imaginar un milagro tan grande?

»¿Habré encontrado verdaderamente la solución de mis dudas? ¿Voy a dejar de sufrir?»

Así razonaba Levin, insensible a la fatiga y al calor; sofocado por la emoción y no atreviéndose a creer en el apaciguamiento que se estaba realizando en su alma, se alejó del camino principal para internarse en el bosque. Allí, al notar su frente cubierta de sudor, se tendió en la hierba, apoyado en un codo, y reanudó el curso de sus reflexiones.

«Vamos a ver, tengo que reconcentrarme, tratar de comprender lo que me pasa —se dijo, mientras seguía los movimientos de un escarabajo verdoso, que trepaba por el tallo de una planta y al que detuvo su marcha la caída de una hoja—. ¿Qué he descubierto para sentirme feliz? —se preguntaba apartando la hoja y ofreciendo otro tallo al insecto—. Sí, ¿qué he descubierto?... Pues nada. Simplemente, he tenido una visión más clara de cosas que conocía hacía tiempo. He reconocido esa fuerza que antaño me dio la vida y que hoy me la ha vuelto a dar. Me siento liberado del error... ¡Veo a mi maestro!

»Había creído que se operaba en mi cuerpo, como en el de este insecto, como en el de esta planta, cuyo tallo desdeña para echarse a volar, una evolución de la materia, conforme a ciertas leyes físicas, químicas y psicológicas; evolución, lucha incesante, que se extiende a todo, a los árboles, a las nubes, a las nebulosas... Pero ¿de dónde viene y hasta dónde llega esta evolución? Una evolución, una lucha hasta el infinito, ¿es posible?... Y yo me asombraba, a pesar de mis supremos esfuerzos, de no encontrar nada en mi camino que me revelase el sentido de la vida, de mis impulsos, de mis aspiraciones... Ahora yo sé que ese sentido consiste en vivir para Dios y para el alma. Tan claro como se me aparece, y aún encierra bastante misterio para mí y para todo lo que existe. Lo que me perdía era el orgullo —concluyó, acostándose sobre el vientre y haciendo maquinalmente nudos con las briznas de hierba que arrancaba—. Orgullo, necedad, astucia y perfidia... Perfidia, sí, ésa es la palabra.»

Y evocó el curso que siguieron sus ideas desde la muerte de su hermano dos años atrás. Por primera vez había comprendido claramente que, no teniendo ante sí otra perspectiva que el sufrimiento, la muerte y el olvido eterno, lo que debía hacer era una de estas dos cosas: saltarse la tapa de los sesos o explicarse el problema de la existencia, de forma que no volviese a ver en ella la cruel ironía de un genio maléfico. No obstante, sin llegar a explicarse nada, había seguido viviendo, pensando, sintiendo; también había conocido, gracias a su matrimonio, nuevas alegrías que le hacían feliz cuando no se interponían aquellos pensamientos que le mortificaban. ¿Qué probaba tal inconsecuencia? Que vivía bien, pensando mal. Sin saberlo, le habían sostenido aquellas verdades espirituales que absorbió con la leche materna, verdades que su espíritu afectaba ignorar. Ahora comprendía que sólo ellas le habían permitido vivir.

«¿Qué hubiera sido de mí si yo no hubiera sabido que hay que vivir para Dios, y no para la satisfacción de las propias necesidades? Habría mentido, robado, asesinado... Ninguna de las alegrías que me da la vida habrían existido para mí.»

Su imaginación no le permitía ni siquiera concebir a qué grado de bestialidad habría descendido si hubiese ignorado las verdaderas razones de vivir.

«Yo me había puesto a la búsqueda de una explicación que la razón no puede dar, porque no alcanza el nivel del problema. Sólo la vida podía darme una respuesta a la medida de mis deseos, y eso gracias a mi conocimiento del bien y del mal. Y este conocimiento yo no lo he adquirido, no habría sabido dónde encontrarlo; me ha sido "dado" como todo el resto. El razonamiento, ¿me habría demostrado que debo amar a mi prójimo en lugar de estrangularle? Si cuando me lo enseñaban en mi infancia lo creí tan fácilmente es porque yo lo sabía ya. La enseñanza de la razón es la lucha por la existencia, partiendo de una ley según la cual todo obstáculo que se oponga al cumplimiento de mis deseos tiene que ser aplastado. La deducción es lógica. Pero la razón no puede inducirme a amar al prójimo, porque este precepto no nos viene dado por el simple mecanismo de la razón.»

13

Levin se acordó de una escena reciente entre Dolly y sus hijos. Éstos, un día que estaban solos, se dedicaron a cocer frambuesas en un tazón colocado sobre una vela y a beber leche a chorro. Su madre les sorprendió en esta falta, les reprendió delante de su tío por desperdiciar lo que tanto trabajo les costaba ganar a otras personas, intentó hacerles comprender que si se estropeaban las tazas no habría dónde tomar el té, y que si derramaban la leche, tendrían que pasar hambre todos. A Levin le sorprendió mucho el escepticismo con que los niños escucharon a su madre. Sus razonamientos no hicieron mella en ellos. Lo único que sentían era que se les hubiese interrumpido el juego. Aquello era debido a que ignoraban el valor de los bienes que disfrutaban, y no comprendían que, en cierta medida, estaban destrozando sus propios medios de subsistencia.

«Todo eso es muy bonito y nos parece muy bien —se dirían ellos—. Pero siempre nos aburren con las mismas cosas, mientras nosotros buscamos el disfrute de algo nuevo. ¿Qué interés tiene beber la leche en una taza? ¿No resulta más interesante vertérsela en la boca los unos a los otros y reservar las tazas para cocer las frambuesas? Eso sí que es novedad.»

«¿No es así —pensaba Levin— como nosotros obramos, como yo he obrado por mi parte, queriendo penetrar por medio de la razón en los secretos de la naturaleza y el problema de la vida humana? ¿No es eso lo que hacen todos los filósofos cuando, sirviéndose de teorías extrañas, pretenden revelar a los hombres verdades que éstos conocen desde hace mucho tiempo y sin las cuales no habrían sabido vivir? ¿No nos damos cuenta, ahondando en cada una de esas teorías, de que su autor conoce igual que ese buen Feodor —nunca mejor que él— el sentido verdadero de la vida humana, y que sólo tiende a demostrar, por procedimientos equivocados, verdades universalmente reconocidas?»

»Dejad a los niños que se procuren la subsistencia en lugar de hacer travesuras, ya veréis cómo se mueren de hambre... Dejadnos a nosotros entregados a nuestros razonamientos, a nuestras pasiones, sin el conocimiento de nuestro Creador, sin el sentimiento del bien y del mal moral..., y no podremos edificar nada sólido. Si estamos ávidos de destruir es porque, semejantes a los niños, estamos saturados..., espiritualmente. ¿Dónde he adquirido yo ese venturoso conocimiento, que por sí sólo procura la paz a mi alma y que yo poseo en común con Feodor? Yo, cristiano, instruido en la fe, colmado de los beneficios del cristianismo, viviendo de esos beneficios sin tener conciencia de ello, yo intento, como esos mismos niños, destruir la esencia de mi vida... Pero en las horas más graves de mi existencia vuelvo mis ojos a Él, igual que los niños vuelven los suyos a su madre cuando tienen hambre y frío. Y no más que ellos, cuando ven que se les reprenden sus picardías, me apercibo de que no se atribuye ninguna importancia a mis vanas tentativas de rebeldía. No, la razón no me ha hecho aprender nada; lo que yo sé me ha sido dado, revelado por el corazón, por la fe en la enseñanza capital de la Iglesia.»

«¿La Iglesia?», repitió Levin, volviéndose y contemplando a lo lejos un rebaño que descendía al río.

»¿Puedo verdaderamente creer en lo que ella enseña? —se preguntó, para recapacitar y descubrir un punto que turbaba su quietud. Y recordó ciertos dogmas que siempre le habían parecido extraños—: ¿La creación? Pues, ¿cómo me explico yo la existencia?... ¿El diablo y el pecado? Pues, ¿qué explicación puedo yo encontrarle al mal?... ¿La redención?... Pues, ¿qué es lo que yo sé, qué puedo saber fuera de lo que me ha sido enseñado, como a todo el mundo?»

Ninguno de aquellos dogmas le parecían guardar relación con el destino del hombre aquí abajo, a saber, la fe en Dios y el bien. En cada uno de ellos se sobrentendía la consagración a la verdad y la renuncia al egoísmo. Cada uno de ellos coincidía en el milagro supremo y perpetuo, que consiste en permitir a millones de seres humanos, jóvenes y viejos, sabios y simples, reyes y mendigos, a Lvov como a Kitty, a Feodor como a él mismo, comprender las mismas verdades para ordenar esa vida del alma, que basta por sí sola para hacer soportar la existencia.

Tumbado sobre la espalda, contemplaba ahora el cielo.

«Yo sé bien —meditaba— que eso es la inmensidad del espacio, y no una bóveda azul que se extiende sobre mí. Pero mi retina no es capaz de reflejar más que la bóveda redondeada; mis ojos no pueden escrutar el misterio infinito que se esconde más allá.»

Levin dejaba ahora flotar su pensamiento para escuchar las voces misteriosas que tanta agitación producían en su alma.

«¿Es esto verdaderamente la fe? —se dijo, no osando creer en su felicidad—. ¡Gracias, Dios mío!»

Le sacudieron unos sollozos, mientras unas lágrimas de gratitud resbalaban por sus mejillas.

14

Un pequeño coche apareció en lontananza. Levin reconoció su telega con el cochero Iván, que hablaba con el pastor, y su caballo *Noiraud*. Pronto oyó el sonido de las ruedas y el relincho del animal, pero sumido en sus meditaciones, no se le ocurrió preguntar para qué le querían. No recobró el sentido de la realidad hasta que oyó gritar al cochero:

—La señora me envía; acaba de llegar Sergio Ivanovich con otro señor.

Levin subió al coche y tomó las riendas. Como si estuviera bajo los efectos de un sueño, tardó en volver en sí. Con los ojos fijos, tanto sobre Iván, que se sentaba junto a él, como en la robusta bestia de cuello y pecho cubiertos de sudor, pensaba en su hermano, en su mujer, a quien quizás había alarmado su prolongada ausencia; en aquel huésped desconocido que le traían, y se preguntaba si sus relaciones con el prójimo no iban a sufrir una modificación.

«No quiero más frialdades con mi hermano, más disputas con Kitty, más impaciencia con los criados, quiero mostrarme cordial y atento con mi nuevo huésped; quienquiera que sea.»

Y conteniendo el caballo, muy inclinado a correr, buscó un motivo de charla con el buen Iván, que no sabiendo qué hacer con sus manos desocupadas, apretaba contra el pecho la blusa, que el viento levantaba. Hubiera querido decirle que había apretado demasiado los arreos, pero aquello se parecía mucho a una reprimenda. Por mucho que le dio vueltas al magín, no encontró otro tema de conversación.

—Haga el favor de tirar a la izquierda, hay que evitar un tronco —advirtió de pronto Iván, tocando las riendas.

—Dame el gusto de dejarme tranquilo y no quieras enseñarme

—respondió Levin, molesto, como siempre que se metían en sus asuntos. Sintió al momento un vivo pesar, cuando comprobó que, contrariamente a sus deseos, su nuevo estado de alma no influía nada sobre su carácter.

A un cuarto de versta de la casa vio a Gricha y Tania que corrían hacia él.

—¡Tío Kostia, mamá nos sigue, y el abuelo, y Sergio Ivanovich y alguien más! —gritaron saltando a la telega—. Un señor muy curioso, que hace muchos gestos con los brazos, así —dijo Tania, y se puso a imitar a Katavassov.

—¿Es viejo o joven? —preguntó riendo Levin.

La mímica de Tania despertaba en él recuerdos confusos.

«Con tal de que no sea un pelma...», pensó.

En un recodo del camino reconoció a Katavassov, que se tocaba con un sombrero de paja y hacía con los brazos aquellos molinetes, que Tania había imitado tan bien.

Los últimos días de su estancia en Moscú, Levin se había dedicado a discutir cuestiones filosóficas con Katavassov. Éste era uno de sus temas favoritos, aunque sobre esta materia no poseía más que las vagas nociones de los «científicos». Levin se acordó en seguida de una de aquellas discusiones, en la que su amigo había llevado, al parecer, la mejor parte, y se prometió no expresar ligeramente sus pensamientos, en lo sucesivo.

Bajó del coche, dio la bienvenida a sus huéspedes y preguntó por Kitty.

—Se ha quedado en el bosque con Mitia —respondió Dolly— porque en la casa hacía demasiado calor.

Aquella noticia contrarió a Levin. El bosque le parecía un lugar lleno de peligros, y muchas veces había aconsejado a Kitty que se abstuviera de pasear por allí con el niño.

—No sabe dónde ir con su hijo para librarse del calor —dijo el príncipe sonriendo—. Le he aconsejado que pruebe en la cueva del hielo.

—Se reunirá con nosotros en el colmenar; creía que estabas allí —añadió Dolly—. Ése era el fin de nuestro paseo.

—¿Qué hay de bueno? —preguntó Sergio Ivanovich a su hermano, cogiéndole por el brazo.

—Nada de particular. Cultivo mis tierras y eso es todo. Espero que te quedarás algún tiempo; hace una eternidad que te esperamos.

—Quince días. Tengo mucho que hacer en Moscú.

Las miradas de los dos hermanos se cruzaron, y Levin se sintió algo molesto. Sin embargo, nunca como entonces había deseado tan ardientemente un intercambio de impresiones con su hermano, simple y cordial. Bajó los ojos, y deseando evitar todo tema espinoso, como la cuestión de los Balcanes, a la que Sergio acababa de hacer una velada alusión, le preguntó al cabo de un momento qué noticias tenía de su libro.

Esta pregunta, debidamente meditada, hizo asomar una sonrisa a los labios de Sergio Ivanovich.

—Nadie piensa en eso, y yo menos que los demás... Ya verá usted, Daría Alexandrovna, como vamos a tener lluvia —dijo, señalando con la punta de su bastón unas nubes blancas que aparecían sobre los árboles.

Bastaron estas simples palabras para que se restableciera inmediatamente, entre los dos hermanos, aquella frialdad rayana en lo hostil que Levin hubiera anhelado disipar. Apartándose de Sergio, se aproximó a Katavassov.

—¡Qué buena idea ha tenido usted de venir! —le dijo.

—Lo deseaba hace tiempo. Tenemos mucho de que charlar largo y tendido. ¿Ha leído usted a Spencer?

—No del todo. Además, ahora sería inútil.

—¿Cómo es eso? Me sorprende usted.

—Quiero decir que ese libro no me ayudaría más que los otros a resolver las cuestiones que me interesan. En este momento, yo...

Le sorprendió la expresión de íntimo regocijo que reflejaba el semblante de Katavassov, y no queriendo turbar su estado de ánimo con una estéril discusión, se contuvo.

—Ya trataremos de eso... Ahora al colmenar —repuso dirigiéndose a todo el grupo—. Éste es el sendero que hay que tomar.

Llegaron a un claro del bosque, a un lado del cual los amarantos, en plena formación, formaban como un arco rutilante en el que los ranúnculos entremezclaban su follaje sombrío. Levin instaló a sus invitados a la sombra de unos álamos, sobre unos asientos rústicos preparados ex profeso para visitantes que no sintieran demasiados escrúpulos en acercarse a las abejas, y él mismo se encaminó al recinto para sacar de allí miel, pan y unos cohombros. Avanzaba lo más despacio posible, con el oído atento a los zumbidos, que se iban haciendo más frecuentes. A la puerta de la cabaña tuvo necesidad de desprenderse, con precaución, de una abeja que se le había agarrado a la barba. Después de haber descolgado a la entrada una máscara de alambre, se cubrió con ella la cabeza y con las manos metidas en los bolsillos, penetró en aquel recinto, donde aparecían las colmenas perfectamente ordenadas, las más recientes a lo largo de la empalizada y fijas a unas estacas con filamentos de tilo. Cada una guardaba una historia para él. Ante la abertura de las colmenas se arremolinaban columnas de abejas y zánganos, mientras que las obreras volaban al bosque atraídas por los tilos en flor, de donde regresaban cargadas de botín. Y todo el enjambre, obreras activas, machos ociosos, centinelas alarmadas, dispuestas a precipitarse sobre el ladrón de su cosecha, dejaban oír los sonidos más diversos, que se confundían en un permanente zumbido. El anciano guarda, que se entretenía puliendo madera al lado opuesto de la empalizada, no oyó llegar a Levin. Éste se guardó muy bien de llamarle: se sentía dichoso de poderse reconcentrar un momento. La vida real recobraba sus derechos, refutaba la nobleza de sus sentimientos: ya había encontrado medio de encolerizarse contra Iván, de mostrarse frío con su hermano, de decir cosas inútiles a Katavassov.

«Mi dicha —se preguntaba él—, ¿no habrá sido más que una impresión fugaz, que se disipará sin dejar huella?»

Pero cuando volvió a encontrar su propio yo, vio sus impresiones intactas. No cabía duda de que en su alma se había realizado un cambio importante. La vida real no había hecho más que extender una nube sobre aquella calma interior: aquellos ligeros incidentes no menguaban más sus fuerzas espirituales que las abejas sus fuerzas físicas, cuando le obligaban a defenderse.

15

—¿Sabes, Kostia, con quién ha estado viajando Sergio Ivanovich? —preguntó Dolly, después de haber dado a cada uno de los niños su ración de cohombros y de miel—. Con Vronski. Se va a Servia.

—Y si me lo permite, añadiré que no se va solo. Lleva a expensas suyas todo un escuadrón —manifestó Katavassov.

—¡En buena hora! —opinó Levin—. Pero ¿es que estáis enviando voluntarios continuamente? —preguntó mirando a su hermano.

Sergio Ivanovich no respondió nada. Su atención se había concentrado en una abeja, que se había pegado a la miel del fondo de su taza, y a la que cuidadosamente estaba salvando con ayuda de un cuchillo puntiagudo.

—¡Cómo que si enviamos! —exclamó Katavassov, dando un mordisco a un cohombro—. ¡Si hubiera visto usted lo que pasaba en la estación!

—Escuche, Sergio Ivanovich: tenga a bien explicarme adónde van todos esos héroes y contra quién combaten —preguntó el príncipe. Evidentemente, reanudaba una conversación interrumpida por el encuentro de Levin.

—Contra los turcos —respondió tranquilamente Kosnichev, colocando con la punta de un cuchillo, sobre la hoja de un árbol, la abeja liberada ennegrecida con la miel.

—¿Quién, pues, ha declarado la guerra a los turcos? ¿Habrá sido Iván Ivanovich Ragozoc, la condesa Lidia o madame Stahl?

—Nadie les ha declarado la guerra; pero nosotros, emocionados por los sufrimientos de unos hermanos nuestros, queremos acudir en su ayuda.

—No contestas a la pregunta del príncipe —advirtió Levin, poniéndose al lado de su suegro—. Lo que le sorprende es que, sin estar autorizados por el Gobierno, unos simples particulares se atrevan a tomar parte en una guerra.

—Mira, Kostia, otra abeja. Te aseguro que nos van a acribillar con sus picaduras —exclamó de pronto Dolly, espantando a un enorme ejemplar de aquellos insectos.

—No es una abeja, es una avispa.

—¿Y por qué unos particulares no han de tener derecho? Explíquenos su teoría —preguntó Katavassov, deseoso de hacer hablar a Levin.

—Mi teoría es ésta: la guerra es una cosa tan bestial, tan monstruosa, que ningún cristiano, ningún hombre incluso, tiene derecho a recabar para sí la responsabilidad de declararla. Es una tarea que compete a los gobernantes, que son desde luego los que nos arrastran fatalmente a la guerra. Ésa es una cuestión de Estado, una de esas cuestiones en las que los ciudadanos abdican de toda voluntad personal: el sentido común, en defecto de la ciencia, bastará para demostrarlo.

Sergio Ivanovich y Katavassov tenían sus respuestas preparadas.

—En eso se equivoca usted, querido amigo —se adelantó a decir este último—. Cuando un Gobierno no sabe atemperarse a la voluntad de los ciudadanos, toca a éstos imponérsela.

Sergio Ivanovich no parecía conforme con esta objeción.

—No te has planteado la cuestión como es debido —advirtió arrugando las cejas—. Aquí no se trata de una declaración de guerra, sino de una manifestación de simpatía humana, cristiana. Están asesinando a nuestros hermanos de raza y de religión; están matando mujeres, niños, viejos. Eso ha hecho alzarse el sentimiento de humanidad del pueblo ruso, que vuelve en socorro de esos infortunados. Supónte que ves en la calle a un borracho pegando a una mujer o a un niño: ¿te informarás tú, antes de socorrerles, si le han declarado la guerra a este individuo?

—No, pero tampoco le mataré.

—Llegarás a eso.

—No sé; es posible que llegue a matar en un arrebato momentáneo, pero yo no me dejaría arrastrar por la pasión para la defensa de los eslavos.

—No todo el mundo piensa igual —replicó Sergio, disconforme—. El pueblo conserva muy vivo el recuerdo de los hermanos ortodoxos que gimen bajo el yugo de los infieles. Y el pueblo ha hecho oír su voz.

—Puede ser —respondió Levin evasivamente—. En todo caso, yo no veo nada de eso alrededor mío, y aunque yo formo parte del pueblo, no he llegado a sentir semejante impulso.

—Yo diría otro tanto por mi parte —afirmó el príncipe—. Son los periódicos los que me han revelado, durante mi estancia en el extranjero, y antes de los horrores de Bulgaria, el amor espontáneo que parece sentir Rusia entera por sus hermanos eslavos, pero confieso que no lo había notado nunca, porque a mí no me han inspirado nunca la menor simpatía. A decir verdad, lo que me inquietó en primer lugar fue mi indiferencia, y lo atribuí a las aguas de Carlsbad. Pero después de mi regreso observé que no soy el único indiferente en Rusia por la suerte de los hermanos eslavos. Testigo: Constantino, aquí presente.

—Cuando es Rusia entera la que se pronuncia —objetó Sergio Ivanovich— no tienen ninguna importancia las opiniones personales.

—No es así, papá —interrumpió Dolly, mezclándose en la conversación—. ¿Se acuerda usted el domingo, en la iglesia...? ¿Quieres darnos algo con qué secarnos las manos? —pidió al guardián, que sonreía a los niños—. Verdaderamente, no es posible que toda esa gente...

—¿En la iglesia? ¿Qué ha pasado que sea tan extraordinario? Los sacerdotes tienen orden de leer al pueblo un documento del que nadie entiende una palabra. Si los campesinos suspiran durante la lectura, es porque creen en el sermón, y si dan sus kopeks, es porque les han advertido que se va a hacer una colecta para una obra piadosa.

—El pueblo no puede ignorar su destino; tiene intuición y en unos momentos como éstos, sabe administrarlo —declaró Sergio Ivanovich, dirigiendo una mirada significativa al viejo guardián.

De pie en medio de sus señores, con una escudilla de miel en la mano, aquel bello tipo de anciano, de barba gris y cabellos de plata, les miraba erguido con aire dulce y apacible sin comprender nada de su conversación y sin manifestar el menor deseo de comprenderla. No obstante, creyéndose interpelado por Sergio Ivanovich, le pareció conveniente alzar la cabeza y decir:

—Eso, de seguro.

—Preguntadle, o si no, dejadme a mí —terció Levin—. Vais a ver en qué mundo vive. ¿Has oído hablar de la guerra, Mikhailovich? —preguntó al buen hombre—. ¿Sabes lo que os han leído el domingo en la iglesia? ¿Es necesario batirnos por los cristianos? ¿Qué opinas tú?

—¿Opinar? Eso no es asunto nuestro. Nuestro zar Alejandro Nicolaievich sabe mejor que nosotros lo que debe hacer... ¿Hay que traer más pan para sus pequeños? —preguntó a Dolly mostrándole a Gricha, que devoraba un buen trozo.

—¿Qué necesidad tenemos de interrogarle cuando vemos centenares de hombres abandonando todo para servir a una causa justa? —opinó Sergio Ivanovich—. Vienen de todos los rincones de Rusia. Unos sacrifican sus últimos ahorros, otros se alistan, y todos saben claramente a qué móvil obedecen. ¿Vas a decirme que eso no significa nada?

—Para mí, eso significa que de ochenta millones de hombres se encontrará siempre, no sólo centenares, como ahora, sino millares y decenas de millares de calaveras, de seres descarriados, dispuestos a lanzarse a la primera aventura que se les presente, ya se trate de seguir a Pugarchov o de ir a Servia, a Khiva, o donde se quiera —replicó Levin, acalorándose.

—¡Cómo! ¿Tú llamas descarriados a los mejores representantes de la nación? —exclamó Sergio Ivanovich, indignado—. ¿Y los donativos que afluyen de todas partes? ¿No es una manera que tiene el pueblo de significar su voluntad?

—¡Tiene un sentido tan vago la palabra «pueblo»! Es posible que los secretarios cantonales, los maestros y el uno por mil de los campesinos comprendan de qué se trata, pero el resto de los ochenta millones hace igual que Mikhailovich: no sólo no manifiestan su voluntad, sino que carecen de la más ligera noción de eso que pudieran manifestar. ¿Qué derecho tenemos nosotros, en estas condiciones, para invocar la voluntad del pueblo?

16

Sergio Ivanovich, hábil en dialéctica, planteó acto seguido la cuestión en otro terreno:

—Es evidente que no poseyendo el sufragio universal (el cual, por otra parte, no prueba nada) no podríamos, por medios aritméticos, conocer la opinión nacional. Pero hay otros medios de apreciación. No digo nada de esas corrientes subterráneas que agitan las aguas, hasta entonces estancadas, del océano popular, y que todo hombre prevenido distingue fácilmente. Pero considerada la sociedad en un ámbito más restringido, verás también cómo en ese terreno las facciones más hostiles se funden en una sola. Ya no hay divergencias de opinión, todas las publicaciones se expresan en el mismo sentido, todos ceden a un principio elemental que les arrastra en una misma dirección.

—Que todos los periódicos vociferan la misma cosa, eso es verdad —dijo el príncipe—. ¡Es como las ranas antes de la tormenta! Sus gritos son sin duda los que impiden oír la menor voz.

—No sé qué tendrán de común los periódicos con las ranas. Además, yo no he tomado su defensa. Hablo de la unanimidad de opinión en los medios ilustrados —replicó Sergio Ivanovich, dirigiéndose a su hermano.

Levin quiso responder, pero se le adelantó el príncipe.

—Esa unanimidad tiene, sin duda, su razón de ser. Ahí tenemos, por ejemplo, a mi querido yerno, Esteban Arkadievich, a quien nombran miembro de no sé qué comisión. Una simple prebenda... Esto no es un secreto para nadie, Dolly... ¡Y ocho mil rublos de asignación! Preguntadle a este hombre de buena fe qué piensa de la plaza en cuestión: él os demostrará, estad seguros, que la sociedad no podría pasar sin ella.

—¡Ah, sí, lo iba a olvidar! Precisamente me rogó que comunicara a Daría Alexandrovna que su nombramiento era un hecho —notificó Sergio Ivanovich en tono descontento, pues juzgaba inconveniente la intervención del viejo príncipe.

—Pues bien —continuó éste—, los periódicos hacen otro tanto. Como la guerra debe duplicar su venta, es lógico y natural que pongan por delante el instinto nacional, los hermanos eslavos y todo ese lastre...

—Es usted injusto, querido príncipe —se lamentó Sergio Ivanovich—. Permítame que se lo diga, y eso que siento muy poca simpatía por ciertos diarios.

—Alfonso Karr estaba en lo cierto cuando ante la inminencia de la guerra franco-alemana, proponía a los partidarios de la guerra constituir ellos mismos la vanguardia y afrontar el primer tiroteo.

—¡Qué triste papel representarían allí nuestros periodistas! —comentó Katavassov con una risotada, al figurarse a ciertos amigos suyos enrolados en aquella legión selecta.

—Pero su fuga provocaría la de los demás —insinuó Dolly.

—Nada impediría llevarles al frente a punta de látigo y ametrallarles si intentaban huir —insistió el príncipe.

—Perdone, querido príncipe —objetó Sergio Ivanovich—, pero en cuestiones como éstas, las chanzas son de dudoso gusto.

—Yo no veo en eso ninguna chanza... —quiso decir Levin, pero su hermano le interrumpió.

—Los miembros de una sociedad tienen todos un deber que cumplir —declaró—, y los hombres que reflexionan cumplen el suyo, dando expresión a la opinión pública. La unanimidad de esta opinión es un síntoma feliz que debe inscribirse en el activo de la prensa. Hace veinte años todo el mundo estaría callado. Hoy, el pueblo ruso, pronto a sacrificarse y levantarse como un solo hombre para salvar a sus hermanos, hace oír su voz unánime. Es un paso muy grande el que se ha dado, una verdadera prueba de fuerza.

—Perdón —insinuó tímidamente Levin—. No se trata sólo de sacrificarse sino de matar turcos. El pueblo está dispuesto a hacer bastantes sacrificios cuando se trata de su alma, pero no a cumplir una misión mortífera —añadió relacionando sin quererlo esta ocurrencia con los pensamientos que le agitaban.

—¿A qué llama usted el alma del pueblo? Para un naturalista ése es un término muy impreciso. ¿Qué es el alma? —preguntó sonriendo Katavassov.

—Usted lo sabe bien.

—¡Palabra de honor que no tengo la menor idea! —insistió el profesor, riendo a carcajadas.

—Cristo dijo: «No he venido a traer la paz, sino la *espada*» —arguyó por su parte Sergio Ivanovich, citando como la cosa más sencilla del mundo, como una verdad evidente aquel pasaje del Evangelio que siempre había turbado a Levin.

—Eso, seguro —aprobó una vez más el viejo guarda respondiendo a una mirada lanzada sobre él al azar.

—Ya está usted derrotado, amigo y bien derrotado —exclamó alegremente Katavassov.

Levin se sonrojó, no por sentirse derrotado, sino por haber cedido nuevamente a la necesidad de discutir.

«Estoy perdiendo el tiempo —se dijo—. ¿Cómo, estando desnudo, puedo vencer a gente que protege su pecho con una armadura invulnerable?»

No le parecía posible convencer a su hermano ni a Katavassov, y menos aún dejarse convencer por ellos. Lo que propugnaban no era otra cosa que aquel orgullo del espíritu que estuvo a punto de perderle a él. ¿Cómo admitir que un puñado de hombres, su hermano entre ellos, se arrogasen el derecho de representar, con los periódicos, la voluntad de la nación, una voluntad que expresaba por sí misma el afán de venganza y de asesinato, una voluntad cuyo único apoyo cierto eran los discursos sospechosos de unos centenares de charlatanes, ávidos de aventuras? El pueblo, en cuyo seno vivía y del que tenía conciencia de formar parte, no le ofrecía ninguna confirmación de aquellas aseveraciones. Tampoco la encontraba en sí mismo: igual que el pueblo ignoraba en qué consistía el bien público, aunque sabía perfectamente que no se logra más que con la estricta observancia de esa ley moral escrita en el corazón de todo hombre. Por consiguiente, él no podía preconizar la guerra por generoso que fuese el fin propuesto. Compartía el punto de vista de Mikhailovich, que era el de todo el pueblo y que tan maravillosamente expresaba la tradición relativa a los varegos:[1] «Reinad y gobernad; para nosotros, las labores penosas y los pesados sacrificios, pero para vosotros la carga de las decisiones». ¿Podía afirmarse con seriedad como hacía Sergio Ivanovich, que el pueblo había renunciado a un derecho tan claramente adquirido?

Y si la opinión pasaba por infalible, ¿por qué la Revolución francesa y la Commune no habían de ser tan legítimas como la guerra y el paneslavismo? Levin hubiera querido expresar todos estos pensamientos, pero se daba perfecta cuenta de que la discusión irritaba a su hermano y que no iba a desembocar en nada satisfactorio. Prefirió, pues, callarse, y pasado un momento llamó la atención de sus invitados sobre un nubarrón que presagiaba la inminencia de una tempestad.

---

[1] Pueblo de Noruega que en el siglo IX conquistó Rusia, y, fusionándose con los eslavos, fundó el Imperio ruso. (N. de los T.)

17

El príncipe y Sergio Ivanovich emprendieron el camino de vuelta en la telega, mientras que el resto del grupo apresuraba el paso. Pero el cielo se cubría más y más. Las nubes bajas y negruzcas, impulsadas por el viento, parecían correr con tal rapidez, que a doscientos pasos de la casa se anunció el chaparrón.

Los niños saltaban delante, dando gritos de susto mezclados con risas. Dolly, a quien estorbaban las faldas, les seguía corriendo. Los hombres, sujetando a duras penas los sombreros, daban grandes zancadas. Al fin, cuando empezaban a caer las primeras gotas gruesas, estrellándose contra un canalón, alcanzaron las escaleras de la casa. Todo el mundo, hablando animadamente, se precipitó en el zaguán.

—¿Dónde está Catalina Alexandrovna? —preguntó Levin a Ágata Mikhailovna, que se preparaba a salir cargada de chales y mantas.

—Pensábamos que estaba con ustedes.

—¿Y Mitia?

—En el bosque, seguramente con el aya.

Levin se apoderó del paquete y echó a correr.

En aquel corto espacio de tiempo, el cielo se había oscurecido como durante un eclipse y el viento, soplando con violencia, hacía volar las hojas de los tilos, desnudaba las ramas de los abedules, doblaba la hierba, los arbustos, los matorrales y las copas de los altos árboles. Las muchachas que trabajaban en el jardín, lanzando fuertes chillidos, caerían en busca de abrigo. La sábana blanca del chaparrón cubría ya la mitad de los campos, la totalidad del bosque, y amenazaba el soto. La nube había reventado transformándose en una lluvia fina que impregnaba el aire de humedad.

Luchando vigorosamente contra la tormenta, que se obstinaba en arrebatarle los chales, Levin, encorvado hacia delante, estaba ya cerca del soto y le parecía ver unas formas blancas detrás de una encina que le era familiar, cuando de pronto, un resplandor vivísimo inflamó el suelo ante él, mientras sobre su cabeza parecía que la bóveda celeste amenazaba derrumbarse. Tan pronto pudo abrir sus ojos deslumbrados comprobó con espanto, pese a la cortina formada por la lluvia, que la cima de la gruesa encina había cambiado de lugar. «La habrá herido el rayo», pensó. Y en seguida oyó el ruido del árbol que se desplomaba con estruendo.

«¡Dios mío, Dios mío, con tal que no les haya alcanzado!»,

murmuró, helado de espanto. Y aunque comprendía lo absurdo de aquella tardía plegaria, la repitió, sin embargo, notando por instinto que no podía hacer nada mejor. Se dirigió al lugar donde Kitty solía detenerse. No la vio, pero sintió que le llamaba al otro extremo del bosque. Corrió en aquella dirección todo lo deprisa que le permitía su calzado, lleno de agua a fuerza de chapotear en los charcos. Y como el cielo empezaba a serenarse, la descubrió bajo un tilo, inclinada, lo mismo que el aya, sobre un cochecito protegido por un parasol verde. Aunque había amainado la lluvia, permanecían inmóviles en la posición que habían adoptado desde el principio de la tempestad, para proteger mejor al nene. Ambas habían recibido el chaparrón, pero mientras la falda de la niñera estaba seca, el vestido de Kitty, totalmente mojado, se le pegaba al cuerpo, y su sombrero había cambiado totalmente de forma. La joven esposa volvió a su marido un rostro sonrosado, chorreante, iluminado por una tímida sonrisa.

—¡Viven! ¡Loado sea Dios! Pero ¿cómo has podido cometer semejante imprudencia?

—Te aseguro que no ha sido culpa mía. Íbamos a partir cuando Mitia hizo una de las suyas. Tuvimos que mudarle, y al momento...

Pero a la vista de su hijo, que sin haber recibido ni una gota de agua dormía lo más apaciblemente del mundo, Levin se calmó.

—Vamos, todo va bien. Ya no sé ni lo que digo —confesó.

Se hizo un paquete con las ropas mojadas y partieron en dirección a la casa. Un poco avergonzado de haber reprendido a Kitty, Levin le apretó cariñosamente la mano, a escondidas de la niñera, que llevaba al bebé.

18

Pese al disgusto que sentía al notar que su regeneración moral no producía ningún cambio favorable en su carácter, Levin no dejó por eso de sentir su corazón henchido de júbilo durante todo aquel día.

Después de la comida, la humedad y el ambiente de tormenta no permitieron otra salida para pasear. La tarde, sin embargo, transcurrió alegremente, sin entregarse a enojosas discusiones. Katavassov, desde el principio, se ganó la voluntad de las señoras por la originalidad de su ingenio. Excitado por Sergio Ivanovich, les divirtió con la narración de sus curiosas observaciones sobre las diferentes costumbres y hasta las fisonomías de las moscas macho y de las moscas hembra. Kosnichev se mostró a su vez muy animado, y al llegar la hora del té, a instancias de su hermano, desarrolló sus puntos de vista sobre la cuestión eslava, con tanta finura como sencillez.

Kitty, obligada a dar el baño a su pequeño Mitia, retiróse con pesar. Pocos minutos después avisaron a Levin que su esposa preguntaba por él. Algo inquieto, se levantó en seguida, a pesar del interés que le había inspirado la teoría de Sergio sobre la influencia que la emancipación de cuarenta millones de eslavos tendría para el porvenir de Rusia, en la nueva era histórica que iba a inaugurarse.

¿Para qué le necesitaban? Nunca le llamaban al lado del niño más que en casos de urgencia. Pero su inquietud lo mismo que la curiosidad despertada en él por los discursos de su hermano, desaparecieron en el momento de encontrarse solo. ¿Qué le importaban todas aquellas consideraciones sobre el papel del elemento eslavo en la Historia Universal? Su dicha íntima le había vuelto súbitamente sin que esta vez tuviese necesidad de estimularla con la reflexión. El corazón había actuado con más agilidad que la mente.

Atravesando la terraza, vio lucir dos estrellas en el firmamento.

«Sí —pensó, al mirar al cielo—. Recuerdo haber creído que había una verdad en la ilusión de esa bóveda que contemplo, pero ¿cuál era el pensamiento que no me atrevía a afrontar? ¡Poco importa! No es admisible ninguna objeción: cualquiera que sea, ahondando en ella, todo se aclarará.»

Al penetrar en el cuarto del niño, inmediatamente lo recordó:

«Si la prueba principal de la existencia de Dios es la revelación interior que nos hace a cada uno de nosotros partícipes del bien y del mal, ¿por qué esa revelación tiene que limitarse a la Iglesia cristiana? ¿Qué relaciones tienen con esta revelación los budistas o los musulmanes que conocen lo mismo que nosotros el bien, y lo practican?»

Creía tener preparada una respuesta, pero no llegó a formulársela. Al acercarse su marido, Kitty se volvió sonriendo. Con los brazos arremangados, estaba inclinada sobre la bañera sosteniendo con una mano la cabeza del niño, mientras que con la otra, provista de una gruesa esponja, frotaba con movimiento rítmico el dorso de aquel cuerpo pequeño y rollizo que chapoteaba en el agua.

—¡Ven pronto! Ágata Mikhailovna tenía razón: el niño nos reconoce.

Mitia fue sometido a una prueba. La cocinera llamada al efecto, se inclinó sobre él, pero el pequeño sacudió la cabeza con gesto ceñudo. En cambio, cuando aquella intrusa fue sustituida por la madre, el pequeño sonrió, cogió la esponja con ambas manos y dio a entender que la había reconocido con tales manifestaciones de alegría, que sumieron en una especie de arrobamiento a Kitty, a la anciana y a Levin. La niñera levantó al nene en la palma de la mano, le secó, le vistió, y al ver que lanzaba un grito penetrante, lo entregó a su madre.

—Me alegra mucho que empieces a quererle —dijo Kitty, una vez que el bebé empezó a mamar, instalada ella apaciblemente en el lugar de costumbre—. Sufría al oírte decir que no sentías nada por él.

—Me expresaría mal. Quería decir solamente que me había causado una decepción.

—¿Cómo es eso?

—Esperaba que despertase en mí un sentimiento nuevo y ha sido lo contrario. Lo que me inspiró al principio no fue más que lástima y desazón...

Poniéndose las sortijas, que se había quitado para bañar a Mitia, Kitty escuchaba a su marido con atención.

—Sí, lástima y hasta susto... Hasta hoy, durante la tempestad, no había comprendido cuánto le quería —añadió Levin.

Kitty sonrió, llena de alegría.

—¡Conque has tenido miedo! Yo también, pero ahora tengo más miedo todavía, al darme cuenta del peligro que hemos corrido. Iré a ver la encina... Después de todo, he pasado un día muy duro. Katavassov es muy divertido. Y cuando te lo propones, te muestras encantadoramente simpático con Sergio Ivanovich. Anda, vuelve con ellos, que aquí se asfixia uno después del baño.

19

En cuanto se separó de su mujer, Levin volvió a sentirse inquieto por la obsesión que le dominaba. En vez de volver al salón, se apoyó de codos en la balaustrada de la terraza. Caía la noche, y el cielo, despejado a medias, seguía tormentoso por el lado opuesto. Mientras escuchaba las gotas de agua caer cadenciosamente del follaje de los tilos, Levin contemplaba un triángulo de estrellas atravesado por la Vía Láctea. De vez en cuando, una claridad deslumbrante, seguida de un sordo trueno, hacía desaparecer de sus ojos aquel cuadro tan familiar, pero pronto reaparecían las estrellas, como si una mano diligente las hubiera vuelto a clavar en el firmamento.

«Vamos a ver, ¿qué es lo que me pasa?», se preguntaba, sintiendo surgir del fondo de su alma una respuesta a sus dudas.

«Sí; la revelación al mundo de la ley del bien es la prueba evidente, irrecusable, de la existencia de Dios. Esta ley yo la reconozco en lo más profundo de mi corazón, uniéndome así, de buen o mal grado, a todos los que la reconocen como yo, y esta reunión de seres humanos que comparten la misma creencia se llama Iglesia. Pero los judíos, los musulmanes, los budistas, los confucionistas —se dijo, volviendo siempre al punto peligroso—, esos millones de hombres, ¿estarán privados del mayor de los beneficios, del único que da un sentido a la vida? Mas, veamos —prosiguió, tras unos instantes de reflexión—, ¿qué cuestión es la que tengo propósito de plantearme? ¿La de las relaciones de las diversas creencias de la humanidad entera con la Divinidad? ¡Es la revelación de Dios al universo, con sus astros y sus nebulosas, lo que pretendo sondear! ¡Y es en el momento en que me ha sido revelado un conocimiento cierto pero inaccesible a la razón, cuando me obstino en hacer intervenir la lógica!»

«Yo sé que las estrellas no andan —dijo para sí, al notar el cambio en la posición de un astro que aparecía por encima de un abedul—. Sin embargo, no pudiendo imaginarme la rotación de la Tierra viendo cambiar de lugar a las estrellas, tengo razón al decir que éstas se mueven. ¿Habrían comprendido los astrónomos, habrían podido realizar sus cálculos, si no hubiesen tomado en consideración los movimientos tan variados, tan complicados de la Tierra. Sus admirables conclusiones sobre las distancias, el volumen, los movimientos y las revoluciones de los cuerpos celestes, ¿no tienen por punto de partida los movimientos aparentes de los astros alrededor de la tierra inmóvil, esos mismos movimientos de los que yo soy testigo, como millones de hombres lo han sido y lo serán durante siglos y que pueden siempre comprobarse? Y lo mismo que las conclusiones de los astrónomos serían vanas e inexactas si no derivasen de sus observaciones del cielo aparente relativas a un solo meridiano y a un horizonte, todas mis deducciones metafísicas estarían también privadas de sentido si yo no las fundase sobre este conocimiento del bien inherente al corazón de todos los hombres, del que yo personalmente he recibido la revelación por el cristianismo y que siempre podré sentir en mi alma. Las relaciones de las otras creencias con Dios permanecerán insondables para mí, y yo no tengo derecho a investigarlas.»

—¡Cómo! ¿Estás ahí todavía? —dijo de pronto la voz de Kitty, que regresaba al salón—. ¿Estás preocupado por algo? —insistió, tratando de escrutar el rostro de su marido a la luz de las estrellas.

Un relámpago que surcó el horizonte se lo mostró sereno y feliz.

«Ella me comprende —pensó Levin, viéndola sonreír—. Sabe en qué estoy pensando. ¿Es necesario decírselo? Sí.»

En el momento que iba a hab!ır, Kitty se adelantó:

—Te lo suplico, Kostia —dijo ella—. Ve a echar un vistazo al cuarto de Sergio Ivanovich. ¿Está todo en orden? ¿Le han puesto un lavabo nuevo? No me gusta ir a mí.

—Está bien, ya voy yo —respondió Levin, besándola.

Mientras su mujer volvía al salón, decidió:

«No, es mejor que me calle. Este secreto no tiene importancia para nadie más que para mí solo, y ninguna palabra sería capaz de explicarlo. Este nuevo sentimiento no me ha cambiado, no me ha llenado de asombro ni me ha hecho feliz como pensaba. Lo mismo que en el amor paternal, no ha habido en él ni sorpresa ni éxtasis. ¿Debo darle el nombre de fe? No lo sé. Lo único que sé es que se ha deslizado en mi alma por el dolor y que ha arraigado en ella firmemente.»

«Probablemente seguiré impacientándome con mi cochero Iván, discutiendo inútilmente, expresando mis ideas sin venir a propósito. Yo sentiré siempre una barrera entre el santuario de mi alma y el alma de los demás, incluyendo la de mi esposa. Siempre haré responsable a ésta de mis errores para arrepentirme al instante. Seguiré rezando, sin poder explicarme por qué rezo. ¡Qué importa! Mi vida interior ya no estará a merced de los acontecimientos. Cada minuto de mi vida tendrá un sentido indiscutible, y en mi poder estará imprimirlo a cada una de mis acciones: ¡el sentido del bien!»

TÍTULOS PUBLICADOS

1. Miguel de Cervantes, *Don Quijote de la Mancha* (2 vols.)
2. F. Scott Fitzgerald, *El gran Gatsby*
3. William Shakespeare, *Hamlet*
4. Camilo José Cela, *La colmena*
5. Gabriel García Márquez, *Cien años de soledad*
6. Gustave Flaubert, *Madame Bovary*
7. Ernest Hemingway, *Adiós a las armas*
8. Aldous Huxley, *Un mundo feliz*
9. Vladimir Nabokov, *Lolita*
10. Oscar Wilde, *El retrato de Dorian Gray*
11. Honoré de Balzac, *Eugénie Grandet*
12. Fernando de Rojas, *La Celestina*
13. Henry Miller, *Trópico de Capricornio*
14. Bram Stoker, *Drácula*
15. Ernesto Sábato, *El túnel*
16. Fiódor Dostoievski, *El jugador*
17. Victor Hugo, *Los miserables* (2 vols.)
18. Mary Shelley, *Frankenstein*
19. Edgar Allan Poe, *Los extraordinarios casos de monsieur Dupin*
20. R. L. Stevenson, *Dr. Jekyll y Mr. Hyde*
21. Jane Austen, *Orgullo y prejuicio*
22. Miguel Ángel Asturias, *El Señor Presidente*
23. Luigi Pirandello, *Seis personajes en busca de autor*
24. Lope de Vega, *Fuente Ovejuna*
25. Joseph Conrad, *Lord Jim*
26. Julio Cortázar, *Las armas secretas y otros relatos*
27. Leonardo Sciascia, *Todo modo*
28. Virginia Woolf, *La señora Dalloway*
29. Lev Tolstoi, *Ana Karenina* (2 vols.)